Die Timotheusbriefe

Eine Auslegung

Die Bibelstellen sind, wenn nicht anders angegeben, der „Schlachter Übersetzung - Version 2000" entnommen; ebenso die Überschriften der unterteilten Kapitelabschnitte sowie die Einleitungen zu dem 1.Timotheusbrief und dem 2.Timotheusbrief. Die Lutherübersetzung von 2017 wurde mit „Lutherbibel 2017" gekennzeichnet; die Zürcher Bibel von 2007 mit „Zürcher Bibel".

Patrick Rompf

Die Timotheusbriefe

Bibliografische Information der Deutschen Nationalbibliothek:
Die Deutsche Nationalbibliothek verzeichnet diese Publikation in der Deutschen Nationalbibliografie; detaillierte bibliografische Daten sind im Internet über http://dnb.dnb.de abrufbar.

Herstellung und Verlag: BoD – Books on Demand, Norderstedt

ISBN: 978-3-7494-9986-1

INHALT

Kapitel 2

Kapitel 3

Kapitel 4

Kapitel 5

Kapitel 6

Kapitel 2

Kapitel 3

Kapitel 4

Denn bei dir ist die Quelle des Lebens, und in deinem Lichte sehen wir das Licht

Ein Psalm Davids, Psalm 36, Vers 10 (Lutherbibel 2017)

Vorwort zu dem 1.Brief des Paulus an Timotheus

Keinem unter uns bleiben sie verborgen – die Entwicklungsphasen des menschlichen Daseins, die ein jeder von uns durchlebt. Von der Geburt bis zum Tod ist das Leben geprägt von individuellen Lebensszenarien, die manche Höhen als auch Tiefen beinhalten. Das Leben des Menschen ist ein einziger Entwicklungsprozess, der mit der Geburt beginnt und schließlich mit dem irdischen Ableben endet. Bei allen Licht- und Schattenseiten des Lebens aber braucht der Mensch einen von Liebe umgebenen Halt in Form von immerwährender Geborgenheit, welche uns nicht nur bei Schwächen wohlwollend beisteht, sondern uns immerdar begleitet, sodass das Leben einen tiefen Sinn erhält, für den es sich zu leben lohnt. Wenn der Mensch dieses innerliche Verlangen verspürt, sich nach Hilfe zu sehnen, um in Ewigkeit in liebevoller Geborgenheit sein Leben zu begehen, so wird dieser Suchende bemerken, dass diese ersehnte Hilfeleistung bei anderen Menschen – wenn überhaupt – *nur bedingt* zu finden ist. Bedingte Hilfe aber ist und bleibt *unzureichend, und erfüllt keinesfalls* die tröstende Sehnsucht eines Suchenden.

Völliges Vertrauen aber kann *nur dann* dem Suchenden offenbart werden, wenn dieser sich an *den* wendet, der Himmel und Erde und den Menschen selbst geschaffen hat – *den allmächtigen Gott.* Jedoch benötigt der Mensch *drei Grundprinzipien,* um in den Heilsbereich des himmlischen Vaters und in jenen des Herrn und Erlösers Jesus Christus eingehen zu können: Denn der Mensch muss das Wort Gottes *hören,* diesem *vertrauen,* als auch den Worten der unabdingbaren

Wahrheit *gehorchen.* Allein bei dem himmlischen Vater und bei dem Herrn Jesus Christus ist liebevolle Geborgenheit *kein Fremdwort,* sondern dieses Grundprinzip der Liebe ruht mit unerschütterlicher Wirkung in Ihrer *unantastbaren Vollkommenheit.* So lässt uns der allmächtige Gott unmissverständlich wissen: ***Mit ewiger Liebe habe ich dich geliebt; darum habe ich dich zu mir gezogen aus lauter Gnade*** (Jeremia, Kapitel 31, Vers 3b). Wenn nun der Mensch von ganzem Herzen dazu bereit ist, den himmlischen Vater und den Herrn Jesus Christus im Gebet aufzusuchen, um Ihnen ***... seine Sünden zu bekennen,*** damit der allmächtige Gott und der Heiland Jesus Christus das Leben des Suchenden übernehmen, ***... so ist er treu und gerecht, dass er uns die Sünden vergibt und uns reinigt von aller Ungerechtigkeit*** (1.Johannes, Kapitel 1, Vers 9b). Denn so spricht Gott, der HERR: ***Ich tilge deine Übertretungen wie einen Nebel und deine Sünden wie eine Wolke. Kehre um zu mir, denn ich habe dich erlöst!*** (Jesaja, Kapitel 44, Vers 22).

Nun ist etwas Wunderbares geschehen: Die von dem Herrn Jesus angesprochene, *zu benötigende* ***... Wiedergeburt*** hat sich als ein Gnadengeschenk des göttlichen Heils *an dem Gott und Christus aufsuchenden Menschen mit der stets wohlwollenden Liebe des himmlischen Vaters vollzogen.* Denn der Heiland spricht: ***... wenn jemand nicht von Neuem geboren wird, so kann er das Reich Gottes nicht sehen!*** (Johannes, Kapitel 3, Vers 3b). Wahrhaft – von nun an steht der Name des Suchenden ***... im Buch des Lebens*** und der Heilige Geist kehrt in das Herz dieses Menschen ein. So spricht abermals der Herr Jesus Christus in der Offenbarung des Johannes in Kapitel 3, Vers 5b: ***... und ich will seinen Namen nicht auslöschen aus dem***

Buch des Lebens, und ich werde seinen Namen bekennen vor meinem Vater und vor seinen Engeln.

Exakt wie jedes menschliche Leben benötigt auch der Glaube einen stetigen Entwicklungsprozess, der mit beständiger Wirkung das vom Heiligen Geist Gottes nun mehr und mehr erstrahlende Licht im Herzen des Beschenkten erleuchten lässt. Hat dieser Lichtglanz am Anfang der Glaubensentwicklung die noch vage Lichtausbeute eines Streichholzes, so entwickelt sich diese vom Geist Gottes umrahmte Lichtquelle jedoch *nach und nach zu einer immer deutlicheren und folglich vom Glauben getragenen Lichtintensität* die sich in etwa – um sie anhand mit den heutigen Entwicklungsstufen eines Scheinwerfers zu beschreiben – wie folgt: Von der Lichtausbeute eines Halogen-Lichtes zum Xenon-Licht, weiter zum LED-Licht bis hin zum Laser-Licht – um diesen Wachstumsprozess des Lichtes mit den heutigen „menschlichen Entwicklungsmaßstäben" zu umschreiben. Doch den *vollkommenen Lichtglanz des Glaubens der unantastbaren Herrlichkeit Gottes als auch den des Herrn Jesus Christus wird der Glaubende erst im Reich der Himmel vollends wahrnehmen können,* wenn wir den Herrn Jesus Christus *von Angesicht zu Angesicht sehen werden.* Der Apostel Paulus beschreibt diese noch vor allen Glaubenden stehende Gnadentat Gottes wie folgt: ***Denn wir sehen jetzt mittels eines Spiegels wie im Rätsel, dann aber von Angesicht zu Angesicht; jetzt erkenne ich stückweise, dann aber werde ich erkennen, gleichwie ich erkannt bin*** (1.Korinther, Kapitel 13, Vers 12).

Auch der Apostel Paulus wuchs mit einem sich immer mehr und mehr nährenden, vom Heiligen Geist seines inständigen vom Glauben getragenen, immer deutlicher werdenden Lichtglanz – der sich mit beständiger Wirkung in seinem Herzen entwickelte – in die Herrlichkeit Gottes und die des Herrn Jesus Christus hinein. So musste auch Paulus, der im Auftrag des allmächtigen Gottes von dem Herrn Jesus Christus persönlich in den Stand der apostolischen Vollmacht berufen wurde (siehe die Apostelgesichte des Lukas, Kapitel 9), einen beständigen Lernprozess Kraft seiner von ihm getätigten, stets vom Heiligen Geist begleiteten Missionsreisen durchschreiten, welche schließlich mittels der beiden Briefe an Timotheus den Ausklang seiner apostolischen Ära einläuten.

Folglich sind die Briefe an Timotheus von einer entschiedenen, von dem Apostel Paulus nunmehr aufgrund seiner ganzen Erfahrung dargelegten Urteilskraft im Geist der Wahrheit Gottes umrahmt, welche unmissverständlich aufweisen, was Paulus schlussendlich anhand der errettenden Botschaft des Herrn und Erlösers Jesus Christus bei seinen bisher getätigten Missionsreisen in den griechischen Gemeinden mit der unentbehrlichen Hilfe Gottes und der des Herrn Jesus Christus mit in seinem Herzen ruhenden, unentwegt relevanten Kraftwirkung des Heiligen Geistes vollbracht und erreicht hatte. So sind diese Briefe nicht an die Gemeinden selbst gerichtet, sondern an die von dem Apostel Paulus genannten Personen, welche mit demütiger Beständigkeit mit dem Apostel im Dienst des Evangeliums verbunden waren; denn diese stehen fortan den Gemeinden zur Verfügung, um das fortwährende Werk des Apostels Paulus gemäß des Gesandten Gottes repräsentativen Auftrag im Heiligen Geist Gottes rundum zu erfüllen – ganz gemäß dem Sinne Gottes in dem Herrn Jesus Christus entsprechend. So legt Paulus die Verantwortung der Frohen Botschaft Jesu Christi in die Herzen dieser leitenden Personen, um das die rundum zum ewigen Heil führende, beschützende und zugleich reinigende Wirkung des Evangeliums nach den unantastbaren weisen, von ganzer Wahrheit umhüllten Richtlinien des allmächtigen Gottes in Christus Jesus auf Ewigkeit bewahrt werden.

Der 1.Brief des Paulus an Timotheus ist somit bestückt von gemeindlichen Regelungen, welche die vollkommene Wahrheit Gottes in Jesus Christus rundum aufweisen. Folglich ist dieser Brief von unentbehrlicher Wichtigkeit beseelt, dass die von dem Apostel Paulus zum Heil führenden Maßnahmen der Evangeliums-Botschaft Jesu Christi *in aller Entschiedenheit den Gemeinden stets in einem von Gott gewollten Sinn der unabänderlichen Wahrheit gepredigt werden.* So dürfen auch die durch Falschaussagen geprägten „Warnungen" der Irrlehrer, die der Apostel in diesem Brief erwähnend darlegt, *niemals als leichtfertig in Betracht gezogen – geschweige denn verstanden als auch aufgenommen werden.* Denn *nur* mit jenen in diesem Brief von Paulus verwendeten, stets dem Evangelium dienenden Argumenten erreichen die von dem Apostel benannten Leiter der Gemeinden *die erforderlichen Richtlinien des göttlichen Heils, sodass die niemals abweichende, theologische Grundhaltung der paulinischen Lehre immerdar bewahrt bleibt.* Allein mit des Apostels Paulus` immerdar wohlwollender, stets zu Gott und Christus bezogener *Lehre im Geist der Wahrheit* hat die Gemeinde die völlige Gewissheit, ein von ungeheucheltem Glauben geführtes Dasein auszuleben, welches die unantastbare Herrlichkeit des himmlischen Vaters in Christus Jesus rundum bestätigend hervorhebt.

Der erste Brief des Apostels Paulus an Timotheus

Einleitung zum 1.Timotheusbrief

Der Apostel Paulus schrieb diesen Brief etwa 64-65 n.Chr. vermutlich aus Mazedonien an seinen Gehilfen Timotheus in Ephesus. Es ist davon auszugehen, dass sich Paulus zur Zeit der Abfassung auf seiner letzten Missionsreise befand, nach seiner Freilassung aus der ersten römischen Gefangenschaft und vor seiner Verhaftung, die ihn wieder nach Rom in die Gefangenschaft führte. Dies ist eine der letzten Schriften des Paulus. Der Brief enthält Aussagen über bevorstehende verderbliche Entwicklungen in der Gemeinde Gottes, wie sie nach der Apostelzeit auch eintraten. Paulus gibt Anweisungen an treue Diener Gottes, wie der Dienst im Haus Gottes in einer Zeit des geistlichen Niedergangs und der Verführung durchgeführt werden soll. Dabei behandelt er u.a. die wahre Gottesfurcht der Gläubigen, die Bedeutung der gesunden Lehre, das Gebet der Gemeinde, die Stellung der Frau, den Dienst der Aufseher (Ältesten) und Diener (Diakonen) sowie den Umgang mit Geld.

Kapitel 1

Verse 1 + 2

Zuschrift und Gruß

[1]Paulus, Apostel Jesu Christi nach dem Befehl Gottes, unseres Retters, und des Herrn Jesus Christus, der unsere Hoffnung ist, [2]an Timotheus, (mein) echtes Kind im Glauben: Gnade, Barmherzigkeit, Friede (sei mit dir) von Gott, unserem Vater, und Christus Jesus, unserem Herrn!

Auslegung:

Vers 1: Wie in allen anderen Briefen, die der Apostel Paulus verfasste, so stellt sich der Gesandte Gottes auch in einem seiner letzten Briefe, den 1.Brief an Timotheus *mit seinem persönlichen Namen vor.* Einerseits, um *nicht* mit einer Namensgleichheit verwechselt zu werden, andererseits *betont er seine von ganzer Bedeutung geprägte, apostolische Vollmacht,* welche ***... nach dem Befehl Gottes, unseres Retters,*** – ***... und*** dem des ***Herrn Jesus Christus, der unserer Hoffnung ist*** – so Paulus – *ihren rundweg gewichtigen Ausgangspunkt erhält.* So *kristallisiert sich* die dem Apostel von dem allmächtigen Gott und dem Herrn Jesus Christus offenbarte als auch gebührende Amtsvollmacht *als eine schon vor Beginn des Zeitalters von dem himmlischen Vater festgelegte, durch Christus Jesus dem Apostel Paulus persönlich zugedachte Entscheidung heraus,* die Paulus wie folgt in seinem Brief an die Galater hervorhebend betont : ***… ich lasse euch aber wissen, Brüder,*** (Glaubensgeschwister!) ***… dass das von mir verkündigte Evangelium nicht von Menschen stammt; ich habe es auch nicht von einem Menschen empfangen noch erlernt, sondern durch eine Offenbarung Jesu Christi*** (auf des Saulus` / Paulus` Durchreise nach Damaskus – siehe hierzu die Apostelgeschichte des Lukas, Kapitel 9!)***. Denn ihr habt von meinem ehemaligen Wandel im Judentum gehört, dass ich die Gemeinde Gottes über die Maßen verfolgte und sie zerstörte und im Judentum viele meiner Altersgenossen in meinem Geschlecht übertraf durch übermäßigen Eifer für die Überlieferungen meiner Väter. Als es aber Gott, der mich von Mutterleib an ausgesondert und durch seine Gnade berufen hat, wohlgefiel, seinen Sohn in mir zu offenbaren, damit ich ihn durch das Evangelium unter den Heiden verkündigte…*** (Galater, Kapitel 1, Verse 11 – 16a).

Wichtig hingegen ist an dieser Stelle zu bemerken, *dass Paulus sich keinesfalls seines eigenen Namens rühmt,* sodass er sich selbst als *den* „alles in allem prägenden Mittelpunkt" betrachtet; *sondern er rühmt sich der ihm persönlich geoffenbarten, barmherzigen Gnade Gottes in dem Herrn Jesus Christus,* welche ihn zu *dem* berufen hat, *was* er letztlich **… nach dem Befehl Gottes, des Retters und der Hoffnung Jesus Christus** *ist – ein persönlich berufener Apostel des Heilands. Nicht* der allseits treue Diener – der demütige Virtuose der Evangeliums-Verkündigung Gottes und der des Herrn Jesus Christus – *Paulus, der Apostel der Heiden – steht hier im Mittelpunkt des Geschehens, sondern die an ihm geoffenbarte Gnade Gottes* **… des Retters** *in Christus Jesus* **… der** unser aller ***Hoffnung*** *ist, betont hier des Paulus` apostolische Vollmacht.* Somit heißt es im Evangelium des Johannes in Kapitel 3 in Vers 16: ***Denn so (sehr) hat Gott die Welt***

geliebt, dass er seinen eingeborenen Sohn gab, damit jeder, der an ihn glaubt, nicht verlorengeht, sondern ewiges Leben hat.

Paulus jedoch erachtet sich selbst als ***... den geringsten von den Aposteln, der ich nicht wert bin, ein Apostel zu heißen, weil ich die Gemeinde Gottes verfolgt habe*** – so betont es der Apostel in seinem 1.Brief an die Korinther in Kapitel 15, Vers 9. Die dem Apostel Paulus *von Gott in Christus verliehene Gnade* aber sagt unmissverständlich aus, *dass Paulus an Gott und dem Herrn Jesus Christus mit einem rundum konsistenten Glauben hing.* Wahrhaft – *Gott hat Paulus – und alle an den Allmächtigen Glaubenden durch den Herrn Jesus Christus, der unser aller Hoffnung ist – errettet* – um Seine Auserwählten *durch Christus* in das Reich Seiner Herrlichkeit aufzunehmen. Folglich spricht der Gesandte Gottes und der des Herrn Jesus Christus *nicht durch sich selbst, sondern der Apostel* ***... vermag alles durch den, der ihn stark macht, Christus*** – heißt es weiterhin in dem Brief des Apostels Paulus an die Philipper in Kapitel 4, Vers 13.

Denn in Gottes und in des Heilands Jesu Namen schreibt er seine Briefe, *aus dieser Ihrer Kraft* redet er und handelt schließlich mit dem ihm von Christus persönlich verliehenen Namen des Apostels Paulus – *in und mit der ihm von Gott geoffenbarten Kraft des Heiligen Geistes in der Vollmacht des Höchsten in Christus Jesus.* Folglich besteht der *Name des Apostel Paulus einzig und allein aufgrund dieser barmherzigen Gnadenwahl Gottes in dem Herrn Jesus Christus.* Allein *durch* den willentlichen Befehl Gottes ist der Apostel Paulus letztlich, *was* er schließlich ist – *ein durch die Gnade des Höchsten durch Christus berufenes,* ***... auserwähltes Werkzeug*** *des Heilands, welches(r) in des Heilands` Namen die Frohe Botschaft des Christus* ***... vor Heiden und Könige und vor die Kinder Israels trägt!*** (die Apostelgeschichte des Lukas, Kapitel 9, Vers 15b).

Allein anhand dieser an ihm vollbrachten Tatsache kann sich der Apostel Paulus rühmen, denn ***… „wer sich rühmen will, der rühme sich des Herrn!" – … dass er Einsicht hat und mich*** (Gott!) ***... erkennt, dass ich der HERR bin, der Barmherzigkeit, Recht und Gerechtigkeit übt auf Erden!*** (1.Korinther, Kapitel 1, Vers 31b / im Vergleich zu Jeremia, Kapitel 9, Vers 23b). In der Tat: ***Verlass dich auf den HERRN von ganzem Herzen, und verlass dich nicht auf deinen Verstand, sondern gedenke an ihn in allen deinen Wegen, so wird er dich recht führen*** (die Sprüche Salomos, Kapitel 3, Verse 5 + 6 / Lutherbibel 2017).

Gleichwie Gott aus reinster Liebe zu den Menschen, die von ganzem Herzen an Ihn glauben, Sich selbst in Christus verwirklichte, ***… weil nämlich Gott in Christus war und die Welt mit sich selbst versöhnte*** (2.Korinther, Kapitel 5, Vers 19a) – verfügt auch Gott in Christus mit der Kraft des Heiligen Geistes über den Apostel Paulus. Mit Hilfe dieser Betrachtungsweise *wird eindeutig erkennbar, dass der Gesandte Gottes – außer in des Apostels Paulus` Herzen stets ruhenden inständigen Glaubens* (als auch in Folge *seiner persönlichen Meinungsäußerungen /* `siehe noch kommende Auslegung!) – *keinerlei eigenständige Initiative hervortritt, die nicht von Gott in Jesus Christus im Heiligen Geist bestimmt und verwirklicht wurde.* So *bleibt **… der Befehl Gottes*** und die *in Christus* allseits auffindbare ***… Hoffnung** stets bestehen und wird durch Worte, Briefe und Taten des Paulus rundum im Geist der unantastbaren Wahrheit Gottes wirksam.* Gleichzeitig erkennt man an dieser Stelle allzu genau, *dass die stets von Gott und Christus geforderte Nächstenliebe ein unverkennbares Anzeichen der Ausführung in des Apostels Paulus` Herzen darstellt, die der Gesandte Gottes in seiner apostolischen Vollmacht allein mit Hilfe der in ihm ruhenden Kraftwirkung des Heiligen Geistes unentwegt gegenüber dem Timotheus als auch gegenüber den* *angeschriebenen Gemeindemitgliedern in unerschütterlicher Tätigkeit und folglich voller Wohlwollen Dank seines tiefgründigen Glaubens immerdar ausübt.* Daher lässt uns der Herr Jesus Folgendes unmissverständlich wissen: ***... denn nicht ihr seid es, die reden, sondern der Geist eures Vaters ist`s, der durch euch redet*** (Matthäus, Kapitel 10, Vers 20).

So stellt Paulus unentwegt das durch den Heiligen Geist Gottes an ihm zuteilgewordene und zugleich verwirklichte Werk Gottes in dem Herrn Jesus Christus dar, *zu dessen Durchführung er letztlich persönlich vom Heiland berufen wurde.* Auch weist der Apostel Paulus weiterhin auf, dass der letzte und ewige von Gott gegründete Bund in Christus Jesus die Hoffnung aller Glaubenden darstellend umrahmt, die einzig und allein mit Hilfe des von ganzem Herzen kommenden Glaubens an den Heiland Jesus Christus in das Reich der Himmel von Gott mit einem Jawort erfüllt wird. In der Tat – mittels dieser allseits weisen Entscheidung des himmlischen Vaters in Christus ***... bleibt die Einheit des Geistes durch das Band des Friedens bewahrt*** (Epheser, Kapitel 4, Vers 3b). Ja, aus dessen Grundsubstanzen *wächst und entsteht* ***... die Liebe, die das Band der Vollkommenheit ist*** (Kolosser, Kapitel 3, Vers 14). Denn *die Liebe* und der daraus sich entfaltende *Glaube an den Herrn Jesus Christus bewirken,* dass den Glaubenden die Ankunft im Reich der Himmel als auch die restlose Befreiung von Schuld und der daraus resultierende Tod *keinerlei unüberwindbaren Barrieren darstellen,* ***... denn Gott*** hat *allen Glaubenden* ***... in Christus Jesus den Sieg gegeben!*** (1.Korinther, Kapitel 15, Vers 57). Somit hat der uns liebende, allmächtige Gott – ***... unser Retter*** der glaubenden Menschheit eine ***... Hoffnung Namens Jesus Christus*** gesandt, damit *durch den Heiland eine niemals versiegende Hoffnung durch den inständigen Glauben an Ihn entsteht, mit welchem die Glaubenden in das Himmelreich eingehen können.*

Daher lässt unser Herr Jesus uns folgende Worte weiterhin in Erfahrung bringen, die Er zu Seinem himmlischen Vater wie folgt spricht: ***… das ist aber das ewige Leben, dass sie dich, der du allein wahrer Gott bist, und den du gesandt hast, Jesus Christus, erkennen*** (Johannes, Kapitel 17, Vers 3 / Lutherbibel 2017).

Denn in unserem Herrn Jesus Christus wurde unsere Schuld von Gott *gesühnt,* weil der völlig sündenfreie Heiland Sein heilbringendes Blut *für unsere Sünden* am Holz von Golgatha vergoss, um der an Ihn glaubenden Menschheit *ewige Freiheit in dem Reich der Himmel zu offenbaren.* Folglich beruht allein in Christus Jesus all unsere Hoffnung, denn *durch Christus enden Schuld und Tod und durch Ihn wird die Gerechtigkeit als auch das Ewige Leben erkenn- und erreichbar,* ***… denn von ihm*** (Gott / ***der Retter***!) ***… und durch ihn*** (Gott / ***der Retter***!) ***… und für ihn*** (Gott / ***der Retter***!) ***… sind alle Dinge; ihm sei die Ehre in Ewigkeit!*** betont Paulus weiterhin in seinem Brief an die Römer in Kapitel 11, Vers 36. Wahrhaft – *allein durch Gottes errettenden Plan in der Person Seines Sohnes Jesus Christus* geschieht etwas Wunderbares: Eine unverzagte Gewissheit in Form der niemals vergehenden Hoffnung kehrt Dank unseres inständigen Glaubens in unsere Herzen ein und weist uns zugleich darauf hin: ***… Christus in uns, die Hoffnung der Herrlichkeit*** (Kolosser, Kapitel 1, Vers 27b). In der Tat – unser Glaube hat die Früchte des Heils hervorsprießen und sicht- und erkennbar werden lassen. Folglich ist der Glaube umrahmt von einer unverzagten Verbundenheit, die mit beständiger, vom Heiligen Geist begleiteter Wirksamkeit bekundet, dass uns der Glaube folgende Loyalität bestätigend hervorhebt: ***Jesus Christus ist derselbe gestern und heute und auch in Ewigkeit!*** (Hebräer, Kapitel 13, Vers 8).

Somit ist die lebendige in uns ruhende Hoffnung ein klares und zugleich eindeutiges Indiz Gottes, welches uns unverkennbar wissen lässt, dass der Herr Jesus Christus aufgrund Gottes allen Glaubenden zu Gute dienenden Heilsplan offenbar geworden ist. Ja – *durch diese Rettung Gottes befreit uns der Heiland aus unseren Sorgen, Nöten und Ängsten und gibt uns Glaubenden den nötigenden Sinn, unmissverständlich im Geist der Wahrheit zu verstehen:* ***... und siehe, ich bin bei euch alle Tage bis an das Ende der Weltzeit!*** (Matthäus, Kapitel 28, Vers 20b). Und *mit und durch* den Heiland hört der Tod auf, das Ende des Lebens einzuläuten, denn der Herr Jesus Christus spricht: ***... ich bin die Auferstehung und das Leben. Wer an mich glaubt, wird leben, auch wenn er stirbt; und jeder, der lebt und an mich glaubt, wird in Ewigkeit nicht sterben*** (Johannes, Kapitel 11, Verse 25b + 26a).

Vers 2: Der Apostel geht nun über zu der angeschriebenen Hauptperson, welcher dieser Brief gewidmet wurde: ***Timotheus.*** Ihn benennt Paulus ***... als sein (echtes) Kind im Glauben.*** Wahrhaft – der Apostel charakterisiert den im Herzen des ***Timotheus*** fest verankernden Glauben an Gott und den Herrn Jesus Christus als ***echt,*** ja – *dieser Glaube des* **Timotheus** *ist wahrhaftig, rechtschaffen, durch und durch ungeheuchelt, solide als auch stabil wachsend und zugleich absolut rechtmäßig.* Dabei jedoch scheinen die einstigen Erinnerungen, welche Paulus vormals mit dem ***Timotheus*** in Form von ihren gemeinsamen Unternehmungen (Reisen!) und Werken im Herrn Jesus Christus aufgrund der ihnen zuteilgewordenen Gnade des allmächtigen Gottes im Heiligen Geist erlebten, *erstmals in den nicht weiter zu betonenden Hintergrund zu gelangen,* (rein aus der Betrachtungsweise anhand dieses 2.Verses!) jedoch vertilgt Paulus sie *keinesfalls* aus seinem Herzen, denn diese bleiben für ihn *stets unverges-*

sen und erfreuen des Apostels stets zu Gott und dem Herrn Jesus Christus` bezogenen Gedanken Dank seines tiefgegründeten Glaubens, *welche zugleich die innerlichen Gemeinsamkeiten im Sinne von Glauben und Werken von Paulus und **Timotheus** unmissverständlich bekunden.* Vielmehr gedenkt der Apostel in diesem 2.Vers an *das,* was letztlich ihrer *beider Gemeinschaft so unendlich wertvoll als auch mustergültig und somit folglich bestimmend hervorhebt.*

Timotheus, der in der Apostelgeschichte des Lukas in Kapitel 16, in den Versen 1 + 2 als ein ***… Jünger*** betitelt wurde, ***… war ein Sohn einer gläubigen *jüdischen Frau, aber eines griechischen Vaters*** und stammte aus ***… Lystra*** (bei Konya – der heutigen Türkei!), ***der*** (Timotheus!) ***… hatte ein gutes Zeugnis von den Brüdern*** (Glaubensgeschwistern!) ***… in Lystra und Ikonium.*** An dieser Stelle wird ersichtlich, dass ***Timotheus*** aufgrund seiner *jüdischen Mutter selbst auch *ein Jude* war. Weiterhin können wir mittels des 2.Briefes des Paulus an Timotheus in Kapitel 1 in Vers 5 in Erfahrung bringen, dass ***Timotheus*** schon ***… einen ungeheuchelten Glauben*** in seinem Herzen trug, denn dieser Glaube ruhte bereits in seiner ***… Großmutter*** Namens ***… Lois*** und in seiner ***… Mutter*** Namens ***… Eunike.*** Daher ist davon auszugehen, dass ***Timotheus*** von seiner ***Großmutter Lois*** als auch von seiner ***Mutter Eunike*** in den alttestamentlichen Schriften maßgeblich unterrichtet wurde und folglich zum Glauben an den allmächtigen Gott kam. *Jedoch gelangte **Timotheus** durch die Evangeliums-Verkündigung des Apostels Paulus zum vollkommenen Glauben an den Herrn und Messias Jesus Christus,* ja – *an den ewigen und letzten Bund des himmlischen Vaters durch Christus Jesus, der dem **Timotheus** letztlich den allerrettenden Zugang zum Reich der Herrlichkeit des himmlischen Vaters öffnete.* So *betitelt* der Apostel Paulus den ***Timotheus*** in seinem Brief an die Philipper in Kapitel 2, Vers 20a *mit höchster Ehrerbietung als einen seiner engsten Mit-*

*arbeiter **... gleicher Gesinnung.*** Weiterhin können wir anhand des 2.Briefes des Paulus an die Korinther in Kapitel 1, Vers 19 in Erfahrung bringen, *dass **Timotheus** aufgrund des in seinem Herzen ruhenden, inständigen Glaubens an Gott und den Retter aller an den Heiland Glaubenden – den Herrn Jesus Christus – im wahren Dienst des allmächtigen Gottes steht – und aufgrund dieser rundum errettenden Tatsache in den Heilsbereich Gottes und in den des Herrn Jesus mit völliger Hingabe anhand der ihm zuteilgewordenen, barmherzigen Gnade des Höchsten eingegangen ist.*

In der Tat – *aufgrund des Paulus` dem **Timotheus`** offenbarter Lehre in der von Gott ausgehenden und gesegneten Kraft und Gnade im Heiligen Geist hat **Timotheus** das Ewige Leben in dem Herrn Jesus Christus erkannt und erreicht.* Auch hier kann man erneut die stets von Gott und dem Herrn Jesus Christus aufgeforderte *Nächstenliebe des Apostels Paulus mit den wohlwollenden Zügen eines treuen Dieners erkennen,* welche der Apostel dem ***Timotheus** mit allseits seelsorgerischer Nächstenliebe hat zukommen lassen.* Somit kann man Paulus durchaus als den „Ziehvater im Glauben" gegenüber dem ***Timotheus*** in Betracht ziehen; *denn Paulus hat den **Timotheus** zur vollkommen Wahrheit Gottes geleitet, die in dem Herrn Jesus Christus vom himmlischen Vater wirksam und zugleich vollendet wurde.* Paulus hat dem ***Timotheus** die Frohe Botschaft des Heilands Jesus Christus in sein Herz hineingelegt, und der Heilige Geist hat fortan das Herz des **Timotheus** mit dieser rundweg ernährenden Evangeliums-Verkündigung der unabdingbaren Wahrheit Gottes mittels seines inständigen Glaubens rundum versiegelt.* So lässt Paulus den Timotheus wissen: ***... und was du von mir gehört hast vor vielen Zeugen, das vertraue treuen Menschen an, die fähig sein werden, auch andere zu lehren*** (2.Timotheus, Kapitel 2, Vers 2 / Auslegung folgt!).

Ja – nun kann auch ***Timotheus,*** gleichwie Paulus und ein jeder andere Christ dem himmlischen Vater und dem Herrn Jesus Christus mit vollster Dankbarkeit im Gebet folgende Worte bekennen: ***… ich will den HERRN loben allezeit; sein Lob soll immerdar in meinem Munde sein. Meine Seele soll sich rühmen des HERRN, dass es die Elenden hören und sich freuen. Preiset mit mir den HERRN und lasst uns miteinander seinen Namen erhöhen! Da ich den HERRN suchte, antwortete er mir und errette mich aus aller meiner Furcht*** (Psalm 34 – ein Psalm Davids, Verse 2 – 5 / Lutherbibel 2017).

Mit diesen Worten ist man förmlich dazu bereit, ja, man wird von dem Geist der Wahrheit *zu einem freudigen Dienst anhand der beständigen Hoffnung im Herrn aufgefordert, denn dieser weist stets auf die Liebe Gottes hin, die in Seinen Auserwählten unaufhaltsam wirksam tätig ist;* denn *in* der Liebe des himmlischen Vaters *ist das Heil des Christus rundum erkenn- als auch wahrnehmbar.* Mittels dieser barmherzigen Liebe ist der Segen des Höchsten über Seine ***… Kinder des Lichts*** (Epheser, Kapitel 5, Vers 8b) mit der Segensquelle des Heiligen Geistes beschenkt worden, denn *alle* an den Herrn Jesus Christus Glaubenden sind, so Paulus ***… Söhne des Lichts und Söhne des Tages*** (1.Thessalonicher, Kapitel 5, Vers 5a).

Aber die Entschlusskraft zu dieser gemeinschaftlichen Glaubensbasis haben weder der Apostel Paulus noch ***Timotheus*** *von Menschen erhalten, sondern einzig und allein anhand der barmherzigen Gnade des sie liebenden Gottes in dem Herrn Jesus Christus.* So sind sie *durch die Gnade des Geistes Gottes gemeinsam verbündet worden.* Sie beide haben *die Gemeinsamkeit des Ewigen Lebens in ihren voller Glauben erfüllten Herzen miteinander vereint.* So hat nun auch der Apostel Paulus ***… sein (echtes) Kind im Glauben – Timotheus –*** *aus der Gnade Gottes und der des Herrn Jesus Christus heraus mit* *großer Dankbarkeit in seine väterlich anmutende Obhut nehmen können.* Daher ist auch der inständige Glaube des ***Timotheus*** *nicht* aus den Wurzeln des Paulus hervorgesprossen, *sondern* anhand der über allen stehenden, barmherzigen Gnadengabe Gottes in Christus Jesus *mit der dem* ***Timotheus*** *zu Gute kommenden Versiegelung des Heiligen Geistes in dessen Herzen.* Insofern *entstand und besteht fortan die Gemeinsamkeit von Paulus und* ***Timotheus*** *Dank ihres inständigen Glaubens, der mit gemeinschaftlicher Stärke und Ausdruckskraft in ihren Herzen ruht.* Nach und nach wird daher in der noch nachfolgenden Auslegung erkennbar: Gleich wie sich die angeschriebene Gemeinde zu dem Apostel Paulus verhält, so verhält sich die Gemeinde wiederum auch zu dem ***Timotheus.***

Denn aufgrund der *wahrheitsgemäßen Evangeliums-Botschaft des Paulus, welche der Apostel mit ganzer Sanftmut in das Herz des Timotheus hineinlegte, so handelt nun auch* „der Ziehsohn des Paulus im Glauben“ – ***Timotheus*** – *innerhalb der Gemeinde.* Dies ist die stets von Gott und Christus aufgeforderte Art und Weise, *wie* das Evangelium Jesu Christi *seinen unentwegt wahrheitsgemäßen Charakterbestand beibehält – und folglich von Generation zu Generation im Geist der vollkommenen Wahrheit des himmlischen Vaters im unablässigen Glauben unverblümt weitervererbt wird* – ganz im Sinne des allmächtigen Gottes in dem Herrn Jesus Christus entsprechend. *Genau dies* ist der ausschlaggeben Punkt: *Ein durch Glauben weitervererbtes Gut in der zuverlässigen und zugleich rundweg vertrauenswürdigen Kraftausgießung des Heiligen Geistes anhand des Beispiels des Paulus zu Timotheus und des Timotheus als zukünftiger Gemeindeleiter / Gemeindevorsteher zu der Gemeinde,* bzw. *zu den einzelnen Aufsehern* (Ältesten) *und den Dienern* (Diakonen). *Ein von ganzem Glauben umrahmtes Handeln und Denken weist auf, was dem Willen des allmächtigen Gottes in dem Herrn Jesus Christus rundum* *entspricht:* Die ganze vollkommene als auch unantastbare Reinheit des Evangeliums Jesu Christi, dessen Vollführer und Vollender *allein der himmlische Vater selbst ist.*

Wahrhaft – *in und durch den Glauben entsteht und wächst die Gemeinde Gottes zu einer gemeinsamen* ***... Einheit im Geist*** (Epheser, Kapitel 4, Vers 3b) *damit das* ***... Band des Friedens*** (Epheser, Kapitel 4, Vers 3b) *in alle Ewigkeit mit folgenden gewichtigen zu Gott und dem Herrn Jesus Christus führenden Prinzipien des Heils bewahrt bleibt:* ***Ein Leib und ein Geist, wie ihr*** (alle Glaubenden!) ***auch berufen seid zu einer Hoffnung eurer Berufung; ein Herr, ein Glaube, eine Taufe; ein Gott und Vater aller, über allen und durch alle und in euch allen*** (Epheser, Kapitel 4, Verse 4 – 6).

Dies alles aber sagt unmissverständlich aus, *dass menschliche Denkvorgänge und menschliche Betrachtungsweisen, die den Glauben rundweg betrüben und verfälschen können, aber aus den Herzen der Irrlehrer restlos vertilgt werden müssen, damit die ungetrübte Wahrheit Gottes in Christus Jesus weiterhin bestehen bleibt und fortwährend wirken kann.* Daher schenkt auch *nur ein ungetrübter, klarer und vollkommen wahrheitsgemäßer Glaube die alles in allem zu benötigende Struktur des ewigen Heils.* So schenkt der Apostel Paulus der gesamten „Willensstruktur des Glaubens“ *die stets auszuübende Grundsubstanz mittels seiner vom Heiligen Geist geleiteten, weiterzuvererbenden Worte. Diese* sind es letztlich, die die Herzen mit Freuden des unantastbaren Heils Gottes in Jesus Christus *rundum erfüllen müssen. Nur wenn die über allem stehende Grundsubstanz im gegenseitigen Einverständnis in den Herzen der Glaubenden erhalten bleibt, so wird auch die Evangeliums-Verkündigung nach den weisen Richtlinien des allmächtigen Gottes in Christus Jesus rundum erfüllt werden und zugleich immerdar erhalten bleiben.* Somit wird der

Segen und Frieden Gottes in Jesus Christus *mit fortwährender Beständigkeit bewahrt bleiben und folglich hören diese wahrhaftigen Glaubenscharaktere niemals auf, ihre von Gott stets gewollte als auch rundum geforderte Gültigkeit auch nur im Geringsten in Abwesenheit geraten zu lassen, die sich fortan aber von Ewigkeit zu Ewigkeit als immerdar errettend herauskristallisieren.*

Paulus beendet mit einem Segensgruß an ***Timotheus*** mit folgenden Worten die in der Kraft des Heiligen Geistes von Gott in Jesus Christus gesegnete Hilfe dieses 2.Verses mit folgenden Tugenden: ***... Gnade, Barmherzigkeit, Friede (sei mit dir) von Gott, unserem Vater, und Christus Jesus, unserem Herrn!*** Um jedoch die Worte der Segensgrüße des Apostels in ihrer bedeutenden Vielfalt genauer verstehen zu können, müssen wir diese wie folgt in ihren Prinzipien deklarieren:

Gnade: *eine schenkende Zuneigung Gottes, die Gunst und der Segen Gottes, das Segensheil des himmlischen Vaters, die beglückende Zuneigung Gottes und die des Herrn Jesus Christus*

Barmherzigkeit: *die Hilfsbereitschaft, Wohltätigkeit, Nächstenliebe und Warmherzigkeit, um als Gemeindevorsteher eine Gemeinde nach dem Willen Gottes in Christus gemäß zu leiten*

Frieden: *Ruhe, Einklang, ein Leben in Gott stets wohlgefälliger Würde, ein unter der Regie Gottes geführtes Leben in harmonischer Zufriedenheit durch die sich im Herzen des Beschenkten ausbreitende Liebe des Herrn Jesus Christus im Heiligen Geist*

Der Apostel Paulus will an dieser Stelle gegenüber dem ***Timotheus*** noch einmal *die mildtätige Liebe und die allseits anwesende, sich* *niemals verändernde Herrlichkeit Gottes in dem Herrn Jesus Christus hervorheben, die durch heilendes als auch in Form von mitfühlumwobener, rundum geborgener als auch allseits helfender Anteilnahme des Höchsten durch den Herrn Jesus Christus stets an die Gläubigen in Form von Ihnen sich zuneigender Liebe offenbart wird. Mit diesen wahrhaftigen Charakterzügen wird der Friede in die vom Heiligen Geist bekehrten Herzen der Beschenkten einkehren und dafür Sorge tragen, dass ein zu Gott und dem Heiland bezogenes Dasein im beständigen Glauben an Gott und Christus – sie – die Auserwählten des himmlischen Vaters – in das Reich Seiner Herrlichkeit leiten wird,* ganz in dem stets gewollten Sinne Gottes in dem Herrn Jesus Christus entsprechend.

Verse 3 – 11
Abwehr falscher Lehren

[3]Ich habe dich ja bei meiner Abreise nach Mazedonien ermahnt, in Ephesus zu bleiben, dass du gewissen Leuten gebietest, keine fremden Lehren zu verbreiten [4]und sich auch nicht mit Legenden und endlosen Geschlechtsregistern zu beschäftigen, die mehr Streitfragen hervorbringen als göttliche Erbauung im Glauben; [5]das Endziel des Gebotes aber ist Liebe aus reinem Herzen und guten Gewissen und ungeheucheltem Glauben. [6]Davon sind einige abgeirrt und haben sich unnützem Geschwätz zugewandt; [7]sie wollen Lehrer des Gesetzes sein und verstehen doch nicht, was sie verkünden und als gewiss hinstellen. [8]Wir wissen aber, dass das Gesetz gut ist, wenn man es gesetzmäßig anwendet [9]und berücksichtigt, dass einem Gerechten kein Gesetz auferlegt ist, sondern Gesetzlosen und Widerspenstigen, Gottlosen und Sündern, Unheiligen und Gemeinen,

solchen, die Vater und Mutter misshandeln, Menschen töten, [10]Unzüchtigen, Knabenschändern, Menschenräubern, Lügnern, Meineidigen und was sonst der gesunden Lehre widerspricht, [11]nach dem Evangelium der Herrlichkeit des glückseligen Gottes, das mir anvertraut worden ist.

Auslegung:

Vers 3: Paulus beginnt mit den Anweisungen, die an Timotheus gerichtet sind. In Form einer ihm bereits bekannten Sachlagenskizze mittels dem dazugehörenden, nun an seinen innigen Freund im Glauben gerichteten, bedeutenden Vorhaben lässt der Apostel ***... sein (echtes Kind) im Glauben*** (1.Timotheus, Kapitel 1, Vers 2a / siehe Auslegung!), Timotheus wissen, dass des Paulus` Entscheidung, *Timotheus in Ephesus verbleiben zu lassen, nicht unbegründet war.* Denn bereits anhand der Apostelgeschichte des Lukas in Kapitel 20, können wir bei der „Abschiedsrede des Paulus an die Ältesten von Ephesus" in den Versen 29 + 30 folgende unmissverständlichen Worte des Apostels Paulus vernehmen: ***... denn das weiß ich, dass nach meinem Abschied räuberische Wölfe zu euch hineinkommen werden, die die Herde nicht schonen; und aus eurer eigenen Mitte werden Männer aufstehen, die verkehrte Dinge reden, um die Jünger abzuziehen in ihre Gefolgschaft.***

Folglich handelt es sich um eine ernstzunehmende Ursache, welche durchaus nahelegt, *warum* sich die beiden Glaubensbrüder im Geist Gottes *trennen* mussten. Der Apostel befand sich in einer *prekären* – ja – in einer durchaus *zwiespältigen Situation,* die sich wie folgt erklärend darlegt:

Einerseits wollte Paulus selbst in Ephesus bleiben, um den ihn durchaus begründeten, sorgenbereitenden Anlass, *der sich in Form von Falschlehren innerhalb der Gemeinde in Ephesus eingeschlichen hatte, Kraft seiner apostolischen Vollmacht im Geist der Wahrheit Gottes restlos zu beheben,* denn Paulus hat ***... die geprüft, die behaupten, sie seien Apostel und sind es nicht, und hat sie als Lügner erkannt*** (die Offenbarung des Johannes, Kapitel 2, Vers 2c), sodass die von dem Apostel gepredigten Worte Gottes in ihrer facettenreichen, rundum wahrheitsgemäßen Vielfalt als die über allem stehende Grundsubstanz des wahren Glaubens an Gott und den Herrn Jesus Christus innerhalb der Gemeinde in Ephesus *erneut die zum Heil fördernden Richtlinien des göttlichen Heils seinen Zuhörern aufwies.* Denn: ***... jeder, der abweicht und nicht in der Lehre des Christus bleibt, der hat Gott nicht; wer in der Lehre des Christus bleibt, der hat den Vater und den Sohn*** (2.Johannes, Vers 9). So spricht der Herr Jesus Christus zu seinem himmlischen Vater: ***... dein Wort ist Wahrheit*** (Johannes, Kapitel 17, Vers 17b).

Andererseits wollte Paulus die Gemeinde in Mazedonien *nicht länger* auf *seine Ankunft* warten lassen, damit auch dieser Gemeinde die Evangeliums-Botschaft Jesu Christi *nicht* verwehrt blieb, weil auch die mazedonische Gemeinde seine unabdingbare Hilfe im Geist der Wahrheit benötigte, um auch diese Gemeinde mit seiner apostolischen Vollmacht zum Heil der unabdingbaren Wahrheit Gottes zu leiten. Der Apostel brauchte diesbezüglich *einen rundweg treuen als auch stets verlässlichen, vom Geist Gottes beseelten Mitarbeiter* ***... gleicher Gesinnung*** (Philipper, Kapitel 2, Vers 20a) – den Timotheus – *auf den er sich rundum verlassen konnte, sodass das Evangelium in Ephesus erneut auf die allein fruchtbringen Bahnen des göttlichen Heils gelenkt wurde,* um diese Gemeinde in den allseits errettenden Heilsbereich der unabdingbaren Wahrheit Gottes in dem Herrn Jesus

Christus zu leiten, damit letztlich die Gemeindemitglieder in Ephesus in der vollkommen Wahrheit Gottes im Herrn Christus Jesus *ewiges Heil erlangten.*

An dieser Stelle wird es allzu ersichtlich, *warum* die Trennung der beiden Glaubensbrüder *von Nöten war.* Deshalb musste der Apostel Paulus dem Timotheus es in schriftlicher Form Kraft seiner apostolischen Vollmacht mitteilen, dass Timotheus es ***... gewissen Leuten gebieten sollte, keine fremden Lehren zu verbreiten*** (nichts Andersartiges bzw. Fremdes zu lehren / Quelle: Schlachter-Bibel 2000 zu 1. Timotheus, Kapitel 1, Vers 3b). Auch können wir in Erfahrung bringen, dass Paulus von Gott durch den Herrn Jesus Christus dazu ... ***verpflichtet wurde, das Evangelium zu verkündigen*** (1.Korinther, Kapitel 9, Vers 16a). Somit wird es noch ein weiteres Mal ersichtlich, *dass der Apostel sich folglich Kraft seiner apostolischen Vollmacht im Herrn Jesus Christus gezwungen sah, dem Timotheus diese seine Anweisung mit genauer Detaillierung in Form seiner unmissverständlichen Worte zukommen zu lassen, sodass sich Timotheus exakt an diese Worte mittels seiner der Gemeinde zukommenden Aufklärungsmaßnahmen im Heiligen Geist hält, damit der Wille Gottes rundweg erhalten bleibt und keinerlei abirrenden Verfälschung in sich trägt.* So lag nun die Aufgabe bei Timotheus, die ihm persönlich von Paulus dargereichte Mitteilung mit akribischer Sorgfalt zu tragen, sodass das apostolische Wort der unverfälschten Wahrheit Gottes in Christus Jesus innerhalb der Gemeinde in Ephesus nach den unanfechtbaren Richtlinien Gottes in Christus *erhalten blieb.*

Timotheus musste daher mit couragiertem Auftreten und mit der ihm stets beistehenden Hilfe in der Kraft des Heiligen Geistes innerhalb der Gemeinde handeln, sodass die apostolische Aufforderung des Apostels Paulus rundum erfüllt wurde – nämlich – menschliche, fehlerhafte und von Sünde befallene Gedanken von dem Wort der unabdingbaren Wahrheit Gottes *scheidend zu differenzieren,* sodass ***... das Wort*** Gottes und das ***... des Christus*** erneut ***... reichlich*** in den Herzen der Gemeinde in Ephesus ***... wohnen*** kann (Kolosser, Kapitel 3, Vers 16 a). In der Tat – Paulus lässt seinen engen Glaubensfreund Timotheus bei der Ausrichtung seiner an ihn fokussierten Anweisungen *nicht allein* – obwohl Timotheus diese bereits anhand der ihm zuteilgewordenen Lehre des Paulus kannte – auch wenn Paulus den Timotheus lediglich aus der Ferne in Form dieser Briefworte *nur bedingt helfend beiseite stehen konnte* – um das ***... die Liebe*** von der Gemeinde in Ephesus erneut ***... angezogen wird, die das Band der Vollkommenheit ist*** (Kolosser, Kapitel 3, Vers 14). Diese nochmals rundweg *gesicherten Anhaltspunkte* waren dem Apostel Paulus *von allergrößter Bedeutung,* damit wies Paulus dem Timotheus noch einmal darauf hin, dass des Apostels Paulus` stets in seinem Herzen ruhender, *fürsorglicher Charakter* seinen Freund im Glauben, Timotheus, allezeit eindeutig zu verstehen gibt: ***... ein Freund ist jederzeit liebevoll*** (die Sprüche Salomos, Kapitel 17, Vers 17a / Zürcher Bibel).

Dass diese von dem Apostel Paulus verfassten Worte, welche *die reine Wahrheit Gottes in Christus Jesus ausdrücken, der unentwegt unantastbaren Lehre des himmlischen Vaters entsprechen,* hinterlegt uns folgende von Paulus verfasste Schrifthinterlegung: ***... wenn jemand fremde Lehren verbreitet und nicht die gesunden Worte unseres Herrn Jesus Christus annimmt und die Lehre, die der Gottesfurcht entspricht, so ist er aufgeblasen und versteht doch nichts*** (1.Timotheus, Kapitel 6, Verse 3 + 4a / siehe noch kommende Auslegung!). Somit muss auch den vom wahren Glauben an Gott und Christus abirrenden Gemeindemitgliedern der Epheser *eindeutig bewusst werden, dass sie mit ihrer menschlich-fehlenden Lehre von* *dem Weg der unmissverständlichen, allein gültigen Wahrheit Gottes abgekommen sind. Darum ist die Lehre des himmlischen Vaters im Herrn Jesus Christus stets gültig als auch unanfechtbar.* Daher betont Paulus in seinem Brief an die Römer in Kapitel 6 in Vers 17: ***... Gott aber sei Dank, dass ihr Sklaven der Sünde gewesen, nun aber von Herzen gehorsam geworden seid dem Vorbild der Lehre, das euch überliefert worden ist.*** Dies aber sagt aus, dass die vollkommene Wahrheit *nur* in den Wurzeln des uns liebenden, allmächtigen Gottes und in denen, des Herrn Jesus Christus beruht, und diese folglich *eine endgültige Basis des wahren Glaubens unterstreichend hervorheben.* Diese *muss* der in Vertretung des Paulus stehende Timotheus *nochmals der gesamten Gemeinde, insbesondere den Falschlehrern mit unmissverständlicher Ausdrücklichkeit und Wahrheit in deren Herzen legen. Ihm muss die Gemeinde in Ephesus ihr Gehör als auch ihren Glauben schenken, da Timotheus in seinem eigenen Namen als Beauftragter des Apostels Paulus handelt.* Aufgrund dieser ihm weitergegebenen, apostolischen Vollmacht des Paulus *kann somit Timotheus von allen Gemeindemitgliedern den Gehorsam verlangen* – zur Ehre Gottes und der des Herrn Jesus Christus. Diese Bereitschaft des Timotheus *muss fest entschlossen sein, da ausschließlich mittels dieser Wahrheitsprinzipien die gesamte Gemeinde in Ephesus den Heilsplan Gottes in Christus erreichen und verwirklichen kann.*

Vers 4: Folglich weisen die weiteren Anweisungen des Paulus den Timotheus mahnend darauf hin, dass er es *denjenigen Personen innerhalb der Gemeinde in Ephesus strikt untersagen soll, welche mittels ihrer verfälschende Lehren in Bezug* ***... von Legenden und endlosen Geschlechtsregistern*** die Lehre des Christus verfälschend darlegen. Diese beinhalten letztlich eine Art *familiärer Stammbäume – ja – jüdische Szenarien –* an denen der Glaube festgehalten wird und somit vernachlässigen *diese mittels eher unwirksamer als ratsamen,* ja – anhand *unbedeutenden Familienzeremonien* in Form von Stammbäumen familiärer Herkunft das über allem stehende Wort Gottes, *welches in dem Herrn Jesus Christus einen immerwährenden Bestand des ewigen Heils hat. Genau diese von Gott und dem Herrn Jesus Christus abkehrende Worte soll Timotheus ihnen in aller Deutlichkeit unterbieten, denn exakt jene ganz und gar fruchtlosen, rundweg ohne jeglichen Gehalt und zugleich unwirksamen Worte leiten unwillkürlich innerhalb der anderen Gemeindemitglieder zweideutige* ***… Streitfragen hervor,*** (1.Timotheus, Kapitel 1, Vers 4) ***… denn sie sind unnütz und nichtig*** (Titus, Kapitel 3, Vers 9b), welche die ***… göttliche Erbauung*** (1.Thimotheus, Kapitel 1, Vers 4) im Geist der Wahrheit Gottes *rundum verfälschen* und folglich *den Frieden innerhalb der Gemeinde zerstören.* In der Tat – ***… tote Fliegen bewirken, dass das Öl des Salbenbereiters stinkt und verdirbt; ein wenig Torheit wiegt schwerer als Weisheit und Ehre!*** (der Prediger Salomo / das Buch Kohelet, Kapitel 19, Vers 1). Es sind von den Irrlehrern sich nach ihren eigenen Lüsten und Gedanken *rundweg entstellte und zugleich unaufrichtige, menschliche Worte,* ***… jüdische Legenden und Gebote von Menschen, die sich von der Wahrheit abwenden*** (Titus, Kapitel 1, Vers 14) – ja – *die dem Evangelium Jesu Christi ganz und gar mittels* ***… klug ersonnenen Legenden*** (2.Petrus, Kapitel 1, Vers 16a) *rundum widersprechen,* so Paulus.

Daher soll Timotheus stets seine von ganzer Wahrheit umrahmten, vom Heiligen Geist geleiteten Worte der Gemeinde *dem Willen Gottes in Christus gemäß zukommen lassen, jene Worte, die* ***… nach dem streben, was zum Frieden und zur gegenseitigen Erbauung dient*** (Römer, Kapitel 14, Vers 19) – und daher folgendes Ziel anstreben .. ***wie ihr nun Christus Jesus, den Herrn, angenommen habt, so wandelt auch in ihm, gewurzelt und auferbaut in ihm und gefestigt im***

Glauben, so wie ihr gelehrt worden seid (Kolosser, Kapitel 2,Verse 6 + 7a) – ***… zu einem heiligen Tempel im Herrn*** (Epheser, Kapitel 2, Vers 21b). *Diese* Eigenschaften des göttlichen Heils in dem Herrn Jesus Christus sind es letztlich, *die zu einem gemeinschaftlichen Frieden beitragen, welche sich immerdar als Gott wohlgefällig repräsentieren*, die Paulus dem Timotheus gebietet, der Gemeinde in Ephesus zu lehren, *um dass die Wiederherstellung der Liebe Gottes in Christus erneut in die Herzen der gesamten Gemeinde in Ephesus mit wohlwollender Mildtätigkeit hinterlegt wird.* Denn schließlich wurden die Gemeindemitglieder der Epheser von dem Apostel Paulus auf den unverzagten als auch inständigen Glauben an Gott und den Herrn Jesus Christus gelehrt als auch gegründet. Unnütze, von Menschen erdachte und zugleich von Gott und Christus abkehrende Regeln haben infolge dessen *keinerlei Bestand und sind somit ein gottentfremdendes, abtrünniges Werk* **… des Gottes dieser Weltzeit** (der Satan! / 2.Korinther, Kapitel 4, Vers 4a). Allein aufgrund der Gemeinde der Epheser die vollkommene Wahrheit im Heiligen Geist nahezulegen, darum hat der Apostel Paulus dem Timotheus dazu beauftragt, die ***…göttliche Erbauung im Glauben*** (1.Timotheus, Kapitel 1, Vers 4b) – ja – die Frohe Botschaft Gottes im Herrn Jesus Christus *erneut mit der von dem Paulus dem Timotheus weitergegebenen, akribischen Vollmacht als Leiter der Gemeinde in Ephesus in die Herzen aller zu hinterlegen, damit das Heil Gottes in Christus a l l e Mitglieder in den Stand der immerwährenden Wahrhaftigkeit Gottes und jener des Herrn und Erlösers Jesus Christus leitet* – *dem* unantastbaren Heilsplan Gottes, der in Jesus Christus *Ewiges Leben im Reich der Himmel nur denen gewährleistet, die von ganzem Herzen an den Heiland glauben.*

Vers 5: Selbstverständlich wusste Paulus bei der Verfassung seiner bisher an Timotheus gerichteten Worte, (siehe Auslegung!) die zugleich bestimmende, letztlich von dem Timotheus zu tätigende, sprich – dass rundum auszuübenden Vorschriften in Form der wahrheitsgemäßen Evangeliums-Verkündigung vor seinem Schüler lagen, welche für seinen Freund im Glauben mit einer große Herausforderung angesichts der vor ihm liegenden Aufgabe bestückt waren – *die vom wahren Glauben an Gott und den Herrn Jesus Christus abirrenden Personen innerhalb der Gemeinde in Ephesus erneut zu dem einzig wahren Vertrauen zu leiten, der sich stets als allerrettend herauskristallisiert.* Der Apostel Paulus als auch Timotheus aber waren vom Heiligen Geist betuchte, vollkommen im wahren Glauben an Gott und den Herrn Jesus Christus stehende Knechte des Höchsten, die mit beständigem, ja – *kämpferischem und zugleich stets willensbereitem Enthusiasmus dazu bereit waren,* das ihnen von Gott in Auftrag gegebene Werk *zur völligen Zufriedenheit des Höchsten in und durch Christus Jesus auszuüben. Allein* mit der gnadenreichen Hilfe Gottes in der Kraft des Heiligen Geistes *war es ihnen gegeben,* diese Herausforderung nach den Anforderungen des Höchsten rundum zu bewältigen – dies wussten Paulus als auch Timotheus allzu genau. Die beiden Gottesmänner hielten sich an folgende Weisheit***: ... vertraue auf den Herrn von ganzem Herzen und verlass dich nicht auf deinen Verstand*** (die Sprüche Salomos, Kapitel 3, Vers 5).

Wahrhaft, so heißt es: ***... dient einander, jeder mit der Gnadengabe, die er empfangen hat, als gute Haushalter der mannigfaltigen Gnade Gottes: Wenn jemand redet, so (rede er es) als Aussprüche Gottes; wenn jemand dient, so (tue er es) aus der Kraft, die Gott darreicht, damit in allem Gott verherrlicht wird durch Jesus Christus*** (1.Petrus, Kapitel 4, Verse 10 + 11a). Denn die ganze, fehlerlose Wahrheit, welche Timotheus nun im Auftrag des Paulus mittels der gewichtigen Hilfe im Heiligen Geist an die Gemeinde weitergab, war die von Gott und Christus ausgehende, vollkommene Wahrheit, ja – das rundweg unantastbare Gebot des allmächtigen, wunderbaren Gottes, *welches Timotheus fortan der Gemeinde im Geist Gottes in der Kraftausübung der ganzen in ihm ruhenden Liebe verkündigte.*

Paulus geht in diesem 5.Vers nun über, die bereits von ihm angesprochenen *Ziele der Evangeliums-Verkündigung,* die im 4.Vers des gleichnamigen Kapitels mit den Worten: ***... göttliche Erbauung im Glauben*** endeten, mit dem ***... Endziel der Gebote*** (Vers 5a) verknüpfend zu assoziieren, *die letztlich, Dank eines von ganzem Herzen kommenden Glaubens im Geist Gottes an die wahrhaftigen Worte des Höchsten in die* ***... Liebe aus reinem Herzen und guten Gewissen und ungeheucheltem Glauben*** (Vers 5b) *übergeht.*

In der Tat – die Liebe muss wie folgt ausgeübt werden, so der Apostel Petrus: ***... vor allem aber habt innige Liebe untereinander; denn die Liebe wird eine Menge von Sünden zudecken*** (1.Petrus, Kapitel 4, Vers 8). Denn: ***... die Liebe tut dem Nächsten nichts Böses; so ist nun die Liebe die Erfüllung des Gesetzes*** – lässt uns der Apostel Paulus in seinem Römerbrief in Kapitel 13 im 10.Vers mit unverzagter Gewissheit im Geist der Wahrheit Gottes wissen. So werden auch *nur diejenigen Menschen* von unserem Herrn Jesus Christus *als* ***... selig*** *benannt, ...* ***denn diese werden,*** so der Heiland ***... Gott schauen*** (Matthäus, Kapitel 5, Vers 8 / Lutherbibel 2017). Folglich werden ***... die Herzen der Gläubigen durch ihren Glauben von Gott gereinigt*** – teilt uns der Apostel Petrus anhand der Apostelgeschichte des Lukas in Kapitel 15 in Vers 9b mit. Denn ***... ein gutes Gewissen wird bewahrt, wenn man den Glauben bewahrt*** – heißt es fortan im 19.Vers in Kapitel 1 des 1.Timotheusbriefes (Auslegung folgt!). Daher muss sich auch ein jeder zu Gott und dem Herrn Jesus

Christus Bekennende im Glauben ***… darin üben, allezeit ein unverletztes Gewissen gegenüber Gott und den Menschen zu haben*** – so der Apostel Paulus bei seiner Verteidigungsrede in der Apostelgeschichte des Lukas in Kapitel 24, Vers 16.

Dies alles sind *die Grundprinzipien des vollkommenen Vertrauens im Geist der Wahrheit an Gott und den Herrn Jesus Christus, damit* der Mensch *zu dem Glauben* gelangt, ***… der durch die Liebe wirksam wird*** – lässt uns der Apostel Paulus aus seinem Brief an die Galater in Kapitel 5 in Vers 6b in bleibende Erfahrung bringen. Folglich wird der Dienst am Evangelium Jesu Christi *darin begründet,* dass sich dieser, so Paulus, *als das von Gott gegebene Endziel des Gebotes darstellt,* zu welchen nunmehr der himmlische Vater den Paulus – und zugleich fortan den Timotheus – bestellt hat. Dieser vom Heiligen Geist umrahmte Dienst aber *veranlasst die Ungehorsamen zum Schweigen,* da *nunmehr die unanfechtbaren Worte des allmächtigen Gottes jegliche Störfaktoren im Falle von Fremdeinwirkungen der Irrlehrer Dank der von den beiden Gottesmännern makellosen Wahrheitsprinzipien in von ganzer Schande verächtlichen Verruf bringt – und folglich in eine allseits abtrünnige als auch immerdar bleibende, sündenbefleckte Dekadenz zerschellen lässt.* Denn die Kraft des Wortes Gottes zeigt sich *immerdar ohne jeglichen Abweichungen* wie folgt erkenntlich: ***… das Wort Gottes ist lebendig und wirksam und schärfer als jedes zweischneidige Schwert, und es dringt durch, bis es scheidet sowohl Seele als auch Geist, sowohl Mark als auch Bein, und es ist ein Richter der Gedanken und Gesinnungen des Herzens. Und kein Geschöpf ist vor ihm*** (Gott!) ***verborgen, sondern alles ist enthüllt und aufgedeckt vor den Augen dessen, dem wir Rechenschaft zu geben haben*** (Hebräer, Kapitel 4 – die Kraft des Wortes Gottes, Verse 12 + 13). Daher können die Falschlehrer, die sich innerhalb der Gemeinde der Epheser befinden, *nur dann belehrt* *werden, wenn diese die von Gott offenbarte Weisheit von dem Apostel Paulus und der des Timotheus annehmen.* Denn: ***... unter den Übermütigen ist immer Streit; aber Weisheit ist bei denen, die sich raten lassen. Die Furcht des HERRN ist der Anfang der Erkenntnis. Die Toren verachten Weisheit und Zucht*** (die Sprüche Salomos, Kapitel 13, Vers 10 + Kapitel 1, Vers 7 / Lutherbibel 2017).

Folglich aber ist *die Liebe,* so Paulus, die alles in allem verändernde Grundsubstanz – ja – *die auf den Glauben vom Heiligen Geist aufbauende Kraft der göttlichen, nunmehr den Auserwählten dargereichte Erbauung der unabänderlichen Wahrheit im Geist, die immerdar in Gott und dem Herrn Jesus Christus auffindbar ist, und nun in den Herzen der Beschenkten das wahre Licht Christi aufleuchten lässt.* Diese vortreffliche *Liebe* ist es letztlich, *die Veränderung in Form von Umkehr bewirken kann und den Menschen in den Heilsbereich des himmlischen Vaters leitet.* So führt uns das Wort Gottes in die uns nun zur Verfügung stehende *Liebe* Jesu Christi hinein, die ***... das Endziel des Gebotes ist*** (1.Timotheus Kapitel 1, Vers 5a). Daher *befreit* die Liebe den Menschen *von seinen aus Eigenregie erdachten, fehlerhaften als auch sündenumwobenen Vorstellungen. Sie allein ist es, die den Menschen die zu benötigende Freiheit schenkt, damit der Mensch fortan in der Kraft des Heiligen Geistes die Richtlinien Gottes in Jesus Christus bewahrt und zugleich willentlich ausüben kann.* Dieser von Gott geschenkte Wille *leitet von nun an den Glaubenden in die stets von Gott ihm zugedachte Obhut Seiner selbst.* Die *Liebe* setzt somit nahezu Unvorstellbares, scheinbar einst unüberwindbare Vorstellungen voraus, die *nun* jedoch *in und mit* der in unseren Herzen ruhenden Kraft Gottes und Jesu Christi *keine Barrieren kennt, welche durch sie nicht bezwungen werden können.* Daher ist die *Liebe das Ziel der göttlichen Erbauung,* die es fortan *durch und im* Geist der Wahrheit gewährleistet, ***... im ungeheucheltem Glauben aus***

reinem Herzen und guten Gewissen (1.Timotheus, Kapitel 1, Vers 5b) *an seinem Nächsten zu handeln.* Wahrhaft – mittels der in unseren Herzen ausgegossenen Liebe Jesu Christi stellt uns Gott in Seinen Dienst als auch in den der Menschen.

Diese Entscheidung des Höchsten stellt uns bedingt die durch die Kraft Gottes im Herrn Jesus Christus als die gedeihende Frucht am ***…Weinstock*** (Johannes, Kapitel 15, Vers 1) dar, dessen edler Spender der Heiland aufgrund des Willens Gottes selbst ist. Wer sich nun von der Kraft dieses Weinstockes *ernährt und labt, der ist es letztlich, der die Früchte des Heils mittels der allseits barmherzigen Gnade des uns liebenden Gottes im Herrn Jesus Christus hervorbringt.* Wahrhaft – ***… ohne*** unseren Herrn ***… Jesus Christus können wir nichts tun*** (Johannes, Kapitel 15, Vers 5b / Lutherbibel 2017). *Durch* Gottes *Liebe* in Christus *leuchtet* die völlig unbefleckte Makellosigkeit des Heilands, die sich mit beständiger Wirkung unentwegt als Lichtquelle des Heils erkenntlich zeigt – *in unseren von Glauben erfüllten Herzen wider. Liebe aber entsteht nur dann, wenn sie die Kriterien Gottes in Christus Jesus rundum erfüllt,* die sich zusammensetzen aus ***…Glaube, Hoffnung und Liebe*** (1.Korinther, Kapitel 13, Vers 13), um in dieser Konstellation die Ansprüche Gottes in Christus zu gewährleisten, die ein jeder Mensch *braucht, um in den Heilsbereich des himmlischen Vaters eingehen zu können.* Diese *innige Liebe* ist es letztlich, die Timotheus den Falschlehrern als auch der Gemeinde in ihrer Gesamtheit predigend darlegen soll. Exakt *dieses* Wahrheitsgebot *muss innerhalb der Gemeinde bewahrt und erkannt werden, um in die unentwegt wohlwollenden als auch rundum rettenden Sphären des göttlichen Heils eintauchen zu können, damit es j e d e s einzelne Gemeindemitglied der Epheser anhand der fortan von ganzem Glauben erfüllten Herzen erfährt:* ***… Christus*** ist ***… in uns, die Hoffnung der Herrlichkeit*** (Kolosser, Kapitel 1, Vers 27b).

Wenn dieses Ziel der *Liebe* die Wurzeln des göttlichen, facettenreichen Heils ergriffen hat, *dann* haben sich die Herzen der Irrlehrer von ihren eigenen, ruchlosen Gedanken *befreit, dann* ist die Bosheit der sündenvollen Vergehen *erkannt und beseitigt worden, dann* kehrt das gute Gewissen ein, welches dem zu Gott Bekehrten nun aufweist, dass ***... Gott und der Herr Jesus Christus in diesem Herzen Wohnung genommen haben*** (Johannes, Kapitel 14, Vers 23b), weil das Herz nun *fest* in der unvergleichlichen *Liebe* Gottes *steht, die in Christus Jesus unaufhaltsam und fördernd wirksam ist.* Fortan *wandelt* der einst Abtrünnige *nicht länger* in Dunkelheit, *sondern* ***... wer dem Herrn und Heiland nachfolgt, der wird das Licht des Lebens haben*** (Johannes, Kapitel 8, Vers 12).

Nun kann der zu Gott und dem Herrn Jesus Christus bekehrende Mensch völlig aufatmen und voller Dankbarkeit dem himmlischen Vater im Gebet bekunden: ***... ich danke dir dafür, dass ich wunderbar gemacht bin; wunderbar sind deine Werke; das erkennt meine Seele*** (Psalm 139, ein Psalm Davids, Vers 14 / Lutherbibel 2017).

Vers 6: Gedanklich wendet sich der Apostel Paulus noch einmal auf die Verse 3, 4 und 5 dieses gleichnamigen 1.Kapitels zurück – und betont mittels einer unleugbaren Feststellung in diesem 6.Vers, *dass einige Mitglieder der Gemeinde in Ephesus von der wahren* ***... Erbauung im Glauben*** (1.Timotheus, Kapitel 1, Vers 4b / siehe Auslegung!) *abgeirrt sind,* ***... um fremde Lehren zu verbreiten*** (1.Timotheus, Kapitel 1, Vers 3b / siehe Auslegung!). Jedoch liegt das gewichte ***... Endziel des Gebotes*** Gottes in ***... der Liebe aus reinem Herzen und gutem Gewissen und ungeheucheltem Glauben*** (1.Timotheus, Kapitel 1, Vers 5 /siehe Auslegung!). Daher bekennt er in diesem 6.Vers, dass ***... davon*** (von dieser stets wahrheitsgemäßen zu Gott und dem Herrn Jesus Christus` bezogenen Lehre der Worte Gottes in der Kraft des Heiligen Geistes!) ***... einige abgeirrt sind und sich unnützem Geschwätz zugewandt haben.*** In der Tat – *diese abirrenden Falschlehrer* ***... haben das Glaubensziel verfehlt*** (1.Timotheus, Kapitel 6, Vers 21b / siehe noch kommende Auslegung!). Ja – *diese Irrlehrer sind* ***... von der Wahrheit abgeirrt, indem sie behaupten,*** so Paulus in 2.Timotheus, Kapitel 2, Vers 18 (Auslegung folgt!) ***... die Auferstehung*** (Jesu Christi!) ***sei schon geschehen,*** *um mittels dieser fatalen Aussage* ***... den Glauben etlicher Leute*** (innerhalb der Gemeinde in Ephesus!) ***umzustürzen. Denn es gibt*** – fährt der Apostel Paulus in seinem Brief an Titus in Kapitel 1, Vers 10 fort – ***... viele widerspenstige und leere Schwätzer und Verführer, besonders die aus der Beschneidung*** (der Juden!).

Mit diesen seinen Aussagen richtet sich der Blick des Paulus abermals den *Irrlehrern* zu, *welche mit skandalösen, rundum gegen Gott und den Herrn Jesus Christus gerichteten Lügen verbreiten, welche innerhalb der Gemeinde in Ephesus widersinnige Verwirrung ausrichten, die jedoch mit der Evangeliums-Verkündigung keinerlei Gemeinsamkeiten haben.* Ihr abtrünniger, durch und durch törichter Gesprächsstoff *ist von durchweg* ***... unnützem Geschwätz*** (1.Timotheus, Kapitel 1, Vers 6b) *gebrandmarkt.* Wahrhaft – *die Weisheit der Menschen ist Dummheit vor Gott* – denn, so Paulus: ***... das Wort vom Kreuz ist eine Torheit denen, die verlorengehen; uns*** (den Glaubenden!) ***aber, die wir gerettet werden, ist es eine Gotteskraft; denn es steht geschrieben: „Ich*** (Gott!) ***... will zunichtemachen die Weisheit der Weisen, und den Verstand der Verständigen will ich verwerfen“. Wo ist der Weise, wo der Schriftgelehrte, wo der Wortgewaltige dieser Weltzeit? Hat nicht Gott die Weisheit dieser Welt zur Torheit gemacht? Denn weil die Welt durch (ihre)***

Weisheit Gott in seiner Weisheit nicht erkannte, gefiel es Gott, durch die Torheit der Verkündigung diejenigen zu retten, die glauben. Der natürliche Mensch aber nimmt nicht an, was vom Geist Gottes ist; denn es ist ihm eine Torheit, und er kann es nicht erkennen, weil es geistlich beurteilt werden muss (1.Korinther, Kapitel 1, Verse 18 – 21 + Kapitel 2, Vers 14). Exakt *diese Nachricht* will der Apostel Paulus dem Timotheus mitteilen, um das Timotheus *diese Falschlehrer erneut zum wahren Glauben leitet, der allein in Christus Jesus allerrettend ist.* Die Falschprediger haben die *durch* den allmächtigen Gott *in* Jesus Christus gegründeten, *über allen stehenden Grundprinzipien der unabänderlichen Wahrheit des himmlischen Vaters weder erkannt, geschweige denn in ihren Herzen verwirklicht.*

Denn *diejenigen Personen, welche die Wahrheit Gottes in ihren Herzen tragen, diese sind es letztlich, die auch* **... den Geist des Christus haben** (Römer, Kapitel 8, Vers 9b). *Diese sind es, welche vom Heiligen Geist mit folgenden Worten gelehrt wurden:* **... dein** (Gottes!) **... *Wort ist Wahrheit*** (Johannes, Kapitel 17, Vers 17b). Jene zur vollkommenen Wahrheit leitenden, von ganzem wahrheitsgetreuem Glauben umhüllten Worte *stellen die Irrlehrer in von ganzer Sünde umgebene Dekadenz, um mit aus Eigeninitiative bestückten Falschaussagen nicht nur die dem Apostel Paulus persönlich von Gott durch Jesus Christus offenbarte, apostolische Vollmacht anzuzweifeln, der ihnen bei seiner damaligen Anwesenheit stets die vollkommene Wahrheit im Heiligen Geist predigte; sondern vor allem beflecken sie mit diesen rundweg unfruchtbaren, ineffektiven Reden die Reinheit des allmächtigen Gottes und die des Herrn und Erlösers Jesus Christus. Diese sind es letztlich, welche das Wort Gottes mit Nichtigkeiten total missachten, denen gilt es,* so Paulus, *vehement zu widerstehen.* Zugleich will der Apostel dem Timotheus *mit eindeutiger Klarheit zu erkennen geben, dass der Apostel diese sich in Ephe-*

sus entwickelnden Lehren der Falschprediger über das Gesetz nicht ausnimmt, wenn er ihr rundum ***... leeres Geschwätz*** (1.Timotheus, Kapitel 1, Vers 6b) *anspricht.* Wahrhaft – ihr „Christsein" war von *egozentrischen Ausmaßen* beeinflusst – *auch wenn diese bereits das Wort Gottes, wenn auch nur teilweise angenommen und zugleich Teilnehmer der Taufe und der Gemeinde in Ephesus gewesen sind – trotz ihrer aus Eigenregie verkündeten Worte, die von der Evangeliums-Lehre abwichen – in Falschaussagen und zugleich von verfinsternde Leere bestückt.*. Folglich erlangen die wahren an Gott und den Herrn Jesus Christus Glaubenden *einzig und allein aufgrund der barmherzigen Gnadengabe des sie liebenden, ewigen Gottes mittels des Heiligen Geistes aufgrund ihres unverzagten Glaubens an den himmlischen Vater und dessen Sohn in die unabänderliche Wahrheit Gottes in Christus Jesus – und folglich zum Ewigen Leben,* ***... denn die Pforte ist eng und der Weg ist schmal, der zum*** (ewigen!) ***Leben führt*** – spricht unser Herr Jesus Christus im Evangelium des Matthäus in Kapitel 7 in Vers 14a. Für den Apostel Paulus bestand diese unmissverständliche Wahrheit *allein anhand der Kraftausübung des Geistes Gottes, die den Glaubenden von Gott durch Christus in ihren Herzen durch innigen Glauben an den Heiland geoffenbart wurde.* Daher prägt sich die vollkommene Wahrheit Gottes in Christus Jesus wie folgt wider, nämlich: Dass diese *zwei stets zusammengehörenden Leitlinien christlicher Herkunft ausschließlich aus Glaube und Wahrheit bestehen, welche die Gläubigen in die alles in allem maßgebliche Funktion eines wahren Christen leitet, um als die Auserwählten Gottes im Herrn Jesus Christus einen* ***... neuen Himmel und eine neue Erde, in denen Gerechtigkeit wohnt, nach seiner Verheißung zu erwarten*** (2.Petrus, Kapitel 3, Vers 13). Nun ***... sind sich Gnade und Wahrheit einander begegnet, Gerechtigkeit und Friede haben sich geküsst*** (Psalm 85 – ein Psalm der Söhne Korahs, Vers 11).

Somit ist *die natürliche, im unbekehrten, ungläubigen Menschen wohnende Kraft ein durch* ***... die Weisheit dieser Welt*** (1.Korinther, Kapitel 1, Vers 20b) *von Gott* ***... zur Torheit*** (1.Korinther, Kapitel 1, Vers 20b) *deklariertes Ritual der Sünde,* so der Apostel. In der Tat – ihre „neuen Pfade", ja – *ihre von Eigenregie erdachten, rundum von Gott und Christus abweichenden Lehren verfangen sich mit sündenbefleckten, gotteslästerlichen Lügen, welche eindeutig aufweisen, dass diese Falschprediger auf der* ***... weiten Pforte wandeln und der*** (ihr!) ***... Weg breit ist, der ins Verderben führt,*** spricht der Herr Jesus Christus im Evangelium des Matthäus in Kapitel 7 in Vers 13b.

Vers 7: Die in Dekadenz verfallenden Reden der Falschprediger lassen sie aufgrund ihres eigenen Hohns, ja – mittels ihres eigen ermächtigten Anstoßes zu selbsternannten ***... Lehrern des Gesetzes werden und verstehen doch nicht, was sie verkünden und als gewiss hinstellen***, so Paulus – und daher fährt er mit folgenden Worten fort: ***... denn obgleich sie Gott erkannten, haben sie ihn doch nicht als Gott geehrt und ihm nicht gedankt, sondern sind in ihren Gedanken in nichtigen Wahn verfallen, und ihr unverständiges Herz wurde*** (von Gott!) ***verfinstert, ... die immerzu lernen und doch nicht zur Erkenntnis der Wahrheit kommen können*** (Römer, Kapitel 1, Vers 21 + *2.Timotheus, Kapitel 3, Vers 5 / *siehe noch kommende Auslegung!). Ja – ***... ein falscher Zeuge aber verkündet Lügen*** – heißt es daher in den Sprüchen Salomos in Kapitel 12, Vers 17b.

Mittels *jüdischer Szenarien* in Betrachtung auf „ihre Lehren" geben diese Irrlehrer ihre „Weisheit" den Gemeindemitgliedern der Epheser mit beschämender Manier ihres eigenen Unvermögens preis. Der Grund liegt offen auf der Hand: Wer sein Herz *nicht* mit dem neuen Bund, den Gott in Christus Jesus auf Ewigkeit *beschlossen* und folglich im Heiland und Erlöser *verwirklicht hat,* im Glauben an den Heiland *annimmt,* bzw. *diesem unabänderlichen Bund begegnen will,* der fasst mittels seines eigenen Ermessens wilde Ideenreichtümer in „sein unnützes Gesetz“ hinein *und verfälscht somit die vollkommene Wahrheit und Evangeliums- Lehre Gottes in Christus. Die Frohe Botschaft Jesu Christi* hat für *den* „theologischen Standpunkt der Falschlehrer“ *k e i n e Bedeutung;* einzig ihre von ganzer Phantasie geprägten, völlig unbedachten Theorien halten sie als *die* „Maßgeblichen“, denen man „beruhigt“ nachfolgen soll. In der Tat – *ihre rundum versteinerten Herzen sind von einer dermaßen undurchdringlichen als auch von einer solch harten Konsistenz beschaffen, sodass* ***… ihre Sünden mit eisernem Griffel und mit diamantener Spitze auf die Tafel ihres Herzens geschrieben sind*** (Jeremia, Kapitel 17, Vers 1a / Lutherbibel 2017). *Ihre verdunkelten Herzen haben den alles in allem befreienden Lichtglanz der unwiderruflichen als auch rundum befreienden Herrlichkeit Jesu Christi strikten Eintritt verweigert,* so der Apostel.

Wahrhaft – ***… durch des Gesetzes Werke wird kein Mensch gerecht. Denn ich bin durchs Gesetz dem Gesetz gestorben, damit ich Gott lebe. Ich bin mit Christus gekreuzigt. Ich lebe, doch nun nicht ich, sondern Christus lebt in mir. Denn was ich jetzt lebe im Fleisch, das lebe ich im Glauben an den Sohn Gottes, der mich geliebt hat und sich selbst für mich dahingegeben. Ich werfe nicht weg die Gnade Gottes; denn wenn durch das Gesetz die Gerechtigkeit kommt, so ist Christus vergeblich gestorben*** – führt der Apostel Paulus in seinem Brief an die Galater in Kapitel 2 in den Versen 16b + Verse 19 – 21 anhand seines unbeirrbaren Glaubens aus (Lutherbibel 2017).

Folglich kann man Folgendes charaktervoll im Geist der Wahrheit behaupten: *Wenn der Glaube und das mit ihm verbundene Vertrauen in den Herrn Jesus Christus fehlt, dann verliert das Evangelium sein bedeutendes Gehalt und seinen immerdar treuen, unersetzbaren Wert.* Diese von Gott an die Menschheit weitergegebene Liebe in Christus Jesus durch den Glauben an Ihn *erkaltet, ermattet und verlässt den zur Seligkeit führenden Heilsplan des himmlischen Vaters. Ein religiöser Ersatz in Form eines selbst kreierten Gesetzes, welches jedoch allseits mit verruchten Schattenseiten der Sünde umrahmt ist, tritt in den verderbenden Vordergrund der stetigen, düsteren Hilfslosigkeit.* Dieses durch und durch *ausgelaugte als auch vollkommen kraftlose Geschwätz jedoch ist es schlussendlich, welches die Reinheit des Höchsten und die des Heilands mit von ganzer Schande umgebener Verachtung straft – und folglich den Gründer dieser Worte unwillkürlich mit in das Abseits der verheerenden Dunkelheit katapultiert – dort –* wo *kein Lichtglanz etwaige Hoffnungen schenkt,* sondern *der* Ort der Verdammnis, *der seine niemals öffnenden Tore auf Ewigkeit geschlossen hält.* Genau *diese voller Sünden umgebenen Ziele haben die Gegner des Apostel Paulus – die Irrlehrer – in ihrem rundweg verächtlichen Blick. Sie* sind es schließlich, *die das Gesetz nicht kennen* und somit *das* seligpreisen, womit der Apostel Paulus *einst so sehr gerungen hatte. Aufgrund ihrer völligen Unwissenheit prahlen sie mit ahnungslosen Reden, die sie jedoch nicht als töricht, sondern als allerrettend dahinstellen.* Sie bemerken *nicht, dass die Gemeinde Gottes in Christus Jesus nicht aus leeren Gesetzen und Satzungen besteht, sondern aus der im Geist Gottes in Wahrheit getränkten Frohe Botschaft des Heilands und Erlösers Jesus Christus.* Ihre Botschaft jedoch ist geprägt *von bleibender Leere, die niemand nützt, noch sich in irgendeiner Art und Weise als errettend herauskristallisiert.* Ihr verbohrter Wirklichkeitssinn ist *total verblendet – und stellvertretend von Hoffnung verbreiten sie* ***… das Gesetz der***

Sünde und des Todes – *anstelle* ***... das Gesetz des Geistes des Lebens in Christus Jesus*** *anzustreben,* ***... welches mich frei macht von dem Gesetz der Sünde und des Todes,*** so der Apostel Paulus in seinem Brief an die Römer in Kapitel 8, Vers 2.

Wahrhaft – *ihre vergängliche Urteilskraft lag in ihren eigenen, verwerflichen als auch rundweg fruchtlosen Gedanken,* so der Apostel Paulus. *Diese nicht zu duldenden Gedanken gilt es mit vehementen Worten der Evangeliums-Verkündigung Jesu Christis in der Kraft des Heiligen Geistes an a l l e Gemeindemitglieder der Epheser mit unbeirrbarer Deutlichkeit ersichtlich als auch verständlich dazulegen,* sodass es dem Timotheus gelingt, *einem j e d e n unter ihnen noch ein weiteres Mal von ganzem Herzen nahezulegen, dass allein durch den Herrn Jesus Christus und den dazugehörenden, alles in allem bekennenden Glauben an Ihn* ***... niemand zum Vater kommen kann, als nur durch Ihn*** (Johannes, Kapitel 14, Vers 6) – *den Herrn und Erlöser – Jesus Christis selbst!* Dieses seelsorgerische Pflichtbewusst-Sein teilt Paulus dem Timotheus schonend mit. Exakt mittels *dieser einzigen, zum ewigen Heil führenden, über allen stehenden Mitteilung sollen sich alle Herzen der Epheser erneut* mit *der* Freudenbotschaft Jesu Christi wie folgt bekehren, *um erfolgreiche Anwärter im Reich der himmlischen, ewigen Festfeier beim himmlischen Vater und dem Herrn Jesus zu werden,* die da lautet: ***... denn getrennt von mir könnt ihr nichts tun*** (Johannes, Kapitel 15, Vers 5c).

Vers 8: Paulus spricht nun über das ***Gesetz*** Gottes. Mit eindeutig klaren Worten bekennt der Apostel, dass das ***Gesetz ... heilig ist, und das Gebot ist heilig, gerecht und gu***t (Römer, Kapitel 7, Vers 12). Mittels dieser Aussage will Paulus dem Timotheus, als auch allen anderen Glaubenden (***wir***!) mitteilen, dass das ***Gesetz*** in seinen bestimmenden Eigenschaften stets *richtig, angemessen und folglich seiner Bestimmung entsprechend* (Quelle: Schlachter-Bibel 2000!) *von Gott zur Anordnung an die Menschheit auferlegt wurde*. Anhand dieser unzweifelhaften Feststellung stellt sich Paulus *gegen jede etwaige Geringschätzung,* bzw. *gar vor eine Zuwiderhandlung des* ***Gesetzes.*** Daher darf auch *n i e m a n d* das ***Gesetz*** *in irgendeiner Art zurechtweisen oder gar attackieren;* denn das ***Gesetz*** *ist vollkommen frei von schwächelnden Defiziten.* Jedoch *muss* das ***Gesetz*** in einer vom Höchsten stets gewollten Art und Weise *erachtet werden,* dass es die Bestimmungen Gottes ausrichtet, *wofür* es uns der himmlische Vater letztlich auferlegt hat – *zu dessen strikter Befolgung.* Somit *darf das* ***Gesetz***, so der Apostel, *weder geschändet, geschweige denn ausgenutzt werden.* Folglich ***... ist das Gesetz gut, wenn man es gesetzmäßig anwendet*** (1.Timotheus, Kapitel 1, Vers 8a).

Damit wird ersichtlich, dass das ***Gesetz*** *keinesfalls* dem falschen Gebrauch zur betörenden Last fällt, *sondern denen* wird es letztlich *zur heimsuchenden Sünde, welche das* ***Gesetz*** *mit befleckenden Maßnahmen des Missbrauchs anwenden,* indem diese Irrlehrer die gläubigen Menschen mit ihren gegen Gott gerichteten Falschaussagen *verwirren,* um somit den Glaubenden anhand eines innigen Glaubens vom wahren, ungeheucheltem Glauben *abzubringen.* Mit diesen von ganzer Schande überzogenen Handhabungen *hindern sie* die Gläubigen, ihren wahren Glauben in von Gott und dem Herrn Jesus Christus den Glaubenden zugedachten Planmäßigkeit *auszuüben.* Diese Irrlehrer *rauben* den Glaubenden die ihnen von Gott geoffenbarte Freiheit, welche *in Christus Jesus immerdar wirksam ist.* So ist das ***Gesetz*** die von dem allmächtigen Gott offenbarte Messlatte, welche das *erwartende Anrecht der glaubenden Gemeinde aufrechterhält,* wovon sie letzten Endes *ihren wahren Glauben ausübt.* Es ist jene Absicht des Höchsten, diese von Ihm in Anspruch gegebene Maßnahme als eine *konstruktiv aufbauende und zugleich heilbringende Glaubensaktivität in Betracht zu ziehen, um mit dem* ***Gesetz*** *die Absicht Gottes zu erfüllen, welche letztlich in dem Herrn und Erlöser Jesus Christus rundum effektiv als auch in alle Ewigkeit allerrettend ist.*

Somit *beruht* das ***Gesetz*** Gottes *darauf, dass sich der menschliche Wille mit dem Willen Gottes entzweit, sodass eine Hilfe von unablässiger Erforderlichkeit von Nöten ist, um uns Sünder erneut in den Heilsbereich des himmlischen Vaters miteinzubeziehen.* Denn das ***Gesetz*** des unfehlbaren, allmächtigen Gottes *deklariert alle Menschen unwillkürlich als Sünder.* Folglich ist das Problem der Einhaltung des Gesetzes *der sündige Mensch selbst;* denn bereits David, der Prophet, König und Psalmist erkannte mit eindeutigen Worten, *dass kein Mensch gut ist.* Deshalb schreibt er in Psalm 53 – der eine Unterweisung Davids deklariert – im 4.Vers Folgendes (Lutherbibel 2017): ***... aber sie*** (die Menschen!) ***... sind alle abgefallen und allesamt verdorben; da ist keiner, der Gutes tut, auch nicht einer.*** Der Apostel Paulus schreibt dazu folgende Worte anhand seines Briefes an die Römer in Kapitel 3 in den Versen 23 + 24: ***... denn alle haben gesündigt und verfehlen die Herrlichkeit, die sie vor Gott haben sollten, sodass sie ohne Verdienst gerechtfertigt werden durch seine*** (Gottes!) ***... Gnade aufgrund der Erlösung, die in Christus Jesus ist.*** Weiterhin komplettiert Paulus *die Gerechtigkeit im Glauben durch den Herrn Jesus Christus* mit folgender Botschaft Dank seines 1.Korintherbriefes in Kapitel 15 in den Versen 56 + 57: ***... der Stachel des Todes aber ist die Sünde, die Kraft der Sünde aber ist das Gesetz. Gott aber sei Dank, der uns den Sieg gibt durch unseren Herrn Jesus Christus!*** Diese seine Worte vervollständigt der Apostel letztlich mittels seines Römerbriefes in Kapitel 10 im 4.Vers: ***... denn Christus ist das Ende des Gesetzes zur Gerechtigkeit für jeden, der glaubt.***

Vers 9: Wer nun den von ganzem Herzen ausgehenden Glauben an den Herrn Jesus Christus in seinem Herzen trägt, der ist es schließlich, der *erkennt und weiß,* dass ***... kein Gesetz einem Gerechten auferlegt ist.*** Dieser von Gottes barmherziger Gnade *durch* Christus Jesus versiegelte Mensch im Glauben erachtet seine ihm gegebene Wertschätzung des himmlischen Vaters *darin,* dass er *durch* seinen inständigen, stets sich mehr und mehr ausbreitenden, ja – immerdar wachsenden *Glauben an den Sohn der Wahrheit aufgrund der ihm zuteilgewordenen als auch zu Gute kommenden Sündenvergebung des Heilands Jesus Christus am Kreuz von Golgatha durch Gottes barmherziges, rundum errettendes Erbarmen zur Seligkeit angelangt ist.* Ja – diese Sündenvergebung *ist allein durch* jenen allen Sündern heilbringenden Kreuzestod mittels des Herrn Jesus Christus *rundum erlösenden Blutes wirksam geworden.* Denn: ***... so (sehr) hat Gott die Welt geliebt, dass er seinen eingeborenen Sohn gab, damit jeder, der an ihn glaubt, nicht verlorengeht, sondern ewiges Leben hat*** (Johannes, Kapitel 3, Vers 16). Wahrhaft – so der Apostel Paulus: ***... weil nämlich Gott in Christus war und die*** (an Jesus Christus` glaubende!) ***Welt mit sich selbst versöhnte, indem er ihnen ihre Sünden nicht anrechnete und das Wort der Versöhnung in uns legte*** (2.Korinther, Kapitel 5, Vers 19).

Fortan leben die an Christus Glaubenden *in gegenseitigem Frieden mit Gott* – ganz im stets beabsichtigten Sinne des Ewigen – und nunmehr sind die Gläubigen *in den Heilsbereich Gottes eingegangen, der ihnen allen eindeutig zu verstehen gibt,* dass sie fortan *über das Gesetz in und durch den Herrn und Erlöser Jesus Christus von dem sie liebenden Gott verherrlicht wurden* – und folglich *in der Gerechtigkeit Gottes angelangt sind, weil nun die Gläubigen dem Herrn Jesus Christus aufgrund ihres Glaubens an Ihn, dem Sohn Gottes, ihr eigenes Leben übergaben, damit der Heiland es fortan leitet.* Nunmehr sind sie *das Eigentum* des Herrn und Retters Jesus Christus, in welchem *kein Gesetz regiert,* ***... denn*** – so Paulus – ***... gegen solche Dinge gibt es kein Gesetz*** (Galater, Kapitel 5, Vers 23) – sondern der fortan *Regierende dieser Menschen ist der Herr Jesus Christus selbst,* der mit Seiner Ihm von Gott geoffenbarten Kraft mittels des Heiligen Geistes *in uns* – den an den Heiland Glaubenden – *lebt und herrscht in alle Ewigkeit.* In den Glaubenden *ruht von nun an die Gerechtigkeit Gottes i n Christus Jesus.* Somit wird *die Gerechtigkeit der Glaubenden von Gott durch Jesus Christus vollbracht.* Denn *der Herr Jesus Christus offenbart fortan den Glaubenden Seinen über allem stehenden Willen aufgrund Seines im Geist der unanfechtbaren Wahrheit stets aufzufindenden und zugleich umrahmten Worte, dessen edler Spender immerdar der uns liebende, allmächtige Gott selbst ist.* Daher lässt uns – die an den Heiland Glaubenden – der Apostel Paulus folgende Worte in unmissverständliche Erfahrung bringen: ***... ihr aber gehört Christus an, Christus aber gehört Gott an*** (1.Korinther, Kapitel 3, Vers 23).

Doch das Gesetz ist keinesfalls entbehrlich, so der Apostel. Denn *denen* ist das Gesetz gegeben, *die* mit gegen die Wahrheit Gottes und des Herrn Jesus Christus gerichteten Lügen als auch gegen die unantastbaren Handhabungen der unwiderruflichen Reinheit Gottes und des Heilands Jesus Christus *versuchen, mittels eigenermächtigter und daher in der Kraft ihres menschlich-sündigen Ermessens rundum fehlbare, in Eigenregie geprägte Revolten zu begehen, welche schlichtweg eindeutig als auch unverkennbar immerdar als verderbende Zuwiderhandlungen gegen Gott und den Herrn Jesus Christus betrachtet werden müssen.* Sie sind die von dem Apostel Paulus benannten ***... Gesetzlosen und Widerspenstigen, Gottlosen und Sündern, Unheiligen und Gemeinen, solchen, die Vater und Mutter misshandeln, Menschen töten*** (1.Timotheus, Kapitel 1, Vers 9b).

Ja, diese Individuen sind es, die ihre gottwidrigen als auch vollkommen gottlosen Handhabungen *ohne jegliches Erkennen und Reue mit unwiderruflicher Sturheit und dem dazugehörenden Ungehorsam gegenüber Gott preisgeben;* denn in ihren Herzen hat das hell aufleuchtende, von Gott offenbarte Licht des Christus *keinerlei Einfluss des ihnen zu Gute kommenden Heils hinterlassen.* Sie leben *fernab* von Gott in einem dunklen Verließ der völlig abgekapselten Abgeschiedenheit – *weitab* von jeglichem Heil, *welches einzig und allein in Gott und im Herrn Jesus Christus auffindbar ist.* Wahrhaft – in diesen Herzen *befindet sich kein einziger Funke des Glaubens,* der es ihnen unverblümt aufweisen würde, *dass der Glaube an Gott und Christus Jesus mit dem dazugehörenden Gehorsam in verbindendem Einklang steht.* Folglich werden diese Sünder *aufgrund des Gesetzes durch das Gesetz Gottes gerichtet werden, welches sie schließlich anhand ihrer missbilligenden Handhabungen unmissverständlich richten als auch schlussendlich gnadenlos verwerfen wird.* Denn diese Sünder *haben sich dem Willen Gottes vollkommen entzogen und dazu die unantastbare Reinheit des allmächtigen Gottes in Christus mittels ihrer beschämenden Handlungen rundum missbraucht.* Sie werden *in von Gott und Christus abgefallener Dekadenz mittels ihrer rundweg verderbenden Sünden gnadenlos zerschellen* – so Paulus – *denn sie sind zweifellos* ***... dem Gott dieser Weltzeit*** (dem Teufel / dem Satan! / 2.Korinther, Kapitel 4, Vers 4a) *mit all ihren verderbenden Worten als auch mittels ihrer rundweg Gräuel erregenden Taten u n t e r s t e l l t.*

Vers 10: Der Apostel zählt in diesem 10.Vers noch weitere, sündenumwobene Kennzeichnungen der Gottesgegner auf, welche sich unmittelbar an die von Paulus verfassten rundum abstoßenden Widerwärtigkeiten in Bezug auf die Gottesgegner im beginnenden zweiten Teil des 9.Verses des gleichnamigen 1.Kapitels anfügen, die nunmehr im 10.Vers lauten: ***Unzüchtigen, Knabenschändern, Menschenräubern, Lügnern, Meineidigen und was sonst der gesunden Lehre widerspricht,*** so der Apostel. Exakt *diese* schändlichen Vergehen anhand der von dem Apostel erwähnten Lasterermahnungen *verletzen und missachten zugleich ohne jeglichen Skrupel* die alles in allem zum ewigen Heil führende, rundweg barmherzige Liebe des himmlischen Vaters in dem Herrn und Erlöser Jesus Christus. Mit eindeutiger Klarheit legen diese befleckenden, rundweg erbarmungswürdigen Handhabungen *den Missbrauch der Gesetze des Höchsten dar. Diese Vergehen* sind es letztlich, die das Gesetz *belangt,* denn jene Schlechtigkeiten ***... widersprechen*** in allen Details ***... der gesunden Lehre,*** so Paulus. Denn, so der Apostel weiter: ***... wenn du dies den Brüdern*** (Glaubensgeschwistern!) ***... vor Augen stellst, wirst du ein guter Diener Jesu Christi sein, der sich nährt mit den Worten des Glaubens und der guten Lehre, der du nachgefolgt bist*** (1.Timotheus, Kapitel 4, Vers 6 / siehe noch kommende Auslegung!). In der Tat – es ist jene unmissverständlich wahrhaftige Lehre Gottes, welche – so der Herr und Heiland Jesus Christus – ***... nicht von mir stammt, sondern von dem, der mich gesandt hat*** (Johannes, Kapitel 7, Vers 16b). So heißt es weiterhin im 3.Buch Mose über die „Lehren" der Falschprediger: ***... denn jeder, der einen dieser Gräuel tut – die Seelen, die dergleichen verüben, sollen ausgerottet werden aus der Mitte ihres Volkes. So haltet denn meine*** (Gottes!) ***... Verordnungen, dass ihr keinen von den gräulichen Gebräuchen übt, die man vor euch geübt hat, und euch nicht durch sie verunreinigt. Ich, der HERR, bin euer Gott!*** (3.Mose, Kapitel 18, Vers 29 + 30).

Wahrhaft – so fügt der Apostel Paulus zu diesen alttestamentlichen Worten des allmächtigen Gottes folgende zusätzliche mahnenden Zurechtweisungen hinzu: ***... wenn jemand fremde*** (gegen Gott und den Herrn Jesus Christus gerichtete Lehren!) ***... Lehren verbreitet und nicht die gesunden*** (zum ewigen Heil dienenden!) ***... Worte unseres Herrn Jesus Christus annimmt und die Lehre, die der Gottesfurcht entspricht, so ist er aufgeblasen und versteht doch nichts, sondern krankt an Streitfragen und Wortgefechten, woraus Neid, Zwietracht, Lästerung, böse Verdächtigungen entstehen*** (1.Timotheus, Kapitel 6, Verse 3 + 4 / siehe noch kommende Auslegung!) – und komplettiert diese seine Worte wie folgt: ***... denn es wird eine Zeit kommen, da werden sie die gesunde Lehre nicht ertragen, sondern sich selbst nach ihren eigenen Lüsten Lehrer beschaffen, weil sie empfindliche Ohren haben; und sie werden ihre Ohren von der Wahrheit abwenden und sich den Legenden zuwenden*** (2.Timotheus, Kapitel 4, Verse 3 + 4 / siehe noch kommende Auslegung!). Daher spricht unser Herr Jesus Christus im Evangelium des Matthäus in Kapitel 24 im 24.Vers: ***... denn es werden falsche Christusse und falsche Propheten auftreten und werden große Zeichen und Wunder tun, um, wenn möglich, auch die Auserwählten zu verführen.*** Es sind jene *ins Abseits der ewigen Dunkelheit führenden, stets von Gott und dem Herrn Jesus Christus sich rundweg abkehrenden Handhabungen der frevlerischen Sünde* – ja – *des rundum lasterhaften Widerstandes,* so der Apostel Paulus, welche eindeutig aufweisen, *w o z u* letztlich *das Gesetz Gottes in Kraft tritt.*

Denn das Gesetz Gottes tritt daraufhin in Kraft –

... *wenn* vulgäre, anstößige und somit unsittliche Vergehen in Form von Menschenmisshandlungen(-Menschenverachtungen) jeglicher Art auftreten,

... *wenn* Menschen das zur vollkommenen Wahrheit dienende Wort Gottes im Herrn Jesus Christus *vollends widersprechen,* ja – sie die niemals anzuzweifelnden Worte des Höchsten *ohne jegliche Schuldgefühle leugnen* und diese Worte der unmissverständlichen, über allem stehenden Wahrheit *dementieren* – denn – ***... Gottes Wort ist Wahrheit*** (Johannes, Kapitel 17, Vers 17b) und diese folglich als nutzlos oder gar hinfällig aufgrund ihrer eigenen, jedoch immerdar fehlbaren, sündenbefleckten Gedanken verwerfen. Denn so heißt es in den Sprüchen Salomos in Kapitel 3 in den Versen 5 + 6 weiterhin: ***... vertraue auf den HERRN von ganzem Herzen und verlass dich nicht auf deinen Verstand; erkenne ihn auf allen deinen Wegen, so wird Er deine Pfade ebnen!*** – und der Herr und Erlöser Jesus Christus bekennt uns Seine mit ganzem Nachdruck hinterlassene, unverkennbare, ewige Wahrheit, die da lautet: ***... Himmel und Erde werden vergehen, aber meine Worte werden nicht vergehen*** (Lukas, Kapitel 21, Vers 33),

... *wenn* gegen den allmächtigen Gott und den Herrn Jesus Christus gerichtete Vergehen der von Sünde geprägten Schande in eidbrüchige, treulose, rundum ungetreue, abtrünnige und folglich illoyalwortbrüchige und gewinnsüchtige Lehren jeglicher Art das Wort der unwiderruflichen Wahrheit Gottes *allseitig verfälschen.*

Nun tritt die Verdammung an denjenigen Menschen in Kraft, welche *mit* o.g. *religiösen Würdelosigkeiten ihre vollauf vulgären Unwesen treiben – und folglich mit einer ewigen Trennung vom allmächtigen* Gott *gnadenlos bestraft werden.* Dies bewirkt das Gesetz Gottes über die gottlos-verdorbene Menschheit mittels Seiner unwiderruflichen, allseits gerechten Strafmaßnahme, ***... da Gott nicht lügen kann,*** betont der Apostel Paulus in seinem Brief an Titus in Kapitel 1, Vers 2b.

Vers 11: In der Tat – je niederträchtiger, charakterloser und verwerflicher sich die menschlichen Sünden *zur lasterhaften Dominanz entfalten, desto eindeutiger als auch klarer kristallisiert sich die unbestrittene Wahrheit Gottes heraus, die in Christus Jesus Ihre ganze vom Höchsten stets beabsichtigte Vollkommenheit darlegt.* Jene zum Heil der Herrlichkeit Gottes führenden Worte will uns das 1.Kapitel dieses zweiten Kapitelabschnittes des 1.Timotheusbriefes nahelegen. Daher wächst und gedeiht das von dem Apostel Paulus in diesem 10.Vers benannte ***... Evangelium der Herrlichkeit des glückseligen Gottes*** (des zu preisenden / hochgelobten Gottes = Quelle: Schlachter-Bibel 2000!) anhand der zum Heil der Herrlichkeit führenden Botschaft Jesu Christi und wendet sich somit *an die gerechte, an Gott und den Heiland glaubende Menschheit* – ***... welche zu seiner Zeit*** (der Parusie / Wiederkunft Jesu Christi / am Tag des Jüngsten Gerichts!) ***... zeigen wird der Glückselige und allein Gewaltige, der König der Könige und der Herr der Herrschenden*** (Gott! / 1.Timotheus, Kapitel 6, Vers 15 / Auslegung folgt!).

Dies ist das alles in allem sich unterscheidende Merkmal, welches *die Spreu* (die Ungläubigen!) *vom Weizen* (den an Gott und Jesus Christus Glaubenden!) *trennt* – und eindeutig aufweist, *dass die Ehrerbietung, der Glaube und die daraus resultierenden Werke in Form der stets von Gott und dem Herrn Jesus Christus geforderten Nächstenliebe die Früchte des ewigen, rundum heilenden Heils hat aufsprießen lassen.* So kann nun auch der Apostel Paulus diese seine Worte auf seine eigene Person beziehen, denn er führt stets ein zu Gott und Christus bezogenes Dasein seit seiner Bekehrung auf seiner Durchreise nach Damaskus – (siehe erneut die Apostelgeschichte des Lukas, Kapitel 9!) mittels eines von ganzem Herzen kommenden Glaubens und einer unentwegt dazugehörenden Nächstenliebe aus – die aus menschlicher Betrachtung – in ihrer zu Gott- und Christus-

Bezogenheit als *rundum vorbildlich* in Augenschein zu nehmen ist – und somit *allen Christen* mit folgenden, unverkennbaren Worten des inständigen Glaubens im Geist der Wahrheit Gottes mitteilt: ***... seid meine Nachahmer, gleichwie auch ich (Nachahmer) des Christus bin*** (1.Korinther, Kapitel 11, Vers 1) – und komplettiert diese seine Worte wie folgt: ***... so wie wir für Gott tauglich empfunden wurden, mit dem Evangelium betraut zu werden, so reden wir auch – nicht als solche, die den Menschen gefallen wollen, s o n d e r n G o t t, der unsere Herzen prüft. Aus diesem Grund erleide ich dies auch; aber ich schäme mich nicht. Denn ich weiß, an w e n ich glaube, und ich bin überzeugt, dass e r mächtig ist, das mir anvertraute Gut*** (das Wort Gottes / die anvertraute Botschaft = Quelle: Schlachter-Bibel 2000!) ***zu bewahren bis zu jenem Tag*** (der Parusie / Wiederkunft Jesu Christi / am Tag des Jüngsten Gerichts! / 1.Thessalonicher, Kapitel 2, Vers 4 + *2.Timotheus, Kapitel 1, Vers 12 / *siehe noch kommende Auslegung!).

Folglich führt Paulus als der persönliche Gesandte des Herrn Jesus Christus ***... das Evangelium der Herrlichkeit des glückseligen Gottes*** aus, ***... das ihm anvertraut worden ist*** (1.Timotheus, Kapitel 1, Vers 11). Denn das Evangelium des allmächtigen Gottes in Christus Jesus stellt sich für den Apostel wie folgt in seinem Brief an Titus in Kapitel 2 in den Versen 11 - 14 dar: ***... denn die Gnade Gottes ist erschienen, die heilbringend ist für a l l e Menschen; sie nimmt uns in Zucht,*** (sie erzieht / unterweist uns = Quelle: Schlachter-Bibel 2000!) ***damit wir die Gottlosigkeit und die weltlichen Begierden verleugnen und besonnen und gerecht und gottesfürchtig*** (fromm / gottselig = Quelle: Schlachter-Bibel 2000!) ***leben in der jetzigen Weltzeit, indem wir die glückselige Hoffnung erwarten und die Erscheinung der Herrlichkeit des großen Gottes und unseres Retters Jesus Christus, der sich selbst für uns hingegeben hat, um uns***

von aller Gesetzlosigkeit zu erlösen und für sich selbst ein Volk zum besonderen Eigentum zu reinigen, das eifrig ist, gute Werke zu tun.

Es ist exakt *diese* Ehrerbietung Gottes *an a l l e* an Ihn und den Herrn Jesus Christus Glaubenden, welche *nicht von Natur aus sich selbst besteht, gedeiht, noch entsprungen ist, sondern aufgrund der barmherzigen, u n s sich zuneigenden Liebe des Höchsten in Jesus Christus, welche schließlich mit unserer Wiedergeburt begann und mit der Kraftausgießung des Heiligen Geistes vom Ewigen in unseren vom Glauben erfüllten Herzen versiegelt wurde;* ***... denn,*** so Paulus – ***... aus Gnade seid ihr errettet durch den Glauben, und das n i c h t aus euch – Gottes Gabe ist es; n i c h t aus Werken, damit niemand sich rühme*** (Epheser, Kapitel 2, Verse 8 + 9). Wahrhaft – so können nun auch wir – *die an Gott und Christus fest im Glauben Stehenden die Worte Jesu Christi Tag für Tag wahrnehmen, die fortan lauten* – ***... kommt her, ihr Gesegneten meines Vaters, und erbt das Reich, das euch bereitet ist seit Grundlegung der Welt!*** (Matthäus, Kapitel 25, Vers 34b).

Daher bietet auch das Gesetz – so Paulus – *keinerlei grundreichende, rundweg zum Ewigen Leben leitende Substanz,* mit ihm eine eigene Symmetrie von Recht zu erlangen, *jedoch findet und erlangt der an Christus Jesus Glaubende die Erlösung der Schuld einzig und allein durch und im Glauben an den Heiland mithilfe der bedeutenden Liebe, die von Gott in Christus wirksam wurde und dem himmlischen Vater immerdar wohlgefällig ist* – und trotz allem weiß der Auserwählte des Höchsten allzu genau, *dass er obgleich aller Hilfe seines eigenen Tun und Handelns, ihm sich dennoch das Gesetz Gottes ungeachtet aller seiner Bemühungen strikt entgegenstrebt, durch welches er aufgrund seiner sündigen Natur vor Gott als schuldig deklariert wird* – ***... weil aus Werken des Gesetzes kein Fleisch***

(Mensch!) ***... vor ihm*** (Gott!) ***... gerechtfertigt werden kann; denn durch das Gesetz kommt die Erkenntnis der Sünde*** – lässt uns Paulus daher anhand seines Römerbriefes in Kapitel 3 Vers 20 unverblümt in Erfahrung bringen. Denn *das Gesetz weist uns eindeutig auf unsere Sünde als auch auf unsere Schuld hin.* Folglich kann uns die Gnade und Seligkeit des himmlischen Vaters einzig und allein *n u r durch die Vergebung der Sünden zu Teil werden, die der Herr und Messias Jesus Christus – das vollkommen schuld- und sündlose Lamm Gottes am Holz von Golgatha – mittels Seines uns für immer reinigenden Blutes auf Sich genommen hat, um uns Ewiges Leben im Reich der Himmel zu offenbaren.* Denn so soll sich fortan das Opfer unseres Lobes wie folgt erkenntlich zeigen: ***... ein Opfer des Lobes ist die Frucht der Lippen, die seinen Namen bekennen!*** – heißt es daher im Brief an die Hebräer in Kapitel 13, Vers 15. *So ist die Gerechtigkeit Gottes erst in des Höchsten Blüte voll und ganz im Evangelium des Herrn Jesus Christus sichtbar, erkennbar und immerdar wirksam geworden – in dem neuen, ewigen Bund in Christus Jesus unserem Herrn* – Halleluja!

Daraufhin schenkt uns der 1.Johannesbrief über die barmherzige Gnadentat Gottes in dem Herrn Jesus Christus folgende wunderbare Weisheit: ***... darin ist die Liebe Gottes zu uns geoffenbart worden, dass Gott seinen eingeborenen Sohn in die Welt gesandt hat, damit wir durch ihn leben sollen. Darin besteht die Liebe – nicht dass wir Gott geliebt haben, sondern dass e r uns geliebt hat und seinen Sohn gesandt hat als Sühnopfer für unsere Sünden*** (1.Johannes, Kapitel 4, Verse 9 + 10).

Daher spiegelt sich die vollkommene Liebe des wunderbaren Gottes in Ihrer ganzen Pracht und Herrlichkeit in Seinem Sohn rundum wider – welche fortan in den Herzen der Auserwählten eine bleibende

Stätte des ewigen Lichts erstrahlen lässt. *Diese Liebe* ist es letztlich, welche die Reinheit Gottes in Christus Jesus mit ihren mannigfaltigen Nuancen *offenherzig in unserem Glauben und Handeln unverblümt darlegt und bekennt,* dass wir ***... Kinder des Lichtes und Kinder des Tages sind,*** so der Apostel Paulus in seinem Brief an die Thessalonicher in Kapitel 5, in Vers 5 (Lutherbibel 2017). Wahrhaft – ***... sein Glanz ist wie Licht; Strahlen gehen aus von seinen Händen. Darin ist verborgen seine Macht*** (Habakuk, Kapitel 3, Vers 4 / Lutherbibel 2017).

Verse 12 - 17

Gottes Erbarmen im Leben des Paulus

[12]Und darum danke ich dem, der mir Kraft verliehen hat, Christus Jesus, unserem Herrn, dass er mich treu erachtet und in den Dienst eingesetzt hat, [13]der ich zuvor ein Lästerer und Verfolger und Frevler war. Aber mir ist Erbarmung widerfahren, weil ich es unwissend im Unglauben getan habe. [14]Und die Gnade unseres Herrn wurde über alle Maßen groß samt dem Glauben und der Liebe, die in Christus Jesus ist. [15]Glaubwürdig ist das Wort und aller Annahme wert, dass Christus Jesus in die Welt gekommen ist, um Sünder zu retten, von denen ich der größte bin. [16]Aber darum ist mir Erbarmung widerfahren, damit an mir zuerst Jesus Christus alle Langmut erzeige, zum Vorbild für die, die künftig an ihn glauben würden zum ewigen Leben. [17]Dem König der Ewigkeit aber, dem unvergänglichen, unsichtbaren, allein weisen Gott, sei Ehre und Ruhm von Ewigkeit zu Ewigkeit! Amen.

Auslegung:

Vers 12: Dieser 12.Vers schmiegt sich direkt an den 11.Vers des 1.Kapitels an (siehe Auslegung!). Dem Apostel Paulus ***... wurde das Evangelium der Herrlichkeit des glückseligen Gottes anvertraut*** (1.Timotheus, Kapitel 1, Vers 11 / siehe Auslegung!) – und aufgrund dieser ihm *von Gott durch Jesus Christus* verliehenen, apostolischen Vollmacht *dankt* Paulus nun ***... dem Herrn Jesus Christus,*** dass der Heiland den Apostel Paulus für die *von Gott in Christus Jesus ausgehende* ***... Kraft,*** die ihm – dem Paulus – anhand des in seinem Herzen ruhenden Heiligen Geistes zu Teil wurde, aufgrund dessen ... ***weil*** (Gott *im*!) ***... Herrn Jesus Christus ihn für treu erachtet und in den Dienst eingesetzt hat*** (Vers 12).

Der Apostel will es *Timotheus eindeutig zu verstehen geben, dass er* (Paulus!) *einzig und allein aufgrund der barmherzigen Gnade Gottes, welche in und durch Christus Jesus an* – bzw. *in ihm* (Paulus!) *wirksam wurde, von ganzem Herzen* ***... danken kann,*** *weil der Heiland ihm* (Paulus!) ***... die Kraft verliehen hat, für treu erachtet zu werden*** *und folglich* ***... in den Dienst*** (als ein *persönlich im Auftrag Gottes durch den Herrn Jesus Christus* gesandten Diener – ja – *als einen persönlich von Jesus Christus beauftragten Apostel Jesu Christi!*) ***... eingesetzt hat*** (Vers 12). Daher betont Paulus mit eindeutiger Klarheit: ***... aber d u r c h Gottes Gnade bin ich, was ich bin; und seine Gnade, die er an mir erwiesen hat, ist nicht vergeblich gewesen, sondern ich habe mehr gearbeitet als sie*** (die anderen Apostel des Herrn Jesus Christus!) ***... alle; jedoch nicht i c h, sondern die Gnade Gottes, die m i t mir ist*** (1.Korinther, Kapitel 15, Vers 10) – und komplettiert daher diese seine unmissverständliche Behauptung wie folgt: ***... durch Gottes Willen*** (1.Korinther, Kapitel

1, Vers 1a) ***... nicht von Menschen, auch nicht durch einen Menschen,*** (nicht von einem Menschen ausgesandt und nicht durch einen Menschen eingesetzt! = Quelle: Schlachter-Bibel 2000!) ***... sondern d u r c h Jesus Christus und Gott, den Vater*** (Galater, Kapitel 1, Vers 1a) ***... nicht dass wir von uns selber aus tüchtig wären, sodass wir uns etwas anrechnen dürften, als käme es aus uns*** (den Dienern Gottes / den Aposteln!) ***selbst, sondern unsere Tüchtigkeit kommt v o n G o t t, der uns auch tüchtig gemacht hat zu Dienern des neuen Bundes, nicht des Buchstabens,*** (bildhafter Ausdruck für das mosaische Gesetz des alten Bundes! = Quelle: Schlachter-Bibel 2000!) ***... sondern des Geistes; denn der Buchstabe tötet, aber der Geist macht lebendig*** (2.Korinther, Kapitel 3, Verse 5 + 6).

Weder mit menschlichem *Kummer, noch* mit menschlich *beeinflusstem Zweifel, s o n d e r n mit von ganzem Herzen entspringender Freude und der dazugehörenden Dankbarkeit durch den Glauben im Geist der Wahrheit Gottes sinnt der Apostel Paulus über seine ihm von Gott durch Christus Jesus persönliche offenbarte, apostolische Amtsvollmacht nach,* weil er genau weiß, *dass Gott ihm in Christus Jesus die allseits zu benötigte Kraft in Vollmacht mit der gewichtigen Hilfe des Heiligen Geistes zukommen ließ, um den Dienst als ein Gesandter Jesu Christi dem Willen Gottes und des Heilands gemäß erfüllen zu können.* Somit ist der *über Paulus von Gott in Jesus Christus festgelegte Beschluss, ihm Ihren Dienst zu offenbaren, als von Gott und Christus Ihnen gegenüber der Person des Apostels Paulus als* ***... treu erachtet*** (1.Timotheus, Kapitel 1, Vers 12b) *zu sein,* stets in Augenschein zu nehmen. Wahrhaft – der Dienst des Paulus am Evangelium des Herrn Jesus Christus *war stets als zuverlässig, vertrauenswürdig, gewissenhaft und vor allem als rundum glaubwürdig zu beurteilen; denn er diente unentwegt mittels einer vom Geist der Wahrheit ummantelten, seelsorgerischen, von ganzer* *von Gott und Christus stets geforderten Nächstenliebe in ganzer von einem innigen, fest im seinem Herzen verwurzelten Glauben getragener Leidenschaft, sodass die ihm übertragene apostolische Vollmacht immerdar den Anforderungen Gottes in Christus Jesus gerecht wurden.* Mit *genau dieser vom Geist der Wahrheit getragenen Wahrnehmung unterstreicht der Apostel seine allseits zu Gott und dem Herrn Jesus Christus bezogenen Charakterzüge; denn diese sind aufgrund ihrer in seinem Herzen vorhandenen Ausübungen immerdar als objektiv und loyal zu betrachten, da ihre Gene rundweg von Gott in Christus mittels der Kraft des Heiligen Geistes bestimmt wurden.* Daher kann Paulus nunmehr mit unverblümter Behauptung Folgendes zitieren: … ***ich habe den guten Kampf gekämpft, den Lauf vollendet, den Glauben bewahrt. Von nun an liegt für mich die Krone*** (der Siegeskranz! = Quelle: Schlachter-Bibel 2000!) ***… der Gerechtigkeit bereit, die mir der Herr, der gerechter Richter, an jenem Tag*** (der Parusie / der Wiederkunft Jesu Christi am Tag des Jüngsten Gerichts!) ***… zuerkennen wird, nicht aber mir allein, sondern auch allen, die seine Erscheinung lieb gewonnen haben*** (2.Timotheus, Kapitel 4, Verse 7 + 8 / siehe noch kommende Auslegung!).

In der Tat – daher ist *allein das Werk Gottes in Christus in der Person des Apostels Paulus der alles in allem maßgebliche Punkt,* der aufweist, *dass das Heil des Höchsten in des Apostels Paulus` Herzen das helle Licht des Christus hat aufleuchten lassen. N u r* mittels *d i e s e r barmherzigen Gnadengaben w i r k t u n d d i e n t der apostolische Dienst in von Gott und Christus gewollter Stärke* – nämlich darin, dass das apostolische Vollmachtsamt des Apostels Paulus *das* ausführt, *wozu es der himmlische Vater in Christus berufen hat:*

Inwiefern das Evangelium innerhalb der Gemeinde mit Gott wohlgefälligen Ausrichtungen getätigt wird, in jener Art und Weise, die eindeutig aufweist, dass das von Gott in Christus geprägte Wirken innerhalb der Gemeinde durch das Missionieren des Apostels Paulus unmissverständlich darlegt, ihren Glaubensstand *an den ewigen, neuen Bund, den der himmlische Vater in Christus Jesus vollendet hat, zu richten,* der wiederum nur *durch* einen von ganzem Herzen kommenden Glauben *jedes einzelnen Mitglieds* zu *dem Ziel* führt, *was der neue Bund in Christus letztlich bewirken soll:* Dass das *von dem Apostel Paulus gepredigte Evangelium im wahrhaftigen Geist Gottes möglichst a l l e Gemeindemitglieder zu erfolgreichen Anwärtern für das Himmelreich formt,* um somit *diese* Glaubenden *letztlich als erfolgreiche Teilnehmer der himmlischen Festfeier erwarten zu können* – dort, wo ***… Gerechtigkeit, Friede und Freude im Heiligen Geist*** (Römer, Kapitel 14, Vers 17b) *in alle Ewigkeit herrschen* – ganz im Sinne des allmächtigen Gottes in dem Herrn Jesus Christus entsprechend, so Paulus.

Diese Kraft ist es, welche Paulus zu dem geführt hat, was er letztlich ist – *ein mit reinem Gewissen von Gott in Christus ausgerüsteter Apostel im rundum wahrheitsgemäßen Glauben,* dessen Tätigkeit *n u r anhand der ihm zuteilgewordenen, barmherzigen Liebe in der Kraft des Heiligen Geistes wirksam ist* – und daher kann Paulus in Folge des lobpreisenden Dankes dem Herrn als auch der Gemeinde bekennen: ***… den Schwachen bin ich wie ein Schwacher geworden, damit ich die Schwachen gewinne; ich bin allen alles geworden, damit ich auf alle Weise etliche rette. Dies aber tue ich um des Evangeliums willen, um an ihm teilzuhaben*** (1.Korinther, Kapitel 9, Verse 22 + 23).

Vers 13: Mit eindeutigen Worten der unverblümten Wahrheit setzt Paulus nun den Timotheus über seine rundum verruchte Vergangenheit in Kenntnis, womit er sich selbst unverkennbar *als einen Christenverfolger* betitelt, *der nicht nur die ersten Christen und ihre Gemeinden verfolgte – sondern den Herrn und Heiland Jesus Christus s e l b s t – und folglich auch den Willen des allmächtigen Gottes rundweg verachtete.* Daher bekennt der Apostel dem Timotheus: ***... *[1]der ich zuvor ein Lästerer und Verfolger und Frevler war. *[2]Aber mir ist Erbarmung widerfahren, weil ich es unwissend im Unglauben getan habe*** (Vers 13).

*[1]So können wir anhand der Apostelgeschichte des Lukas über die ganz und gar vulgären Absichten *des ehemaligen Christenverfolgers Saulus von Tarsus, als Saulus der Ermordung des ersten Märtyrers der Christenheit – dem Stephanus – wohlwollend zustimmte – als Stephanus von der Menge der Menschen aufgrund ihrer nicht zu dem Herrn Jesus Christus bezogenen, abtrünnigen Herzen gesteinigt wurde, als sie den Stephanus zur Stadt hinaustrieben,* Folgendes in Erfahrung bringen: ***... Saulus aber hatte seiner Ermordung*** (des Stephanus` Steinigung!) ***... zugestimmt. Und an jenem Tag erhob sich eine große Verfolgung gegen die Gemeinde*** (Christengemeinde!) ***... in Jerusalem, und alle zerstreuten sich in die Gebiete von Judäa und Samaria, ausgenommen die Apostel. Saulus aber verwüstete die Gemeinde, drang überall in die Häuser ein, schleppte Männer und Frauen fort und brachte sie ins Gefängnis*** (die Apostelgeschichte des Lukas, Kapitel 8, Verse 1 + 3).

*[2]Als sich jedoch Saulus auf den Weg nach Damaskus begab, ***... um irgendwelche Anhänger des Weges*** (damals übliche Bezeichnung für den Glauben an Jesus Christus = Quelle: Schlachter-Bibel 2000!!) ***... zu finden, ob Männer oder Frauen,*** um ***... sie gebunden nach Jerusalem zu bringen, ... wozu*** Saulus / Paulus ***... von den obersten Priestern die Vollmacht empfangen hatte, und wenn sie***

getötet werden sollten, gab er die Stimme dazu, ... umstrahlte ihn plötzlich ein Licht vom Himmel (die Apostelgeschichte des Lukas, Kapitel 9, Vers 2 + Kapitel 26, Vers 10b + Kapitel 9, Verse 3b) – und so begegnete dem Saulus / Paulus der Herr Jesus Christus in diesem ***... Licht vom Himmel,*** (die Apostelgeschichte des Lukas, Kapitel 9, Vers 3b) der den Saulus / Paulus *fortan persönlich als einen Apostel Seiner selbst erwählte,* sodass der Heiland dem ***... Ananias, der in Damaskus ein Jünger des Herrn war*** (die Apostelgeschichte des Lukas, Kapitel 9, Vers 10a) bekannte: ***... denn dieser*** (Saulus / Paulus!) ***ist mir ein auserwähltes Werkzeug, um meinen Namen vor Heiden und Könige und vor die Kinder Israels zu tragen!*** (die Apostelgeschichte des Lukas, Kapitel 9, Vers 15b).

Aufgrund dieser unmissverständlichen Sachlage in Bezug auf *das Erbarmen Gottes gegenüber* dem Saulus / Paulus – *als auch gegenüber eines jeden anderen Menschen* – jedoch wird *eindeutig erkennbar,* dass Paulus dem Timotheus – als auch einem jeden anderen Leser – *zu verstehen geben will,* dass ***... es nicht an jemandes Wollen oder Laufen abhängt,*** *ob derjenige Mensch zur Errettung gelangt,* ***... sondern*** *einzig und allein* ***... an Gottes Erbarmen*** (Römer, Kapitel 9, Vers 16). Denn der allmächtige Gott lässt uns unmissverständlich wissen: ***.... und wem ich gnädig bin, dem bin ich gnädig, und über wen ich mich erbarme, über den erbarme ich mich*** (2.Mose, Kapitel 33, Vers 19b / in Verbindung / in Bezug zu Römer, Kapitel 9, Vers 15). Folglich – so Paulus weiter: ***... haben wir den Dienst*** (am Evangelium Jesu Christi!) ***... gemäß der Barmherzigkeit*** (Gottes!) *erlangt,* ***... die wir*** (durch Gottes Gnade!) ***... empfangen haben*** (2.Korinther, Kapitel 4, Vers 1b).

In der Tat, *aufgrund seines ehemaligen, rundum abtrünnig zu betrachtenden Unglaubens* – so Paulus – *irrte er einst umher, wie ein verlorenes* ***... Schaf, das keinen Hirten hat*** (Matthäus, Kapitel 9, Vers 36b). *N u r die Gnade des allmächtigen Gottes hat ihn aus dem Sumpf der Trostlosigkeit* – ja – *aus seinem rundweg abirrenden Unglauben errettet,* um dem Saulus / Paulus *die vollkommene Wahrheit zu offenbaren, die ausschließlich in dem Herrn Jesus Christus heute, damals sowie in alle Ewigkeit aufzufinden ist.* Daher bekennt der Apostel Petrus mit eindeutigen Worten der niemals anzuzweifelnden Wahrhaftigkeit: ***... und es ist in keinem anderen*** (als in dem Herrn Jesus Christus allein!) ***... das Heil;*** (die Errettung = Quelle: Schlachter-Bibel 2000!) ***... denn es ist kein anderer Name*** (der, des Herrn und Erlösers Jesus Christus!) ***... unter dem Himmel den Menschen*** (von Gott!) ***... gegeben, in dem wir gerettet werden sollen!*** (die Apostelgeschichte des Lukas, Kapitel 4, Vers 12).

Somit werden die *Anklagen, welche gegen Paulus einst gerichtet waren, weil er selbst gegen die Christengemeinden und gegen den Herrn Jesus Christus kämpfte,* wiederum *von Gott durch Christus selbst verworfen, weil ihn* (Paulus!) *der allmächtige Gott selbst, als es dem himmlischen Vater aufgrund Seiner sich* dem Saulus / Paulus *zuneigender barmherzigen Gnade,* ***... wohlgefiel,*** und den Saulus / Paulus ***... vom Mutterleib aus ausgesondert und durch seine Gnade berufen hat, seinen Sohn in ihm zu offenbaren, damit*** Paulus ***... ihn*** (den Herrn Jesus Christus!) ***... durch das Evangelium unter den Heiden verkündigte ...*** (Galater, Kapitel 1, Vers 15a) – *verwarf daher der Wille Gottes in Christus Jesus* das einst abtrünnige Handeln des Saulus / Paulus *in Bezug auf dessen Christenverfolgungen und sonderte ihn mittels des Höchsten Gnade aus den abtrünnigen Vergehen heraus,* um dem Saulus / Paulus *Seine ganze Wahrheit erkenntlich zu machen, die in Seinem Sohn Jesus Christus stets wirksam tätig ist.*

Damit wird *eindeutig erkennbar, dass das Erbarmen des allmächtigen Gottes in Christus Jesus über die Person* des Saulus / Paulus *kam. Diese Gunst des Höchsten erweist sich unmissverständlich als Gottes barmherzige Gnadentat, welche an der Person* des Saulus / Paulus *sicht- und unmissverständlich erkennbar wurde.* Folglich *stoppt* das Erbarmen des Ewigen *den Zorn auf die ehemaligen Vergehen* des Saulus / Paulus – *und verweist ihn auf die Liebe Gottes in Christus zu der Person* des Saulus / Paulus, *die dem zukünftigen Apostel aufweist, welche unnachahmliche Liebe Gottes in dem Herrn Jesus Christus auffindbar ist, von der nunmehr auch der* Apostel Paulus – *Dank des vergebenden Gottes in und durch Christus – ergriffen wurde.* Somit es wird weiterhin – so Paulus – allzu deutlich erkennbar, *dass allein das Erbarmen Gottes in Christus Jesus die Menschheit erretten kann, um zur Seligkeit – und folglich zum Ewigen Leben zu gelangen;* dies weiß der Apostel Paulus allzu genau. So gebührt *der lobpreisende Dank* des Paulus *a l l e i n dem himmlischen Vater,* der ihn zu *d e m* gemacht hat, *was* er letztlich *d u r c h Christus* geworden ist:

Ein persönlich Gesandter Gottes im Auftrag des Herrn Jesus Christus, um der Menschheit, bzw. *den Gemeinden, zu denen ihn der Heilige Geist leitete, das Evangelium der unnachahmlichen Herrlichkeit des Herrn und Erlösers Jesus Christus zu predigen, damit möglichst viele Menschen zur Seligkeit und mit einem beständigen, von ganzem Herzen kommenden Glauben an den Messias zum Ewigen Leben gelangen; denn allein dazu hat ihn der himmlische Vater in Christus verholfen,* ganz gemäß dem seit Grundlegung der Welt gewollten Vorhaben des allmächtigen Gottes in dem Herrn Jesus Christus entsprechend. *Somit bleibt keinerlei Platz einer* „Selbst-Rühmung“, *denn diese wird rundum hinfällig, weil ein den Menschen* „zukommendes Rühmen“ *i m m e r d a r durch Gottes Gnade in Christus Jesus vollzogen wird.* Somit schaut der Apostel Paulus *unentwegt auf den ihm zuteilwerdenden Erfolg des Missionierens, der allein d u r c h den Herrn Jesus Christus seine vollkommene Wirksamkeit erhält.*

Daher lässt der Apostel Paulus alle an den Herrn Jesus Christus` Glaubenden unmissverständlich folgende zur Seligkeit führenden Worte wissen: ***… denn wenn du mit deinem Mund bekennst, dass Jesus der Herr ist, und in deinem Herzen glaubst, dass Gott ihn von den Toten auferweckt hat, w i r s t du gerettet werden*** (Römer, Kapitel 10, Vers 9 / Zürcher Bibel).

Wahrhaft – *die Tilgung über alles,* was den Menschen *verdirbt,* geschieht *a u s s c h l i e ß l i c h n u r durch den gnadenreichen, barmherzigen Gott, der aus der Vergebung die Abbitte und aus der erlösenden Befreiung die innere Verbundenheit an den Herrn und Erlöser Jesus Christus schafft – als auch zugleich aus der Aufhebung der Strafe durch den Heiland die Gewährung des Ewigen Lebens schenkt und dieses Erbarmen letztlich i n und a l l e i n d u r c h Christus Jesus vollendet* – so der Apostel Paulus.

Vers 14: Exakt diese soeben aus dem 13.Vers in Kapitel 1 erwähnte *Tilgung* (siehe Auslegung am Ende des 13.Verses!) ist es schließlich, *welche aufweist,* so Paulus, dass ***… wo aber das Maß der Sünde voll geworden ist, da ist die Gnade*** (Gottes in Jesus Christus!) ***überströmend geworden*** (Römer, Kapitel 5, Vers 20b). Es ist genau diese ***… über alle Maßen groß gewordene Gnade unseres Herrn samt dem Glauben*** (oder die Treue = Quelle: Schlachter-Bibel 2000!) ***… und der Liebe, die in Christus Jesus ist*** (1.Timotheus, Kapitel 1, Vers 14), die den Apostel Paulus *ergriffen hat,* welche zugleich die Auserwählten Gottes in Jesus Christus *unmissverständlich erkennen* *lässt,* dass sie *fortan* ***... dazu fähig sind, mit allen Heiligen zu begreifen, was die Breite, die Länge, die Tiefe und die Höhe sei, und die Liebe des Christus zu erkennen, die doch alle Erkenntnis übersteigt, damit ihr erfüllt werdet bis zur ganzen Fülle Gottes*** (Epheser, Kapitel 3, Verse 18 + 19). Daher gilt es für *alle Gläubigen,* stets die nun folgenden Worte in ihren Herzen zu bewahren, welche der Apostel Paulus dem Timotheus wie folgt bekennt: ***...halte dich an das Muster der gesunden Worte, die du von mir gehört hast, im Glauben und in der Liebe, die in Christus Jesus ist!*** (2.Timotheus, Kapitel 1, Vers 13 / Auslegung folgt).

Eben *weil* der Apostel Paulus in Form *der Gnade Gottes, die in Christus wirksam ist* in Erfahrung bringen konnte, dass die Gunst des Höchsten ihn mittels Gottes unantastbare Wahrheit *durch* Jesus Christus in den apostolischen Dienst berufen hat – so ist diese ***... Gnade nicht mehr Gnade um der Werke willen, sonst ist das Werk nicht mehr Werk*** – betont Paulus daher in seinem Brief an die Römer in Kapitel 11, Vers 6. *Aufgrund der Unwissenheit* ***... im Unglauben,*** (siehe erneut Auslegung zu 1.Timotheus, Kapitel 1, Vers 13b!) die Paulus damals in die rundum verwerflichen Fänge der Abtrünnigkeit von Gott und Christus Jesus leiteten, *hat ihm Gott in dem Herrn Jesus Christus Sein rundum gnadenreiches Erbarmen zukommen lassen.* Daher wird es eindeutig ersichtlich, *dass der Apostel seine ehemals an ihm haftende Schuld nicht einfach* abschreibt – etwa wie folgt – *dass diese seine Zuwiderhandlungen für ihn unvergessen bleiben würden, weil er sich der vollkommenen Wahrheit und folglich dem Willen des allmächtigen Gottes strikt weigerte, zu gehorchen.*

Diese immer noch ehemalig vorhandene Schuld nagt dem Paulus weiterhin fühlbar an seinem Herzen – beweist aber zugleich – und gerade *d a s* ist der *alles in allem ausschlaggebende Punkt, dass das an ihm von Gott in Christus Jesus vollbrachte Handeln in Form der überaus reichen und zugleich heilenden Liebe des Allmächtigen ihm zweifellos aufwies, dass gerade d i e s e Liebe den wahren, unantastbaren Glauben hervorhob, in welchen er fortan sein Dasein als ein Apostel Jesu Christi ausüben konnte.* Genau *jene rundum ihm von Gott in Christus Jesus offenbarte, barmherzige Gnadengabe ist es letztlich, welche den Apostel Paulus von seiner damaligen Unwissenheit und seiner dazugehörenden, ehemaligen Ungläubigkeit rundweg befreite.* Denn die *allseits überlegene Gnade Gottes in dem Herrn Jesus Christus übertrifft immerdar die Verschuldung – sei diese auch noch so imposant.* Ab *genau d i e s e m* ihm vom Höchsten offenbarten *Zeitpunkt* konnte er nunmehr eindeutig feststellen, dass Gott ihn *in Jesus Christus zu einem wahren Glaubenden geformt hatte,* welche dem Paulus zudem *die* Gnade aufwies, *als ein Liebender zu handeln.* Vielmehr will er damit zu erkennen geben, *dass der Herr Jesus Christus ihn* – den Apostel Paulus – *als ehemaligen Übertreter und folglich als ein gegen den Heiland Handelnder, trotz aller seiner* (des Saulus`/ Paulus`!) *einstmaligen Vergehen zu des Herrn Jesus` persönlichen Gesandten benennt.* Eben *weil* nun *diese* stets gewissenhafte *Liebe* fühl- und erkennbar in seinem Herzen wohnt, kann der Apostel nunmehr behaupten, dass es sich um *genau d i e s e unverkennbare Liebe Gottes in Christus Jesus handelt,* die ihn unmissverständlich erkennen lässt, *dass er exakt jene Liebe von nun an ausleben und in ganzer Form eines inständigen Glaubens genießen kann.* So wird nun auch des Apostels Paulus` Glaube und Liebe *uneingeschränkt von der überreichen Gnade Gottes geleitet, die in Christus zur Vollendung gelangt ist,* ganz gemäß dem stets gewollten Sinne Gottes in Christus entsprechend. *Diese innige Liebe* wird von einem *unverzagten Glauben begleitet und beide Gnadengaben des himmlischen Vaters ergänzen sich gegenseitig, um letztlich den über allen stehenden Willen Gottes auszuüben, dessen gnadenreicher Geber wiederum der*

Herr und Heiland Jesus Christus selbst ist, der unentwegt diese innige Gemeinschaft mit dem Apostel Paulus in der Kraft des Heiligen Geistes Gottes hervorruft.

Mittels dieser seiner Aussage will Paulus dem Timotheus zudem unmissverständlich zu verstehen geben, dass wenn der Herr Jesus Christus *ihm* – dem Apostel Paulus – der sich selbst als ***... den geringsten von den Aposteln*** betitelt, weil er ***... die Gemeinde Gottes verfolgt hatte*** (1.Korinther, Kapitel 15, Vers 9) *vergibt,* so ist *es einem j e d e n anderen Übertreter* (hier bezogen auf die Falschprediger und Irrlehrer aus 1.Timotheus, Kapitel 1, Verse 3 + 4, 6 + 7, 9 – 11 / siehe Auslegung!) *möglich, in der Liebe Gottes, die in Christus Jesus vollkommen wurde, einzutauchen und in dieser zu verbleiben, w e n n man erkennt, dass das verruchte Handeln,* ja – *jene* entgleisende Zuwiderhandlungen *g e g e n Gott und den Herrn Jesus Christus gerichtete Vergehen sind, die es zutiefst zu b e r e u e n gilt, indem man Gott und den Heiland mittels eines von ganzem Herzen kommenden Gebetes um V e r g e b u n g bittet.*

Dann wird *nicht nur die Vergebung rundum wirksam, sondern die fortan von Gott in Jesus Christus hervorgerufene G n a d e erweist nun auch diesen Herzen, dass Gottes Liebe in Seinem Sohn diese Gnade mit der Liebe Ihrer selbst umgarnt* – und lässt fernerhin den Beschenkten unmissverständlich erkennen, dass ***... die Hoffnung der Herrlichkeit – Christus in ihnen ist,*** (Kolosser, Kapitel 1, Vers 27b) *der ihre Liebe fortan rundum bewirkt und leitet.* Somit *wächst und gedeiht die Liebe, die d u r c h die Gnade im Heiligen Geist* ihre stets von Gott gewollte *Wirksamkeit* aufweist.

Der Apostel Paulus will es Timotheus noch einmal nahelegen, dass seinem (des Saulus`/ Paulus`!) ehemaligen, *bewussten Sündigen* eine von Gott in Christus *gesetzte,* bzw. *festgelegte Grenze auferlegt wurde, welche folglich der Güte Gottes* freien Raum ließ, des Höchsten Erbarmen in Form der persönlichen Erwählung des Apostels Paulus zu Seinem persönlichen Gesandten zu tätigen, *die in der Person des Heilands Jesus Christus rundweg wirksam wurde* – nämlich in Form von ***... dem Glauben und der Liebe, die in Christus Jesus ist*** (1.Timotheus, Kapitel 1, Vers 14b).

So ist die Liebe eine *von Gott in Christus offenbarte Gnade,* die *rundum nötigt ist,* um den Dienst als ein Apostel Jesu Christi – *dem Willen des Allmächtigen gemäß – zu gewährleisten.* Einzig und allein die unantastbare Liebe Gottes in dem Herrn Jesus Christus *bewirkt, dass auch die apostolische Vollmacht des Apostels Paulus in den Gemeinden die Früchte des Heils hervorsprießen lässt, um jene Gemeindemitglieder zu Kindern des Höchsten zu formen,* ganz dem Willen Gottes in Christus Jesus entsprechend. Mittels *dieser Liebe* in der ihm geoffenbarten Kraft des Heiligen Geistes *belegt und erreicht Paulus das immerdar von Gott geforderte, nunmehr vom Höchsten dargelegte Ziel und Werk des Heilands Jesus Christus, wie* Christus in die Welt kam – ***... denn der Sohn des Menschen ist gekommen, um das Verlorene zu retten*** (Matthäus, Kapitel 18, Vers 11). Und der Evangelist Johannes bekennt: ***... denn Gott hat seinen Sohn nicht in die Welt gesandt, damit er die Welt richte, sondern damit die Welt durch ihn gerettet werde*** (Johannes, Kapitel 3, Vers 17) – dessen ***... Nachahmer*** (1.Korinther, Kapitel 11, Vers 1) *der Apostel Paulus selbst ist.* In der Tat – so Paulus – ***... ich bin allen alles geworden, damit ich auf alle Weise etliche rette*** (1.Korinther, Kapitel 9, Vers 22b).

Daher kann ein *j e d e r Glaubende* voll des Heiligen Geistes zum Herrn mit großer Dankbarkeit im Gebet sprechen: ***... wohl dem, dem***

die Übertretungen vergeben sind, dem die Sünde bedeckt ist! Wohl dem Menschen, dem der HERR die Schuld nicht zurechnet, in dessen Geist kein Falsch ist! (Psalm 32 – ein Psalm Davids, Verse 1 + 2 / Lutherbibel 2017).

Vers 15: Aufgrund der über alle ***... Maßen groß gewordenen Gnade*** Gottes ***... samt dem Glauben und der Liebe, die in Christus Jesus ist,*** (siehe Auslegung zu 1.Timotheus, Kapitel 1, Vers 14!) weil die Gnade des Höchsten die Sünden der Menschen in Christus Jesus *restlos vertilgt,* – dies alles gilt *denjenigen Menschen, die von ganzem Herzen an den Herrn und Erlöser Jesus Christus glauben – und dem Heiland ihr eigenes Leben übergeben haben,* betont Paulus nun mit einer freudigen Botschaft in diesem 15.Vers: ***... glaubwürdig ist das Wort und aller Annahme wert, dass Christus Jesus in die Welt gekommen ist, um Sünder zu retten, von denen ich der größte bin.*** Auch in Kapitel 4 des 1.Timotheusbriefes in Vers 9 wiederholt der Apostel noch ein weiteres Mal folgende Worte: ***... glaubwürdig ist das Wort und aller Annahme wert.*** So heißt es weiterhin im Evangelium des Lukas: ***... denn der Sohn des Menschen*** (Jesus Christus!) ***... ist nicht gekommen, um die Seelen der Menschen zu verderben, sondern zu erretten!*** (Lukas, Kapitel 9, Vers 56a).

In der Tat – das Wort Gottes ist *über alle Maßen* ***...glaubwürdig,*** denn es ist stets *vertrauenswürdig, der vollkommenen Wahrheit entsprechend, die ausschließlich in Gott auffindbar ist* – weil ***... Gott nicht lügen kann*** (Titus, Kapitel 1, Vers 2b). *Darum* ist das Wort des Allerhöchsten *immerdar ehrlich, aufrichtig und ohne Falsch* – ja – *rundum vertrauenerweckend.* Wahrhaft – *die vollkommene Wahrheit Gottes, die in dem uns liebendenden, wunderbaren Gott von Ewigkeit zu Ewigkeit immerdar auffindbar ist, genau d i e s e ist es, die auch* *in dem Herrn und Heiland Jesus Christus in den Evangelien immerdar zu den Menschen spricht.* Denn unser Herr Jesus Christus lässt uns *eindeutig Folgendes in Erfahrung bringen,* als der Heiland dem Philippus antwortet***: … glaubst du nicht, dass ich*** (Jesus Christus!) ***… im Vater*** (Gott!) ***… bin und der Vater*** (Gott!) ***… in mir ist? Die Worte, die ich zu euch rede, rede ich nicht aus mir selbst; und der Vater, der in mir wohnt, d e r tut die Werke*** (Johannes, Kapitel 14, Vers 10). Und weiterhin können wir den Heiland sprechen hören: ***… denn der,*** (Jesus Christus!) ***… den Gott gesandt hat, redet die Worte Gottes; denn Gott gibt den Geist nicht nach Maß. Der Vater liebt den Sohn und hat a l l e s in seine Hand gegeben*** (Johannes, Kapitel 3, Verse 34 + 35). Denn ***… der Sohn*** (Jesus Christus!) ***… kann nichts von sich selbst aus tun, sondern nur, w a s er den Vater*** (Gott!) ***… tun sieht; denn was dieser tut, das t u t gleicherweise auch der Sohn*** (Johannes, Kapitel 5, Vers 19b).

Gleichermaßen können wir auch anhand der Psalmen Folgendes in Erfahrung bringen: ***… denn des HERRN Wort ist wahrhaftig, und was er zusagt, das hält er g e w i s s. Er liebt Gerechtigkeit und Recht; die Erde ist voll der Güte des Herrn*** (Psalm 33 – ein Loblied auf Gottes Macht und Hilfe, Verse 4 + 5 / Lutherbibel 2017). Nun wird es eindeutig ersichtlich – so Paulus – dass der Herr Jesus Christus *nicht* aufgrund der Gerechten zu uns in die Welt von Gott gesandt wurde, auch nicht, um den Sündern ihr eigenes Verderben preiszugeben, *sondern um die Sünder zu retten.*

Auch an *mir* – führt der Apostel Paulus fort – *hat Gott in dem Herrn Jesus Christus unmissverständlich bewiesen, dass Er selbst die Ihm von Gott offenbarte Macht als auch das Ihm von Gott gegebene Recht hat, Menschen wie mich, der ich doch selbst* ***… von den Sündern der größte bin,*** (bzw. der Erste = Quelle: Schlachter-Bibel 2000/

1.Timotheus, Kapitel 1, Vers 15b) *zu erretten.* Daher bekennt der Apostel Paulus noch einmal in aller Deutlichkeit *zuerst mit einer auf ihn zurückblickenden Beschämung – dann aber das von Gott in Christus Jesus an ihm vollbrachte Handeln – welches die ehemalig vorhandene Beschämung restlos vertilgt:* ***... denn ich bin der geringste von den Aposteln, der ich nicht wert bin, ein Apostel zu heißen, weil ich die Gemeinde Gottes verfolgt habe. Aber durch Gottes Gnade bin ich, was ich bin; und seine Gnade, die er an mir erwiesen hat, ist nicht vergeblich gewesen, sondern ich habe mehr gearbeitet als sie alle; jedoch nicht ich, sondern die Gnade Gottes, die in mir ist*** (1.Korinther, Kapitel 15, Verse 9 + 10).

Wahrhaft – betrachtete der Apostel Paulus (Saulus!) – der ein ehemaliger Pharisäer war – sein irdisches Dasein von Beginn an *als eine Person unter der gewichtigen Führung des allmächtigen Gottes, so musste er dennoch bei seiner Bekehrung auf seiner Durchreise nach Damaskus* (siehe erneut die Apostelgeschichte des Lukas in Kapitel 9!) *eindeutig feststellen, dass sich die Last seiner eigenen Sünde* (aufgrund der Christenverfolgung!) *keinesfalls verringerte, sondern vergrößerte,* weil Saulus / Paulus *dem Willen des Herrn Jesus Christus widerstand.* Die in ihm ruhende, *ehemalige Beschämung,* dass Paulus sich selbst als einen ***... Sünder*** *betitelt,* ***... von denen er der größte ist*** (1.Timotheus, Kapitel 1, Vers 15b) *lässt erkennen, dass er sich selbst mit dieser seiner wahrhaftigen Aussage als obersten aller Sünder deklariert.* Wenn nun ihm – dem Apostel Paulus – dem Größten aller Sünder – *den der Herr Jesus Christus persönlich als einen der Ersten zur apostolischen Vollmacht berufen hatte, in welchem folglich das Heil Gottes in dem Herrn Jesus Christus voll und ganz widerfahren ist, so wird es auch diejenigen Menschen aus der Last ihrer Sünden restlos befreien, welche die Worte der Evangeliums-Verkündigung Jesu Christi ihre ganze Aufmerksamkeit widmen –*

und an das Wort dieser Frohen Botschaft von ganzem Herzen glauben.

Denn der Herr Jesus Christus erwies an der Person des Apostels Paulus Seine ganze Duldsamkeit. Es ist genau jene Art, die der Apostel an dieser Stelle anspricht: *die Langmut des Herrn Jesus Christus, welche eindeutig aufweist, w i e sich der Heiland zu den Schuldigen verhält – und zugleich erkennen lässt, i n w i e f e r n die abtrünnigen Gemeindemitglieder ihre Schuld vor dem Heiland bekennen müssen, in dem sie ihre Herzen auf d a s richten, was der vollkommenen Wahrheit entspricht, damit auch sie erneut in den Heilsbereich Gottes ankommen, der in dem Herrn Jesus Christus rundweg wirksam ist, um zur wahren Glückseligkeit gelangen zu können – denn dieses Ziel ist ausschließlich n u r i n u n d d u r c h d e n H e i l a n d vom Höchsten gewährleistet. Es ist jener in ihren noch abtrünnigen Herzen zu betrachtende finstere, noch verschlossene Zugang, der mittels eines innigen Glaubens an den Heiland mit dem unverkennbaren Lichtglanz Seiner selbst – der konsistenten Wahrheit des himmlischen Vaters – rundweg k u r i e r t wird – indem der Herr Jesus Christus Seinen immerdar wohlwollenden Lichtglanz in Form des Heiligen Geistes in diesen Herzen aufleuchten lässt, um sie zu Kindern Seiner selbst zu formen.* Es ist wiederum jene *von Christus Jesus ausgehende Geduld, die sich nun auch in den Herzen der Abtrünnigen ersichtlich zeigt* – und zu ihnen mit folgenden Worten der unverkennbaren Liebe Seiner selbst spricht***: … kommt her zu mir alle, die ihr mühselig und beladen seid, so will ich euch erquicken!*** (oder zur Ruhe bringen = Quelle: Schlachter-Bibel 2000!) ***… nehmt auf euch mein Joch und lernt von mir, denn ich bin sanftmütig und von Herzen demütig; so werdet ihr Ruhe finden für eure Seelen! Denn mein Joch ist sanft und meine Last ist leicht*** (Matthäus, Kapitel 11, Verse 28 – 30).

Daher ist das *durch und durch wahrheitsgemäße Wort Gottes,* welches wiederum *d u r c h u n d i n dem Herrn Jesus Christus* nach dem noch ***... vor Grundlegung der Welt*** (Matthäus, Kapitel 25, Vers 34b) *festgelegten Willen des Allmächtigen* zu uns auf die Welt kam – so Paulus – *die alles in allem heilsame Frohe Botschaft,* welche letztlich *die barmherzige Gnade des uns liebenden Gottes in Christus Jesus rundum vollendet. Genau d a s* ist *das* zu bewundernde Phänomen des Ewigen, welches Er *i n* Christus *den Menschen darlegt, die an den Heiland glauben.* Jedoch will uns dieses Wort *aufrichtig zu erkennen geben, dass jeder Zuhörer, der diese Evangeliums-Verkündigung in seinem Herzen durch Glauben aufnimmt, unwillkürlich aufgefordert ist, sämtliche menschlichen Widerreden aus seinem Herzen zu verbannen, um sich der vollkommenen Wahrheit Gottes in Jesus Christus anzuschließen.* So besteht nun auch der rundweg von ganzer Bedeutung geprägte Aufgabenbereich *des Timotheus darin, die Falschprediger erneut auf diese unverkennbaren Wahrheitsprinzipien hinzuweisen, die der himmlische Vater in die Person des Herrn Jesus Christus voller wohlwollender, den Menschen zukommender Liebe hineingelegt hat, um das auch sie die unantastbare Herrlichkeit erkennen, die Gott auf alle Zeit in Jesus Christus offenbarte.*

Denn Gott, der HERR spricht mit folgenden, unverkennbaren Worten: ***... ich habe kein Gefallen am Tod der Gottlosen, sondern daran, dass der Gottlose u m k e h r e von seinem Weg und lebe!*** (Hesekiel, Kapitel 33, Vers 11a).

Vers 16: Genau ***... darum ist mir Erbarmung widerfahren,*** – so Paulus in diesem 16.Vers – ***... damit an mir zuerst Jesus Christus alle Langmut erzeige, zum Vorbild für die, die künftig an ihn*** (Jesus Christus!) ***... glauben würden zum ewigen Leben.***

Erbarmung und ***… Langmut*** (1.Timotheus, Kapitel 1, Vers 16) sind, wie wir es bereits aus dem soeben ausgelegten 15.Vers des 1.Kapitels in Erfahrung bringen konnten, *zwei bedeutende Merkmale Gottes, welche sich in der Person des Herrn Jesus Christus vollends widerspiegeln – und sich folglich mit der ganzen Geduld Gottes in Christus Jesus ausweisen, die sich wiederum auf die Menschheit bezieht.* So ist die Geduld des himmlischen Vaters, als auch die des Heilands Jesus Christus *von großer Ausdauer geprägt, um, – wenn eben möglich, – die ganze Menschheit von Ihrer unnachahmlichen Herrlichkeit zu überzeugen, die a u s s c h l i e ß l i c h in dem allmächtigen Gott und in Christus rundum wirksam ist.* Somit betitelt der Psalmist, König und Prophet David das stets beharrliche Wesen Gottes wie folgt: ***… barmherzig und gnädig ist der HERR, geduldig und von großer Güte*** (Psalm 103 – ein Psalm Davids, Vers 8 / Lutherbibel 2017).

Selbstverständlich ist der Apostel Paulus *gewillt* – und dies ist zugleich die bestimmende Botschaft an den Leiter der Gemeinde in Ephesus – Timotheus – dass *ein jeder der Gemeinde – insbesondere die Irrlehrer – von ihren abtrünnigen, Gott verlassenden Wegen abkehren und seinem – des Paulus` Beispiel folgen – indem diese sich abwenden von ihren bösen Wegen und den allmächtigen Gott und den Herrn Jesus Christus von ganzem Herzen um Vergebung ihrer gottlosen Taten bitten,* sodass auch sie *den* von Gott *in* Christus *geleiteten, als auch stets gewollten, einzigen Weg finden, der sie zur Seligkeit in das Reich der Herrlichkeit des himmlischen Vaters führt.*

Denn des Paulus` Nachricht an Timotheus lautet unmissverständlich: ***… erkennet doch, dass der HERR seine Heiligen wunderbar führt; der HERR hört, wenn ich ihn anrufe*** (Psalm 4 – ein Psalm Davids, Vers 4 / Lutherbibel 2017). Daher will der Apostel weiterhin folgende, alles in allem überragenden Worte *in alle Herzen der Gemeindemitglieder hinterlegen, weil er sie selbst – Dank Gottes ihm zu Teil gewordener, gnadenreicher Barmherzigkeit – in eine immerdar bleibende Erfahrung bringen konnte:* ***… das weiß ich, dass du mein Gott bist. Ich habe dir, Gott, gelobt, dass ich dir danken will. Denn du*** (Gott!) ***… hast meine Seele vom Tode errettet, meine Füße vom Gleiten, dass ich wandeln kann vor Gott im Licht der Lebendigen*** (Psalm 56 – ein güldenes Kleinod Davids, Verse 10b, 13 + 14 / Lutherbibel 2017).

Denn wenn auch *die Falschprediger diesen allein zum ewigen Heil leitenden Pfad des wahren Glaubens begehen* – ja – diese ***… künftig an Christus Jesus glaubenden Menschen zum ewigen Leben*** (1.Timotheus, Kapitel 1, Vers 16*) in dem Herrn Jesus Christus angelangen,* dann wird *ein jeder Glaubende* schließlich *auch über sie aussprechen können,* dass ***… die Freude am HERRN ihre Stärke ist*** (Nehemia, Kapitel 8, Vers 10b). Dann werden auch *die ehemaligen Irrlehrer von ihren nunmehr befreiten Herzen die vollkommene Wahrheit des sie liebenden Gottes in dem Herrn Jesus Christus voll und ganz verspüren – und folglich mittels ihrer rundum von Gott in Christus zu Gute kommenden Erlösung von ganzem Herzen sprechen können:* ***… er*** (Gott!) ***… ist der Fels; vollkommen ist sein Tun; Ja, alle seine Wege sind gerecht. Ein Gott der Treue und ohne Falsch, Gerecht und aufrichtig*** (gerade = Quelle. Schlachter-Bibel 2000!) ***… ist er*** (5.Mose, Kapitel 32, Vers 4).

Nun muss nun auch der gläubige Mensch *stets mit einem rundum geduldigen Beharren auf das Wort Gottes von seinem Herzen aus ausgerichtet sein,* denn so heißt es daraufhin in dem Brief an die Hebräer: ***… denn standhaftes Ausharren*** (Geduld!) ***… tut euch not, damit ihr, nachdem ihr den Willen Gottes getan habt, die Verhei-***

ßung erlangt (Hebräer, Kapitel 10, Vers 36) – und der Apostel Paulus kommentiert die Worte des Schreibers des Hebräerbriefes wie folgt: ***… denn alles, was zuvor*** (die alttestamentlichen Schriften!) ***… geschrieben worden ist, wurde zu unserer Belehrung zuvor geschrieben, damit wir durch das Ausharren und den Trost*** (durch den Zuspruch / die Ermunterung = Quelle: Schlachter-Bibel 2000!) ***… der Schriften Hoffnung fassen*** (Römer, Kapitel 15, Vers 4).

Genau zu *diesen* Worten fühlt sich der Apostel Paulus Kraft seiner ihm von Gott durch den Herrn Jesus Christus persönlich geoffenbarten apostolischen Vollmacht gegenüber dem Timotheus *verpflichtet* – dies ist *sein sehnlicher Wunsch* an alle Gemeindemitglieder der Gemeinde in Ephesus – *vor allem aber, dass die Irrlehrer exakt d i e s e Worte in ihren Herzen annehmen, verwirklichen – und folglich in der Kraft Gottes, die in Christus Jesus zu der abgeschlossenen Vollkommenheit gelangte – ihr zukünftiges Dasein vollends ausleben können – in der stets wohlwollenden Gemeinschaft Gottes und der des Herrn Jesus Christus, welche sie zu Anwärtern im Reich der Himmel formt.* Denn: ***… Gottes Weg ist vollkommen, das Wort des HERRN ist durchläutert. Er ist ein Schild allen, die ihm vertrauen*** (Psalm 18 – ein Psalm Davids, Vers 31 / Lutherbibel 2017).

Ja – so lässt uns David fernerhin in seinem 31. Psalm unverblümt wissen: ***… seid getrost und unverzagt alle, die ihr des HERRN harret!*** (Psalm 31 – ein Psalm Davids, Vers 25 / Lutherbibel 2017).

Wenn diese Grundprinzipien des Glaubens in den Herzen der Auserwählten des himmlischen Vaters – als auch in den vom Heiligen Geist der Wahrheit betuchten Herzen des Herrn und Erlösers Jesus Christus ruhen, dann werden Sie zu den Kindern Ihrer selbst sprechen: ***… fürchte dich nicht, denn ich habe dich erlöst! Ich habe***

dich bei deinem Namen gerufen, du bist mein (Jesaja, Kapitel 43, Vers 1b). Wahrhaft – ***... denn des HERRN Augen schauen alle Lande, dass er stärke, die mit ganzem Herzen bei ihm sind*** (2.Chronik, Kapitel 16, Vers 9a / Lutherbibel 2017).

So führt der von ganzem Herzen kommende Glaube an Gott und den Herrn Jesus Christus *nicht zu einem richtenden Anlass, sondern zur Befreiung, die in Christus Jesus rundum wirksam wird.* Denn *die Liebe des Allmächtigen in Christus bewirkt die Umkehr, welche mit heilbringenden Zügen der Vergebung und der auserlesenen Zuneigung bestückt ist.* Diese prägende als auch rundweg heilsame Liebe ist es letztlich, welche innerhalb *der ganzen Gemeinde* (vor allem aber in den Herzen der Falschprediger!) *angenommen werden muss, um das gnadenreiche Erbarmen Gottes in Christus Jesus vollends ausleben zu können.* Somit darf bzw. *soll Timotheus die noch Schwachen,* ja – *die noch n i c h t fest im Glauben Stehenden n i c h t verachten, sondern muss sich den bedeutenden Dienst mit allen ihm zur Verfügung stehenden, geistlichen Argumenten Kraft seines in ihm ruhenden Heiligen Geistes widmen, damit auch diese immer* noch im wahren Glauben Wankenden *zu einer befreienden Rettung gelangen, die einzig und allein i n dem Herrn Jesus Christus auffindbar ist.* Der Apostel Paulus *lässt den* Timotheus *daher nicht allein* – auch wenn *er persönlich nicht* bei seinem Glaubensbruder im Geist *anwesend ist – aber in Form dieses Briefes mit all seinen überaus vortrefflichen,* ja – *rundweg anweisenden, stets zu Gott und dem Herrn Jesus Christus führenden Argumenten hilft er folglich dem* Timotheus, *dass dieser stets vom Höchsten beabsichtigte Plan zur E r f ü l l u n g gelangt.* Dabei ist Timotheus – Kraft seines Amtes als Leiter der Gemeinde in Ephesus – *dazu verpflichtet, den* neuen, jedoch allseits verderblichen Lehrern *die wahre Frohe Botschaft Gottes in Christus Jesus zu offenbaren, welche die noch Abtrünnigen bei deren Glau-*

bensannahme letztlich zu den Auserwählten des himmlischen Vaters führt.

Dazu soll Timotheus auch die in seinem Herzen ruhende, stets vom Heiligen Geist geleitete *G e d u l d* aufbringen, welche der Herr Jesus Christus nicht nur unentwegt im Falle des Saulus / Paulus aufwies, *sondern einem j e d e n anderen Menschen Kraft Seiner unendlich gewährten Liebe nahelegt, sodass ein j e d e r Mensch erkennen kann, dass* ***... der Reichtum seiner*** (Gottes und des Herrn Jesus Christus`!) ***... Güte, Geduld und Langmut*** ihn allein ***... durch Gottes Güte zur Buße leitet*** (Römer, Kapitel 2, Vers 4). Genau *d i e s e s unmissverständliche Handeln des uns liebenden Gottes und des Heilands Jesus Christus macht die Menschheit unentwegt darauf aufmerksam, inwiefern* der noch Suchende *sich i m m e r d a r an dieses vortreffliche, sich niemals ändernde Angebot des himmlischen Vaters im Herrn Jesus Christus annehmen darf* – ja – *s o l l – um in den über allen stehenden, voller Zuneigung geprägten Heilsbereich Ihrer selbst angelangen zu können.* Denn in diesem vortrefflichen – ja – mittels dieses *rundum exzellent anmutenden immerdar gültigen Angebotes Gottes in Christus wird die gütige Herrlichkeit des himmlischen Vaters in Christus rundum erkenn- als auch sichtbar, weil in dieser unnachahmlichen, rundweg heilenden Fülle der seit Ewigkeit ruhende Wille des himmlischen Vaters in Christus Jesus vollends auffindbar ist.*

Daher *w i r d der Herr Jesus Christus* – dessen ist sich der Apostel Paulus absolut sicher – *auch die* noch im und am wahren Glauben Zweifelnden *mittels Gottes barmherziger Güte in den unverkennbaren Lichtglanz Seiner Herrlichkeit leiten, w e n n diese den wahren Glauben annehmen, der sie letztlich aus der Schuld führt, um sie wiederum in die heilführende, allerrettende Gemeinschaft Jesu Chris-*

ti zu leiten. So werden *auch die Sünder – gleich wie der ehemalige Saulus von Tarsus mittels seiner Bekehrung zu dem Paulus – einen persönlich Auserwählten Apostel des Herrn und Heilands Jesus Christus – vollends mit der Evangeliums-Botschaft in ihren Herzen die zu benötigende Ruhe, Ausgeglichenheit sowie den wahren Glauben finden, der sie letztlich in die erhabene Gemeinschaft Gottes in Christus Jesus hineinintegriert, um ihnen die Freiheit zu offenbaren, die einzig und allein i n Christus Jesus auffindbar ist.*

Denn der Heiland lässt uns eindeutig wissen: ***... wenn euch nun der Sohn*** (Jesus Christus!) ***... frei machen wird, so seid ihr w i r k l i c h f r e i*** (Johannes, Kapitel 8, Vers 36). Fortan heißt ihr künftiges Ziel: *Das Ewige Leben in Christus Jesus – aufgrund der ihnen allen zu Teil gewordenen Güte des sie immerdar liebenden, allmächtigen Gottes.*

In der Tat – *mittels der Person des Apostels Paulus wird allzu deutlich sicht- als auch rundum erkennbar, i n w i e f e r n* die Gnade des allmächtigen Gottes in Jesus Christus *w i r k s a m i s t – auch für diejenigen Menschen – die von ganzem Herzen den Heiland aufsuchen – und an Ihn glauben.* In diesen Menschen hat sich *das vollkommene Heil des himmlischen Vaters verwirklicht,* da ihnen nunmehr die Geborgenheit als auch *die Macht des wahren Glaubens sichtbar mittels des Heiligen Geistes vor Augen gestellt wurde – die in Christus Jesus zum letzten und ewigen Bund –* ja *– zur konsistenten Erfüllung Gottes gelangt – um als Auserwählte des Höchsten im Reich der Herrlichkeit Gottes benannt zu werden –* ganz gemäß dem noch vor Beginn des Zeitalters gewollten Vorhaben des allmächtigen Gottes in dem Herrn und Erlöser Jesus Christus entsprechend.

Vers 17: Der Apostel Paulus geht nun mittels einer den allmächtigen Gott lobpreisenden Identitätsbeschreibung dazu über, den Herrn und Schöpfer der Welt wie folgt *zu huldigen:* ***... dem König der Ewigkeit*** (der Zeitalter / der Äonen = Quelle: Schlachter-Bibel 2000!) ***... aber, dem unvergänglichen, unsichtbaren, allein weisen Gott, sei Ehre und Ruhm von Ewigkeit zu Ewigkeit!*** (in die Ewigkeiten der Ewigkeiten = Quelle: Schlachter-Bibel 2000!) ***... Amen.*** Mit diesen glorreichen Worten beendet der Apostel den vorletzten 1.Kapitelabschnitt von diesem aufschlussreichen 1.Kapitel dieses 1.Timotheusbriefes. Auch in dem noch vor uns liegenden 6.Kapitel dieses 1.Briefes an Timotheus in den Versen 15 und 16 (Auslegung folgt!) beschreibt der Apostel Paulus die unantastbare Herrlichkeit des wunderbaren, alwissenden Gottes wie folgt: ***... der Glückselige und allein Gewaltige, der König der Könige und der Herr der Herrschenden, der allein Unsterblichkeit hat, der in einem unzugänglichen Licht wohnt, den kein Mensch gesehen hat noch sehen kann; ihm sei Ehre und ewige Macht! Amen.*** Auch aus dem Brief des Apostels Paulus an die Römer in Kapitel 16 in Vers 27 können wir weiterhin folgende Worte vernehmen: ***...*** ***– ihm, dem allein weisen Gott, sei die Ehre durch Jesus Christus in Ewigkeit! Amen.***

Um jedoch die von dem Apostel Paulus gewählten Worte der unvergleichlichen Herrlichkeit des himmlischen Vaters näher verstehen zu können, sollten wir diese anhand des 17.Verses des 1.Kapitels des 1.Timotheusbriefes wie folgt spezifizieren:

Gott ist ***... der König der Ewigkeit:*** *Gottes Herrschaft besteht vom Anfang bis zum Ende, des himmlischen Vaters Macht und Herrlichkeit währt für und für und hat keine Zeitbegrenzung, denn Gott herrscht ohne Unterlass von Ewigkeit zu Ewigkeit. Alles in allem ist durch die alleinige Allmacht Gottes erschaffen worden. Die Erde, der*

Himmel, die Menschen, die Tiere, die Pflanzen, das All und restlos alles, was sich in, auf und unter ihnen befindet. Ja – Gott ist der König der unvergänglichen als auch unsterblichen Vollkommenheit, Er ist der Herr der Unendlichkeit, ja – des kompletten Zeitalters – und folglich von Ewigkeit zu Ewigkeit der immerdar gleichbedeutende, einzig wahre, alleinige Gott – denn so spricht der Allmächtige:

… denn ich, der HERR, verändere mich nicht (Maleachi, Kapitel 3, Vers 6a).

So heißt es weiterhin in der Offenbarung des Johannes in Kapitel 19 im 16.Vers: ***… und er trägt an seinem Gewand und an seiner Hüfte den Namen geschrieben: „König der Könige und Herr der Herren“*** – und des Weiteren können wir anhand der Offenbarung des Johannes in Kapitel 1 im 8.Vers Folgendes vernehmen, wenn Er (der Herr Jesus Christus!) spricht: ***… ich bin das A und das O,*** (Alpha und Omega, der erste und der letzte Buchstabe des griechischen Alphabets = Quelle: Schlachter-Bibel 2000!) ***… der Anfang und das Ende, spricht der Herr, der ist und der war und der kommt, der Allmächtige.*** Auch im 145.Psalm – der ein Loblied Davids bekundet – können wir anhand des 13.Verses (Lutherbibel 2017) weitere Worte von Gottes niemals vergehender, über allem stehender, königlicher Herrlichkeit wie folgt vernehmen: ***… dein*** (Gottes!) ***… Reich ist ein ewiges Reich, und deine*** (Gottes!) ***… Herrschaft währet für und für. Der HERR ist getreu in all seinen Worten und gnädig in allen seinen Werken.*** Ja – ***… der HERR ist König immer und ewiglich*** (Psalm 10, Vers 16a / Lutherbibel 2017) – ***… der HERR ist König und herrlich gekleidet; der HERR ist gekleidet und umgürtet mit Kraft. Fest steht der Erdkreis, dass er nicht wankt. Von Anbeginn steht dein*** (Gottes!) ***… Thron fest; du bist ewig*** (Psalm 93 – der HERR ist König, Verse 1 + 2 / Lutherbibel 2017).

Gott ist ***… unvergänglich:*** *der Allmächtige ist unsterblich, unveränderlich, zeitlebens, fortwirkend, rundum vollendet. Er ist in allen Details Kraft Seiner göttlichen, hochheiligen als auch unnachahmlichen Herrlichkeit über allem stehend – und vollends exzellent.*

Wahrhaft – ***… der HERR hat seinen Thron im Himmel errichtet, und sein Reich herrscht über alles*** (Psalm 103 – ein Psalm Davids, Vers 19 / Lutherbibel 2017).

Gott ist ***…unsichtbar:*** *Er ist nicht sichtbar, imaginär, übersinnlich, rundweg immerdar wundersam, nicht* (augenscheinlich!) *erkennbar – und somit nicht sichtbar und dennoch immerdar und überall präsent.*

So lässt uns der Herr Jesus Christus wissen: ***… Gott ist Geist*** (Johannes, Kapitel 4, Vers 24a). Denn – so Paulus: ***… wir sehen nicht auf das Sichtbare, sondern auf das Unsichtbare;*** (Gott!) ***… denn was sichtbar ist, das ist zeitlich;*** (vergänglich, es währt nur für eine kurze Zeit = Quelle: Schlachter-Bibel 2000!) ***… was aber unsichtbar ist, das ist ewig*** (2.Korinther, Kapitel 4, Vers 18) – und lässt uns weiterhin wissen: ***… denn wir sehen jetzt mittels eines Spiegels wie im Rätsel, dann aber*** (bei der Parusie / Wiederkunft Jesu Christi am Tag des Jüngsten Gerichts!) ***… von Angesicht zu Angesicht; jetzt erkenne ich stückweise, dann*** (wenn die Parusie Christi erfolgt ist!) ***… aber werde ich erkennen, gleichwie ich erkannt bin*** (1.Korinther, Kapitel 3, Vers 12). Und aus dem 1.Brief des Apostels Johannes erfahren wir anhand des 4.Kapitels in Vers 12a: ***… niemand hat Gott jemals gesehen*** – und der Herr Jesus Christus bekennt wiederum: ***… und niemand erkennt den Vater*** (Gott!) ***… als nur der Sohn*** (Jesus Christus! / Matthäus, Kapitel 11, Vers 27b).

Gott ist ***... der a l l e i n weise Gott:*** *Gott ist über Alles und Allem erhaben. Er allein ist allem überlegen, Gott herrscht mittels Seiner unantastbaren Vollkommenheit – welche nur in Ihm auffindbar ist, damit sondert sich der himmlische Vater von jeglichem existierenden und auch vergänglichen Wesen ab – dies sagt unmissverständlich aus, dass in dem Wesen Gottes allein die vollkommene Macht herrscht, welche sich von allem anderen rundweg absetzt – um mittels Seiner rundum exzellenten Formvollendung von Ewigkeit zu Ewigkeit allein zu herrschen.*

Daher bekennt der Apostel Paulus mit unzweifelhaften Worten: ***... denn es ist e i n Gott und e i n Mittler zwischen Gott und den Menschen, der Mensch Christus Jesus*** (1.Timotheus, Kapitel 2, Vers 5 / Auslegung folgt!) – und betont ferner in seinem Brief an die Galater in Kapitel 3, Vers 20b: ***... Gott aber ist e i n e r*** – und im Brief des Paulus an die Epheser vernehmen wir weiterhin: ***... e i n Leib und e i n Geist, wie ihr auch berufen seid zu e i n e r Hoffnung eurer Berufung; e i n Herr, e i n Glaube, e i n e Taufe; e i n Gott und Vater aller, über allem und durch alle und in euch allen*** (Epheser, Kapitel 4, Verse 4 – 6). Und des Weiteren können wir mittels des Buches des Propheten Jesaja Folgendes in Erfahrung bringen: ***... so spricht der HERR, der König Israels, und sein Erlöser, der HERR der Heerscharen: Ich bin der Erste, und ich bin der Letzte, und a u ß e r m i r gibt es keinen Gott. Gedenkt an das Frühere von der Urzeit her, dass Ich Gott bin und keiner sonst; e i n Gott, dem keiner zu vergleichen ist*** (Jesaja, Kapitel 44, Vers 6 + Kapitel 46, Vers 9). Diesen wunderbaren, allein herrschenden Gott gilt –

... Ehre und Ruhm von Ewigkeit zu Ewigkeit!: *es ist jene anerkennende Ehrung, welche allein diesem einzigen Gott gebührt, denn*

Er inkludiert die oberste Stellung des vollkommen ummantelnden Wertgefühls, weil nur Er die absolute Reinheit verkörpert. Sein Glanz und Seine unnachahmliche Herrlichkeit ist rundum perfekt und ohne jeglichen Fehler. Gottes stets anzubetendes exzellentes Niveau ist einzigartig und nicht kopierbar – schlichtweg über allen anderen Dingen erhaben und somit rundweg perfekt zu beurteilen. Gottes immerdar gleichbleibendes Wertgefühl ist allseits konstant und folglich immerdar einzigartig; denn Seine Worte als auch Sein Handeln und Tun sind schlichtweg allezeit gültig, abgeschlossen und somit voll und ganz vollkommen. Somit ist die Würde des himmlischen Vaters auf alle Ewigkeit von einer fulminanten Größe beseelt, die niemals nachahmbar ist.

Daraufhin hören wir aus dem Buch des Propheten Jesaja: ***... sie sollen dem HERRN die Ehre geben und seinen Ruhm auf den Inseln verkündigen!*** (Jesaja, Kapitel 42, Vers 12). Daher lässt uns auch der Psalmist, König und Prophet David in seinem 51.Psalm in Vers 17 als auch in seinem 29.Psalm in Vers 1 (Lutherbibel 2017) eindeutig wissen: ***... HERR, tue meine Lippen auf, dass mein Mund deinen Ruhm verkündige. Bringet dar dem HERRN, ihr Himmlischen, bringet dar dem HERRN Ehre und Stärke!***

In der Tat – des Paulus abschließendes Gebet, welches dem allein wahren, allmächtigen Gott gilt, ist von einem in ihm ruhenden Bewusstsein inkludiert, welches des Apostels` tiefgründigen Glauben in aller Deutlichkeit noch ein weiteres Mal hervorhebt. Somit betitelt Paulus den himmlischen Vater als den einzig wahren Gott, dem es immerdar gilt, seinen ganzen, von Herzen kommenden Glauben zu bekunden. Dieser innige Glaube ist sozusagen die höchste Instanz menschlichen Handelns und weist folglich auf die Anerkennung hin, welche die im Herzen verankerte, zum Glauben leitende Einigung mit dem himmlischen Vater in Christus Jesus prägend hervorhebt. Diese rundweg von ganzer Herrlichkeit ausgelegte, voluminöse Beschreibung des wunderbaren, herrlichen Gottes zeigt zugleich auf, *was das Wesen des Allerhöchsten letztlich ausmacht – nämlich – die sich immerdar überaus beträchtlich differenzierenden Unterscheidungen zwischen der fehlbaren, sündenumwobenen Welt und dem rundum perfektem Wesen des himmlischen, ewigen Vaters.*

So gebietet Gott als ihr alleinherrschender König der Welt und was in ihr ist, von Anbeginn der Schöpfung bis hin von Ewigkeit zu Ewigkeit Seinen unverkennbaren Willen, der jedoch aufgrund des Menschen Sünde viele Widersacher aufweist – *denen es jedoch gilt,* so Paulus zu Timotheus – *anhand dem größten Geschenk Gottes – den Herrn und Erlöser Jesus Christus und Sein Evangelium – zu predigen – damit die noch in der Gemeinde in Ephesus auffindbaren Irrlehrer zu dem einzig wahren Glauben gelangen, was dem Willen Gottes in Christus Jesus rundum entspricht – nämlich: die vollkommen Wahrheit des allmächtigen Gottes, welche in dem Herrn Jesus Christus zur vollkommenen Erfüllung gelangt. Der in Timotheus ruhende Geist der Wahrheit Gottes wird ihm verhelfen* – dessen ist der Apostel Paulus sich absolut sicher – *dass das zum ewigen Heil leitende Werk Gottes in Christus Jesus auch die Herzen der Irrlehrer bekehren wird.*

Daher will Paulus dem Timotheus die Worte seines Briefes an die Römer noch einmal in aller Deutlichkeit nahelegen, welche in Kapitel 12 im 6.Vers lauten: ***… wir haben aber verschiedene Gnadengaben gemäß der uns verliehenen Gnade; wenn wir Weissagung haben, (so sei sie) in Übereinstimmung mit dem Glauben*** – *und folglich warten auch diese unverkennbaren Worte Gottes in dem vom Heiligen Geist erfüllten Herzen des Timotheus darauf, sie der Gemeinde in*

Ephesus – vor allem aber in die Herzen der Irrlehrer mittels eines vom Geist Gottes getragenen, unerschütterlichen Gewissens mit ganzer Sorgfalt im Glauben zu hinterlegen, sodass auch sie zum wahren Glauben gelangen, der einzig und allein in Gott und Christus Jesus immerdar aufzufinden ist; damit sich auch die Herzen der noch Abtrünnigen mit Gott gewidmeter Demut in Jubel und Lobpreisung durch die Liebe Jesu Christi erheben können.

Vor allem aber – so betont es der Apostel Paulus gegenüber dem Timotheus – *wird dieser dringliche Handlungsbedarf der über alles zu betrachtenden Ehre Gottes in dem Herrn Jesus Christus gewidmet,* sodass der von Ewigkeit zu Ewigkeit unantastbare Wille des allmächtigen Gottes immerdar bewahrt bleibt – und folglich an *diesem Vorsatz* der wahre Glaube seine rundum unverhüllten Richtlinien aufweist.

Verse 18 – 20
Ermutigung zum guten Kampf des Glaubens

[18]Dieses Gebot vertraue ich dir an, mein Sohn Timotheus, gemäß den früher über dich ergangenen Weissagungen, damit du durch sie (gestärkt) den guten Kampf kämpfst, [19]indem du den Glauben und ein gutes Gewissen bewahrst. Dieses haben einige von sich gestoßen und darum im Glauben Schiffbruch erlitten. [20]Zu ihnen gehören Hymenäus und Alexander, die ich dem Satan übergeben habe, damit sie gezüchtigt werden und nicht mehr lästern.

Auslegung:

Vers 18: Mit ehrerbietender Würdigung betont Paulus nun gegenüber dem ***... Timotheus,*** den der Apostel als seinen ***... Sohn*** betitelt, (sprich: Timotheus als sein Kind im Glauben benennt!) dass Paulus dem ***... Timotheus dieses Gebot anvertraut.*** Denn der Apostel hat seinen ***... Sohn*** im Glauben *damit betraut,* ***... das Gebot*** *den* Gemeindemitgliedern in Ephesus *zu predigen*, welche sich *gegen die vom Heiligen Geist Gottes geoffenbarte Lehre des Paulus widersetzen.* Dieser von dem Apostel *an den Timotheus weitergegebene Missionsbefehl des Herrn Jesus Christus,* der da lautet: ***... so geht nun hin und macht zu Jüngern alle Völker,*** (Heidenvölker = Quelle: Schlachter-Bibel 2000!) ***... und tauft sie auf den Namen des Vaters und des Sohnes und des Heiligen Geistes und lehrt sie alles halten, was ich euch befohlen habe*** (Matthäus, Kapitel 28, Verse 19 + 20a) – lässt uns erkennen, *dass Paulus an den prophetischen Worten festhält, welche für ihn – den persönlich berufenen Apostel des Herrn Jesus Christus – als auch für den Timotheus – eine eindeutige Verpflichtung des Herrn Jesus Christus aufweisen, damit der Missionsbefehl des Heilands anhand ihrer beiderseitigen Mitarbeit zur vollkommenen Erfüllung gelangt.* Denn diese Berufung *gilt der über der in allen Bestimmungen hervorzuhebenden Ehre des allmächtigen Gottes.*

Daraufhin betont Paulus gegenüber dem Timotheus noch ein weiteres Mal die über seinen Glaubensbruder ausgesprochenen Worte, nämlich ***... die über ihn*** (den Timotheus!) ***... ergangenen Weissagungen, damit Timotheus durch sie (gestärkt) den guten Kampf kämpft*** (1.Timotheus, Kapitel 1, Vers 18b) – und lässt den Timotheus weiterhin mittels folgender, seinem Kind im Glauben stets zu Gute dienenden, Auftrieb anregenden Worten unmissverständlich wissen: ***... vernachlässige nicht die Gnadengabe in dir, die dir verliehen wurde durch Weissagung unter Handauflegung der Ältestenschaft!***

(1. Timotheus, Kapitel 4, Vers 14 / Auslegung folgt!). ***… kämpfe den guten Kampf des Glaubens; ergreife das ewige Leben, zu dem du*** (Timotheus!) – ***… auch berufen bist und worüber du das gute Bekenntnis vor vielen Zeugen abgelegt hast*** (1.Timotheus, Kapitel 6, Vers 12 / Auslegung folgt!) – ***… erdulde nun die Widrigkeiten als ein guter Streiter Jesu Christi!*** (2.Timotheus, Kapitel 2, Vers 3 / Auslegung folgt!) – und weist den Timotheus *abermals auf sein* Gebet hin, (siehe erneut Auslegung zu 1.Timotheus, Kapitel 1, Vers 18!) *welches Paulus der über allem stehenden Ehre Gottes widmete, um den Willen des himmlischen Vaters mittels der Person des Timotheus rundweg zu erfüllen.*

Vers 19: Daher soll sich Timotheus von den *rundum falschen Glaubenseinstellungen der Irrlehrer keinesfalls einschüchtern lassen,* sondern er *soll diesen ihren fehlgeleiteten Glauben mittels der wahren Frohen Botschaft Jesu Christi anhand seiner vom Heiligen Geist in seinem Herzen ruhenden Weissagungen,* ja – *mittels der prophetischen Worte, die zugleich geistgewirkte Äußerungen beinhalten, welche allein die vollkommene Wahrheit Gottes in Christus Jesus aufweisen, mit guten Mut verkündigen.* Wahrhaft – es ist zugleich *jenes sich stets im Herzen des Timotheus auffindbare, fest verankerte* ***… gute Gewissen,*** *welches mittels eines vom Geist getragenen Bewusstseins unmissverständlich aussagt,* ***… allezeit ein unverletztes Gewissen zu haben gegenüber Gott und den Menschen*** (die Apostelgeschichte des Lukas, Kapitel 24, Vers 16b).

Trotz allem weiß Paulus allzu genau, dass die friedliebende Evangeliums-Verkündigung, welche einzig und allein im Dienst der vollkommenen Wahrheit Gottes in Christus von Timotheus vollbracht wird, für seinen Glaubensbruder *keine leichte Aufgabe darstellt.* Denn *diese Friedensmission muss mit Durchhaltevermögen, der erforderlichen Courage und mit völliger Hingabe ausgeübt werden,* ja – mittels ***... eines festen Glaubens und*** anhand ***... eines guten Gewissens,*** (1.Timotheus, Kapitel 1, Vers 19a) *um das die Liebe als auch die vollkommene Wahrheit der Frohen Botschaft voll des stets wohlwollenden Enthusiasmus in die Herzen der Falschprediger gelangt.* Es ist exakt dieser ***... feste Glaube*** und dieses allseits inbegriffene ***... gute Gewissen,*** welches dem Timotheus im Geist der Wahrheit bekundet, dass ***... wir aus Glauben gerechtfertigt sind und Frieden mit Gott durch unseren Herrn Jesus Christus haben, durch den wir im Glauben auch Zugang erlangt haben zu der Gnade, in der wir stehen, und wir rühmen uns der Hoffnung auf die Herrlichkeit Gottes*** (Römer, Kapitel 5, Verse 1 + 2). Dazu *müssen jedoch die in den Herzen der Irrlehrer sich noch befindenden Auflehnungen restlos vertilgt werden,* denn – ***... einen festen Glauben und ein gutes Gewissen haben einige von sich gestoßen und haben*** darum ***... Schiffbruch erlitten*** (1.Timotheus, Kapitel 1, Vers 19b), so Paulus.

Diese *allseitig befleckenden, immerdar gegen Gott und den Herrn Jesus Christus gerichteten Widerstände der Abtrünnigen haben den barmherzigen Gnadenstand als auch die Heilsgewissheit Gottes vollständig missachtet.* Diese Übertreter sind es, welche ***... die Weltzeit lieb gewonnen haben;*** (2.Timotheus, Kapitel 4, Vers 10a / Auslegung folgt!) – denen gilt es nunmehr – so Paulus – *mittels einer treuen, stets zu Gott und dem Herrn Jesus Christus bezogenen Bewährung des wahren Glaubens ihre gottlosen Vergehen abzuwehren* – ja – mit der Ergreifung der ***... ganzen Waffenrüstung Gottes*** dafür Sorge zu tragen ***... den listigen Kunstgriffen des Teufels gegenüber standhalten zu können,*** um mit ***... dem Schild des Glaubens alle feurigen Pfeile des Bösen auszulöschen*** (Epheser, Kapitel 6, Verse 11 + 16) – *damit die wahre Frohe Botschaft Gottes in dem Herrn*

Jesus Christus in ihrer ganzen Vollkommenheit frei a u f a t m e n – und gemäß dem Willen Gottes mittels eines vollkommen reinen, unberührten Glaubens r u n d u m w i r k e n k a n n.

Es ist ein dem Timotheus übergebener *Dienst des Friedens im Auftrag zur Ehre Gottes,* der jedoch – so der Apostel Paulus – mit „kriegerischen Zügen der Glaubensbekämpfung" *gegenüber den Irrlehrern ausgeführt werden muss – um diese Abtrünnigen zu dem Licht der Wahrheit Gottes in Christus Jesus zu leiten, damit auch sie die vollkommene Herrlichkeit des himmlischen Vaters in ihren noch verfinsternden Herzen mittels ihrer dann an ihnen vom Höchsten vollbrachten Wiedergeburt in der Kraft des Heiligen Geistes fortan mit Lob und Dankbarkeit aufnehmen können, wenn die wahre, ihnen von Timotheus verkündigte Frohe Botschaft sie zur Umkehr leitet.*

Folglich *müssen sich die Irrlehrer selbst über ihre vollbrachten Sünden mittels der ihnen überlieferten, rundum wahrheitsgetreuen Evangeliums-Botschaft des Timotheus b e w u s s t werden – und zugleich einsehen, dass sie u m k e h r e n m ü s s e n – von dem Weg ihrer Abtrünnigkeit – hin zum Licht der Wahrheit – indem sie im aufrichtigen Gebet Gott und den Herrn Jesus Christus um die V e r g e b u n g ihre Sünden bitten.* In der Tat – sie sind es, die sich selbst hinterfragen müssen, um der nun folgenden, unmissverständlichen Wahrheit „ins Auge zu blicken", die da unverkennbar lautet: ***… ja, o Mensch, wer bist denn du, dass du mit Gott rechten willst?*** (Römer, Kapitel 9, Vers 20a).

Jedoch kann sich Timotheus stets sicher sein, *dass die allseits vom Heiligen Geist geleitete Fürsprache des Herrn und Erlösers Jesus Christus ihn bei seiner noch zu bewältigenden Friedensmission aufbaut, damit die über allem stehende Ehre Gottes rundum gewährleis-*

tet wird. An dieser Stelle wird es dem Leser noch einmal allzu deutlich ersichtlich, *dass die seelsorgerische Nächstenliebe unentwegt in den Herzen der beiden Gottesmänner aufzufinden ist.* Dieser kontinuierlich geprägte Drang des Gott wohlgefälligen Ausführens ist es wiederum, *welcher sie mittels der Kraftausgießung des Heiligen Geistes dazu auffordert – gemäß den unverkennbaren Richtlinien Gottes* – ja – *allein zur Ehre des wunderbaren, allein herrschenden Gottes – zu handeln.* Denn in ihren voller Glauben erfüllten Herzen ruht unentwegt die vom Geist der Wahrheit getragene, unverkennbare Gewissheit, dass es – ***... ohne Glauben aber unmöglich ist, Ihm*** (Gott!) ***wohlzugefallen; denn wer zu Gott kommt, muss glauben, dass er ist und dass er die belohnen wird, welche ihn suchen*** (Hebräer, Kapitel 11, Vers 6).

Vers 20: Der Apostel Paulus bezieht sich noch ein weiteres Mal auf die vom wahren Glauben abgeirrten Irrlehrer aus dem soeben erwähnten 19.Vers dieses 1.Kapitels (siehe Auslegung!) – und lässt daher den Timotheus unmissverständlich wissen, dass sich aus dieser gegen Gott und den Herrn Jesus Christus gerichteten „Gruppierung der desertierten Personen“ zwei weitere „vom wahren Glauben abtrünnige Brüder“ dazugesellten, die er an dieser Stelle mit ihren persönlichen Namen benennt, nämlich: ***... Hymenäus und Alexander.*** So betont Paulus in seinem 2.Brief an Timotheus in Kapitel 2, Vers 17 (bezogen auf die Person des Hymenäus! / bzw. des in Vers 20 in Kapitel 1 noch nicht erwähnten Philetus! / Auslegung folgt!) sowie in Kapitel 4, Vers 14 (bezogen auf die Person des Alexander! / Auslegung folgt!) die schwerwiegenden Vergehen dieser beiden Personen, die da lauten: ***... und ihr Wort frisst um sich wie ein Krebsgeschwür. Zu ihnen gehören Hymenäus und Philetus. Alexander, der***

Schmied, hat mir (Paulus!) ***viel Böses erwiesen; der Herr vergelte ihm nach seinen Werken!***

Aufgrund der von ***… Hymenäus und Alexander*** ausgehenden strikten Gehorsamsverweigerung gegenüber der von Paulus im Heiligen Geist gepredigten, rundum unantastbaren Evangeliums-Verkündigung Jesu Christi ***… übergibt*** sie der Apostel Kraft seiner ihm von Jesus Christus verliehenen, persönlichen apostolischen Vollmacht ***… dem Satan*** / Teufel, wozu Gott Seine Bestätigung gibt; sodass sie vom ***… Satan*** in die Vollstreckung des göttlichen Gerichtes gelangen, ***… damit sie*** – so Paulus – ***… gezüchtigt werden und nicht mehr lästern*** (1.Timotheus, Kapitel 1, Vers 20b). In der Tat – ***… diese Betreffenden*** hat der Apostel ***… nachdem sich sein Geist mit der Kraft unseres Herrn Jesus Christus vereinigt hat, dem Satan übergeben zum Verderben des Fleisches, damit der Geist gerettet werde am Tag des Herrn Jesus!*** (bei der Parusie / Wiederkunft des Herrn Jesus Christus am Tag des Jüngsten Gerichts! / 1.Korinther, Kapitel 5, Verse 4 + 5).

Daher wird mehr als nur deutlich erkennbar: Der Apostel Paulus leitet die Gemeinde *zum Dienst der Gnade in Christus Jesus – dem Teufel übergibt* Paulus *den* ***… Hymenäus*** *und den* ***… Alexander,*** um *das an ihnen das göttliche Gericht in Folge von Leid vollstreckt wird. Aus dieser strafenden Zucht heraus* – so Paulus – *werden die beiden vom wahren Glauben abirrenden Männer von ihren gegen Gott und den Herrn Jesus Christus gerichteten Lästerungen erkennen, welche schwerwiegenden Sünden sie letztlich begangen haben.* Mit dieser seiner Handhabung will Paulus zudem bewirken, *dass die lästernden Reden der beiden Männer bei sich selbst als auch im Hinblick auf die Gemeinde* (mittels ihrer beider Ausschließung!) *u n t e r b u n d e n werden, um noch weitere sündige Vergehen zu vollbringen, sodass sie* *anstelle ihrer beschämenden Dreistigkeit der Gottesbeschämung zur Gottesfurcht g e l a n g e n, die letztlich beschämende Reden in Form von Lästerungen gänzlich untersagt, weil sie fortan erkannt haben, dass das Heil Gottes einzig und allein in dem wahren Evangelium Jesu Christi aufzufinden ist.*

Wahrhaft – *mit strafender Härte* geht der Apostel Paulus gegen diese beiden Widersacher vor, *denn durch ihren Ausschluss aus der Gemeinde in Ephesus und die Übergabe an* ***... den Satan*** / Teufel *sollen diese beiden abtrünnigen Männer Kraft des Paulus` im Auftrag Gottes von Christus offenbarter apostolischen Vollmacht zurechtgewiesen werden, damit weitere von* ***... Hymenäus und Alexander*** *vollbrachte Ärgernisse innerhalb der Gemeinde vermieden werden.* Zugleich aber lässt dieses 1.Kapitel in Vers 20 des 1.Timotheusbriefes erkennen, dass diese vollkommen gerecht ausfallende Strafe des Apostels Paulus mittels ihrer Ausschließung aus der Gemeinde *sie nicht nur züchtigen, sondern auch zugleich vor den ewigen Fängen des Satans behüten soll, damit sie letztlich zur Umkehr bewegt werden, um dem wahren Evangelium Jesu Christi nachzufolgen.*

Erneut wird sichtbar, *dass der Apostel Paulus nach den stets nachzufolgenden, weisen Richtlinien des allmächtigen Gottes im Herrn Jesus Christus mittels der Kraft des Heiligen Geistes handelt. Denn er vergibt dem* ***... Hymenäus*** *als auch dem* ***... Alexander*** *ihre an ihm vollbrachten Sünden in Form mittels der in des Apostels Paulus` Herzen ruhenden, seelsorgerischen Nächstenliebe – und hofft zutiefst auf ihre zu Gott und Christus bezogene Umkehr in Form der Züchtigung* ***... des Satans,*** *damit auch sie die unverkennbare Herrlichkeit und ewige Errettung erkennen als auch erlangen, die einzig und allein in Christus Jesus aufzufinden ist* – gemäß der von Paulus ihnen gepredigten, stets vom Heiligen Geist geprägten, unantastbaren Evangeliums-Verkündigung, *in welchem das Heil, welches zum Ewigen Leben führt, ausschließlich aufzufinden ist.*

Somit *setzt* der immerdar tief im Glauben stehende Apostel Paulus *nicht nur das höchste Gebot des allmächtigen Gottes in Form der von ihm ausgehenden Nächstenliebe, an der Person des* ***... Hymenäus*** *als auch an der Person des* ***... Alexander*** *um,* welches da lautet: ... ***„du sollst deinen Nächsten Lieben wie dich selbst!"*** (Markus, Kapitel 12, Vers 31b / 3.Mose, Kapitel 19, Vers 18b) – sondern *zugleich verwirklicht Paulus mittels seines unerschütterlichen Glaubens und seiner stets vom Heiligen Geist getragenen Gewissheit die von dem Herrn und Erlöser Jesus Christus gesprochenen, stets einzuhaltenden Worte:* ***... wenn ihr aber den Menschen ihre Verfehlungen nicht vergebt, so wird euch euer Vater*** (Gott!) ***... eure Verfehlungen auch nicht vergeben*** (Matthäus, Kapitel 6, Vers 15).

Als ehemaliger Pharisäer *war Paulus bestens in den alttestamentlichen Schriften unterrichtet,* von ***... Gamaliel unterwiesen in der gewissenhaften Einhaltung des Gesetzes der Väter gelehrt*** – so betont es Paulus in der Apostelgeschichte des Lukas in Kapitel 22 in Vers 3b – und daher kann der vom Geist Gottes betuchte Apostel folglich mittels *dieses seines rundum tiefgründigen, theologischen Wissens* zugleich Dank seiner in seinem Herzen ruhenden *Nächstenliebe* die nun folgenden Worte des allmächtigen Gottes rundum verwirklichen, die da unmissverständlich lauten: ***... du sollst deinen Bruder*** (deinen Nächsten!) ***... nicht hassen in deinem Herzen; sondern du sollst deinen Nächsten ernstlich zurechtweisen, dass du nicht seinetwegen Schuld tragen musst!*** (3.Mose, Kapitel 19, Vers 17).

Eindeutig wird erkennbar – dies will Paulus auch ***... seinem Sohn*** (1.Timotheus, Kapitel 1, Vers 18a / siehe Auslegung!) im Glauben „durch die Blume“ mitteilen, *dass Timotheus ungetrübt stets den vollbrachten Taten seines Lehrers Paulus nachahmen kann als auch mittels eines unentwegt standhaftem Ausharrens in und durch den Glauben bewältigen soll; denn der Apostel handelte unentwegt nach den weisen Richtlinien Gottes in dem Herrn Jesus Christus entsprechend, damit auch Timotheus immerdar in den allseits nachzuahmenden Fußstapfen Jesu Christi wandelt,* ganz gemäß dem seit Ewigkeit festgelegten Willen des himmlischen Vaters.

Diese ***enge Pforte***, (Matthäus, Kapitel 7, Vers 13a) welche der Apostel Paulus an dieser Stelle „bildlich hervorhebt“, die Timotheus fortan als Leiter der Gemeinde in Ephesus *wählen muss, um nicht nur sich selbst, sondern auch die noch nicht fest im Glauben Stehenden zur ewigen Seligkeit – ja – zur Herrlichkeit Gottes in Christus Jesus zu führen, ist kein leicht zu begehender Weg der Verkündigung der Frohen Botschaft Jesu Christi* – dies weiß der Apostel Paulus anhand seiner von ihm vollzogenen Amtsvollmacht als ein persönlicher Gesandter Jesu Christi allzu genau – *jedoch wird ihm der Herr und Heiland Jesus Christus stets beiseite stehen – und den Timotheus mit der stets erforderlichen Kraft im Heiligen Geist segnen, damit ihm dieses rundweg zu Gott führende, letztlich vom Höchsten in Christus angewiesene Vorhaben* – „im Namen des Vaters, des Sohnes und des Heiligen Geistes“ – *gelingt* – zur alleinigen Ehre des wunderbaren, uns liebenden, allmächtigen Gottes.

Kapitel 2

Verse 1 – 8

Anweisungen für das Gebet.

Gottes Heil in Christus

[1]So ermahne ich nun, dass man vor allen Dingen Bitten, Gebete, Fürbitten und Danksagungen darbringe für alle Menschen, [2]für Könige und alle, die in hoher Stellung sind, damit wir ein ruhiges und stilles Leben führen können in aller Gottesfurcht und Ehrbarkeit; [3]denn dies ist gut und angenehm vor Gott, unserem Retter, [4]welcher will, dass alle Menschen gerettet werden und zur Erkenntnis der Wahrheit kommen. [5]Denn es ist ein Gott und ein Mittler zwischen Gott und den Menschen, der Mensch Christus Jesus, [6]der sich selbst als Lösegeld für alle gegeben hat. (Das ist) das Zeugnis zur rechten Zeit, [7]für das ich eingesetzt wurde als Verkündiger und Apostel – ich sage die Wahrheit in Christus und lüge nicht –, als Lehrer der Heiden im Glauben und in der Wahrheit. [8]So will ich nun, dass die Männer an jedem Ort beten, indem sie heilige Hände aufheben ohne Zorn und Zweifel.

Auslegung:

Vers 1: Mit einem fest entschlossenen, von innigem Glauben im Heiligen Geist getragenen Aufruf gibt Paulus nun dem Timotheus, sowie den Aufsehern (Ältesten!) und Dienern (Diakonen!) der Gemeinde in Ephesus, als auch allen Gemeindemitgliedern selbst *die* *gewichtige Anweisung, insbesondere den Glauben an Gott und den Herrn Jesus Christus mit ausdauernder, unverzagter Gewissheit zu pflegen, um diesen keinesfalls zu vernachlässigen, sondern mit beständigem, sich stets kontinuierlich entwickeltem Fortwirken in Form von* ***... Bitten, Gebeten, Fürbitten und Danksagungen*** *dem allmächtigen Gott voller Ihm lobpreisenden Worte darzubringen – zur Ehre des Ewigen.* Denn es ist von äußerster Wichtigkeit beseelt – sich mittels eines sich immer stärkenden, fortwährenden Glaubens auch ***... alle Menschen*** in diese von Paulus erwähnten, *stets Gott wohlgefälligen Lobpreisungen mit einzuschließen* – denn *Gott will,* ***... dass alle Menschen gerettet werden und zur Erkenntnis der Wahrheit kommen*** – betont der Apostel Paulus voll des Heiligen Geistes nunmehr in dem gleichnamigen 2.Kapitel des 1.Briefes an Timotheus in Vers 4 (Auslegung folgt!). Somit – so der Apostel – *duldet der Glaube k e i n e n S t i l l s t a n d – sondern ein immerdar kontinuierliches, beharrliches W i r k e n in der Kraftausgießung des Heiligen Geistes.*

Wahrhaft – dieses innere, vom wahrhaftigen Geist Gottes geprägte Handeln ist ein unverkennbares Indiz der stets von Gott und dem Herrn Jesus Christus geforderten *Nächstenliebe, die beständig aufweist, ein wiedergeborenes Kind Gottes im Heiligen Geist zu sein.* Denn so lässt uns der Apostel Paulus weiterhin folgende wichtige Botschaft in Erfahrung bringen: ***... der Geist*** (Gottes!) ***... selbst gibt Zeugnis zusammen mit unserem Geist, dass wir Gottes Kinder sind*** (Römer, Kapitel 8, Vers 16). In der Tat – diese immerdar Gott wohlgefälligen, *allein vom Höchsten in Christus ausgehenden Handlungen besitzen die Konstitution der priesterlicher Würde* – und weisen zugleich auf – *dass die Herzen der Beschenkten mit einem überlaufendem Enthusiasmus mittels eines fest in ihren Herzen verankerten Glaubens voller zu Gott und dem Herrn Jesus Christus bezogener*

Loyalität im Geist der Wahrheit bestückt sind. Zugleich verdeutlicht dieses Handeln – so Paulus – dass das vom Geist getragene Dasein der auserwählten Kinder Gottes *stets ein von Frömmigkeit ummanteltes Richtmaß ist, welches im rechten Glauben handelt – und anhand dieser innigen Überzeugung zugleich aufzeigt, in Gott agierender Ehrerbietung als auch in dem darin inbegriffenen Dienstgrad Gottes in Christus zu wandeln, der es abermals darlegt,* ***... allen Menschen*** *ein Vorbild darzustellen,* dem es *stets nachzuahmen* gilt, damit auch ihnen ***... von Gott eine Tür für das Wort*** (Gottes!) ***geöffnet wird, das Geheimnis des Christus auszusprechen*** (Kolosser, Kapitel 4, Vers 3b). Folglich prägt *die vor allem stehende Gotteserkenntnis* den alles in allem bedeutungsvollen Hintergrund, ja – *diese kraftspendende Vergegenwärtigung* ist es letztlich, *welche die übereinstimmende Harmonisierung der Gemeinde rundum fördert, bewegt und zum Vorbild anderer Menschen realisierend darstellt.*

Aus genau *diesen Gott wohlgefälligen Maßnahmen entstehen und entwickeln sich mittels des inständigen Glaubens jene sich permanent fördernden,* ja – *die rundweg weiterbildenden Handlungen in den von Gott und Christus gewollten Zügen des Heils*, welche die Gemeinde in Ephesus *in dem vom Geist geförderten Willen Gottes beanspruchen muss, um zur Seligkeit zu gelangen, die Gott stets für* ***... alle Menschen*** *erdacht und gewollt hat.* Daher betont der Apostel Paulus weiterhin in seinem Brief an die Kolosser: ***... seid ausdauernd im Gebet und wacht darin mit Danksagung*** (Kolosser, Kapitel 4, Vers 2). In *diesen Maßnahmen* sind weiterhin die von Paulus erwähnten ***... Bitten, Gebete, Fürbitten und Danksagungen,*** (1.Timotheus, Kapitel 2, Vers 1b) ja – *jene individuelle Erleben der Bittenden mit inbegriffen* – welche zugleich *mit der Lehre, der Taufe, und der Zucht als auch dem immerdar gewichtig zu erachtenden, stets zu fördernden Beistand für* ***... alle Menschen*** *verbunden sind.* Aus diesen von dem

Apostel erwähnten Vorkehrungen aber sticht *das Gebet als die oberste und zugleich wichtigste Prioritätseinstufung eindeutig heraus.*

Denn aus dem Gebet wird der im betenden Herzen vollzogene, harmonisierende Bezug zu dem allmächtigen Gott und dem Herrn Jesus Christus *vollends sicht- als auch erkennbar.* Folglich wird mittels des Gebets *das vollkommene, geisterfüllte Vertrauen zum himmlischen, ewigen Vater rundum bestätigt.* Dieser unmissverständliche, sich vollends öffnende Hoffnungsfaktor ist ein eindeutiges Indiz, *in den Sphären Gottes angekommen zu sein. Es ist jene verheißungsvolle als auch vertrauenserweckende, von ganzer Stabilität umgebene, allseits zuverlässige Wahrheit, welche dem Betenden belegt, dass die Kommunikation zwischen dem Bittenden und dem allmächtigen Gott stets aufweist, dass das Herz dieses Beschenkten aufmerkt, von der unnachahmlichen Güte Gottes in Christus ergriffen, vor allem aber erhört worden zu sein* – denn: ***… das Gebet eines Gerechten vermag viel, wenn es ernstlich ist*** (Jakobus, Kapitel 5, Vers 16b). So lässt uns der Herr Jesus Christus unmissverständlich wissen: ***… und alles, was ihr glaubend erbittet im Gebet, das werdet ihr empfangen!*** (Matthäus, Kapitel 21, Vers 22).

In der Tat – aufgrund der innigen Gebete wird fortan *ein priesterlicher Befund* hervorgehoben, der nunmehr belegt, *dass die Gemeinde an sich ihr Amt zur Ehre Gottes vollzieht.* Wahrhaft – diese in den Herzen der Gemeindemitglieder würdigende Ehrerbietung Gottes ist daher wiederum durch die in die Herzen der Glaubenden ihnen *von Gott offenbarte Heilsgewissheit sichtbar geworden, weil sich die barmherzige Gnade des Höchsten im Heiligen Geist in dieser Glaubenszentrale des Heils ausgegossen hat – und ihnen allen zugleich mittels dieser geisterwirkten Kraftausgießung zu erkennen gibt, dass sie in geschwisterlicher Gemeinsamkeit mit dem zu benötigten Recht und der daraus entstehenden Pflicht als Kinder des Höchsten dem Sinne Gottes gemäß gehandelt haben.* Denn ihre Herzen sind fortan *mit einem standhaften, immerwährenden Vertrauen im Gebet anhand ihres inständigen Gebetsdrangs beseelt, der den Lichtglanz Jesu Christi jeden erneuten Tag* – aufgrund ihrer aller Beständigkeit im Glauben – *immer deutlicher und klarer aufleuchten lässt* – um somit schließlich *am Tag der Wiederkunft Christi den Eintritt in das Reich der Himmel voller Zuversichtlichkeit entgegenblicken zu können* – ganz gemäß dem Willen des allmächtigen Gottes in dem Herrn Jesus Christus entsprechend.

In der Tat – die gesamte Gemeinde der Epheser *zeigt und weist ihre immerdar fortwirkende Stabilität i n u n d d u r c h den Glauben zugleich mit dem Faktor der an Gott und den Herrn Jesus gerichteten* ***... Danksagung*** (1.Timotheus, Kapitel 2, Vers 1b) *aus, weil sie genau weiß, dass allein die sie erhörende und zugleich sie segnende Gnade des Höchsten zu fest im Glauben stehenden Menschen leitet.* So ist die ***... Danksagung*** *ein gewichtiger, niemals zu vernachlässigender Faktor, die allerrettende Segnung des himmlischen Vaters im Glauben ergriffen zu haben.* Auch wird mittels der ***... Danksagungen*** nochmals von allen Glaubenden der Gemeindemitglieder unzweifelhaft bekundet, *dass die an ihnen allen vollbrachte Verherrlichung als auch die über allem stehende Macht und über alle Maßen geprägte Größe des sie liebenden, wunderbaren Gottes zu d e m geformt hat, was sie letztlich sind – die persönlich Auserwählten Gottes im Herrn Jesus Christus.* Wahrhaft – die Gemeinde hat mittels dieser ihnen allen von Paulus vorgegebenen Handlungen *die ihnen allen zuteilgewordene, gnadenreiche Gabe als auch die barmherzige Güte des sie liebenden Gottes erkannt.* Auch an dieser Stelle muss *die Ehrerbietung Gottes* nochmals erwähnt werden, *weil allein durch die Gnade*

Gottes der Mensch zu danken versteht, weil ihn letztlich der Geist der Wahrheit zu diesem besinnlichen, herzergreifenden Danken aufruft.

Vers 2: Die aus Vers 1 dieses gleichnamigen 2.Kapitels von dem Apostel Paulus hinweisenden Lobpreisungen der Ehre Gottes (siehe Auslegung!) sollen gleichfalls ***... für Könige und alle*** gelten, ***... die in hoher Stellung sind, damit wir ein ruhiges und stilles Leben führen können in aller Gottesfurcht*** (Gottseligkeit / Frömmigkeit = Quelle: Schlachter-Bibel 2000!) ***... und Ehrbarkeit.*** Denn so heißt es in Psalm 122 als auch in Psalm 72: ***... Wünschet Jerusalem Frieden! Es möge wohlgehen denen, die dich lieben! ... Gott, gib dein Recht dem König und deine Gerechtigkeit dem Königsohn, dass er dein Volk richte in Gerechtigkeit*** (Psalm 122 – ein Psalm Davids, Vers 6 + Psalm 72 – ein Psalm Davids, Verse 1 + 2a / Lutherbibel 2017). Weiterhin lautet der Erlass des Königs Darius im Buch Esra in Kapitel 6, Vers 10: ***... damit sie*** (das Volk!) ***... dem Gott des Himmels Opfer lieblichen Geruchs darbringen und für das Leben des Königs und seiner Söhne beten.*** Daher gebietet auch der Apostel Petrus in seinem 1.Brief in Kapitel 2, Vers 12 – der den Wandel des Gläubigen als Fremdling in dieser Welt betont***: ... und führt einen guten Wandel unter den Heiden,*** (bezogen auf die Glaubenden!) ***... damit sie da, wo sie euch als Übertäter verleumden, doch aufgrund der guten Werke, die sie gesehen haben, Gott preisen am Tag der Untersuchung.***

Der Aufruf des Apostels Paulus sagt weiterhin aus, dass die Gläubigen für *diese* weltlich-hochrangigen Menschen *ihre Gebete widmen sollen;* denn obwohl diese (bzw. viele von ihnen!) *Heiden sind – und folglich Verfolger der Christen – gerade aus diesem* Grund ruft Paulus *die Angeschriebenen dazu auf, für sie vor Gott Fürbittengebete auszusprechen.* Es ist jener vom Heiligen Geist getragene Wille des allmächtigen Gottes im Herrn Jesus Christus, *der den Apostel Kraft seiner apostolischen Vollmacht beständig dazu aufruft, diesen rundum gewichtigen Willen mittels aller von dem Apostel Paulus den Gemeindemitgliedern der Epheser getätigten Maßnahmen genauestens zu unterbreiten* (siehe hierzu erneut Auslegung zu 1.Timotheus, Kapitel 1, insbesondere Verse 17 – 20 – sowie Auslegung zu 1.Timotheus, Kapitel 2, Vers1!).

Da die Gläubigen aufgrund ihres *vom Heiligen Geist Gottes geleiteten, innigen Glaubens von jeglichen* Feindseligkeit-Abwertungen *befreit sind, können und sollen sie somit für ihre Feinde beten, die letztlich das weltliche Dasein der Gläubigen mitbestimmen.* Diese zu Gott aufrufenden, in ungeheuchelter Liebe ummantelten Gebete beinhalten folglich die allseits zu benötigten Bitten, dass ***... die Könige und alle, die in hoher Stellung sind,*** ja – *dass sie der himmlische Vater gemeinsam vor widersinnigen Handlungen und bösen Taten bewahrt und schützt,* ***... damit*** *die gläubige Menschheit* ***... ein ruhiges und stilles Leben führen kann in aller Gottesfurcht.***(1.Timotheus, Kapitel 2, Vers 2) – *und zugleich die* weltlich-hochrangigen Menschen *von Gott dazu besänftigt werden, damit die Regierenden den Glaubenden ein tolerierbares, Gott würdiges Leben im Glauben an Gott und den Herrn Jesus Christus gewährleisten.*

Gleichzeitig betont Paulus mit diesem seinen Aufruf, dass die Gemeinde mit diesen ernstlichen und zugleich herzergreifenden Gebeten *das Wohl der Regierenden als auch ihr eigenes Wohl unterstützt, um ein wohlgefälliges, befreites Dasein vor dem allmächtigen Gott und dem Herrn Jesus Christus im Glauben ausleben zu können.* Denn der Herr Jesus Christus spricht: ***... und alles, was ihr glaubend erbittet im Gebet*** (eines Gott wohlgefälligen, dem Menschen zu Gute kommenden Gebets!) ***… das werdet ihr empfangen!*** (Matthäus, Kapitel 21, Vers 22). Daher können die gläubigen Gemeindemitglieder mit beharrlichem Gewissen aus freiem Herzen heraus bekunden: ***… Gelobt sei der HERR täglich. Gott legt uns eine Last auf, aber er hilft uns auch*** (Psalm 68 – der Sieg Gottes – ein Psalm Davids, Vers 20 / Lutherbibel 2017).

Mittels *dieser bedeutungsvollen Maßnahme* – so der Apostel – wird dieses *obligatorische Gebet von innerlicher Stärke bewegt.* Zugleich wird mittels dieses *innigen Fürbittengebets der allseits Gott wohlgefällige Frieden untereinander bewahrt, der von Nöten ist, damit die Gemeinde an sich weitestgehend o h n e störende Faktoren mit einen stetigem Wachstumsprozess durch den Glauben in der Kraft des Heiligen Geistes ihren tiefgründigen Glauben ausleben kann.*

Daher bittet das Gebet *für die Regierenden n i c h t um eine an die gläubige Menschheit übergehende, irdische Machtausübung, sondern um Ruhe und Ausgeglichenheit, um den himmlischen Vater mit lobpreisenden, christlichen Tugenden rundum zu verherrlichen.* Ihr Fürbittengebet an den Höchsten drückt folglich aus, *dass sämtliche, von den Regenten ausgehenden Unruhefaktoren der Gemeinde möglichst fern bleiben, damit sie weiterhin ein frommes als auch Gott würdiges Leben in Christus Jesus verwirklichen kann.* Exakt um diese vorbeugenden Maßnahmen im unerschütterlichen Glauben an Gott und den Herrn Jesus Christus mahnt Paulus die Gemeinde, nämlich – *um ein von den Glaubenden ausgehendes, herzergreifendes, den Regierenden zuteilwerdendes, gewidmetes Flehen der Fürbitte – damit das beiderseitige Wohlergehen von Gott an alle erwirkt wird.*

Diese stets von gediegener Ausdauer und ruhiger, Gott immerdar vertrauender Verfassung ausgehenden Glaubensaktivitäten sind es letztlich, *die eine im Geist Gottes betuchte Gemeinde ausmacht,* so Paulus. Denn mittels ihrer *untertänigen – jedoch Gott stets wohlgefälligen Unterordnungen gegenüber den Regierenden beweist die Gemeinde zugleich, dass sie die Worte des Heilands in ihren Herzen mit williger Aufnahmebereitschaft – ja – mit priesterlicher Würde verwirklicht hat, um mittels ihrer Fürbittengebete auch die weltlichen Machthaber zu inkludieren.* Denn der Herr Jesus spricht zu allen Gläubigen: ***…ich aber sage euch: Liebt eure Feinde, segnet, die euch fluchen, tut wohl denen, die euch hassen, und bittet für die, welche euch beleidigen und verfolgen, damit ihr Söhne*** (Kinder!) ***… eures Vaters im Himmel seid. Denn er lässt seine Sonne aufgehen über Böse und Gute und lässt es regnen über Gerechte und Ungerechte. Denn wenn ihr die liebt, die euch lieben, was habt ihr für einen Lohn? Tun nicht auch die Zöllner dasselbe? Und wenn ihr nur eure Brüder grüßt, was tut ihr Besonderes? Machen es nicht auch die Zöllner ebenso? Darum sollt ihr vollkommen sein, gleichwie euer Vater im Himmel vollkommen ist!*** (Matthäus, Kapitel 5, Verse 44 – 48).

So wird es fortan sicht- als auch erkennbar – so Paulus – dass die nunmehr in und durch den Glauben zusammenhaltende Gemeinde, welche für die Regenten ihre Bitten an Gott im Gebet gemeinschaftlich bekunden – es ihnen der himmlische Vater gewähre – *sie in Ehrerbietung zu segnen, damit die Gemeindemitglieder gemeinsam ihre ihnen allen zuteilgewordene Berufung in der zu benötigten Stille und der dazugehörenden geistigen Stärke* – dem stets gewollten Willen des allmächtigen Gottes in Christus Jesus gemäß – *ausüben kann.* Denn alle Glaubenden wissen allzu genau, *dass allein das Wirken Gottes in der von Ruhe und Ausdauer geprägten Vergegenwärtigung des sie liebenden Gottes Früchte des Heils hervorbringt*. Daher ist es von äußerster Wichtigkeit beseelt, dass das *Gebet aller Gemeinde-*

mitglieder ohne personenbezogenes Ansehen für ***... a l l e Menschen*** (1.Timotheus, Kapitel 2, Vers 1b) *vollzogen wird.*

Wahrhaft – mittels dieser allumfassenden, *allen* Menschen zugutekommenden Gebete zeigt sich ein Glaube in ***... Ehrbarkeit*** (1.Timotheus, Kapitel 2, Vers 2b) – ja – *in Ehrsamkeit als auch Aufrichtigkeit auf,* der die alles in allem zu benötigte Struktur besitzt, *nicht nur* ein Gott und dem Herrn Jesus Christus rundum wohlgefälliger Glaube zu sein, *sondern zugleich* belegt, dass *dieser wahre Glaube die* vom Geist Gottes gesegnete *Liebe* aufweist, welche letztlich *die* Liebe bewegt, welche die rundweg gesunde, unverkennbare Lehre des himmlischen Vaters prägt, die in Christus Jesus wirksam ist – *und die Herzen aller anderen auffordert, dieser Liebe nachzuahmen, um die geistumrahmte Stärke Gottes nachvollziehen als auch nachfolgen zu können, die fortan an Größe und Weite zunimmt, um die noch nicht Bekehrten an sich zu ziehen, damit das seit der Ewigkeit vom Höchsten gewollte Ziel einen gebührenden Schritt durch den Ruf des Herrn Jesus Christus vornimmt,* der da lautet: ***... denn Gott will, dass alle Menschen gerettet werden, um zur Erkenntnis der Wahrheit kommen*** (1.Timotheus, Kapitel 2, Vers 4 / Auslegung folgt!) – ***... zu jedem guten Werk bereit;*** so Paulus in seinem Brief an Titus in Kapitel 3, Vers 1b.

Vers 3: So ist dieses unverkennbare, vom Heiligen Geist umrahmte Handeln der gläubigen Gemeinde ein unmissverständliches Anzeichen dafür, dass sie *in geschwisterlicher Gemeinsamkeit in Einigkeit* ***... das Band des Friedens bewahren,*** (Epheser, Kapitel 4, Vers 3b) *welches mit stets Gott wohlgefälligen Handhabungen aufweist, in den Fußstapfen des Herrn und Heilands Jesus Christus zu wandeln.* Es ist jenes rundweg *von Gott in Jesus Christus an ihnen allen vollzogene,* *gewichtige Handeln i n u n d a u s der Macht und Kraftquelle des Heiligen Geistes,* welches sie *gemeinsam dazu bewegt und auffordert – mit unverzagter Gewissheit den in ihren Herzen ruhenden, innigen Glauben nach bestem menschlichen Wissen und Gewissen in der über allem stehenden Übereinstimmung Gottes in Christus auszuüben –* ***... denn dies ist*** – so Paulus – ***... gut und angenehm vor Gott, unserem Retter*** (1.Timotheus, Kapitel 2, Vers 3). Dieser von Gott ***... gut und angenehm*** sich ausweisende Wille als auch dem von allen Glaubenden nachzufolgendem ***... Befehl Gottes*** (1.Timotheus, Kapitel 1, Vers 1a / siehe Auslegung!) *ist erst dann und nur d a n n vollkommen, wenn er* ***... a l l e Menschen*** (1.Timotheus, Kapitel 2, Vers 1b + Vers 2 / siehe Auslegung!) *in ihre Gebete i n k l u d i e r t.*

Mittels *dieser alleinigen Vorgehensweise im Gebet den Richtlinien des himmlischen Vaters in dem Herrn und Heiland Jesus Christus gemäß kann man die Gemeinde nunmehr in einem geschwisterlichen Zusammenhalt das fortan ihnen allen zuteilwerdende Heil des allmächtigen Gottes erkennen,* denn *nun* wird dieses von Gott geforderte Gebet *d a s tun,* welches der Ewige *mit der Gemeinde an sich vollbracht hat: der allmächtige Gott erhält dieses von Ihm verlangte Fürbittengebet an* ***... alle Menschen*** (1.Timotheus, Kapitel 2, Vers 1b) *anhand der Einigkeit Seiner stets auffindbaren, barmherzigen Gnade.* Daher lässt Paulus die glaubende Gemeinde eindeutig wissen – ***... denn d a f ü r arbeiten wir auch und werden geschmäht, weil wir unsere Hoffnung auf den lebendigen Gott gesetzt haben, der ein Retter*** (ein Erhalter = Quelle: Schlachter-Bibel 2000!) ***a l l e r Menschen ist, besonders der Gläubigen*** (1.Timotheus, Kapitel 4, Vers 10 / Auslegung folgt!).

Vers 4: Ja – so Paulus, Gott ***... will, dass alle Menschen gerettet werden und zur Erkenntnis der Wahrheit kommen.*** Denn der Allmächtige lässt folglich alle Menschen unmissverständlich wissen: ***... oder habe ich etwa Gefallen am Tod der Gottlosen, sprich GOTT, der Herr, und nicht vielmehr daran, dass er sich von seinen Wegen bekehrt und lebt?*** (Hesekiel, Kapitel 18, Vers 23). Somit ruft der Herr Jesus Christus Seinen Missionsbefehl wie folgt aus: ***... geht hin in alle Welt und verkündigt das Evangelium der ganzen Schöpfung!*** (Markus, Kapitel 16, Vers 15). Wahrhaft – daher betitelt sich auch der Apostel Paulus gemäß seiner ihm von Gott in Jesus Christus offenbarten, apostolischen Vollmacht in seinem Brief an Titus in Kapitel 1 in Vers 1 als: ***... Knecht Gottes und Apostel Jesu Christi gemäß dem Glauben der Auserwählten Gottes und der Erkenntnis der Wahrheit, die der Gottesfurcht entspricht*** (bestellt für den Glauben der Auserwählten Gottes und für die rechte Erkenntnis der Wahrheit, die zur rechten Gottesverehrung führt = Quelle: Schlachter-Bibel 2000!).

Der Apostel will es der Gemeinde eindeutig zu verstehen geben, *dass der allmächtige, allgegenwärtige und allwissende, alleinige Gott Seinen universellen, unantastbaren Willen darin allen Menschen bekundet, dass Er in dem e i n e n Heils-Mittler – dem Herrn und Erlöser Jesus Christus – ohne jeglichen Unterschied* – ja – *ohne Ansehen der Person* (sprich: an *allen* Menschen *ohne* jegliche Abgrenzung!) *mittels Seiner eigenen (Selbst-)Verwirklichung in Seinem Sohn offenbar geworden ist, damit a l l e Menschen, die an Ihn glauben, zur Heil führenden Seligkeit gelangen.* Denn so steht in dem Evangelium des Johannes geschrieben: ***... und das Wort*** (Gottes!) ***... wurde Fleisch*** (Jesus Christus!) ***... und wohnte unter uns; und wir sahen seine Herrlichkeit, eine Herrlichkeit als des Eingeborenen vom Vater, voller Gnade und Wahrheit*** (Johannes, Kapitel 1, Vers

14). Nunmehr wird es allzu deutlich ersichtlich, so Paulus, dass der uns liebende, himmlische und ewige Vater *i n* Jesus Christus die menschliche Vergegenwärtigung Seiner selbst zu erkennen gegeben hat, weil folglich auch nach seinem Vorbild die Gemeinde selbst – ja – alles was ein Mensch heißt – *somit auch mittels eines jeden Menschen von seinem ganzem Herzen ausgehenden Glaubens in Seinen Heilsbereich eingehen soll.* In der Tat – so der Schreiber des Hebräerbriefes – *der Mensch* ***... muss glauben, dass er*** (Gott!) ***... ist und dass er die*** (die Glaubenden!) ***... belohnen wird, welche ihn suchen, denn ohne Glauben ist es unmöglich ihm*** (Gott!) ***... wohlzugefallen*** (Hebräer, Kapitel 11, Vers 6).

Daher *muss* der Mensch *in von ganzem Herzen kommender Einsicht in die unantastbare Zuversicht, die zugleich Gottes stetige Zuverlässigkeit bekundet – mittels des Menschen eigenen Glaubens eintauchen, damit er die allerrettende Heilsbotschaft des Höchsten in Christus Jesus erkennt, welche aussagt,* dass folglich dieser sich fortan zu Gott und Christus Bekehrende *in aller Deutlichkeit erkannt hat, dass die vollkommene Wahrheit des himmlischen Vaters einzig und allein i n Christus Jesus zur Vollkommenheit angelangt ist.* Mittels *dieser Glaubensannahme* drückt nun dieser glaubende Mensch aus, *dass das Heilverfahren des Allerhöchsten ihn anhand seiner nun an ihm geoffenbarten Wiedergeburt und der an ihm vollbrachten Schenkung des Heiligen Geistes ihn wiederum zum Auserwählten des allmächtigen Gottes in dem Herrn Jesus Christus geformt hat, um anhand dieser unverkennbaren Anzeichen ein erfolgreicher Anwärter für das Reich der ewigen Herrlichkeit zu werden. Dies ist* – so der Apostel Paulus – *der seit Ewigkeit von Gott geplante Wille,* ***... dass alle Menschen gerettet werden*** (1.Timotheus, Kapitel 2, Vers 4a).

Es ist jene *wunderbare, allein von dem allmächtigen Gott ausgehende, barmherzige Gnade, welche vollends* – Dank Gottes unverkennbarer Liebe zu *allen* Menschen – *im Herrn Jesus Christus – unserem Retter – sicht- und erkennbar wird* – denn der Messias spricht zu einem *jeden Menschen* mit folgenden Worten, *die ein jeder Mensch in seinem Herzen aufnehmen als auch im unerschütterlichen Glauben an Ihn verwirklichen muss, um zur ewigen Seligkeit gelangen zu können:* ***... ich*** (Jesus Christus!) ***... bin der Weinstock, ihr*** (die Glaubenden!) ***... seid die Reben. Wer in mir bleibt und ich in ihm, der bringt viel Frucht, denn ohne mich könnt ihr nichts tun*** (Johannes, Kapitel 15, Vers 5 / Zürcher Bibel). Allein diese vom Höchsten ausgehende Gnade des göttlichen Erbarmens formt die glaubenden Menschen zu Kindern Seiner selbst. Ja, diese ***... Erkenntnis der Wahrheit*** (1.Timotheus, Kapitel 2, Vers 4b) ist es letztlich, welche die vergegenwärtigte Erleuchtung Gottes in Christus *den Menschen* gewährleistet, *die glauben.* Denn in ihren Herzen *wird der einmalige Lichtglanz der Herrlichkeit Gottes in Jesus Christus die vollkommene Wahrheit des himmlischen Vater e r k e n n e n,* die fortan aussagt, dass der sie liebende ***... Gott und der Herr Jesus Christus zu ihnen gekommen sind, und Wohnung bei ihnen machen*** (Johannes, Kapitel 14, Vers 23b).

Ja – es ist *diese in Christus Jesus von Gott offenbarte, rundum willige Bereitschaft, dass Gott alle Menschen von den Fängen des Satans befreien will, welche sich in Form von Böswilligkeiten, von Schanden befleckten Taten als auch menschlich geprägtem Irrealitäten ersichtlich zeigen, um einen jeden Glaubenden durch die von Christus Jesus vollbrachte Sündenvergebung am Kreuz von Golgatha Ewiges Leben zu gewährleisten.* Folglich unterstützt *das Fürbittengebet, welches an alle Menschen ausgerichtet ist, unentwegt den Willen Gottes.* Denn *in Christus befreit uns der himmlische, wunderbare*

Gott von Seinem Zorn als auch von Seinem stets gerechten Richten. Diese Rettung geschieht einzig und allein *d u r c h* Jesus Christus, denn *im* Heiland ist die zur Vollkommenheit gereifte Erkenntnis Gottes für allezeit zu dem von Gott stets gewollten, vollständigen Abschluss und folglich zum wahren Leben angelangt. Allein *i n* Christus hat Gott der glaubenden Menschheit die Augen geöffnet, sodass sie die Herrlichkeit Gottes *erkennen,* um dieser allseits würdigenden, stets erhabenen Wertschätzung *in und durch den Glauben an den Heiland vollends nachfolgen zu können.* Mittels dieser unverkennbaren und zugleich voller Barmherzigkeit zu betrachtenden Gnadentat wird die Heilsgewissheit, die den Willen des himmlischen Vaters konsistent umschließt, eine nunmehr zur Befreiung der gläubigen Menschheit dienende Realität. Daher kann der Apostel Paulus allen an Gott und den Herrn Jesus Christus glaubenden Menschen folgende Worte mittels seines vom Heiligen Geist versiegelten Herzens in zuversichtlicher Gewissheit aussprechen: ***... Christus in euch, die Hoffnung der Herrlichkeit*** (Kolosser, Kapitel 1, Vers 27b).

Es ist jene darlegende Überzeugung, welche das ganze vom Heiligen Geist beseelte Wirken des Apostels Paulus durch den in seinem Herzen wohnenden Glauben ersichtlich werden lässt – und zugleich bekennt, *dass alles Handeln der Menschen zur Ehre des sie liebenden, allmächtigen Gottes dienen soll,* welches *i n* Christus Jesus zu einer rundum vom himmlischen Vater *abgeschlossenen Vollkommenheit angelangt ist* – wie es uns der nun folgende 5.Vers dieses 2. Kapitels eindeutig darlegen wird...

Vers 5: Diese soeben von dem Apostel Paulus vom Heiligen Geist getragene Überzeugung – die zur Vollkommenheit gereift ist – ist es letztlich, welche ihn unmissverständlich aussprechen lässt, dass **...**

e i n* Gott und *e i n* Mittler ist zwischen Gott und den Menschen, der Mensch** (*ganz* Mensch und *ganz* Gott!) ***… Jesus Christus.

Daher spricht der allmächtige Gott mit eindeutiger Klarheit: ***… ich bin der HERR und sonst ist keiner; denn a u ß e r m i r gibt es keinen Gott*** (Jesaja, Kapitel 45, Vers 5a). So lässt uns der Heiland Jesus Christus Folgendes wissen: ***… das ist aber das ewige Leben, dass sie dich, den allein wahren Gott, und den du gesandt hast, Jesus Christus, erkennen*** (Johannes, Kapitel 17, Vers 3). Wahrhaft – so der Apostel Petrus in der Apostelgeschichte des Lukas in Kapitel 4 in Vers 12: ***… und es ist in keinem anderen das Heil;*** (die Errettung = Quelle: Schlachter-Bibel 2000!) ***… denn es ist k e i n anderer Name*** (Jesus Christus!) ***… unter dem Himmel den Menschen gegeben, in dem wir gerettet werden sollen!*** In der Tat – der Herr Jesus Christus ist – der ***… Mittler eines besseren Bundes,*** (des ewigen, letzten und allgemeingültigen Bundes!) ***… der aufgrund von besseren Verheißungen*** (im Gegensatz zum alttestamentlichen ersten Bund Gottes mit Israel!) ***… festgesetzt wurde. Darum ist e r*** (der Herr Jesus Christus!) ***… auch der Mittler*** (der vermittelnde Vertreter!) ***… eines neuen Bundes*** (das große Wort für „Bund" kann auch „Verfügung" / „Testament" bedeuten = Quelle: Schlachter-Bibel 2000!) ***… damit – da sein Tod geschehen ist zur Erlösung von dem unter dem ersten Bund*** (alttestamentlichen Bund!) ***… begangenen Übertretungen – die Berufenen d a s verheißene ewige Erbe empfangen*** – schreibt der Verfasser des beseligenden Briefes an die Hebräer in Kapitel 8 in Vers 6b und in Kapitel 9, Vers 15.

Dass es ***… e i n e n Gott und e i n e n Mittler zwischen den Menschen*** (1.Timotheus, Kapitel 2, Vers 5a) gibt, sagt zugleich aus, dass das *Erkennen der vollkommenen Wahrheit* ***… a l l e Menschen*** (1.Timotheus, Kapitel 2, Vers 4a) *inkludieren soll,* um sie anhand ihres *innigen, unerschütterlichen Glaubens zu der unmissverständlichen, stets zuverlässigen Glaubwürdigkeit der rundum heilenden Botschaft Gottes in Christus Jesus zu führen, damit diese den Glaubenden zuteilgewordene, einzig und allein zur Seligkeit führende Erkenntnis ihnen a l l e n die gewichtige Hinterlegung aufweist, die konsistente Wahrheit in den von der barmherzigen Gnade Gottes* – ja – *in den fortan vom Lichtglanz Jesu Christi erhellten Herzen angenommen zu haben – und ihnen allen folglich unverblümt zu verstehen gibt, dass der wahre Glaube und der den Glaubenden offenbarte Heilige Geist sie zu C h r i s t e n geformt hat* – ganz gemäß dem Willen Gottes in dem Herrn Jesus Christus entsprechend.

So bedeutet der *ganzen Menschheit* – so Paulus – dass dieser uns liebende … ***eine Gott*** – als auch der … ***eine Mittler*** – der Herr Jesus Christus – ***… alle Menschen*** *unmissverständlich an der einzig und allein einmaligen Unvergleichbarkeit Ihrer selbst teilnehmen lassen, um mittels dieser einmaligen Loyalität zu wissen, dass …* ***alle Menschen*** *i n u n d v o n Gott und dem Herrn Jesus Christus rundum erfüllt werden – und dass allein i n Ihnen das Glaubensziel wiederum von* ***… allen Menschen*** *aufzufinden ist.* Daraufhin schreibt Paulus in seinem Brief an die Römer: ***… denn es ist ja ein und derselbe Gott, der die Beschnittenen*** (die Juden!) ***… aus Glauben und die Unbeschnittenen*** (die Heiden!) ***… durch den Glauben rechtfertigt*** (Römer, Kapitel 3, Vers 30). Daher kann sich die Menschheit immerdar auf die *vollkommene Wahrheit Gottes verlassen;* denn ***… alle Menschen*** werden den Herrn Jesus Christus schauen, wenn der Heiland am Tag Seiner Parusie (Wiederkunft!) erscheinen wird. Kein anderer Weg als dieser führt zum Heiland. *Einzig und allein der Herr,* ***… Mittler*** *und Erlöser Jesus Christus bringt und offenbart uns die barmherzige Gnade des himmlischen Vaters. Er führt uns durch Seine an uns vollbrachte Sündenvergebung in die zur Seligkeit ange-*

langte Verbundenheit mit Gott. Ja – *Christus vereint die Glaubenden mit all ihrer Schuld vor Seinem Vater und bringt uns zu Gott, damit wir Ewiges Leben im Reich der Herrlichkeit des Allmächtigen auf Ewigkeit erlangen. Dies* ist das *versöhnende Werk Gottes i n Christus, welches alle Glaubenden zu dem allmächtigen Gott führt. Allein diese unbestrittene Wahrheit e r r e t t e t;* denn die reine Wahrheit ist *ein niemals anzuzweifelnder, auf Ewigkeit festgelegter als auch immerdar geltender, über allem stehender Bestandteil des allmächtigen Gottes in Christus Jesus.* So ist der *Herr Jesus Christus* der an der gläubigen Menschheit *handelnde **... Mittler** zwischen Gott und den Menschen,* der uns eindeutig wissen lässt: ***... der aus der Wahrheit ist, hört meine Stimme*** (Johannes, Kapitel 18, Vers 37b). Und daher kann der Herr und Heiland Jesus Christus voller Ihm von Gott offenbarter Wahrheit *einem jeden Menschen das allein in Ihm vom himmlischen Vater immerdar auffindbare Herrlichkeitsgeschehen – welches alle Gläubigen in das Ewige Leben leitet – wie folgt unverkennbar* zu *verstehen geben:* ***... ich bin der Weg und die Wahrheit und das Leben; niemand kommt zum Vater als n u r durch mich!*** (Johannes, Kapitel 14, Vers 6).

Weiterhin – so Paulus – ist *in und aus der unantastbaren Wahrheit Gottes stets* der *von ganzer Liebe umgebene Inhalt der Friedensbotschaft Seiner selbst zu erkennen, die allein in Christus Jesus auffindbar ist,* welche *eindeutig aussagt, dass das Wahrnehmen* – ja – *die Vergegenwärtigung der Wahrheit des himmlischen Vaters die niemals anzuzweifelnde Erkenntnis bestätigt, dass der alleinige Gott voller Gnade und Wahrheit in und durch Jesus Christus handelt, welche wiederum Seine unverkennbare, herrliche Barmherzigkeit unterstreichend hervorhebt.* Es ist daher jene von dem Apostel Paulus dargelegte ***... Empfehlung vor dem Angesicht Gottes,*** indem er ***... die Wahrheit Gottes vor jedem menschlichen Gewissen offenbar***

macht (2.Korinther, Kapitel 4, Vers 2b). Denn ***… Gott kann unmöglich lügen*** – heißt es weiterhin in seinem Brief an Titus in Kapitel 1, Vers 2a. Daher gilt unentwegt folgende Gewissheit, so Paulus: ***… denn leben wir, so leben wir dem Herrn, und sterben wir, so sterben wir dem Herrn; ob wir nun leben oder sterben, wir g e h ö r e n dem Herrn*** (Römer, Kapitel 14, Vers 8).

Daher steht *die Gemeinde Gottes* – und dies ist Paulus gewillt, der Gemeinde in Ephesus mittels seiner in seinem Herzen ruhenden Kraftquelle des Heiligen Geistes Gottes unentwegt darlegend mitzuteilen – *im priesterlichen Dienst des göttlichen Willens, der bekundet, dass sie mittels eines innigen Glaubens an Gott und Jesus Christus zu Anwärtern im Reich der Herrlichkeit Gottes herangereift sind.* Diese von ganzer Wahrheit geprägte Tatsache weist zugleich auf, *dass Gott i n Jesus Christus stets f ü r die Menschheit – und n i c h t gegen sie ist.* Mittels dieser Aussage wird es allzu genau ersichtlich, dass *der einzige* ***… Mittler*** *von Gott erhöht worden ist – und sich von einem jeden anderen Menschen in allen Details maßgeblich differenziert.* Es ist jene eindeutig erkenn- und wahrnehmbare, *allseits unvergleichbare, einmalige Individualität des allmächtigen Gottes in dem Herrn Jesus Christus,* dass *n u r der Heiland diese von ganzer Wahrheit geprägte Einzigartigkeit Gottes inkludiert: G a n z M e n s c h u n d g a n z G o t t – der ewige, immerdar existierende und allerrettende Sohn des uns liebenden, rundum wunderbaren himmlischen Vaters.* Denn der allmächtige Gott bekundet dem Psalmisten – Seinen (Gottes!) Sieg und die Herrschaft Seines Sohnes – in Psalm 2 in den Versen 6 – 8 (Lutherbibel 2017): ***… „ich*** (Gott!) ***… aber habe meinen König*** (der Herr Jesus Christus!) ***… eingesetzt auf meinem heiligen Berg Zion.“ Kundtun will ich den Ratschluss des HERRN. Er hat zu mir gesagt: „Du bist mein Sohn, heute habe***

ich dich gezeugt. Bitte mich, so will ich dir Völker zum Erbe geben und der Welt Enden zum Eigentum.“

An dieser Stelle wird die *überaus vortrefflich grandiose, über allem erhabene Herrlichkeit Gottes in Christus vollends hervorgehoben,* so Paulus. Allein die Unantastbarkeit des Schöpfers der Welt und der zu Ihm gehörende, uns liebende Wille *formt* die Glaubenden zu Kindern Seiner selbst. So entfaltet sich folglich der in den Herzen der gläubigen Menschheit auffindbare, von ganzer Unverzagtheit umrahmte Glaube zu *dem* willensstarken Vorsatz, *der dem Willen des uns liebenden Gottes gleicht als auch entspricht.* Daher wird den Glaubenden *bewusst,* dass dieser von ganzer Gnade umschlossene Wille des Allerhöchsten Seine vollkommene Wahrheit umschließt, welche eindeutig bekennt als auch aufweist, *dass* ***... Gott der Eine*** (1.Timotheus, Kapitel 2, Vers 5a) *ist.* Diese einzigartige Liebe Gottes aber weist weiterhin *alle Menschen* darauf hin, dass zugleich auch *die Einzigartigkeit des* ***... einen Mittlers,*** (1.Timotheus, Kapitel 2, Vers 5a) *des Herrn und Heilands Jesus Christus zu der beispiellosen Einmaligkeit Gottes u n t r e n n b a r mittels e i n e r Einheit zu Gott gehört.* Denn *in* Jesus Christus verbirgt sich *nicht nur* ***... ein Mittler*** *zwischen Gott und den Gläubigen, sondern in und durch I h n wird* ***... ein Mittler*** *zwischen Gott und den Menschen rundum erkennbar.* Allein der Herr und Messias Jesus Christus ist es – der die *beiderseitige Gemeinschaft zwischen Gott und den Menschen b e w i r k t hat.* Durch Christus Jesus empfangen die Menschen *nicht nur* die göttliche Gnade, *sondern* zugleich *wirken des Heilands göttlichen Worte in den Herzen der Menschen, sodass die vom Geist der Wahrheit Gottes Beschenkten wiederum die vor allem stehende, rundum bedeutende Erkenntnis Gottes erlangen.*

Anhand dieser rundweg heilfördernden Maßnahmen, *deren alleiniger Geber und Vollender der allmächtige Gott in dem Herrn Jesus Christus selbst ist,* sorgt somit der himmlische Vater gleichzeitig dafür, dass die Menschen Sein erhabenes Wort hören und dieses auf *nährbaren Boden,* ja – auf ***... das gute Erdreich säen,*** (Matthäus, Kapitel 13, Vers 23a) damit sie *aufgrund* ihres Glaubens dem himmlischen Vater *d u r c h C h r i s t u s dienen* können – mit einer mittels ihrer Glaubensstärke ersichtlich werdenden, ertragreichen, ja – *fruchtbringenden Erkenntnis* – welche sich wie folgt darlegen wird, denn ***... der das Wort*** (Gottes!) ***... hört und versteht; der bringt dann auch Frucht, und der eine trägt hundertfältig, ein anderer sechzigfältig, ein dritter dreißigfältig*** – spricht der Herr Jesus Christus in dem Evangelium des Matthäus in Kapitel 13, Vers 23b.

Vers 6: Paulus spricht nun in diesem 6.Vers des 2.Kapitels den ***... einen Menschen*** an, ***... den Menschen,*** Herrn und Erlöser ***... Jesus Christus,*** (1.Timotheus, Kapitel 2, Vers 5 / siehe Auslegung!) ***... der sich selbst als Lösegeld für alle gegeben hat*** – und bekundet somit – ***... das ist das Zeugnis zur rechten Zeit.*** Daher spricht der Heiland im Evangelium des Matthäus in Kapitel 20 im 28.Vers Folgendes: ***... gleichwie der Sohn des Menschen*** (der Herr Jesus Christus!) ***... nicht gekommen ist, um sich dienen zu lassen, sondern um zu dienen und sein Leben zu geben als Lösegeld für viele*** (alle an Ihn – den Herrn Jesus Christus` Glaubenden!).

Weiterhin spricht der Apostel Paulus noch über ***... das Zeugnis zur rechten Zeit*** (1.Timotheus, Kapitel 2, Vers 6b) und lässt uns weiterhin wissen: ***... das in den früheren Generationen den Menschenkindern nicht bekannt gemacht wurde, wie es jetzt seinen heiligen Aposteln und Propheten durch den Geist*** (Heiligen Geist!) ***... geof-***

fenbart worden ist (Epheser, Kapitel 3, Vers 5). Auch anhand des Apostels Paulus` Brief an Titus können wir vernehmen: ***... zu seiner Zeit aber hat er*** (Gott!) ***... sein Wort geoffenbart in der *Verkündigung, mit der ich betraut worden bin nach dem Befehl Gottes, unseres Retters*** (Titus, Kapitel 1, Vers 3).

Diese *Verkündigung (bezogen auf den von Gott dem Propheten Jesaja angekündigten Ankunfts-/Erscheinungszeitpunkt des Herrn und Erlösers Jesus Christus!) können wir im Buch des Propheten Jesaja wie folgt in Erfahrung bringen: ***... darum wird euch der Herr selbst ein Zeichen*** (ein Wunderzeichen = Quelle: Schlachter-Bibel 2000!) ***... geben: Siehe, die Jungfrau*** (eine Jungfrau im heiratsfähigem Alter = Quelle: Schlachter-Bibel 2000!) ***... wird schwanger werden und einen Sohn gebären, und wird ihm den Namen Immanuel*** (Gott mit uns = Quelle: Schlachter-Bibel 2000!) ***... geben*** (Jesaja, Kapitel 7, Vers 14 – im Vergleich auch Matthäus, Kapitel 1, Vers 23). ***... *denn ein Kind*** (der Herr Jesus Christus!) ***... ist uns geboren, ein Sohn ist uns gegeben; und die Herrschaft ruht auf seiner Schulter; und man nennt seinen Namen: Wunderbarer, Ratgeber*** (wunderbarer Ratgeber = Quelle: Schlachter-Bibel 2000!) ***... starker Gott, Ewig-Vater,*** (oder Vater der Ewigkeit = Quelle: Schlachter-Bibel 2000!) ***... Friedefürst. Die Mehrung der Herrschaft und der Friede werden kein Ende haben auf dem Thron Davids und über seinem Königreich, dass er es gründe und festige mit Recht und Gerechtigkeit von nun an bis in Ewigkeit. Der Eifer des HERRN der Heerscharen wird dies tun!*** (Jesaja, Kapitel 9, Verse 5 + 6). ****Doch er*** (der Herr Jesus Christus!) ***wurde um unserer*** (der Menschen / der Glaubenden!) ***... Übertretungen willen durchbohrt, wegen unserer Missetaten zerschlagen; die Strafe lag auf ihm, damit wir Frieden hätten, und durch seine Wunden sind wir geheilt worden. Aber der HERR*** (Gott!) ***... warf unser aller*** (der Menschen / der

Glaubenden!) ***... Schulden auf ihn*** (den Herrn Jesus Christus!). ***Nachdem seine Seele*** (des Herrn Jesus Christus` Seele!) ***... Mühsal erlitten hat, wird er seine Lust sehen und die Fülle haben; durch seine Erkenntnis wird mein*** (Gottes!) ***... Knecht, der Gerechte,*** (der Herr Jesus Christus!) ***... viele*** (Menschen / die Auserwählten Gottes / die an Gott und an den Herrn Jesus Christus` Glaubenden!) ***... gerecht machen,*** (oder rechtfertigen = Quelle: Schlachter-Bibel 2000!) ***... und ihre Sünden wird er*** (der Herr Jesus Christus!) ***... tragen. Darum will ich*** (Gott!) ***... ihm*** (dem Herrn Jesus Christus!) ***... die Vielen*** (Menschen / die Auserwählten Gottes / die an Gott und an den Herrn Jesus Christus` Glaubenden!) ***... zum Anteil geben, und er wird Starke zum Raub erhalten,*** (oder den Raub der Mächtigen teilen = Quelle: Schlachter-Bibel 2000!) ***... dafür, dass er*** (Jesus Christus!) ***... seine Seele dem Tod preisgegeben hat*** (seine Seele / sein Leben in den Tod ausgeschüttet hat = Quelle: Schlachter-Bibel 2000!) ***... und sich unter die Übeltäter*** (die beiden Schächer an den neben dem Kreuz des Herrn Jesus Christus` stehenden beiden Kreuzen zu seiner rechten und linken Seite auf Golgatha!) ***... zählen ließ und die Sünde vieler*** (Menschen / die Auserwählten Gottes / die an Gott und an den Herrn Jesus Christus` Glaubenden!) ***... getragen und für die Übeltäter gebetet hat*** (Jesaja, Kapitel 53, Verse 5, 6b, 11 + 12).

Wahrhaft – *die noch vor Grundlegung der Welt von Gott bestimmte Befugnis und die aus reinster barmherziger Gnade nunmehr über alle Menschen vollbrachte, weltumfassende* (sprich: für alle Menschen geltende!) *Fürbitte, welche einzig und allein von dem uns liebenden, allmächtigen Gott ausgeht,* sagt aus, *dass der himmlische Vater Seinen allgemeingültigen, unantastbaren Heilswillen in dem* ***... einen Menschen*** *geoffenbart hat – in dem* ***... Menschen Jesus Christus*** (1.Timotheus, Kapitel 2, Vers 5 / siehe Auslegung!). So ist folglich *einem jeden Menschen der himmlische Vater ohne jegliche Differenzen* ***... in Christus Jesus, dem einen Mittler zwischen Gott und den Menschen*** (1.Timotheus, Kapitel 2, Vers 5 / siehe Auslegung!) *offenbar geworden.* An diesem Willen des Ewigen wird somit *die menschliche Seite akzentuiert, um nach dem Vorbild des Höchsten nun auch die Gemeinde Gottes,* ja – *die Menschen generell mit ebenbürtiger, gleichartiger Liebe zu begegnen, die in dem Herrn Jesus Christus nunmehr von Ewigkeit zu Ewigkeit wirksam und allgemeingültig ist.* Daher hat auch der himmlische Vater Seinen seit noch vor Grundlegung der Welt festgelegten Zeitpunkt bestimmt, *wann* dieses *Herrlichkeitsgeschehen von Ihm vollbracht werden sollte, um dass der Herr Jesus Christus wiederum Seine vor Grundlegung der Welt vorhandene, Ihm gehörende, himmlisch vollkommene als auch wunderbare Stätte* ***... zur Rechten Gottes*** (Markus, Kapitel 16, Vers 19b) *verlassen musste, um in Sein irdisches Eigentum – die Welt – als d a s* ***... Fleisch gewordene Wort,*** (Johannes, Kapitel 1, Vers 14a) ja – als ***... der Mensch Jesus Christus*** (1.Timotheus, Kapitel 2, Vers 5 / siehe Auslegung!) *einzugehen, um Sein vollkommen unschuldiges, rundum sündenfreies Leben am Holz von Golgatha* ***... als Lösegeld für alle zu geben,*** (1.Timotheus, Kapitel 2, Vers 6a) *die a n I h n von ganzem Herzen g l a u b e n.*

In der Tat – *dieser aus reinster Liebe zu den Menschen von Gott vollbrachte rundum heilende, zur Seligkeit und zugleich zum Ewigen Leben führende Versöhnungsentschluss des allmächtigen Gottes ist ein eindeutiges – und somit ein vollkommen unverkennbares Indiz, wie sehr als auch intensiv der himmlische Vater es allen Menschen aufweist, mit welcher unendlichen Liebe Er uns i n u n d d u r c h den Messias Jesus Christus liebt –* ***... denn (so sehr) hat Gott die Welt geliebt, dass er seinen eingeborenen Sohn gab, damit jeder, der an ihn glaubt, nicht verlorengeht, sondern ewiges Leben hat.***

Denn Gott hat seinen Sohn nicht in die Welt gesandt, damit er die Welt richte, sondern damit die Welt durch ihn gerettet werde (Johannes, Kapitel 3, Verse 16 + 17). So kann nur ein jeglicher vom Heiligen Geist gesegnete Mensch – gleichwie auch der König, Psalmist und Prophet David von ganzem Glauben aus seinem von überströmender Freude beseelten Herzen heraus aussprechen: ***… HERR, du erforschest mich und kennest mich. Ich sitze oder stehe auf, so weißt du es; du verstehst meine Gedanken von ferne. Ich gehe oder liege, so bist du um mich und siehst alle meine Wege. Denn siehe, es ist kein Wort auf meiner Zunge, das du, HERR, nicht alles wüsstest. Von allen Seiten umgibst du mich und hältst deine Hand über mir. Diese Erkenntnis ist mir zu wunderbar und zu hoch, ich kann sie nicht begreifen*** (Psalm 139 – Gott allwissend und allgegenwärtig – ein Psalm Davids, Verse 1 – 6 / Lutherbibel 2017).

Wahrhaft – *mit dieser voller Liebe umrahmten Entscheidung, dass der Allmächtige sich mittels Seiner unendlichen Gnade dazu entschloss, Seinen Sohn in die Welt zu senden,* sagt unmissverständlich aus, *dass er die ehemalige, nicht aufgrund des Menschen Sünden zu überwindende Barriere mittels des ersten Bundes Gottes, der die Gesetze Gottes umschließt* – ja – *diese im Weg stehende* ***… Scheidewand abgebrochen*** (Epheser, Kapitel 2, Vers 14b) *und aufgrund des neuen, ewigen als auch allgemeingültigen Bundes für alle Menschen in Christus Jesus diese ehemalige Barriere r u n d u m ü b e r w u n d e n hat, sodass daraufhin schließlich alle Menschen, die fortan an den Heiland glauben, wiederum durch und von dem Herrn Jesus Christus nach dem zum Ewigen Leben führenden Heilsentschluss Gottes g e r e t t e t w e r d e n.* Folglich hat Gott ***… uns*** (die Menschen!) ***… mit sich selbst versöhnt durch Jesus Christus und hat uns den Dienst der Versöhnung gegeben,*** so Paulus in seinem 2.Brief an die Korinther in Kapitel 5, Vers 18b. So wird uns somit *d u r c h den Erlöser,* ja – ***... dem Mittler zwischen Gott und den Menschen, Jesus Christus*** (1.Timotheus, Kapitel 2, Vers 5 / siehe Auslegung!) *belegt, dass der Heiland sich selbst als* ***... Lösegeld für alle*** (hin-)***gegeben hat,*** (1.Timotheus, Kapitel 2, Vers 6a) *um die sündenbelastete Menschheit aus ihrer eigenen Schuld mittels Seines blutsühnenden Todes auf Golgatha als vollkommen unschuldiges, sündloses Lamm Gottes zu b e f r e i e n.* Daher wird es eindeutig erkennbar, *dass die sündenbelastete Menschheit an sich die Befreiung aus ihren eigen verursachten Inhaftierungen mittels ihrer eigen begangenen Sünden bedarf, um überhaupt aus diesem sie von Gott schuldig sprechenden Verantwortungsbereich entfliehen zu können.* Die Menschheit jedoch kann aus eigenem Willen, bzw. aus eigener Kraft sich *niemals diesem Schuldbereich entziehen.* So hat nunmehr *der Herr Jesus Christus den Schulderlass aller glaubenden Sünder vor Seinem himmlischen Vater damit bewirkt, dass Er sich selbst,* bzw. *dem Willen Gottes gehorchend – zum* ***... Lösegeld für alle*** *Menschen* ***... gegeben hat,*** *damit Er den Freispruch vor Gott für alle an Ihn glaubenden Menschen bewirkt.* Daher ist *der Heiland Jesus Christus selbst das* ***... Lösegeld,*** darum – *weil Er Sein vollkommen schuldloses Leben selbst freiwillig dahin gab – um die Vergebung der Sünden der Menschheit willen, mittels Seines heilbringenden Blutes.* Wahrhaft – *der Heiland gab sein rundweg unschuldiges Leben und Seinen Tod dafür hin, um den an Ihn Glaubenden Ewiges Leben im Reich der Herrlichkeit Gottes zu offenbaren,* so Paulus.

Erneut wird es allzu deutlich ersichtlich, *dass aufgrund des einen Menschen* (Adam!) *Sünde und Tod wiederum ein anderer Mensch – der Mensch Jesus Christus – diesen Tod der Menschen in Gerechtigkeit und Ewiges Leben Dank Seines eigenen Todes bewirkt hat, dies war der Preis, den Jesus Christus für Gott im Sinne aller Sünder entrichtet hat – Sein eigener, freiwilliger Tod.* Diese zum Heil führende Handlung des uns liebenden Gottes *in und durch den* Herrn und Erlöser Jesus Christus *aber wird erst dann und nur d a n n rundum wirksam, wenn* ***... das Zeugnis zur rechten Zeit*** (1.Timotheus, Kapitel 2, Vers 6b) *in Kraft tritt.* Dieser von Gott noch vor Grundlegung der Welt *festgelegte Zeitpunkt bekundet, dass das von dem Herrn Jesus Christus allen gläubigen Menschen freiwillig hingegebene Leben und die der gläubigen Menschheit zugleich dienende, zur Vergebung ihrer Sünden führenden Befreiung mittels des Heilands sündenbefreienden Todes nach dem Willen als auch im Auftrag Gottes zu verstehen ist.* Folglich hat der Herr Jesus Christus Sein eigenes Wirken mit der versöhnenden Handlung des allmächtigen Gottes – welches ***... das Zeugnis zur rechten Zeit*** bekundet – *in eine zusammengehörende, unzertrennbare Einheit Gottes eingefügt. Dieser* vom himmlischen Vater erwählte *Zeitpunkt* aber sagt zugleich aus, *dass nunmehr die Frohe Botschaft in den stets von Gott beabsichtigten Umlauf kommt,* ja – *der Missionsbefehl Jesu Christi wahrgenommen und ausgeübt wird – um mittels dieser Evangeliums-Verkündigung den ewigen Bund Gottes in Christus Jesus der ganzen Menschheit zu verkündigen, der die vollkommenen Freiheit denen offenbart, welche von ganzem Herzen an diese wunderbar zu erachtende Befreiungstat Gottes in Christus Jesus glauben.*

Aus diesem rundweg befreienden, zur Seligkeit und zum Ewigen Leben führenden Herrlichkeitszeitpunkt heraus, wurde schließlich auch der Apostel Paulus *im Auftrag Gottes von dem Herrn Jesus Christus persönlich ausgesondert und damit beauftragt, seine apostolische Vollmacht wie folgt als ein Apostel der Heiden in der Kraftausgießung des Heiligen Geistes auszuüben* – exakt so – wie es uns der 7.Vers des 2.Kapitels unverblümt nahelegt ...

Vers 7: So lässt Paulus seine ihm von dem Herrn Jesus Christus persönlich geoffenbarte, apostolische Vollmacht (siehe hierzu erneut die Apostelgeschichte des Lukas, Kapitel 9, sowie zu 1.Timotheus, Kapitel 1, Vers 1 / siehe Auslegung!) wie folgt ersichtlich werden: ***... für das ich eingesetzt wurde als Verkündiger*** (oder Herold = der Bote, der die Verkündigungen seines Königs bekannt gibt = Quelle: Schlachter-Bibel 2000!) ***... und Apostel – ich sage die Wahrheit in Christus und lüge nicht –, als Lahrer der Heiden im Glauben und in der Wahrheit.*** Der Apostel bezieht die von Gott gewollte Zeitperiode aus dem soeben ausgelegten 6.Vers *ebenfalls auf die ihm von dem himmlischen Vater i n u n d d u r c h Christus Jesus persönlich übertragene apostolische Vollmacht.*

So wurde Paulus von allerhöchster Stelle mit der gewichtigen Bevollmächtigung betraut, den Heiden das Evangelium Jesu Christi *in der Kraft des ihm zuteilgewordenen Heiligen Geistes mit Glaube und Wahrheit* zu missionieren; denn *der* von dem Apostel Paulus *ausgeübte Glaube ist es letztlich, den die Gemeinde in ihren Herzen umsetzen m u s s, um erfolgreiche Anwärter im Reich Gottes zu werden – mittels der unantastbaren Erkenntnis, die das Wollen und Denken des Höchsten in Christus Jesus preisgibt.* Allein dadurch wird der Apostel Paulus zum ***... Verkündiger und Apostel:*** *weil er selbst wahrhaftig glaubt – und diejenigen Menschen gläubig macht, welche glauben, was schließlich der vollkommenen Wahrheit Gottes in Jesus Christus entspricht – und sie somit zu den Auserwählten Gottes in Christus Jesus formt.* Es ist jener von Paulus aufgerufene, gewichtige Hinweis, dass der *e i n e Heilsweg Gottes nur durch* den *e i n e n Mittler – den Herrn Jesus Christus – zum Ziel für alle Menschen gelangt, die an den Heiland von ganzem Herzen glauben.* Jedoch wurde des Paulus` apostolische Vollmacht von den jüdischen Gegnern als auch innerhalb der Gemeinde mit brisantem Widerstreben bekämpft, (siehe hierzu den Inhalt des 2.Korintherbriefes!) jedoch ließ sich der Apostel Paulus von irdisch unzulänglichen Anfechtungen *niemals beirren,* denn sein Glaube war *von solch immenser Stärke umrahmt, sodass er sämtliche auf ihn zukommende Störungen mit des Herrn Jesus Christus` Worten aufgrund seines stets vom Geist Gottes beseelten, tiefgründigen Glaubens wie folgt vertilgen konnte:* ***... und er*** (Jesus Christus!) ***... hat zu mir*** (Paulus!) ***... gesagt: Lass dir*** (Paulus!) ***... an meiner Gnade*** (des Herrn Jesus Christus` Gnade!) ***... genügen,*** (meine Gnade genügt dir = Quelle: Schlachter-Bibel 2000!) ***... denn meine Kraft wird in der Schwachheit vollkommen!*** (denn meine Kraft kommt zur Ausreifung / gelangt ans Ziel durch Schwachheit = Quelle: Schlachter-Bibel 2000!). ***Darum will ich*** (Paulus!) ***... mich am liebsten vielmehr meiner Schwachheiten rühmen, damit die Kraft des Christus bei mir wohne. Darum habe ich Wohlgefallen an Schwachheiten, an Misshandlungen, an Nöten, an Verfolgungen, an Ängsten um des Christus willen; denn wenn ich schwach bin, dann bin ich stark*** (2.Korinther, Kapitel 12, Verse 9 + 10). Wahrhaft – es sind jene sich in den Ohren der jüdischen Gegner als auch mancher Gemeindemitglieder *verstopfende als auch in ihren versteinerten Herzen auftretende Glaubensgehorsamsverweigerungen gegen den Plan Gottes in dem Herrn Jesus Christus, welche sie zu diesen rundweg absurden Fehlhandlungen antrieben.*

Aber des Apostels Paulus` allseits in seinem Herzen fest verankerte, vom Heiligen Geist beseelte Glaube an Gott und den Herrn Jesus Christus *lassen ihn mit unverzagter Gewissheit seine apostolische Vollmacht mit einem dem Herrn Jesus Christus gebührenden, anmutig geprägtem,* ja – *mit einem unausweichlichem Willen durchführen.* Daher kann er getrost dem Timotheus bekunden, dass er ***... die Wahrheit in Christus sagt und nicht lügt*** (1.Timotheus, Kapitel 2, Vers 7b). Somit vermittelt Paulus auch in seinem Brief an die Römer in Kapitel 9 in Vers 1 diese ***... Wahrheit in Christus ohne zu lügen, wie es ihm sein Gewissen im Heiligen Geist bezeugt.*** Mittels dieser von ganzer Wahrheit geprägten Worte *unterstreicht Paulus noch ein weiteres Mal seine ihm persönlich von Gott in Christus offenbarte Autorität. N i c h t Paulus hebt sich selbst in den Vordergrund des Geschehens – s o n d e r n die an ihm vollbrachte Handlung Gottes i n Christus Jesus hebt ihn in den Stand eines persönlich von Christus berufenen Apostels.*

Auch Timotheus musste von ähnlichen Bedrängnissen sein ihm von dem Apostel Paulus übertragenes Amt als Leiter der Gemeinde in Ephesus *erdulden* – dies ist ein weiterer Grund, *warum Paulus* diesen 7.Vers des 2.Kapitels des 1.Timoteusbriefes *verfasste* – nämlich – *um dem Timotheus aufgrund seines* (des Paulus`!) *Selbstzeugnisses,* ja – *des Apostels Paulus`* persönlichem Richtigkeitserweises *willen, damit Timotheus an exakt diesen Richtlinien des Apostels Paulus stets festhalten würde – und sich folglich nach d i e s e n immerdar Gott wohlgefälligen Handlungen orientierte.* Denn der Herr und Heiland Jesus Christus sprach zu Paulus: ***... „ich habe dich zum Licht für die Heiden gesetzt, damit du zum Heil seist bis an das Ende der Erde!“*** (die Apostelgeschichte des Lukas, Kapitel 13, Vers 47).

Eindeutig wird erkennbar – der Glaube erfordert stets ein zu Gott und dem Herrn Jesus Christus bezogenes, immerdar anwesendes Durchhaltevermögen, welches sich mittels der Kraft des Heiligen Geistes mit dem Herzen des Beschenkten *in beiderseitiger Harmonie vereint.* Diese allein von Gott in Christus vollbrachte Struktur ist ein unmissverständliches Indiz, dass der Glaubende in der vollkommenen Wahrheit Gottes in Christus angelangt ist. In der Tat – anhand dieser voller Zuversicht geprägten Verbundenheit wird dem Gläubigen bewusst, dass irdische Bedrohungen jeglicher Art *nur von glaubens-*

defizitgeschwächten Handlungen der Gegner Gottes befleckt sind, die betonend hervorheben, dass zwar ***... das Licht in der Finsternis leuchtet,*** jedoch ***... hat die Finsternis*** *diese Heilsbotschaft Gottes* ***... nicht begriffen*** (Johannes, Kapitel 1, Vers 5). Wahrhaft – wie wunderbar aber ist es, *als Glaubender diese ausschließlich vom Licht der unabdingbaren Wahrheit Gottes in Christus geprägte, zuversichtliche Gewissheit im Herzen zu besitzen, mittels dieses unbeirrbaren Glaubens* ***... das Anrecht zu haben, Gottes Kinder zu werden, die an seinen Namen glauben*** (Johannes, Kapitel 1, Vers 12b).

Nun ist Folgendes geschehen – denn der Glaubende wird fortan immerdar sprechen können: ***... dennoch bleibe ich stets an dir;*** (Gott!) ***... denn du hältst mich bei deiner rechten Hand, du leitest mich nach deinem Rat und nimmst mich am Ende mit Ehren an. Wenn ich nur dich habe, so frage ich nichts nach Himmel und Erde. Wenn mir gleich Leib und Seele verschmachtet, so bist du doch, Gott, allezeit meines Herzens Trost und mein Teil. Denn siehe, die von dir weichen, werden umkommen; du bringst um alle, die dir die Treue brechen. Aber das ist meine Freude, dass ich mich zu Gott halte und meine Zuversicht setze auf den HERRN, dass ich verkündige all dein Tun*** (Psalm 73 – ein Psalm Asafs – Verse 23 – 28 / Lutherbibel 2017).

Dieses vom Heiligen Geist getragene *Wissen* ist es letztlich, welches der Glaubende stets aus voller zuversichtlicher Gewissheit heraus immerdar aus seinem voller Freude überströmenden Herzen wiederum *nur durch den Geist der Gnade Gottes aussprechen kann:* ***... Gott aber sei Dank, der uns den Sieg gibt durch unseren Herrn Jesus Christus!*** (1.Korinther, Kapitel 15, Vers 57). Ja – *nichts* ***... mag uns scheiden von der Liebe Gottes, die in Christus Jesus ist, unserem Herrn*** (Römer, Kapitel 8, Vers 39b).

Vers 8: Unwillkürlich wird es allzu deutlich ersichtlich, dass die zu Gott und zu dem Herrn Jesus Christus ausgesprochenen Gebete *für alle Menschen mit Gott wohlgefälliger als auch mittels vom himmlischen Vater geforderter Konstanz ausgeübt werden müssen, um das alle Menschen zu der vor allem stehenden Erkenntnis der Wahrheit Gottes im Herrn Jesus Christus gelangen.* Daher fordert der Apostel Paulus die Gemeinde an sich – mittels seiner persönlichen Meinung – *hervorgehoben die, der Männer* – mit einer beharrenden Entschiedenheit dazu auf: ***... so will ich nun, dass die Männer an jedem Ort beten, indem sie heilige Hände aufheben ohne Zorn und Zweifel.***

Aus dem Buch des Propheten Maleachi können wir anhand des 1.Kapitels in Vers 11 Folgendes in Erfahrung bringen; denn dort spricht Gott: ***... denn vom Aufgang der Sonne bis zu ihrem Niedergang soll mein Name*** (der Name des allmächtigen Gottes!) ***... groß werden unter den Heidenvölkern, und überall sollen meinen Namen Räucherwerk und Gaben, und zwar reine Opfergaben, dargebracht werden; denn groß soll mein Name unter den Heidenvölkern sein!, spricht der HERR der Heerscharen.***

Auch unser Herr Jesus Christus lässt uns eindeutig wissen: ***... und wenn ihr dasteht und betet, so vergebt, wenn ihr etwas gegen jemand habt, damit auch euer Vater im Himmel euch eure Verfehlungen vergibt*** (Markus, Kapitel 11, Vers 25).

Ebenfalls Paulus betont noch einmal: ***... betet ohne Unterlass!*** (beständig, d.h. *ohne* darin nachzulassen = Quelle: Schlachter-Bibel 2000!) ***... seid in allem dankbar;*** (oder sagt in allem Dank = Quelle: Schlachter-Bibel 2000!) ***... denn das ist der Wille Gottes in Christus Jesus für euch*** (1.Thessalonicher, Kapitel 5, Verse 17 + 18).

So lässt uns der allmächtige Gott weiterhin folgende gewichtige Botschaft in Erfahrung bringen, nämlich – den Herrn zu lieben und sein Wort zu bewahren: ***… höre Israel, der der HERR ist unser Gott, der HERR allein! Und du sollst den HERRN, deinen Gott, lieben mit deinem ganzen Herzen und mit deiner ganzen Seele und mit deiner ganzen Kraft. Und diese Worte, die ich dir heute gebiete, sollst du auf dem Herzen tragen, und du sollst sie deinen Kindern einschärfen und davon reden, wenn du in deinem Haus sitzt oder auf dem Weg gehst, wenn du dich niederlegst und wenn du aufstehst; und du sollst sie zum Zeichen auf deine Hand binden, und sie sollen dir zum Erinnerungszeichen*** (zum Markenzeichen; w. als Bund im späteren Judentum hat man das Tragen von „Phylakterien“ = Erinnerungszeichen! begründet, kleinen, ledernen Behältern mit vier Bibelabschnitten aus 2.Mose, Kapitel 13, Verse 1 – 10 + Verse 11 – 16; 5.Mose, Kapitel 6, Verse 4 – 9; 5.Mose, Kapitel 11, Verse 13 – 21; / vgl. 2.Mose, Kapitel 13, Vers 9 + Vers 16; 5.Mose, Kapitel 11, Vers 18; sowie Matthäus, Kapitel 23, Vers 5 = Quelle: Schlachter-Bibel 2000!) ***… über den Augen sein; und du sollst sie auf die Pfosten deines Hauses und an deine Tore schreiben*** (5.Mose, Kapitel 6, Verse 4 – 9).

Wahrhaft – der Apostel Paulus *gebietet* der Gemeinde in Ephesus, ***… dass die Männer an jedem Ort beten*** (1.Timotheus, Kapitel 2, Vers 8a) sollen. Diese Gebete *aber sollen mittels* ***… heiligen Hände aufheben*** *inkludiert werden, denn diese Anzeichen vereinen den Glauben und die Liebe in eine stets Gott wohlgefällige, zusammengehörende Einheit –* ***… Zorn und Zweifel*** (1.Timotheus, Kapitel 2, Vers 8b) jedoch sind unmissverständliche Anzeichen *der entgegen den Glauben und der Liebe sprechenden Sünde, die aber strikt vermieden werden soll. Denn mit Ärger, Unzufriedenheit, Wut und Bitterkeit als auch mit Skepsis, Ungewissheit, Zwiespalt und dem damit* *verbunden Unglauben kann ein zu Gott und dem Herrn Jesus Christus bezogenes Leben* n i e m a l s *die ersehnten Früchte des Heils im Bittenden hervorbringen, noch zum wahren Glauben leitende, zum Ewigen Leben führende Ermutigungen in den Herzen der Mitmenschen bewirken.* Denn der Herr Jesus Christus spricht: ***... denn wo euer Schatz ist, da wird auch euer Herz sein. Das Auge ist die Leuchte des Leibes. Wenn nun dein Auge lauter ist, so wird dein ganzer Leib licht sein*** (Matthäus, Kapitel 6, Verse 21 + 22).

Ja – es ist jene *reine Gesinnung,* d.h. *die allseits bedeutend zu erachtende, einzuhaltende Unbeirrbarkeit,* die Paulus hier *von den Gemeindemitgliedern der Männer anhand ihrer Gott und den Herrn Jesus Christus lobpreisenden Gebete verlangt.* Somit übergibt der Apostel *den Männern* das Hauptstück, bzw. den gewichtigen Hauptanteil der Gebete *innerhalb* der Gemeinde. Dabei schenkt er ihnen *die Freiheit,* ***... an jedem Ort zu beten,*** (1.Timotheus, Kapitel 2, Vers 8) denn die von Herzen ausgehenden, aufrichtigen zu Gott und dem Herrn Jesus Christus ausgerichteten Gebete *besitzen keinen geographischen Status, sondern* die aus reinem Glauben entstehenden Gebete *finden stets Einklang bei Gott und Christus* – und werden folglich (selbstverständlich auch für alle Mitmenschen geltend!) *vom himmlischen Vater und dem Heiland erhört.* Der Ort des Gebets ist daher *nicht maßgebend – sondern die Lokalität des Gebets kann überall stattfinden* – ja – *von allerorts und allerseits her soll der Mann der Beter sein.* In der Tat – *die Männer der Gemeinde sind die zum Gebet von Paulus ernannten Personen,* die jedoch *keinesfalls den weiblichen Gemeindemitgliedern ihre Gebete anheim geben dürfen – sondern sie müssen stets darauf bedacht sein, dass ihre Gebete mit von ganzem Glauben und der dazugehörenden Liebe zu allen anderen Mitmenschen erfüllt sind* – ja – *mit zu Gott und dem Herrn Jesus Christus führender, immerdar gleichbleibender Konstanz mittels* *einer stets in deren Herzen auffindbaren, unverzagter Gewissheit ausgeübt werden.*

Ein jeder Ort ist demzufolge *ein Gott wohlgefälliger Bereich,* wo die Männer gedenken, *im wahren Glauben zu beten.* Jedoch ist *stets darauf zu achten, dass die Gebete die immerdar erforderlichen zu Gott und den Herrn Jesus Christus führenden Maßnahmen Ihrer an die Menschheit gerichteten Richtlinien des wahren Glaubens beinhalten; denn ohne dieses rundum bedeutende Vorhaben erzielen diese Gebete k e i n e r l e i Wirkung.* So *bezeugen* ***… die heiligen aufhebenden Hände*** – ja – *die zum Himmel aufgerichteten, sich öffnenden Arme und Hände der Beter* (etwa gleich wie bei uns in der heutigen Zeit die zum Gebet gefalteten Hände!) *die Geste der Gebetshaltung* – ja – *es ist jene Gesinnung der Beter, die aufweist, dass der Bittende eine zu Gott bezogene Etikette ein- bzw. angenommen hat, um den himmlischen Vater seine von ganzem Herzen kommende Ehrerbietung anhand des nun folgenden Gebetes zu erweisen.* Diese Gebetshaltung *soll und muss zugleich die Ernsthaftigkeit des Gebetes bekunden, denn mittels dieser Geste weist der Betende seine zu Gott gerichteten Anliegen auf, welche mit allseits besonnener Seriosität des wahren Glaubens beinhaltet sein müssen.* So *müssen* folglich auch die zum Gebet erhobenen Hände *in Reinheit* – ja – *in Unschuld ihre zu Gott gerichteten Bedürfnisse ausrichten.* Denn diese Reinheitsprinzipien weisen unmissverständlich auf, *dass sie einem von dem Willen des himmlischen Vaters entsprechenden, ausgehenden Segen erwarten, welcher ebenfalls von der allseits unbefleckten über allem stehenden, vollkommenen Reinheit Gottes in Christus Jesus ausgeht.*

Befleckte, mit Trugschlüssen behaftete Hände sind jedoch mit gottwidrigen – ja – *stets von Gott abkehrenden Widerwertigkeiten be-*

fleckt – welche wiederum die vollkommenen Reinheit Gottes als auch die des Herrn Jesus Christus beflecken. Solche von dem Apostel Paulus benannten mit ***… *Zorn und *[1]Zweifel*** (1.Timotheus, Kapitel 2, Vers 8b) *behafteten Gebete jedoch tragen mitnichten zu einer Erhörung der Gebete bei.* Diese sind Gott und dem Herrn Jesus Christus *stets zuwider,* denn der Halbbruder unseres Herrn Jesus Christus – Jakobus – lässt uns unverblümt Folgendes wissen: ***… *seufzt nicht gegeneinander, Brüder, damit ihr nicht verurteilt werdet; siehe, der Richter steht vor der Tür!*** Denn: … * + ***[1]Bekennt einander die Übertretungen und betet füreinander, damit ihr geheilt werdet! Das Gebet eines Gerechten vermag viel, wenn es ernstlich ist. *[1]Er bitte aber im Glauben und zweifle nicht; denn wer zweifelt, gleicht einer Meereswoge, die vom Wind getrieben und hin und her geworfen wird. Ein solcher Mensch denke nicht, dass er etwas von dem Herrn empfangen wird, ein Mann mit geteiltem Herzen, unbeständig in allen seinen Wegen*** (Jakobus, Kapitel 5, Verse 9 + 16 sowie Kapitel 1, Verse 6 – 8).

Wahrhaft – so Paulus – *anhand sündenbefleckter Bitten* müssen wir eindeutig erkennen: *Unrechtes Gut gedeiht nicht.* Denn: *Befleckte zum Himmel aufgerichtete Hände und die zugleich mit Schande und Entehrung umrahmten Gebete sind allezeit vor Gott und dem Heiland nichtig und führen unmissverständlich zu einer beabsichtigten, mit Nachdruck verliehenen Heuchelei.* Ein zu Gott und dem Herrn Jesus Christus rufendes, betendes Herz aber *muss immerdar mit wohlgefälligen, von ganzer Gewissheit beseelten Richtlinien des Höchsten umgeben sein, um dass das Gebet nicht nur vor Gott und Christus anerkannt wird, sondern zugleich auch im Herzen des Beters die von Gott ausgehende Wirkung der Erhörung erzielt. Nur* ein von *ganzer Zuversichtlichkeit* als auch von einem *reinen Gewissen* geprägtes Gebet ist von dem zu benötigten *wahrem Glauben* umgeben – und findet folglich *nicht nur den ertragreichen Eingang in den himmlischen Regionen – sondern zugleich auch im Herzen des Beters.*

Verse 9 – 15

Das Verhalten der gläubigen Frauen

[9]Ebenso (will ich) auch, dass sich die Frauen in ehrbarem Anstand mit Schamhaftigkeit und Zucht schmücken, nicht mit Haarflechten oder Gold oder Perlen oder aufwendiger Kleidung, [10]sondern durch gute Werke, wie es sich für Frauen geziemt, die sich zur Gottesfurcht bekennen. [11]Eine Frau soll in der Stille lernen, in aller Unterordnung. [12]Ich erlaube aber einer Frau nicht, zu lehren, auch nicht, dass sie über den Mann herrscht, sondern sie soll sich still verhalten. [13]Denn Adam wurde zuerst gebildet, danach Eva. [14]Und Adam wurde nicht verführt, die Frau aber wurde verführt und geriet in Übertretung; [15]sie soll aber (davor) bewahrt werden durch das Kindergebären, wenn sie bleiben im Glauben und in der Liebe und in der Heiligung samt der Zucht.

Auslegung:

Verse 9 + 10: Beide Verse stehen in einer nahen Gemeinsamkeit zueinander – und können somit zusammengefasst ausgelegt werden. Paulus geht nun über zu den weiblichen Mitgliedern in der Gemeinde in Ephesus *und betont ihnen gegenüber mittels des Apostels` persönlichen Willens, dass sie sich* ***… in ehrbarem Anstand mit Schamhaftigkeit und Zucht schmücken sollen und nicht mit Haarflechten***

oder Gold oder Perlen oder aufwendiger Kleidung – und begründet diesen seinen Wille damit – dass die Gemeinde der Frauen ***... durch gute Werke*** in einer *rundweg treuen als auch couragiertem Etikette und zugleich mittels eines gottesfürchtigen Benehmens aufgrund ihrer* ***... guten Werke*** *gegenüber der gesamten Gemeinde auftreten sollen. Diese gottergebenen Kennzeichen der Frauen betonen letztlich, dass sie sich* ***... zur Gottesfurcht bekennen*** – so Paulus. Daher spricht auch der Apostel Petrus gegenüber dem weiblichen Geschlecht innerhalb der Gemeinde in seinem 1.Brief mittels seiner persönlichen, von ihm hervorgehobener Meinung aus: ***... euer Schmuck soll nicht der äußerliche sein, Haarflechten und Anlegen von Goldgeschmeide oder das Anziehen von (prächtigen) Gewändern, sondern der verborgene Mensch des Herzens in dem unvergänglichen Schmuck eines sanften und stillen Geistes, der vor Gott sehr kostbar ist. Denn so haben sich einst auch die heiligen Frauen geschmückt, die ihre Hoffnung auf Gott setzten und sich ihren Männern unterordneten*** (1.Petrus, Kapitel 3, Verse 3 – 5).

Paulus ruft *die Frauen in der Gemeinde in Ephesus zu einem Gott und dem Herrn Jesus Christus wohlgefälligem Auftreten gegenüber allen anderen Gemeindemitgliedern auf* – und betont daher mit beharrlicher Ausdrücklichkeit, die der vollkommenen Wahrheit Gottes in dem Herrn Jesus Christus entspricht, *dass nach außen hin sich repräsentierender Prunk anhand von aufwendigen Frisuren oder das Anlegen von zierendem Schmuck nur den äußerlichen, menschlichen Schein der Frauen preisgibt.* Wahre, zu Gott und zu dem Herrn Jesus Christus bezogene Herzen jedoch *geben ihre prachtvolle Stärke anhand eines zum himmlischen Vater in Christus bezogenen, inneren Glanz des Glaubens preis, der seinen vom Höchsten betuchten Lichtglanz nach außen hin erscheinen lässt,* so der Apostel. Daher liegt die Vermutung des Autors nahe, dass „fremdeinwirkende Floskeln der

Irrlehrer“ die Gemeindemitglieder mittels ihrer leeren, gottlosen Redensart betörten. Somit ist anzunehmen, dass sich aufgrund dieser falschen Anweisungen die Frauen zu einem äußerlichen Glanz blenden ließen, der jedoch ihren wahren Glauben in den Hintergrund stellte. Daraufhin können wir auch in 2.Timotheus, Kapitel 3 in den Versen 6 + 7 folgende Worte des Apostels Paulus in Erfahrung bringen, (siehe noch kommende Auslegung!) welche die Vermutung des Autors bekräftigt: ***... denn zu diesen gehören die, welche sich in die Häuser einschleichen und die leichtfertigen Frauen einfangen, welche*** (die Frauen = Quelle: Schlachter-Bibel 2000!) ***... mit Sünden beladen sind und von mancherlei Lüsten*** (oder Begierden = Quelle. Schlachter-Bibel 2000!) ***... umgetrieben werden, die immerzu lernen und doch nie zur Erkenntnis der Wahrheit kommen können.*** Exakt diese von Gott und Christus abkehrenden, entgegen Ihrer dem Herrn der Herrlichkeit gerichteten Falschaussagen will der Apostel Paulus mittels seines persönlichen Aufrufens *erneut auf die Bahn eines zu Gott und Christus wohlgefälligen Handelns lenken. Denn n u r ein von Herzen kommender, innerer Glanz gibt dem wahren Glauben seine persönliche, von Gott und dem Herrn Jesus Christus stets gewollte als auch geforderte Stabilität, Ausdruckstärke und Strahlkraft, die zugleich mittels ihrer einheitlich geprägten Stärken aufweisen, in den Fußstapfen des Herrn und Heilands Jesus Christus zu wandeln.*

Jedoch darf man es nicht außer Acht lassen, dass die Gemeinde an sich – *sprich die Männer und die Frauen g e m e i n s a m beten, denn das ist der Ausdruck und zugleich die Resonanz eines miteinander verbundenen, tiefgründigen Glaubens.* Folglich weist der in den Herzen ruhende Heilige Geist *aller Gemeindemitglieder nicht nur den Männer, sondern auch den Frauen unmissverständlich auf, in Gebeten ihre persönlichen als auch allen anderen Menschen betreffenden Bitten zu äußern, um das diese ihre Begehren vom himmlischen Vater erhört werden.* Denn das ist der Wille Gottes in Christus Jesus *für alle Glaubenden* – nämlich Gott ***… will, dass alle Menschen gerettet werden und zur Erkenntnis der Wahrheit kommen*** (1.Timotheus, Kapitel 2, Vers 4 / siehe Auslegung!). Daher ist jeder Mensch zur fruchtbringenden Teilnahme ohne jeglichen Unterschied von Gott dazu *aufgerufen* worden. Jedoch weist der Apostel Paulus *insbesondere die Frauen darauf hin, mittels Gott würdiger, angemessener Kleidung ohne aufwendigen Prunk ihr äußeres Erscheinungsbild gegenüber den anderen Mitmenschen preiszugeben. Denn die Blicke werden vor allem auf sie gerichtet, weil insbesondere das weibliche Geschlecht* (die Männer stehen hier für Paulus außen vor!) *die Blicke der anderen Menschen* „naturbedingt" *auf sich zieht.* Doch „verbietet" es der Apostel den Frauen *nicht gänzlich, sich mit Schmuck zu zieren* – denn dazu haben sie generell das Anrecht – sondern vielmehr will er es ihnen *eindeutig ersichtlich machen,* dass das persönliche, von den Frauen ausgehende Verhalten *nicht von Äußerlichkeiten hervorgehoben wird, sondern von der inneren, zu Gott und Christus durch den Glauben bezogenen Stärke in der Kraft des Geistes Gottes erhält diese stets Gott wohlgefällige Verhaltensart ihren äußeren, immerdar nachzuahmenden Glanzausdruck, welcher eindeutig bekennt, in der vollkommenen Wahrheit Gottes in Christus Jesus angekommen zu sein.* Denn der Herr Jesus Christus betont *nicht nur den gläubigen Männern, sondern auch den glaubenden Frauen – und somit allen von Glauben erfüllten Menschen* gegenüber mittels Seiner unmissverständlichen zum Heil der unnachahmlichen Herrlichkeit Gottes führenden, allseits nachzuahmenden Worte: ***… ihr seid das Licht der Welt. So soll euer Licht leuchten vor den Leuten, dass sie eure guten Werke sehen und euren Vater im Himmel preisen*** (Matthäus, Kapitel 5, Verse 14a + 16).

Diese immerdar ernstzunehmenden, persönlichen Anweisungen sind es letztlich, die auch Paulus den Frauen in ihre vom Heiligen Geist erfüllten Herzen mittels seiner von ganzem Glauben kommenden, rundum von Nächstenliebe geprägten, seelsorgerisch umrahmten Worten im Geist der Wahrheit Gottes hinterlegen will. *Äußerer Glanz und Gloria *sind nur von einem trostlosen, irdisch vergänglichem Schein und Prunk beseelt, der jedoch vergeht und in seiner geistlich zu betrachtenden, bedürfnislosen Auswirkung keinerlei heilende Wirksamkeit gegenüber anderen Mitmenschen auslöst –*

*[1]Innerer Glanz aber kommt *von einem Glauben beseelten Herzen in und aus der Kraftausgießung des Heiligen Geistes, der immerdar aufweist, die Wahrheit Gottes in Christus Jesus im Herzen zu tragen.* Dieser unentwegt Gott und den Herrn Jesus Christus würdigende Prunk Ihres sich in den Herzen der Glaubenden fortan auffindbare, ja, *dieser sich mehr und mehr zunehmende Lichtglanz des Heiligen Geistes Ihrer eigenen Herrlichkeit ist es somit, der die vom Geist Gottes in Christus beseelten Herzen der Glaubenden nach außen hin aufleuchten lässt. Denn die nunmehr verwirklichte Liebe des Höchsten in Christus Jesus scheint mit unvergänglichem, ewigen Glanz, der zur Nachahmung aufruft* – denn auch hier gilt: (*in Bezug auf irdisch vergänglichen Prunk / *[1]im Vergleich zu einem vom Heiligen Geist gesegneten, immerwährend bleibenden, ewigen Glanz) ***... *da wir nicht auf das Sichtbare sehen, *[1]sondern auf das Unsichtbare; *denn was sichtbar ist, das ist zeitlich;*** (oder vergänglich / währt nur für eine kurze Zeit = Quelle: Schlachter-Bibel 2000!) ***... *[1]was aber unsichtbar ist, das ist ewig*** (2.Korinther, Kapitel 4, Vers 18).

So *unterliegen* die *irdischen, sich noch so prunkvoll repräsentierende Leidenschaften in Form von nach außen hin sich darstellenden, jedoch vergänglichen Prunkgeschmeide als auch die wertvoll angelegten, verschiedenen Schmuck-Accessoires *i m m e r d a r den *[1]himmlischen*, vom Geist Gottes gesegneten Ausdruckszügen eines Auserwählten des himmlischen Vaters in Christus Jesus. *Nur* ein vom Geist Gottes beseeltes Herz vermag die Frömmigkeit *nach außen hin mit nachahmend-bleibenden Charakterzügen aufweisen, um mittels dieser Gott stets wohlgefälligen Eigenschaften seinem / ihrem Gegenüber die Nachahmung preiszugeben, die allein in der Herrlichkeit Gottes in Jesus Christus auf Ewigkeit aufzufinden ist.* Diese unmissverständliche Tatsache bewirkt einen *stets von und zu Gott und Christus bezogenen Lebensstil – und umschließt zugleich das* ***... Bekennen der Gottesfurcht,*** (1.Timotheus, Kapitel 2, Vers 10b) *die in Ehre und Würde* – ganz im Sinne des allmächtigen Gottes im Herrn Jesus Christus ausgelebt wird; *denn die vom Geist der Wahrheit Gottes geleiteten Werke der Frauen* (als auch die der Männer!) *sollen das weibliche Geschlecht rühmen* – so Paulus. *Denn von nun an haben sie ihr Leben wahrhaftig dem himmlischen Vater im Herrn Jesus Christus vollends übergeben.*

Vers 11: Darum lässt Paulus die Gemeindemitglieder – vor allem aber *die Frauen* innerhalb der Gemeinde – weiterhin wissen, dass ... „das Benehmen der gläubigen Frauen sich geziemen“ soll, sodass ***... sie in aller Unterordnung in der Stille beten.*** Paulus erklärt diese Anweisung wie folgt: ***... ihr Frauen, ordnet euch euren Männern unter, wie sich`s gebührt im Herrn!*** (Kolosser, Kapitel 3, Vers 18). Und der Apostel Petrus vervollständigt den Aufruf des soeben erwähnten Verses des Kolosserbriefes des Apostels Paulus, indem er folgende Worte aus seinem 1.Brief hinzufügt: ***... damit, wenn auch etliche sich weigern, dem Wort zu glauben, sie durch den Wandel der Frauen ohne Wort gewonnen werden*** (1.Petrus, Kapitel 3, Vers 1b).

Es ist jener Aufruf des Apostel Paulus, der – wie er es bereits in Vers 2b dieses 2.Kapitels des 1.Briefes an Timotheus (siehe Auslegung!) bekannt gab – ***... wir ein ruhiges und stilles Leben führen können in aller Gottesfurcht und Ehrbarkeit.*** So liegt es nahe, *dass Paulus gegenüber den Frauen in der Gemeinde anhand seiner persönlichen Meinung bestimmt, dass sie ihren Glauben anhand ihrer Gebete in der Stille, sowie in* „aller ehrerbietenden Harmonisierung gegenüber den Männern“ *in der Gemeinde pflegen sollen.* Zwar dürfen und sollen die Frauen – gleich wie die Männer – ihren Glauben ausleben – jedoch *erlaubt* es der Apostel Paulus *dem weiblichen Geschlecht nicht, ein Lehramt* innerhalb der Gemeinde *zu leiten* (siehe Auslegung zu nachfolgendem Vers 12!). Es sind jene *von dem Apostel Paulus bereits aus den jüdischen, alttestamentlichen Schriften benannten Bestimmungen gegenüber den Frauen, welche eindeutig aussagen,* dass sich die Frauen in der Gemeinde weiterhin so verhalten sollen, gleich ***... wie Sarah dem Abraham gehorchte und ihn „Herrn“ nannte*** (1.Petrus, Kapitel 3, Vers 6a). So will auch der Apostel Paulus dem weiblichen Geschlecht der Gemeinde in Ephesus mitteilen, dass *sie* wiederum ***... deren Töchter*** *im Glauben als auch im ausübenden Verhalten* ***... geworden sind, wenn sie Gutes tun und sich keinerlei Furcht einjagen lassen*** (1.Petrus, Kapitel 3, Vers 6b).

Mit dieser seiner *persönlichen Bestimmung* will Paulus gegenüber dem Timotheus ausdrücken – so die Meinung des Autors – *dass seine eigene Handlungsweise auch für andere die Deutlichkeit seiner Forderung hervorhebt.* Zwar ist *die Frau dazu berufen worden, mit Gebeten ihren Glauben zu bestätigen – auch soll sie folglich anhand wertvoller Erkenntnisse alles erlernen, was den Glauben letztlich stärkt und pflegt.* Daher sollen die Frauen *keinesfalls* den männlichen Gemeindemitgliedern *aufgrund von Glaubensdefizite nachstehen.* Dabei jedoch soll der Glaube *in aller Ruhe und Achtsamkeit* von statten gehen, ja – in aller ***... Stille*** (1.Timotheus, Kapitel 2, Vers 11) *sollen die Gebete erfolgen.* So spricht der Herr Jesus Christus über die Stille im Gebet: ***... und wenn du betest, sollst du nicht sein wie die Heuchler; denn sie stellen sich gern in den Synagogen und an den Straßenecken auf und beten, um von den Leuten bemerkt zu werden. Wahrlich, ich sage euch: Sie haben ihren Lohn schon empfangen. Du aber, wenn du betest, geh in dein Kämmerlein und schließe deine Türe zu und bete zu deinem Vater,*** (Gott!) ***... der im Verborgenen ist; und dein Vater, der ins Verborgene sieht, wird es dir öffentlich vergelten*** (Matthäus, Kapitel 6, Verse 5 + 6).

Wenn die Frauen (als auch die Männer!) diese von Jesus Christus geforderte Einhaltung *nicht anhand ihrer Handlungen tätigen würden, so verletzten sie unwillkürlich erneut die von dem Herrn und Heiland Jesus Christus geforderte Stille des Gebetes* – und würden folglich mittels „auffallender Blicke und Verwunderungen den anderen Gemeindemitgliedern gegenüber“ aufgrund ihres eigen verschuldeten Verhaltens auffallen – gleichwie die Prunkgeschmeide und die Schmuck-Accessoires (siehe Auslegung zu 1.Timotheus, Kapitel 2, Vers 9!) keinerlei Haltung über einen nachzuahmenden Glauben ausdrücken – und sie somit anhand eigener Fehlhandlungen in ein falsches Licht gerückt würden. Denn: ***... Anmut ist trügerisch und Schönheit vergeht*** (die Sprüche Salomos, Kapitel 31, Vers 30a). Daher fordert Paulus *eine von den gläubigen Frauen einzuhaltende, als auch von ihnen ausgehende*, ja – *eine ihnen angemessene, ebenbürtige als auch vorbildlich zu unterstreichende, gänzlich auszulebende Verhaltensart, welche sich mittels eines vom glaubenden Herzen kommenden Entschlusses aufweist, der ihnen gebührt* – nämlich – *sich anhand ihrer gesitteten Höflichkeit und zugleich mit couragiertem Benehmen der Abgleichung ihre Weiblichkeit innerhalb der Gemeinde mit Gott wohlgefälliger Güte unterstreichend hervorzuheben.*

Es ist jenes von Paulus *an die Frauen der Gemeinde aufgeforderte Verhalten, welches sich stets mit einer entschlossenen Bereitwilligkeit und der dazugehörenden Angleichung ausweist. Kein bestrebendes Herrschen um die Macht* innerhalb der Gemeinde in Ephesus *an sich zu reißen wird hier in den Vordergrund des weiblichen Verhaltens geschoben,* sondern vielmehr drückt diese sich selbst „distanzierende Verhaltensregel" aus, *dass der christliche Glaube in geprägter Demut von statten geht,* welcher zugleich aufweist, *dass dieser von den Frauen zu begehende Weg kein Pfad der Demütigung ist, sondern vielmehr drücken somit die vom Glauben erfüllten Frauen aus, dass ihre dienstbereiten Tätigkeiten vielmehr den Worten des Herrn Jesus Christus entsprechen*, die da lauten: ***… der Größte aber unter euch soll euer Diener sein*** (Matthäus, Kapitel 23, Vers 11). Denn: ***… gleichwie der Sohn des Menschen*** (der Herr und Heiland Jesus Christus selbst!) ***… nicht gekommen ist, um sich dienen zu lassen, sondern um zu dienen und sein Leben zu geben als Lösegeld für viele*** (Matthäus, Kapitel 20, Vers 28). Wenn nun diese sich distanzierenden Gesten von den Frauen mittels der einzuhaltenden Verhaltensregeln des Apostels Paulus *eingehalten als auch ausgeübt werden, so folgen sie den über allen stehenden Worten und Taten des Herrn und Erlösers Jesus Christus.*

Gibt es einen besseren Weg, als diesen Glauben einzuschlagen, indem das weibliche Geschlecht ***… dem Fürsten des Lebens*** (dem Herrn Jesus Christus! / die Apostelgeschichte des Lukas, Kapitel 3, Vers 15 / Lutherbibel 2017) *nachfolgt?* … Wohl kaum! … – lautet nun die unmissverständliche Antwort. Daher bekennt der Herr Jesus Christus weiterhin Seinen Nachfolgern: ***… ich bin das Licht der Welt. Wer mir nachfolgt, wird nicht in der Finsternis wandeln, sondern er wird das Licht des Lebens haben*** (Johannes, Kapitel 8, Vers 12b). Wahrhaft – bei näherer Betrachtung kommt man nun auf folgende nicht anzuzweifelnde Feststellung: *Kann es etwas Besseres geben, als dem Herrn und Erlöser Jesus Christus bedingungslos nachzufolgen?* – Die Antwort lautet klipp und klar: *N E I N!*

Somit liegt es eindeutig auf der Hand, *dass das von Paulus verlangte Verhalten den Frauen gegenüber denen der Männer* – trotz eines sich ausweisenden, „untergeordnetem Verhaltens" – *jedoch denen der Männer wiederum* „überlegen" *ist!* Gerade *weil* sich die Frauen den Männern „fügen", *erlangt das weibliche Geschlecht einen ehrbaren als auch frucht- und ertragreichen und zugleich mit Segen behafteten Dienst am Evangelium; denn mittels dieser Verhaltensregel halten sich die Frauen selbst im Hintergrund, der jedoch Großartiges aufgrund dieser von ihnen begangenen Untertänigkeit hervorbringt. Christlicher Glaube lebt und existiert aufgrund inniger, unverzagter als auch von ganzer Gewissheit durch den Glauben geprägter Vertrautheit an Gott und den Herrn Jesus Christus – und erhält seine Bedeutung anhand rundweg ehrerbietender Würdigungen mittels der Segnung des Heiligen Geistes, den anderen mehr als sich selbst zu achten als auch zu ehren und zu lieben.* Anhand dieser stets von Gott in Christus geforderten Einstellungen wird es *allzu deutlich ersichtlich, dem anderen Geschlecht den Vortritt zu lassen – und zugleich den wahren Glauben zu bewahren, der sich wiederum als rundum erfüllend präsentiert.* Denn der Apostel Paulus *selbst* betont in seinem 2.Brief an die Korinther in Kapitel 6 in Vers 10 folgende Worte seines immerdar vollkommenen als auch anhand seines stets von unverzagter Gewissheit ummantelten Glaubens in ganzer Wahrheit: ***… als Betrübte, aber immer fröhlich, als Arme, die doch viele reich machen; als solche, die nichts haben und doch alles besitzen.***

Vers 12: Weiterhin *erlaubt* es der Apostel Paulus ***… einer Frau nicht,*** dass sie ***… lehrt,*** *auch weiterhin nicht,* ***dass sie über den Mann herrscht,*** (oder bestimmt / Autorität ausübt = Quelle: Schlachter-Bibel 2000!) ***… sondern sie soll sich still verhalten.*** So betont der Apostel weiterhin in seinem 1.Korintherbrief in Kapitel 14, Vers 34 als auch mittels seines Briefes an die Epheser in Kapitel 5 in Vers 24: ***… eure Frauen sollen in den Gemeinden schweigen; denn es ist ihnen nicht gestattet zu reden, sondern sie sollen sich unterordnen, wie es auch das Gesetz sagt*** (bezogen auf *1.Mose, Kapitel 3, Vers 16b: ***… und dein Verlangen*** (das Verlangen der Frau!) ***… wird auf deinen Mann gerichtet sein, er aber soll über dich herrschen!***). ***Wie nun die Gemeinde sich dem Christus unterordnet, so auch die Frauen ihren eigenen Männern in allem.***

Abermals können wir vernehmen, *dass der persönliche Aufruf des Apostels Paulus an die Gemeinde an sich* die bereits in Vers 11 des gleichnamigen Kapitels des 1.Briefes an Timotheus (siehe Auslegung!) **die jüdischen, alttestamentlichen Bestimmungen gegenüber den Frauen hervorruft.* Daher ist es *der Wille des Paulus,* dass die Frauen *kein Lehramt übernehmen,* ***… sondern dass sie sich still verhalten sollen*** (1.Timotheus, Kapitel 2, Vers 12b). Auch an dieser Stelle wird es erneut ersichtlich, *dass der Apostel seine eigene Handlungsweise auch für die anderen anhand der Deutlichkeit seiner Forderung hervorhebt.* Zwar verbietet es Paulus dem Timotheus *nicht, einer Frau das Lehren zu erlauben; dennoch spricht seine persönliche Aussage eindeutig von einem Unterlassen der weiblichen Lehre.*

Daher schließt der Apostel auch die verwaltenden Tätigkeiten des weiblichen Geschlechts von Anfang an aus. Doch beim näheren Überlegen fällt jedoch auf, *dass es durchaus ratsam sein kann, den Frauen gerade diese Tätigkeit zu erlauben, weil das weibliche Ge-*

schlecht dem der Männer an geistlicher Stärke überlegen sein kann. Somit würde ein perfekter Ausgleich beider Geschlechter innerhalb der Gemeinde *nicht nur den Glauben an sich stärken, sondern zugleich betonen, dass dieses sich gegenseitige Ergänzen das Wohl eines jeden fördern würde.* Jedoch *schließt Paulus mittels seiner persönlichen Meinung* diese „Eventualitäten" *von vornherein aus.* Daher liegt die Vermutung des Autors nahe, *dass der Apostel mittels einer Gewährung der* „Frauenlehre" *nachfolgende Defizite befürchtete.*

Anstelle dass *die Frau in der Gemeinde ein Lehramt übernimmt, fordert er das weibliche Geschlecht jedoch dazu auf, in der Stille ihre gesittete Höflichkeit preiszugeben* (siehe hierzu erneut die Auslegung zu 1.Timotheus, Kapitel 2, Vers 11!). Dieses von Paulus gegenüber den Frauen persönlich ausgesprochene Verhalten aber *sagt aus, dass es nicht von Nachteilen behaftet ist, im stillen Verhalten den Glauben auszuleben.* Eine *Missachtung dieser Verhaltensregel der Frauen* – so die persönliche Ansicht des Paulus – *könnte Zwiespältigkeit innerhalb der gesamten Gemeinde hervorbringen – und wirkt letztlich als sich selbst verletzend* – ja – *als eine gegenüber dem weiblichen Geschlecht selbstverurteilende und folglich als eine hochmütige als auch arrogante Demütigung – diese Handlungsdefizite jedoch widersprechen generell dem christlichen Glauben, wenn die Frauen* „ihr eigenmächtiges Gefallen" *in den Vordergrund heben,* so Paulus. Eine *besonnene, bedachtsame und zugleich stets auffindbare,* gezügelte zu Gott und dem Herrn Jesus Christus bezogene Demütigung des weiblichen Geschlechts *aber weist sich generell als positiv aus,* weil anhand solcher Verhaltensregeln *die Stille der Bekenntnis genutzt wird und aufweist, dass das Leben einer Frau im wahren Glauben vollbracht wird.* Mittels dieser weiblichen Vorzeige-, bzw. Vorbildlichkeitseinstellung *leben und genießen die Frauen ein Gott immerdar wohlgefälliges Dasein im Angesicht des Herrn Jesus Christus* und beweisen zugleich anhand dieser von ihnen beachteten Verhaltensregel, *dass ihre Herzen mit vom Heiligen Geist betuchten Segen erfüllt sind.* So heißt es weiterhin in den Sprüchen Salomos: ***… aber eine Frau, die den HERRN fürchtet, die wird gelobt werden*** (die Sprüche Salomos, Kapitel 31, Vers 30b).

In der Tat – ohne jegliche Aufopferung und Missstimmung *fügen sich die Frauen der vor allem stehenden Ehrerbietung Gottes in Christus Jesus unter.* Es ist wiederum jene vom himmlischen Vater den Frauen zugeteilte Aufgabe, in einer rundum von Harmonie geprägten Stille Seine ihnen allen zuteilwerdende Herrlichkeit im Herrn Jesus Christus *vollends genießen und diese aufgrund des vom Geist der Wahrheit gesegneten Glaubens frei heraus ausleben zu können.* Mittels dieser allseits zuversichtlichen Gewissheit – ja – *aufgrund* des in ihren Herzen fest verankerten Glaubens können die Frauen ihr Dasein beruhigt ausleben – *ein Leben unter der sie stets beschützenden, immerdar sie liebenden Schirmherrschaft Gottes in dem Herrn und Erlöser Jesus Christus,* so der Apostel Paulus.

Daher können wir anhand der Sprüche Salomos – die das Lob der tugendhaften Frau betonen – unzweifelhaft folgende, den Männern zu Gute kommenden, weiblichen Tugenden in Erfahrung bringen, die da lauten: ***… eine tugendhafte Frau –*** (eine tüchtige Ehefrau = Quelle: Schlachter-Bibel 2000!) ***… wer findet sie? Sie ist weit mehr wert als (die kostbarsten) Perlen! Auf sie verlässt sich das Herz ihres Mannes, und an Gewinn mangelt es ihm nicht*** (die Sprüche Salomos, Kapitel 31, Verse 10 + 11).

Verse 13 + 14: Beide Verse stehen erneut in einer untrennbaren Verbindung zueinander – und können folglich zusammengefasst ausgelegt werden. Abermals unterstreicht Paulus seine fortführende, *persönliche Meinung gegenüber dem weiblichen Geschlecht* anhand der Schöpfungsgeschichte des allmächtigen Gottes aus dem 1.Buch Mose, dem Buch Genesis – indem er es verschärfend betont: ***... denn Adam wurde zuerst gebildet, danach Eva. Und Adam wurde nicht verführt, die Frau aber wurde verführt und geriet in Übertretung.*** So heißt es in 1.Mose, Kapitel 2 in den Versen 16 – 23: ***... und Gott der HERR gebot dem Menschen und sprach: Von jedem Baum des Gartens darfst du nach Belieben essen; aber von dem Baum der Erkenntnis des Guten und des Bösen sollst du nicht essen; denn am dem Tag, da du davon isst, musst du gewisslich sterben!*** (die ersten Menschen kannten den Tod noch nicht; er kam erst als Folge der Sünde über den Menschen / vgl. Römer, Kapitel 5, Vers 12; Römer, Kapitel 6, Vers 23; Epheser, Kapitel 2, Verse 1 – 3 = Quelle: Schlachter-Bibel 2000!). ***Und Gott der HERR sprach: Es ist nicht gut, dass der Mensch allein sei; ich will ihm*** (dem Mann = Adam!) ***... eine Gehilfin machen, die ihm entspricht!*** (einen Beistand / eine Hilfe als sein Gegenüber = Quelle: Schlachter-Bibel 2000!). ***Und Gott der HERR bildete aus dem Erdboden alle Tiere des Feldes und alle Vögel des Himmels und brachte sie zu dem Menschen, um zu sehen, wie er sie nennen würde, und damit jedes lebendige Wesen den Namen trage, den der Mensch ihm gebe. Da gab der Mensch jedem Vieh und Vogel des Himmels und allen Tieren des Feldes Namen; aber für den Menschen fand sich keine Gehilfin, die ihm entsprochen hätte. Da ließ Gott der HERR einen tiefen Schlaf auf den Menschen fallen; und während er schlief, nahm er eine seiner Rippen und verschloss ihre Stelle mit Fleisch. Und Gott der HERR bildetet die Rippe, die er von dem Menschen genommen hatte, zu einer Frau und brachte sie zu dem Menschen. Da sprach der***

Mensch: Das ist endlich Gebein von meinem Gebein und Fleisch von meinem Fleisch! Die soll „Männin" heißen; denn vom Mann ist sie genommen! (ein Wortspiel im Hebräischem zwischen *Isch* = Mann und *Ischa* = Frau / = Quelle: Schlachter-Bibel 2000!). Daher betont Paulus noch ein weiteres Mal: ***... denn der Mann kommt nicht von der Frau, sondern die Frau vom Mann*** (1.Korinther, Kapitel 11, Vers 8). Weiterhin heißt es in 1.Mose, Kapitel 3, Vers 6: ***... und die Frau sah, dass von dem Baum*** (der Erkenntnis des Guten und des Bösen / vgl. 1.Mose, Kapitel 2, Vers 17!) ***... gut zu essen wäre, weil er weise macht; und sie nahm von seiner Frucht und aß, und sie gab davon auch ihrem Mann, der bei ihr war, und er aß.***

Somit gibt der Apostel Paulus bekannt, *dass die Geschichte den Willen Gottes belegt, als auch dass die Schöpfungsgeschichte des allmächtigen Gottes der Menschen mit dem Mann begann, die Übertretung des Gebotes Gottes jedoch durch die Frau geschah.* Folglich bezieht er sich mittels jener Schöpfungsgeschichte drauf. *dass der Mann über die Frau* „herrscht" (siehe erneut 1.Mose, Kapitel 3, Vers 16b!). An dieser Stelle wird ersichtlich, dass Paulus hier *nicht den* „begrenzten Vorrang des Mannes" *in den Vordergrund hebt, sondern vielmehr bezieht sich der Apostel auf das* „Ich-bezogene Handeln" *der Frau.* Diese eigennützige, ja – „egoistisch geprägte Handlung des weiblichen Geschlechts" zeigt auf, *inwiefern die Frau ihre Distanziertheit mittels der an ihr vollbrachten Verführung der listigen Schlange offenbar werden lässt.* Somit bezieht Paulus *seine persönliche Meinung* der Frauen auf eine *des weiblichen Geschlechts anmutende Schwäche, die er mit dieser Verführung bekundet – und zugleich anhand dieses Schwachpunktes begründet, dass es ratsam ist, dass der Frau eine über dem Mann stehende Rolle versagt bleiben soll.* Daraufhin hält es der Apostel für *riskant,* de*m weiblichen Geschlecht eine Führungsrolle anzuvertrauen.* Weiterhin bekundet der

Apostel *diese seine persönliche Meinung damit, dass die Frau einer generellen Gefahr der unüberlegten Verführung ausgesetzt ist.*

Eben weil Paulus es den Frauen untersagt, ein Lehramt innerhalb der Gemeinde zu übernehmen, *schließt er folglich mittels dieser seiner persönlichen Meinung jegliche fehlleitenden Eventualitäten einer Verführung des weiblichen Geschlechts von vornherein aus – und will somit mittels seines stets aus seinem von Glauben erfüllten Herzen kommender, seelsorgerischer Nächstenliebe dem weiblichen Geschlecht unzweifelhaft bekunden, dass sie mittels dieser seiner Meinung mit rundum positiven Blicken der Heilsfrage gegenüber – Dank ihres unentwegt zuversichtlichen, von Gewissheit gekürten Glaubens ihre Hoffnung aufrecht erhalten können.* In der Tat – *mittels dieser von dem Apostel persönlich befürchteten, den Frauen anhängenden Übertretungen schützt er somit das weibliche Geschlecht vor den zu Grunde richtenden Fängen der Sünde und betont zugleich, dass die an ihnen zuteilwerdende Verweigerung einer Führungsrolle sie vor sündenumwobenen Gegebenheiten bewahrt, auf dass sie anhand des in ihnen ruhenden Glaubens in einer den Männern untergeordneten Basis zum Heil Gottes gelangen. Daher wird nicht nur die Heilsfrage für das weibliche Geschlecht unsicher, sondern zugleich will der Apostel Paulus ihnen gegenüber mittels seiner den Frauen bekundenden Liebe betonend hervorheben, dass sie aufgrund dieses von ihm persönlich angewiesenen Führungsrollen-Entzuges an weiteren von ihm vermuteten, jedoch von ihnen letztlich bewirkten, gottwidrigen Verstößen bewahrt werden.*

Vers 15: Eine rundum *von Gott offenbarte Bewahrung der Frauen aber sieht Paulus* ***... durch das Kindergebären*** *darin,* ***... wenn sie*** – wie *er* es betont ***... im Glauben bleiben und in der Liebe und in der***

Heilung samt der Zucht. Mit *dieser seiner persönlichen Meinung* bezieht sich der Apostel Paulus *auf die Rettung Gottes, welche die Frauen durch* ***... das Kindergebaren*** *erlangen.* Denn *das göttliche Gericht wird* „dem weiblichen Geschlecht ihre von Eva übertragenen Übertretungen" (***... darum, gleichwie von einem Menschen*** (hier bezogen auf Adam / Paulus überträgt es bei den Frauen sinngemäß *auf Eva!*) ***... die Sünde in die Welt gekommen ist und durch die Sünde der Tod, und so der Tod zu allen Menschen hingelangt ist, weil sie alle gesündigt haben*** = Römer, Kapitel 12, Vers 5!) *durch das Gebären von Kindern e r l a s s e n, weil die Frauen letztlich d a s vollbringen, was von ihnen verlangt wird* – und entsprechend dieser von Gott geforderten Handlungen im Endeffekt auch *tun und machen sollen – um die Rettung Gottes zu empfangen.*

Folglich weist Paulus *dem weiblichen Geschlecht mittels seiner persönlichen, alttestamentlichen, und zugleich jüdischen Meinung* auf, dass *sie unter die Befugnis des Mannes gestellt sind;* und betont gleichzeitig *jene den Frauen vom himmlischen Vater geoffenbarte, rundum grandiose Fähigkeit, Kinder zu gebären.* Diese dem weiblichen Geschlecht offenbarte Gnade des allmächtigen Gottes weist zudem auf, *dass die Frauen mittels dieser ihnen geschenkten Gabe* zu *der* Würde Gottes gelangen, *welche ihnen Seligkeit offenbart.* Jedoch bewahrt sie *nicht allein* ***... das Gebären der Kinder*** (1.Timotheus, Kapitel 2, Vers 15a) *vor einem Freispruch* am Tag der Wiederkunft (der Parusie!) Jesu Christi – am Tag des Jüngsten Gerichts. Sondern *vor allem zeichnet sich die zur Seligkeit führende Kraft der gesegneten, fortan zum Heil der Herrlichkeit Gottes angenommenen Frauen in der gewichtigen Verbindung mittels* ***... der Liebe, der Heilung samt der Zucht*** (1.Timotheus, Kapitel 2, Vers 15b) aus, welche die Frauen nunmehr *zu auf Ewigkeit bleibenden Anwärterinnen für das Reich der Himmel formt.*

Wahrhaft – *die selig machendende Kraft des Kindergebärens ist ausschließlich in Verbindung mit dem vor allem stehenden, aus ihrem inneren kommenden Herzen bezogenen Glaubens fruchtbar* – denn dies ist der Wille Gottes, *dass der Heilige Geist den gläubigen Frauen dasselbe Heil Seiner selbst in Christus Jesus zu erkennen gibt – sodass die in den weiblichen Herzen nun auffindbare, zur Seligkeit gelangende Heilsoffenbarung des sie liebenden, himmlischen Vaters gänzlich zu der unverzichtbaren Liebe gelangen lässt, die der Heilung zu Gute kommt.* Denn mittels dieser dem weiblichen Geschlecht dienenden Offenbarungen des allmächtigen Gottes *bleiben die gesegneten Frauen in dem, was sie letztlich auszeichnet – die den Frauen vom himmlischen Vater in Jesus Christus geoffenbarte Liebe in der Kraftausgießung des Heiligen Geistes, welche mit rundum standhaftem Erhalten in Form des innigen Glaubens von dem weiblichem Geschlecht aufrecht erhalten werden.* Dies ist ein unmissverständliches Anzeichen, *dass die gläubigen Frauen diese Liebe anhand der zu benötigten Maßnahmen* ***... der Heilung*** *und* ***... der Zucht*** (1.Timotheus, Kapitel 2, Vers 15b) *Gottes zu* „Töchtern des Heils" *geformt hat, die mit bleibender Wirkung in ihren von Glauben erfüllten Herzen bis zum Tag der Wiederkunft Christi nach bestem menschlichen Wissen und Gewissen mittels eines stets inständig-kontinuierlichen Wachstum-Prozesses des Glaubens vollendet werden.* Es ist *jenes* „Vollenden der göttliche Segnung im Heiligen Geist Gottes in Christus Jesus gegenüber den Töchtern des Heils", welche der Apostel Paulus an dieser Stelle anspricht. *Allein mittels dieser Heilsoffenbarungen* ***... der Liebe, der Heiligung*** *und zugleich* ***... der Zucht*** (1.Timotheus, Kapitel 2, Vers 15b) schenkt der allmächtige Gott in und durch den Erlöser, den Herrn Jesus Christus *allen* Menschen (Frauen als auch den Männern!) *Seinen vor allem stehenden Willen als auch Seine über allem stehenden, nachzuahmenden Gedanken.* In der Tat – so Paulus – *nun hat die von Glauben durch den*

Geist der Wahrheit Gottes erfüllten Frauen sie von ihren ehemaligen, ihnen einst anhängenden Verführungen restlos befreit. So schenkt den glaubenden Frauen *der Heilige Geist die unverzagte Gewissheit, der Wahrheit nachzufolgen – als auch jenes ihnen von Gott im Heiligen Geist Offenbarte zu vollführen.* Allein dieses sich *von der gläubigen Menschheit durch den Geist Gottes zu ihren Herzen sprechende* „zu Gott halten in und durch Christus Jesus“ *bewirkt die Entscheidung, die letztlich zur Seligkeit führt,* ja – *es ist jenes Erfassen der Wahrheit Gottes in Jesus Christus mit einem rundum vom Heiligen Geist erwirkten und zugleich betuchten Willen,* so Paulus.

Dieses allein vom Heiligen Geist Gottes offenbarte, zuverlässige Gewissheitsverständnis lässt nun auch die von Glauben erfüllten Frauen (und die Männer inbegriffen!) zum himmlischen Vater mit ganzem Vertrauen sprechen: ***... Abba, Vater!*** (Römer 8, Vers 15b). Daher *gilt stets:* ***... der Gerechte aber wird durch seinen Glauben leben*** (Habakuk, Kapitel 2, Vers 4b / vgl. Römer. Kapitel 1, Vers 17b) – ja, wahrhaft: ***... j e d e r*** (völlig unabhängig *ob Mann oder Frau!*) ***... der den Namen des Herrn anruft, w i r d g e r e t t e t werden*** (Joel, Kapitel 3, Vers 5a / vgl. Römer, Kapitel 10, Vers 11b).

Zwischenbemerkung:

Der Autor möchte an dieser Stelle noch einmal betonen, dass die *persönliche Meinung des Apostels Paulus wie bereits erwähnt, die spezifische Meinung des Paulus unterstreicht.* Daher sind die von dem Apostel Paulus verfassten Worte aus den Versen 9: ***... will ich*** – die nahtlos mit den Versen 10 + 11 dieses 2.Kapitels des 1.Briefes an Timotheus in Verbindung stehen (siehe Auslegung!) – genau wie der

12.Vers bekundet: ***... ich erlaube aber einer Frau nicht*** – welche sich ebenfalls in den restlichen Versen wiederfinden (siehe ebenfalls Auslegung!) – „nur" *als persönliche Meinungen des Paulus zu verstehen.* Diese jedoch sollte man jedoch auch „nur" als solche in Betracht ziehen, um sich von diesen nicht „persönlich einschüchtern oder gar bedrängen oder sogar *zu nah* an sich selbst herannahen zu lassen". Denn Paulus gibt hier wie schon oftmals betont, *nicht wie sonst bei ihm üblich – die Worte im unantastbaren Heiligen Geist preis, sondern einzig und allein seine persönliche Stellungnahme in Bezug zu den Frauen. Die rundum wichtigen als auch alles in allem erfüllenden in den Herzen aller an Gott und den Herrn Jesus Christus Glaubenden stets anzunehmenden Wahrheitsprinzipien beinhalten jedoch die über allen stehenden Botschaften der vier Evangelien des Herrn und Erlösers Jesus Christus!* Dort können wir nachlesen, *wie sehr unser Herr Jesus Christus die Seinen* (*alle* Gläubigen!) *liebte – unabhängig ob sie Männer oder Frauen waren – betreffend all jene, welche Seine unanfechtbaren Worte in ihren Herzen voller Glauben an Ihn dankbar annahmen, die dem Heiland Sein himmlischer Vater im Heiligen Geist in Seiner ganzen Vollkommenheit offenbarte.*

Daher sollte man *immer sein vollends vom wahrhaftigen Glauben erfülltes Herz auf folgende Worte des Herrn Jesus Christus verweisen – und zugleich nach diesen rundum unantastbaren Worten seinen eigenen Glauben aufbauen, welche selbstverständlich auch für Seinen geliebten Schüler – den Apostel Paulus, sowie alle anderen Apostel und Jünger(innen) – als auch für eine(n) jede(n) andere(n) Nachfolger(in) ohne jegliche Ausnahme zutreffen.* Diese Worte des Herrn Jesus Christus lauten *unmissverständlich:* ***... wahrlich, wahrlich, ich sage euch: Der Knecht ist nicht größer als sein Herr, noch der Gesandte größer als der ihn gesandt hat. Wenn ihr dies wisst, glückselig seid ihr, wenn ihr es tut!*** (Johannes, Kapitel 13, Verse 16 + 17).

Kapitel 3

Verse 1 – 7
Voraussetzungen für den Dienst der Aufseher (Ältesten) in der Gemeinde

[1]Glaubwürdig ist das Wort: Wer nach einem Aufseherdienst trachtet, der begehrt eine vortreffliche Tätigkeit. [2]Nun muss aber ein Aufseher untadelig sein, Mann einer Frau, nüchtern, besonnen, anständig, gastfreundlich, fähig zu lehren; [3]nicht der Trunkenheit ergeben, nicht gewalttätig, nicht nach schändlichem Gewinn strebend, sondern gütig, nicht streitsüchtig, nicht geldgierig; [4]einer, der seinem eigenen Haus gut vorsteht und die Kinder in Unterordnung hält mit aller Ehrbarkeit [5]– wenn aber jemand seinem eigenen Haus nicht vorzustehen weiß, wie wird er für die Gemeinde Gottes sorgen? –, [6]kein Neubekehrter, damit er nicht aufgeblasen wird und in das Gericht des Teufels fällt. [7]Er muss aber auch ein gutes Zeugnis haben von denen außerhalb (der Gemeinde), damit er nicht in üble Nachrede und in die Fallstricke des Teufels gerät.

Auslegung:

Vers 1: Paulus geht nun über zu *den Anforderungen eines Aufseherdienstes,* indem der Apostel *den Dienst der Aufseher* (Ältesten) *in der Gemeinde der Epheser detailliert.* Damit will er der Gemeinde zu verstehen geben, *dass dieser Dienst mit stets Gott wohlgefälligen Tugenden in aller Ehrbarkeit ausgeübt werden soll.* Zunächst jedoch spricht Paulus (gleichwie in 1.Timotheus, Kapitel 1, Vers 15 / siehe Auslegung!) *über das glaubwürdige Wort Gottes* und betont daher: ***... glaubwürdig ist das Wort.*** Ja – in der Tat – *vertrauenswürdig ist das Wort des allmächtigen Gottes; denn Seine unantastbare, rundum vollendete Vollkommenheit findet sich zugleich auch mittels des Höchsten zum Heil der Herrlichkeit führenden Worte wieder,* denen man *nachfolgen muss, um in den Heilsbereich Seiner selbst in Christus Jesus angelangen zu können.* Des allmächtigen Gottes *abgeschlossene Vollendung spiegelt sich desgleichen in Seinem Sohn Jesus Christus – unserem Herrn – vollends wider.* Gleich, wie das von vollkommener Heiligkeit geprägte Wort Gottes mit allen zum Heil führenden Tugenden die Auserwählten zum Licht der unnachahmlichen Herrlichkeit Jesu Christi leitet, so soll auch *der Dienst der Aufseher mit aller ehrsamer Aufrichtigkeit anhand eines inständigen Glaubens im Heiligen Geist ausgeführt werden.* Wahrhaft – das Amt der Aufseher (Bischöfe!) soll sich stets *mittels christlicher Vorbedingungen ausweisen, welche der allgemeinen öffentlichen Ethik im Geist der Wahrheit entsprechen.* Daher können wir anhand der Apostelgeschichte des Lukas in Kapitel 20, Vers 28 folgende Worte mittels – der Abschiedsrede des Paulus an die Ältesten in Ephesus – in Erfahrung bringen. Dort betont er: ***... so habt nun acht auf euch selbst und auf die ganze Herde,*** (Gemeinde!) ***... in welcher der Heilige Geist euch zu Aufsehern gesetzt hat, um die Gemeinde Gottes zu hüten, die er*** (der Herr Jesus Christus!) ***... durch sein eigenes Blut erworben hat!***

Es sind jene Gott wohlgefälligen Tugenden, welche sich *in und durch die Kraft des Heiligen Geistes in den voller Glauben getränkten Herzen der Aufsehern widerspiegeln sollen, die auch allzeit den rundum wahren Glauben des Apostels Paulus zu dem im Auftrag Gottes von dem Herrn Jesus Christus persönlich ernannten Virtuosen der Evangeliums-Verkündigung prägend hervorheben* (siehe Auslegung zu 1.Timotheus, Kapitel 1, Verse 12 – 17!). Daher kann der Apostel Paulus der Gemeinde der Epheser voll des Heiligen Geistes bekunden: ***... wer nach einem Aufseherdienst*** (Aufseher- / Hüter-Dienst = Quelle: Schlachter-Bibel 2000!) ***... trachtet, der begehrt eine vortreffliche Tätigkeit*** (1.Timotheus, Kapitel 3, Vers 1b).

In der Tat – das Amt eines Aufsehers *ist umrahmt von nachzuahmenden, charaktervollen Zügen christlicher, als auch moralisch einwandfreier Ehrlichkeit anhand eines tief im Herzen des Aufsehers ruhenden Glaubens.* Ja – *dieses* „von Forderungen aufgestellte Amt" *muss* seinen Träger *an sich* bekunden, *dass das Licht der Herrlichkeit Jesu Christi in dem Herzen dieses Bischofs mit der Kraftausgießung des Heiligen Geistes beseelt ist,* sodass diese Person als ***... ein Sohn des Lichts und ein Sohn des Tages*** (1.Thessalonicher, Kapitel 5, Vers 5a) *betitelt* werden kann. Dieser Aufseher prägt folglich *das zu imitierende Vorbild der Gemeinde – auch nach außen hin.* Daher betont unser Herr Jesus Christus: ***... so soll euer Licht leuchten vor den Leuten, dass sie eure guten Werke sehen und euren Vater im Himmel preisen*** (Matthäus, Kapitel 5, Vers 16).

Mittels dieser Tugenden aber legt diese Vorzeigeperson der Gemeinde zugleich dar, *dass seine seelsorgerischen, stets von Gott in Christus geforderten Züge der Nächstenliebe die Gemeindemitglieder mittels allseits hilfsbereiten Maßnahmen aus und in der Kraft des Heiligen Geistes sich daraufhin nicht nur ihnen gegenüber lehrend als auch instruierend darlegen, sondern sich zugleich unterstützend als auch helfend ausweisen.* Ja – es ist jene Kraft und Ehre, die das kirchliche Amt letztlich bekundet. Denn *durch das Aufnehmen der Worte der Aufseher reift die Gemeinde zu Kindern Gottes im Herrn Jesus Christus* – ganz gemäß dem Willen des allmächtigen Gottes entsprechend, so Paulus. Mittels des den Aufsehern in ihren Herzen ausströmenden Glaubens in der Kraft des Heiligen Geistes *befreien* diese Bischöfe die Gemeindemitglieder von ihren Sünden *und führen sie* zum Licht der Wahrheit Gottes, welches in Christus Jesus voll und ganz aufzufinden ist. Wahrhaft – *sie* sind es letztlich, *die das Werk des uns liebenden, allmächtigen Gottes innerhalb der Gemeinde wiederum nach dem Willen des Höchsten in dem Herrn Jesus Christus gemäß ihrer vom Geist der Wahrheit geleiteten Tugenden bedingt durch ihren inständig geprägten, von Glauben erfüllten Herzen vollbringen.*

In der Tat – es ist dieses gegenüber Gott und Christus respektgeprägte Wirken der Aufseher, welches von rundweg kraftschöpfender, als auch stets Gott ehrerbietender, jedoch mittels ganz in Demut geprägter Handlungen anhand „selbst erachteter Abwertungen eines Dieners im Herrn" von statten geht – ja – ausgeübt wird – denn: ***… wer unter euch groß werden will, der sei euer Diener, und wer von euch der Erste werden will, der sei aller Knecht*** – spricht der Herr Jesus Christus im Evangelium des Markus in Kapitel 10 in den Versen 43b + 44. Das Amt eines Bischofs ist wahrhaft eine rundweg bedeutsame als auch relevante Tätigkeit, *deren Träger jedoch mittels seines persönlichen Willens seine nachahmenden Tätigkeiten in den Fußstapfen Jesu Christi begeht.* Denn: ***… auch der Sohn des Menschen*** (der Herr Jesus Christus selbst!) ***… ist nicht gekommen, um sich dienen zu lassen, sondern um zu dienen*** (Markus, Kapitel 10, Vers 45a). Ja – es ist jenes zu begehrende, rundweg hochangesehene Amt, *welches mit tiefgründiger, voll von Glauben mittels einer im Geist der Wahrheit geprägten Besinnung mit tüchtigem – jedoch untertänigem sich ausweisendem Verlangen danach strebt – allseits Gott in dem Herrn Jesus Christus wohlzugefallen,* so der Apostel Paulus.

Vers 2: Paulus geht nun in den nächsten Versen dazu über, dieses bischöfliche Amt der Aufseher *näher zu durchleuchten* – und mittels seiner Detaillierungen wie folgt anhand dieses 2.Verses *zu definieren:* Das Amt eines Aufsehers fordert somit, dass diese Person ***… untadelig*** ist, dies bedeutet, *dass jene nun folgenden, christlichen Tugenden in dieser Person auffindbar sein müssen,* um dieses Amt *letztlich dem Willen Gottes gemäß auch ausführen und leiten zu können.* Wenn wir nun das Wort ***… untadelig*** definieren, so werden wir erkennen, dass diese Person: *zuverlässig, schuldlos, korrekt, musterhaft, diszipliniert, tüchtig, gesittet, charakterfest und vertrauenswürdig sein soll* – um nur einige dieser Wesenszüge zu nennen – um dieses Amt zu leiten. Daher betont der Apostel weiterhin in seinem Brief an Titus: ***… denn ein Aufseher muss untadelig sein als ein Haushalter Gottes, nicht eigenmächtig,*** (anmaßend / eigenwillig = Quelle: Schlachter-Bibel 2000!) ***… nicht jähzornig, nicht der Trunkenheit ergeben, nicht gewalttätig, nicht nach schändlichem Gewinn strebend, sondern gastfreundlich, das Gute liebend, besonnen,*** (oder verständig / es kann auch bedeuten „von gesundem Verstand / bewusst / selbstbeherrscht“ / und steht im Gegensatz zu jeder Ausschweifung und Zügellosigkeit = Quelle: Schlachter-Bibel 2000!) ***… gerecht, heilig, beherrscht; einer, der sich an das zuverlässige Wort hält, wie es der Lehre entspricht, damit er imstande ist, sowohl mit der gesunden Lehre zu ermahnen als auch die Widersprechenden zu überführen*** (Titus, Kapitel 1, Verse 7 – 9). Ja – auch der Brief an die Hebräer hebt die rundweg christlich geprägte Bedeutsamkeit *der Gastfreundlichkeit* wie folgt in den Vordergrund: ***… vernachlässigt nicht die Gastfreundschaft; denn durch sie haben etliche ohne ihr Wissen Engel beherbergt*** (Hebräer, Kapitel 13, Vers 2). Und Paulus fügt letztlich noch mittels seines 2.Briefes an Timotheus in Kapitel 2 in Vers 24 (Auslegung folgt!) hinzu: ***… ein Knecht*** (bzw. ein Aufseher / Bischof!) ***… des Herrn aber soll nicht streiten, sondern milde sein***

gegen jedermann, fähig zu lehren, geduldig im Ertragen von Bosheiten.

Weiterhin weist Paulus den Aufseher darauf hin, ***... dass er ein Mann e i n e r Frau*** (1.Timotheus, Kapitel 3, Vers 2a) *sein muss.* Unmissverständlich wird erkennbar, dass Paulus die heilige, von Gott ausgesprochene, unmissverständliche („Ein"-)Ehe lobt. Denn der allmächtige Gott spricht: ***... darum wird ein Mann seinen Vater und seine Mutter verlassen und seiner Frau anhängen, und sie werden e i n Fleisch sein*** (1.Mose, Kapitel 2, Vers 24). Wenn folglich der Aufseher *nicht in einer von Harmonie geprägten, stets von Gott geforderten Ehe sein Amt ausüben würde, so kann er diesen Dienst nicht im Auftrag Gottes durchführen.* Denn ein mit Sünde befleckter Ehestand eines Aufsehers *kann niemals* den vor allen stehenden Anforderungen Gottes in dem Herrn Jesus Christus entsprechen – und ist folglich *mittels dieser sich von Gott und Christus entfernten Zuwiderhandlungen als Vorbild für die Gemeinde gänzlich untragbar.* Ebenso schließt der Apostel es auch aus, *dass der Aufseher sich von einer Frau scheidet – und eine andere Frau heiratet.* Mit dieser seiner Aussage weist Paulus *auf die unwiderruflichen Worte des Herrn Jesus Christus hin,* die da lauten: ***... ich sage euch aber: Wer seine Frau entlässt, es sei denn wegen Unzucht, und eine andere heiratet, der bricht die Ehe; und wer eine Geschiedene heiratet, der bricht die Ehe*** (Matthäus, Kapitel 19, Vers 9). Wahrhaft – die Ehe eines Aufsehers (sowie eine *jede andere* Ehe auch!) *soll und muss mit einer unentwegt reinen und intakten,* ja – *anhand keuschen, rundum der untadeligen, anständigen Ehe entsprechenden, sich mit Disziplin ausweisen als auch mit rundweg reinen, charakterfesten Zügen – mittels einer kontinuierlichen, unversehrten Beständigkeit anhand eines inständig geprägten Glaubens dem Willen Gottes und dem Herrn Jesus Christus gemäß vollbracht werden,* so der Apostel. Daher sollen *die Bischöfe immerdar auf das bedacht sein, was dem allmächtigen Gott in dem Herrn Jesus Christus entspricht.*

Somit sollen und müssen *die christlichen Tugenden der Aufseher* ***… besonnen,*** d.h. *bedachtsam, kontrolliert, durchdacht als auch vorsorglich betucht sein,* ***… anständig,*** d.h. *ehrlich, charakterfest, aufrichtig, folgsam und höflich sein,* ***… gastfreundlich,*** d.h. *kontaktfreudig, aufgeschlossen als auch großzügig sein,* ***… fähig zu lehren*** (1.Timotheus, Kapitel 3, Vers 2b) d.h. *geeignet, erfahren und zugleich bewährt sein,* um diesen bedeutsamen Aufseher-Dienst dem Willen Gottes in Christus Jesus gemäß rundum auszuüben zu können.

Vers 3: Der Apostel betont weiterhin, dass die Reinheit der Aufseher mit folgenden Tugenden umschlossen sein müssen, die sich wie folgt erkenntlich zeigen: Sie sollen sich ***… nicht der Trunkenheit ergeben.*** Zwar *verbietet* es Paulus den Aufsehern *nicht, Wein in* „einem gemäßigten“, ja – „einem gezügeltem Maß“ *zu trinken,* jedoch will er ihnen zu erkennen geben, *dass sie den Wein eher als* „ein verzichtbares Gut“ *betrachten, welches den Dienst des Aufsehers* „mittels eines zu hohen Weinkonsums“ *nicht beeinträchtigt.* Denn: ***… der Wein macht Spötter, und starkes Getränk macht wild; wer davon taumelt, wird niemals weise. Sie könnten beim Trinken des Rechts vergessen und verdrehen die Sache aller elenden Leute. Gebt Bier denen, die am Umkommen sind, und Wein den betrübten Seelen*** (die Sprüche Salomos, Kapitel 20, Vers 1 + Kapitel 31, Verse 5 + 6 / Lutherbibel 2017). Aufrichtiges, der Gemeinde zu Gute kommendes Handeln der Aufseher gemäß dem Willen Gottes steht hier in dem von Paulus aufgerufenen, stets einzuhaltenden Vordergrund. Anhand dieses zu Gott und dem Herrn Jesus Christus bezogenem Handeln weisen die Aufseher auf, *dass ihre innere, stets mittels ihres* *unverzagten Glaubens bezogene Haltung* ***... den Unterschied zwischen den Heiligen und den Unheiligen*** (3.Mose, Kapitel 10, Vers 10a) darlegt. Es ist jene „innere Haltung" der Aufseher, *welche die Gewalttätigkeit nicht nur aufgrund der Trunkenheit verhindert, sondern generell soll der Frieden innerhalb der Gemeinde bewahrt werden* – und somit schließt Paulus ***... gewalttätiges*** *Handeln der Aufseher von vorneherein aus*. Es ist jener *wache,* von dem Apostel geforderte, *stets auf das Wohl der anderen Menschen gerichtete Blick der Aufseher,* der ihnen unentwegt zu erkennen gibt, *mit würdigen, stets nachzuahmenden Handlungen in der stets von Gott in Christus geforderten Nächstenliebe mittels eines seelsorgerischen Bewusstseins den Aufseher-Dienst zu leiten.*

Dazu gesellt sich auch das ***... Streben nach schändlichen Gewinn,*** *welches sich von den christlichen Tugenden maßlos entfernt, denn es richtet sich auf den weltlichen Besitz der Habgier* und *n i c h t auf die vor allem stehende geistliche Nahrung – und weist zugleich eindeutig auf, dass diese Begierde keine rein zu Gott bezogenen Charaktere beinhaltet* – im Gegenteil – *denn diese verlangende Gewinnsucht ist irdisch gesinnt* – und kann folglich *mit dem wahren Glauben niemals harmonisieren.* So betont Paulus in 1.Timotheus, Kapitel 6 in Vers 9 (Auslegung folgt!): ***... denn die, welche reich werden wollen, fallen in Versuchung und Fallstricke und viele törichte und schädliche Begierden, welche die Menschen in Untergang und Verderben stürzen.*** Ja – in der Tat – es ist jene von dem Apostel Petrus aus seinem 1.Brief in Kapitel 5 in Vers 2 zitierte, ***... nicht gezwungene, sondern freiwillig*** *sich repräsentierende Ausübung des Aufseher-Dienstes innerhalb der Gemeinde sowie nach außen hin,* welche ***... mit Hingabe*** *vollführt werden muss,* so Paulus. Es sind womöglich die Brüder und Schwestern der anderen Gemeinden – auch andere Personen, die von dem Evangelium gehört haben, aber dennoch mit

Fragen und Bedürfnissen diese im Glauben stehenden Aufseher um Rat und Hilfe bitten – und zwar ohne das von den Aufsehern eine von ihnen erzwungene, gewinneinbringende Forderung verlangt wird. Denn ein rundweg geistliches Verhalten *prägt das Gesicht dieser Gemeinde an sich mittels Gott wohlgefälligen Tugenden – und ihr voll Glauben erfüllter, sich ausbreitender Ruf wird nun über die Grenzen hinaus anhand der anderen Menschen mittels Gott lobpreisender Worte verkündet.* Wahrhaft – *diese Bischöfe sind und beinhalten nun die eindeutigen Anzeichen, dass sie* ***... zu einer Wohnung Gottes im Geist miterbaut wurden*** (Epheser, Kapitel 2, Vers 22). Auch unser Herr und Heiland – der Herr Jesus Christus spricht im Evangelium des Matthäus in Kapitel 6, Vers 24 über die immerdar irdisch-vergänglichen Trugschlüsse des ***... schändlichen Gewinns*** Folgendes: ***... niemand kann zwei Herren dienen, denn entweder wird er den einen hassen und den anderen lieben, oder er wird dem einen anhängen und den anderen verachten. Ihr könnt nicht Gott dienen und dem Mammon!*** (Reichtum und Besitz = Quelle: Schlachter-Bibel 2000!).

Daher sollen die Bischöfe weiterhin der über allen stehenden Reinheit Gottes in Jesus Christus entsprechen, indem sie sich ***... gütig*** erweisen, d.h. *mitfühlend, gegenüber den anderen tolerant, freundlich und sanftmütig präsentieren,* ***... nicht streitsüchtig*** sind, d.h. die Aufseher sollen *nicht zanksüchtig sein, sich nicht provokant benehmen, sie sollen nicht provozieren und nicht gegenüber anderen Personen gereizt auftreten,* sie sollen ***... nicht geldgierig*** sein, d.h. sie sollen *nicht profit- und habsüchtig sein, sie sollen weder unersättlich noch besitzgierig sein;* sondern *sollen sich* – so Paulus – *mittels ihrer unverzagten Gewissheit im inständigen Glauben an Gott und den Herrn Jesus Christus durch die Kraft des Heiligen Geistes* ***... Schätze im Himmel sammeln, wo weder die Motten noch der Rost sie***

fressen und wo die Diebe nicht nachgraben und stehlen! (Matthäus, Kapitel 6, Vers 20) – ganz dem Willen Gottes in dem Herrn Jesus Christus entsprechend.

Vers 4: Daher sollen die Aufseher sich als *ehrbare Personen im Dienste Gottes definieren,* als solche, ***... die ihrem eigenen Haus gut vorstehen und die Kinder in Unterordnung halten mit aller Ehrbarkeit.*** So heißt es weiterhin: ***... denn ich habe ihn ersehen,*** (erkannt = Quelle: Schlachter-Bibel 2000!) ***... dass er seinen Kindern und seinem Haus nach ihm gebiete, den Weg des HERRN zu bewahren, indem sie Gerechtigkeit und Recht üben, damit der HERR auf Abraham kommen lasse, was er ihm verheißen hat*** (1.Mose, Kapitel 18, Vers 19). Ja – es sind *diejenigen Aufseher,* welche mit im Heiligen Geist durch den fest in ihren Herzen gegründeten Glauben aufweisen, *dass sie in aller Ehrsam- und Aufrichtigkeit* ihren Dienst gemäß den Richtlinien Gottes in Christus Jesus ausüben. Somit schweift der Blick der anderen Menschen auf diese Aufseher, denn mittels *ihrer zu ihren eigenen Kindern bezogenen Handlungen wird man ihre Werke wahrnehmen, ob diese schließlich auch mit Gott wohlgefälligen Charakteren in Form von seelsorgerischer Nächstenliebe gegenüber den anderen Menschen innerhalb der Gemeinde bestückt sind.*

Wahrhaft – an jenen von den Aufsehern zu Gott und dem Herrn Jesus Christus bezogenen Tätigkeiten wird man wahrnehmen können, ob sie die *von ihm verlangten Maßnahmen im Dienst des Höchsten ausrichten.* Wenn jedoch Unzufriedenheit und eine daraus resultierende Widersprüchlichkeit *innerhalb des Kreises der eigenen Familie unzweifelhaft erkennen lassen, dass eben dieser Aufseher für diesen Dienst untauglich ist, wie kann er dann gegenüber den anderen Men-*

schen außerhalb seiner eigenen Familie helfend beiseite stehen? – Seine Würde ist gekränkt, so Paulus. So lässt uns der Herr Jesus Christus Folgendes in Erfahrung bringen: ***… wer hat, dem wird gegeben werden; von dem aber, der nicht hat, von ihm wird auch das genommen werden, was er hat*** (Lukas, Kapitel 19, Vers 26b). Daher soll das Amt des Aufsehers *mit respektvoller Ehrerbietung bestückt sein,* so der Apostel Paulus. Denn *nur* mittels eines *von dem Bischof* ausgehenden Wertgefühls, *welches sich auf seinen vom Geist der Wahrheit bezogenen Charakter im Glauben bezieht, der nun wiederum auch von dem Kreis seiner eigenen Familie als solcher in einer ihm angemessenen, ehrerbietenden Würdigung wahrgenommen wird – und sich zugleich in den Herzen der Familienmitglieder überträgt – kann sich dieser Aufseher auch den anderen Menschen gegenüber außerhalb der eigenen Familie anhand seiner taktvoll geprägten Rücksichtnahme beweisen.* In der Tat – ein solcher Aufseher vermittelt seine vom Geist betuchten, voll Glauben erfüllten Handlungen *bedingt durch seine von ihm ausgehende, allein von Gott in Christus Jesus erwirkte Vertrautheit in die Herzen der anderen Menschen, völlig unabhängig, ob diese Personen in oder außerhalb der Familie* mit ihm verbunden sind. D*ieses rundum hervorzuhebende Handlungsschema des Bischofs prägt das Bild der gesamten Gemeinde Gottes.* Ausgehende Würde und das dazugehörende Gehorsam verbinden sich zwischen den Aufsehern und der Gemeinde des Höchsten *in eine zusammengehörende Einheit des Vertrauens und Glaubens,* ***… die eifrig bemüht ist, die Einheit des Geistes zu bewahren durch das Band des Friedens*** (Epheser, Kapitel 4, Vers 3). Wahrhaft – das Gott wohlgefällige Handeln eines Bischofs zeigt sich daran erkenntlich, dass ***… die Gemeinde Gottes der Pfeiler und die Grundfeste der Wahrheit*** (1.Timotheus, Kapitel 3, Vers 15 / siehe noch kommende Auslegung!) sind.

Vers 5: Daraufhin betont Paulus, das ***... wenn aber jemand seinem eigenen Haus nicht vorzustehen weiß, wie wird er für die Gemeinde Gottes sorgen?*** Wahrhaft – wenn der Aufseher *im Kleinen* (innerhalb seines eigenen Familienkreises!) *nicht treu ist, wie kann er dann im Großen* (an der gesamten Gemeinde Gottes in- als auch außerhalb seines Amtsbereiches!) *treu sein?* – so Paulus. Der Apostel will mit dieser seiner Aussage *einen Vergleich zwischen den Familienangehörigen und der Gemeinde an sich in Betracht ziehen* – und will uns zu verstehen geben, *dass die von dem Bischof ausgehenden Handlungen – sowohl die von ihm erwirkten inneren als auch die äußeren Voraussetzungen seines Amtes sich nicht nur auf seine eigene Familie übertragen, sondern ebenso auf die gesamte Gemeinde Gottes.*

Diese vielseitig sich repräsentierenden Rahmenbedingungen des Aufseher-Dienstes beziehen sich *nicht nur auf das Verkündigen der Worte Gottes, sondern auch auf Fragen, Nöte und aus vielen anderen Beweggründen bedingt den von den Bischöfen zu vollbringenden Zuhören aller auf ihn einwirkender Gemeindemitglieder mittels einer den Aufsehern in deren Herzen ruhenden* „seelsorgerischen Bewusstseins“, *welches die Herzen aller zu ihm Kommenden tröstet und zugleich* „bewegt“. Ja – es ist *jenes vertrauensvolle Zuhören* und der *damit verbundene, nun ersichtlich werdende, von der Person des Bischofs ausgehende Beistand, der unmissverständlich aufweist, die Herzen aller Gemeindemitglieder mittels zu Gott und Christus bezogener Tugenden zu gewinnen,* so der Apostel. In der Tat – der Gott wohlgefällige, vielseitige Dienst der Aufseher *muss sich in die Herzen der gesamten Gemeinde Gottes übertragen.* Denn *nur* mittels dieser vom Geist Gottes bewirkten Handlungen wird dieses bischöfliche Amt *nach den weisen Richtlinien Gottes in Christus Jesus zur Zufriedenheit des Höchsten rundum vollführt werden – und einer jeden Person helfend beiseite stehen.* Dies will uns Paulus mitteilen:

Die Übernahme der Dienstbereitschaft eines vom Heiligen Geist erfüllten Bischofs *muss stets eine verantwortungsbewusste, von ganzer Nächstenliebe umgebene Fürsorglichkeit gegenüber allen Gemeindemitgliedern nach innen und außen hin bekunden als auch bewirken.*

Wenn jedoch *diese* gewichtigen Grundsubstanzen fehlen – so Paulus – so wird folglich *auch der Dienst des Aufsehers unmissverständlich gänzlich scheitern.* Daher soll ein solcher „Aufseher“ *es unterlassen, eine Gemeinde zu leiten, denn mit diesen seinen rundum degradierenden Handlungen beschämt und befleckt er zugleich die unnachahmliche Reinheit Gottes in dem Herrn Jesus Christus; denn der Herr Jesus Christus* ***… ist das Haupt der Gemeinde,*** (Kolosser, Kapitel 1, Vers 18b) *der das konsistente, zu Ihm bezogene Wohl der gesamten Gemeinde immerdar dem Willen seines himmlischen Vaters gemäß rundum bewirkt und fördert.*

Vers 6: Somit lässt der Apostel die Gemeinde weiterhin wissen, dass ***… kein Neubekehrter*** den gewichtigen Dienst eines Bischofs tätigen soll, ***… damit er nicht aufgeblasen wird und in das Gericht des Teufels fällt.*** Ja – ***… dass sich sein Herz nicht über seine Brüder erhebt und er nicht abweicht von dem Gebot, weder zur Rechten noch zur Linken*** (5.Mose, Kapitel 17, Vers 20a). Daher soll ein ***… Neubekehrter*** *dieses bischöfliche Amt nicht ausüben* – so Paulus – denn ihn könnte ***… der Satan begehren, um ihn zu sichten wie den Weizen*** (Lukas, Kapitel 22, Vers 31b).

Wahrhaft – es bringt einige Unstimmigkeiten in die Gemeinde herein, wenn die Dienste der Aufseher mit Personen bestückt würden, die gerade erst im Glauben angekommen sind. Diese rundweg *unvor-*

sichtig zu erachtende Handlungsabfolge jedoch will der Apostel *von vorneherein vermeidend,* ja – *gänzlich verneinend ausklammern.* Dabei geht es dem Apostel Paulus *nicht* um eine „Benachteiligung einer bestimmten Person", die gerade erst zum Glauben gefunden hat – ganz im Gegenteil – *denn über dieses neue Mitglied Gottes* ***... freuen sich die Engel im Himmel*** (Lukas, Kapitel 15, Vers 7a) – *sondern* es geht dem Gesandten des Herrn Jesus Christus vielmehr darum, *dass die ganze Gemeinde zu dem gelangt,* was der sie über alles liebende, allmächtige Gott aufgrund Seiner unantastbaren Allwissenheit in dem Herrn Jesus Christus *für alle Gemeindemitglieder vorgesehen hat.* Nämlich: *Ihr alles in allem erdenklich bestes Wohl mittels eines fest im Glauben stehenden Aufsehers, der sich seiner Aufgabe gegenüber der gesamten Gemeinde rundum bewusst ist – der ist es letztlich, der sie zusammen im Geist der unabdingbaren Wahrheit Gottes in Christus leiten, führen und zu einen unerschütterlichen Glauben bringen soll, sodass alle vom Heiligen Geist versiegelten Herzen der Gemeindemitglieder zum Herrn der Herrlichkeit mittels eines fest gegründeten Bewusstseins im Glauben vollends sprechen können:* ***... Abba, Vater!*** (Galater, Kapitel 4, Vers 6b).

Zu diesen von Paulus an Timotheus beantragten Forderungen „gesellt sich" *ebenfalls ein vom Heiligen Geist Gottes fest verankertes Herz in Form eines* **... Schildes des Glaubens** welches aussagt, *dass dieser Bischof mittels seiner unverzagten Glaubensgewissheit* ***... die feurigen Pfeile des Bösen*** *in Form der auf ihn zukommenden Falschlehrer mit allen ihren Irrlehren* ***... auslöschen kann*** (Epheser, Kapitel 6, Vers 16). Es ist dieses „fest im Glauben Stehende", *was das Amt eines Aufsehers letztlich ausmacht,* so der Apostel. *Neubekehrte* hingegen *müssen aber diesen Schritt für Schritt zu begehenden Weg des Glaubens anhand dieses Hineinwachsens erst noch vollbringen* – sie sind zwar *im Glauben – jedoch fehlen ihnen noch die notwendigen*

Abwehrmaßnahmen, welche sie letztlich für diesen gewichtigen Dienst dem Sine Gottes gemäß auszeichnen würden. Ja – es ist *jene konsequent sich in deren Herzen auszeichnende, stets von dem allmächtigem Gott geforderte* ***... sei stark und mutig*** (Josua, Kapitel 1, Vers 6a) -Auszeichnung, *welche die Neubekehrten mittels eines sich fortwährend-kontinuierlichen Glaubens erarbeiten müssen, um den Bischofsdienst vollführen zu können,* so Paulus. Wenn nunmehr diese rundum bedeutende Anforderung des Apostels *nicht* in dem Herzen des Aufsehers auffindbar ist, so läuft dieser Gefahr, ***... in das Gericht des Teufels zu fallen*** (1.Timotheus, Kapitel 3, Vers 6b). Dies sagt aus, dass *wenn* ein ***... Neugetaufter*** (1.Timotheus, Kapitel 3, Vers 6a / Lutherbibel 2017!) das Amt des Bischofs übernehmen *würde, er der Gefahr nahelege, der Versuchung zu verfallen. Diese Versuchung* ist es wiederum, welche den Neugetauften aufgrund seiner *noch* aufzufindenden „Unwissenheit" *unter das von dem Teufel gewollte Urteil bringen würde,* weil er mittels seiner *noch* fehlenden Festigkeit im Glauben sich mit selbsterachtenden Ehrungen rühmt – *und mittels dieser seiner eigenen Bewunderungen sich auf seinen noch schwachen als auch angreifbaren Glauben stützt.* Kurzum: *Das aus Eigenverschulden nun wirksam werdende Sündigen prägt fortan das Verhalten des Neubekehrten und kann sich durchaus wie ein roter Faden in und außerhalb der Gemeinde mit rundweg sich abweisenden, Gott keinesfalls wohlgefälligen Handlungen beflecken,* so der Apostel.

Vers 7: Folglich mahnt Paulus die Gemeinde mittels seiner stets im unerschütterlichen Glauben auffindbaren, seelsorgerischen Nächstenliebe, *dass der Träger dieses Bischofsamtes mit einem* ***... guten Zeugnis von denen außerhalb (der Gemeinde)*** geehrt werden ***... muss, damit er nicht in üble Nachrede und in die Fallstricke des Teufels gerät.*** Damit betont Paulus *nicht nur die rundum den Neube-*

kehrten charakterisierenden, sich an der Person des Aufsehers auszeichnenden, Gott wohlgefälligen Charaktereigenschaften, (siehe erneut Auslegung zu 1.Timotheus, Kapitel 3, Verse 1 – 6!) *welche die Gemeindemitglieder über die Bestimmung des Aufsehers mittels des Erlangens eines ihm zuteilwerdenden Bischofsamtes ausmachen, sondern zugleich sollen seine immerdar fest im Glauben stehenden Handlungsmaßnahmen auch diejenigen Personen mit vollster Würde beeindrucken, welche* ***... außerhalb (der Gemeinde)*** *stehen.* In der Tat – es ist *jenes Wandeln im Geist der Wahrheit Gottes durch einen inständigen Glauben, der fortwährend belegt, dass der Träger des Bischofamtes über die Grenze der eigenen Gemeinde hinaus mittels seiner in seinem Herzen ruhenden Weisheit aufzeigt, dass er als Träger dieses Amtes rundum würdig ist.* Daraufhin betont Paulus in seinem Brief an die Kolosser in Kapitel 4, Vers 5a: ***... wandelt in Weisheit denen gegenüber, die außerhalb (der Gemeinde) sind.*** *Nur anhand dieser stets einzuhaltenden Maßnahmen* des Bischofsamtes *kann und wird sich der Träger nicht* ***... in die Fallstricke des Teufels*** (1.Timotheus, Kapitel 3, Vers 7b) *verwickeln, weil er mittels einer unerschrockenen, vom Heiligen Geist geleiteten Glaubensgewissheit sein Amt bewältigt. Allein diese und nur diese* zu Gott und dem Herrn Jesus Christus bezogenen Maßnahmen belegen ihm, *nicht in* ***... dem Fallstrick des Teufels*** *anzugelangen,* ***... von dem er lebendig für seinen Willen*** (des Satans` Wille!) ***... gefangen wird*** (2.Timotheus, Kapitel 2, Vers 26b / siehe noch kommende Auslegung!). Daher mahnt auch der Apostel Petrus seine Gemeinde über die listigen Fänge des Satans wie folgt: ***... seid nüchtern und wacht! Denn euer Widersacher, der Teufel, geht umher wie ein brüllender Löwe und sucht, wen er verschlingen kann*** (1.Petrus, Kapitel 5, Vers 8).

Der Apostel will der Gemeinde vollends zu verstehen geben, dass *nicht nur* die Gemeinde an sich, *sondern auch* die heidnischen Außenstehenden mittels ihrer Beurteilungen bestimmen werden, *ob diese nun von den Gemeindemitgliedern beauftragte Person letztlich auch ihres Amtes wert als auch würdig erachtet ist.* Denn *wenn* die im Glauben an Gott und den Herrn Jesus Christus stehende Gemeinde, die den Geist Gottes in ihren Herzen trägt, *erkennt,* dass diese Person es verdient hat – mit Gott wohlgefälligen Tugenden dieses Bischofsamt zu vollziehen, *so können nun auch die heidnischen Außenstehenden mittels ihrer dem Aufseher zuteilwerdenden Beurteilungen ihm mit keinerlei üblen Nachreden beschuldigen.* Daher ist es *so immens wichtig,* dass die Wahl eines Bischofs *mit unentwegt gründlicher Vorgehensweise nach den Richtlinien Gottes gemäß nachvollzogen wird.* Denn *nicht nur* der von ihnen bestimmte *Aufseher liegt der Gefahr nahe,* ***... in die Fallstricke des Teufels*** (1.Timotheus, Kapitel 3, Vers 7b) *zu geraten, sondern auch die Gemeinde an sich ist von diesen rundweg verrucht zu betrachteten Errungenschaften des Satans nicht ausgeschlossen, weil sie der beständigen Gefahr auflauern, ihrem Bischofs nachzufolgen.* So liegt es rundum nahe – so Paulus – dass die dem Bischof anhängenden, offenkundigen Sünden dem Aufseher selbst – auch als die Gemeindemitgliedern an sich *mit Gott widrigen Ausschweifungen in Form von Sünden immens belastet würden – und sie demzufolge alle gemeinsam in die immerdar listigen Fänge des Satans geraten ließen.* Folglich würde nun auch die bedeutend zu erachtende *Kirchenzucht aufgrund dieser gegen Gott und den Herrn Jesus Christus` gerichteten Zuwiderhandlungen gänzlich scheitern,* so der Apostel.

Mittels dieser von dem Apostel Paulus bestimmten, ja – rundum verlangten, stets Gott wohlgefälligen Richtlinien zeigt er *allen* Gemeindemitgliedern eindeutig auf, *inwiefern eine vom Heiligen Geist stehende, vom wahren Glauben an Gott und den Herrn Jesus Christus beseelte als auch geleitete Gemeinde zu prüfen hat* – sodass ihr rundweg vom himmlischen Vater geprägter Wert *d a s ausrichtet, wofür dieses von Gott betuchte* „Aushängeschild“ *letztlich auch bestimmt wurde: In Gott wohlgefälliger und zugleich vom Höchsten in Christus Jesus geforderter Harmonie ein Gemeindeleben zu prägen, welches den vor allem stehenden Willen Gottes ausrichtet.* Es sind wiederum die von ganzer Konsequenz durchdachten, stets auf das Wohl aller Personen gerichteten Handlungen der gesamten Gemeinde, welche unmissverständlich belegen, *dass die dem Bischof durch den Geist der Wahrheit Gottes anhängenden, rundweg tüchtigen, von ganzem Glauben ersichtlich werdende, Gott und Christus unentwegt wohlgefälligen Lebensführungen wiederum das Wohl der gesamten Gemeindemitglieder prägend hervorheben werden.* Dies ist *eindeutig* das von Gott an sie erdachte Ziel Seiner ihnen allen zuteilgewordenen, unanfechtbaren Liebe in Jesus Christus – dass sie Seinen stets weisen Richtlinien nachfolgen und mit diesen gewichtigen Maßnahmen belegen, *dass der ihnen von Gott gewollte Maßstab mittels dieser immerdar von ihnen allen wohl durchdachten Handlungen sie alle gemeinsam zu Kindern des Heils aufsprießen lässt, um die Anforderungen des Höchsten nach bestem menschlichen Wissen und Gewissen erfüllen zu können.* Nämlich – *die rundweg wohl durchdachte Erwählung eines Bischofs, der die Gemeinde der Epheser mittels den unnachahmlichen Richtlinien des Höchsten leitet, umsorgt und ihnen allen die unanfechtbare Willenskraft des allmächtigen Gottes in Jesus Christus in ihren Herzen mittels des Aufsehers im Herzen verankerten, unerschütterlichen Glaubens offen darlegt, damit auch alle Glieder der Gemeinde gemeinsam zu erfolgreichen Anwärtern für das Reich der Himmel werden.* Dies ist ein unverkennbares Indiz – so der Apostel Paulus – *dass die gesamte Gemeinde selbst durch ihren festen Glauben in der über allem stehenden Herrlichkeit Gottes mittels der unanfechtbaren Willenskraft des Heiligen Geistes* somit in *dem* Heil fördernden *Licht des Herrn Jesus Christus wandelt – und mittels dieser vom Heiligen Geist betuchten Liebe des himmlischen, wunderbaren Vaters nunmehr der hellen Offenheit angelangt ist, die einzig und allein in dem Herrn und Erlöser Jesus Christus durch des allmächtigen Gottes ihnen allen offenbarter Gnade auf Ewigkeit auffindbar ist.*

Verse 8 - 13

Voraussetzung für den Dienst der Diakone

[8]Gleicherweise sollen auch die Diakone ehrbar sein, nicht doppelzüngig, nicht vielem Weingenuss ergeben, nicht nach schändlichem Gewinn strebend; [9]sie sollen das Geheimnis des Glaubens in einem reinen Gewissen bewahren. [10]Und diese sollen zuerst erprobt werden; dann sollen sie dienen, wenn sie untadelig sind. [11](Die) Frauen sollen ebenfalls ehrbar sein, nicht verleumderisch, sondern nüchtern, treu in allem. [12]Die Diakone sollen jedermann einer Frau sein, ihren Kindern und ihrem Haus gut vorstehen; [13]denn wenn sie ihren Dienst gut versehen, erwerben sie sich selbst eine gute Stufe und viel Freimütigkeit im Glauben in Christus Jesus.

Auslegung:

Vers 8: Der Apostel geht nun über zu den Voraussetzungsprinzipien, welche die ***Diakone*** (d.h. die Diener in der Gemeinde / die Diakone oder Diener sollen nach Gottes Ordnung der örtlichen Gemeinde in vorwiegend praktischen Angelegenheiten dienen, wie z.B. Versorgung der Witwen, Kranken und Alten, Hilfeleistungen aller

Art, Unterstützung der Ältesten / Aufseher / Bischöfe in der Führung der Gemeinde usw. / vgl. 1.Timotheus, Kapitel 3, Verse 8 – 12; Römer, Kapitel 12, Vers 7 = Quelle: Schlachter-Bibel 2000!) betreffen. Daher *fordert* Paulus, dass die Diener der Gemeinde in Ephesus ihre Dienstausübungen mittels der nach Gottes Ordnungen festgelegten Prinzipien ***… der ihnen gebührenden Ehrbarkeit*** anhand ihres im Herzen *ruhenden Glaubens in der Kraft des Heiligen Geistes ausführen sollen.* So lässt er den Timotheus weiterhin wissen, dass die ***Diakone … nicht doppelzüngig*** *daher reden sollen.* Ja – *sie* ***sollen*** *es stets vermeiden* ***… einer mit dem anderen Lug und Trug zu reden,*** *sodass sie es allseits verhindern* ***… zu heucheln und aus zwiespältigem Herzen zu reden*** (Psalm 12 – ein Psalm Davids, Vers 3 / Lutherbibel 2017). Auch sollen sie sich ***… nicht vielen Weingenuss ergeben*** (1.Timotheus, Kapitel 3, Vers 8). Wahrhaft – *die* ***Diakone*** *sollen immer darauf achten, in einer stets ihnen als auch ihren Nächsten zu Gute dienenden, gemäßigten Art und Weise ihren Weinkonsum unter Kontrolle zu behalten, damit sie ihr Amt ohne jegliche Einschränkungen in Form der von ihnen geforderten Hilfeleistungen mit von Gott in Christus geforderter, seelsorgerischer Nächstenliebe ausüben können.* Daher *sollen sie niemals in das Laster* ***… der Trunkenheit*** (Titus, Kapitel 1, Vers 7b / siehe hierzu auch Auslegung zu 1.Timotheus, Kapitel 3, Vers 3!) *verfallen;* denn ihre Dienstbereitschaft *muss mit den unwiderruflichen Zügen der vom Geist Gottes beseelten Reinheit umrahmt sein,* sodass die ihnen von Gott geoffenbarte Liebe in Jesus Christus *sich vollends mittels ihres ehrbaren Dienstes in den Herzen der Hilfebedürftigen widerspiegeln kann,* ganz gemäß dem Sinne Gottes in Christus Jesus entsprechend.

Somit *sollen weiterhin* die ***Diakone*** *immerdar darauf bedacht sein,* ***… nicht nach schändlichem Gewinn zu streben*** (1.Timotheus, Kapitel 3, Vers 8b). Es ist jener von dem Apostel Paulus geforderter

Dienst im Herrn, der folgende überaus bedeutende Charaktereigenschaften eines christlichen Lebensstils aufweist: ***... hütet die Herde Gottes bei euch, indem ihr nicht gezwungen, sondern freiwillig Aufsicht übt, nicht nach schändlichem Gewinn strebend, sondern mit Hingabe, nicht als solche, die über das ihnen Zugewiesene herrschen, sondern indem ihr Vorbilder der Herde seid! Dann werdet ihr auch, wenn der oberste Hirte offenbar wird*** (wenn die Parusie / die Wiederkunft des Herrn und Erlösers Jesus Christus am Tag des Jüngsten Gerichts von dem himmlischen Vater vollzogen wird!) ***... den unvergänglichen Ehrenkranz empfangen*** (1.Petrus, Kapitel 5, Verse 2 – 4).

Ja – es ist jene charakterfeste, vom Geist Gottes den Diakonen zuteilgewordene Zuversichtlichkeit Gottes in dem Herrn Jesus Christus durch den inständigen, in ihren Herzen auffindbaren Glauben, der ihnen allen zu erkennen gibt, *mittels stets Gott wohlgefälligen Handhabungen ihr Amt zu versehen.* In der Tat – es sind genau *diese* soeben benannten *verzichtbaren. menschlichen Versuchungen, die rundum vermieden werden müssen* – so Paulus – *um mit reiner Dienstbereitschaft nicht nur den Hilfebedürftigen, sondern auch den Aufsehern der Gemeinde aufzuweisen, dass ihre christlichen Tugenden stets die oberste Priorität in ihrem weltlichen Dasein eingenommen haben.* Mittels dieser Handhabungen wandeln sie *in den Fußstapfen des Herrn Jesus Christus* – und folglich sind die Diakone *nunmehr von allen Gemeindemitgliedern rundweg als ehrbare als auch angesehene Amtsträger zu betrachten – die stets mittels ihrer Werke dem Auftrag Gottes gemäß handeln.* Es ist wiederum exakt dieses vom Heiligen Geist offenbarte Verhalten im zuversichtlichen Glauben der ausübenden Diakone, *welches eindeutig bekennt, dass diese fortan voller Liebe betuchten Mitarbeiter Gottes von dem Lichtglanz der Herrlichkeit Jesu Christi vereinnahmt worden sind.*

Weltliche Habsucht oder gar schändliches Benehmen *jeglicher Art ist ihnen von nun an fremd,* denn sie *wissen allzu genau, dass unbefleckte Herzen anhand eines reinen, freiwilligen Gebens sich immerdar glückseliger repräsentieren als von vergänglicher Habsucht umrahmte, von Mammon geprägte, irdisch befleckte Gier.* Sie sind letztlich in *dem* Christenstand angelangt, *der es nunmehr den Gemeindehelfern offen darlegt, mittels der von ihnen ausgehenden, ehrerbietenden Würdigungen aufgrund ihres ihnen allen zuteilgewordenen, in ihren Herzen ruhenden, reinen Gewissen von allen anderen Mitgliedern der Gemeinde als Vorzeigepersonen benannt als auch geehrt zu werden.* Abermals ist es *genau diese unbefleckte Gewissheit* der ***Diakone,*** *welche die über allem stehende Reinheit Gottes in Jesus Christus rundum widerspiegelt,* so der Apostel. Wahrhaft – *diese* ***Diakone … wandeln gemäß der Wirksamkeit der Macht seiner*** (des Herrn Jesus Christus`!) ***Stärke,*** (Epheser, Kapitel 1, Vers 19b) *denn sie haben fortan* ***… das Fleisch gekreuzigt samt seinen Leidenschaften und Lüsten.*** *Sie* ***… leben*** *nunmehr* ***… im Geist*** *und* ***… wandeln*** *folglich* ***… im Geist*** (Galater, Kapitel 5, Verse 24b + 25).

Vers 9: Daraufhin betont Paulus, dass die Diakone ***… das Geheimnis des Glaubens in einem reinen Gewissen bewahren sollen.*** Damit wiederholt der Apostel nahezu die bereits an Timotheus ausgerichteten, identischen Worte gegenüber den Dienern der Gemeinde aus 1.Timotheus, Kapitel 1, Verse 5 + 19a (siehe Auslegung!) die da lauten: ***… das Endziel des Glaubens aber ist die Liebe aus reinem Herzen und gutem Gewissen und ungeheucheltem Glauben, … indem du den Glauben und ein gutes Gewissen bewahrst.***

Der Apostel zeigt auf, dass es jene *Gnade Gottes in dem Herrn Jesus Christus ist, die aufweist,* dass diese vom Geist Gottes betuchten Menschen *in Christus Jesus* fortan mittels … ***ihres Glaubens dieses Geheimnis des Glaubens*** *in ihren Herzen tragen und* ***… bewahren.*** Es ist eine *zusammengehörende* und zugleich eine alles in allem *unzertrennbare Einheit,* welche bekundet, dass genau *dieses von Gott in Christus erwirkte Handeln in der Kraftausgießung des Heiligen Geistes den Glauben des Menschen gewiss macht.* Dieses nunmehr von der vollkommenen Wahrheit Gottes ausgehende Gewissen *bezeugt dem Beschenkten, dass dieser von Gott in und durch Christus Jesus von innen heraus gestaltet wurde – und diese kausal zu betrachtende Kraft in und durch den wirkenden Geist Gottes* ist es wiederum, *die den Menschen ein reines, vom Licht der Herrlichkeit Jesu Christi beseeltes Herz dem gnadenreichen Willen Gottes gemäß offenbart.* Dies ist die gewollte Anforderung des Apostels Paulus *gegenüber der ausübenden Dienstbereitschaft der Diakone.*

Denn fortan leben diese *vom Heiligen Geist beschenkten Menschen in der überschwänglichen Verbundenheit Jesu Christi mittels der an ihnen vollbrachten Gnade der nunmehr gegenwertigen, ihnen in ihren Herzen ersichtlich werdenden Herrlichkeit des himmlischen Vaters in einem reinen, ungeheuchelten, zum Herrn Jesus Christus bezogenen, lebendigen Glauben.* Dies ist jenes von Paulus verlangte, den Diakonen zuteilwerdende ***… Geheimnis des Glaubens in einem reinen Gewissen*** (1.Timotheus, Kapitel 3, Vers 9). Es ist zugleich dieses von dem Apostel angeforderte, fortan von den Diakonen geprägte *ganze Gehorsam im Glauben,* ja *– diese rundweg von den himmlischen (Regionen) ausgehenden, reichlich wirkenden als auch ersichtlich werdenden Krafteingebungen – welche sich einzig und allein durch die von Gott in Christus geoffenbarte, unnachahmliche Reinheit im Geist der Wahrheit in den Herzen der Diakone rundum durch den Glauben auszeichnen als auch gegenüber den anderen Menschen aufgrund der ihnen allen zu Gute kommenden, von Gott in* *dem Herrn Jesus Christus geforderten Einhaltungsprinzipien der Nächstenliebe in kraftvollen Wesenszügen im Sinne des Höchsten gemäß widerspiegeln.*

Nun kann der Beschenkte aus ganzem Herzen mittels dieses allseits dankbaren, zu dem allmächtigen Gott gerichteten Gebets sprechen: ***... mein Herz hält dir vor dein Wort: „Ihr sollt mein Antlitz suchen." Darum suche ich auch, HERR, dein Antlitz*** (Psalm 27 – Gemeinschaft mit Gott – ein Psalm Davids, Vers 8 / Lutherbibel 2017).

Vers 10: Paulus will fernerhin, dass die Voraussetzungsprinzipien aller Gemeindemitglieder weiterhin *darin sichtbar werden, dass die Personen der Diakone* ***... zuerst erprobt werden sollen;*** *denn erst* ***... dann sollen sie dienen, wenn sie untadelig sind*** – und fügt demgemäß hinzu: ***... darum suchen wir auch unsere Ehre darin, dass wir ihm*** (Jesus Christus!) ***wohlgefallen*** (2.Korinther, Kapitel 5, Vers 9a). Wahrhaft – der Apostel *will,* dass Timotheus als auch alle anderen Mitglieder der Gemeinde in Ephesus *mittels sich vergewissernder, den Diakonen betreffender Überprüfungen hinterfragen, ob die Diakone anhand ihres innigen als auch beständigen Glaubens* ***... den alten Menschen abgelegt haben, der sich wegen betrügerischen Begierden verderbte, dagegen erneuert wurden im Geist ihrer Gesinnung und den neuen Menschen angezogen haben, der Gott entsprechend geschaffen ist in wahrhafter Gerechtigkeit und Heiligkeit*** (Epheser, Kapitel 4, Verse 22b – 24). Darum warnt Paulus auch den Gemeindeleiter der Epheser – Timotheus – eindringlich: ***... die Hände lege niemals schnell auf, mache dich auch nicht fremder Sünden teilhaftig; bewahre dich selbst rein!*** (1.Timotheus, Kapitel 5, Vers 22 / Auslegung folgt!).

Mit diesen seinen Forderungen will der Gesandte Gottes es stets allen Gemeindemitgliedern *mit Hilfe von in ihren Herzen auffindbaren und zugleich erkennbaren, äußerlichen als auch innerlichen zu dem allmächtigen Gott und den Herrn Jesus Christus bezogenen Wesenszügen im Glauben durch die Kraft des Heiligen Geistes ersichtlich werden lassen,* dass somit *auch und vor allem die Diakone ihre einst betreffenden, alten, vergänglich-weltlichen Wesenszüge der ihnen anhängenden Sünden abgelegt haben, sodass fortan die vom Heiligen Geist beseelten Eigenschaften Gottes in Christus Jesus mittels ihres inständigen Glaubens rundum sicht- und erkennbar geworden sind.* Dies ist der Grund der durchzuführenden Erprobungen der Gemeinde, dass die Diakone *erst dann* ***… dienen sollen, wenn sie untadelig sind*** (1.Timotheus, Kapitel 3, Vers 10b). Paulus will es *der Gemeinde allzu deutlich verständlich machen,* dass sie anhand dieser von ihnen ausgehenden, gewichtigen Prüfungen *nicht nur das Wohl ihrer selbst fördern, weil Ruhe und Frieden im gesamten Kreise der Gemeinde einkehren; sondern* weil sie vor allem anhand dieser bedeutend zu erachtenden *Vorprüfungen dafür Sorge tragen, dass die von den Diakonen vollbrachten Versorgungen der Witwen, Alten und Kranken als auch die von ihnen getätigten Hilfeleistungen aller Art innerhalb der Gemeinde in allseits Gott wohlgefälligen Handhabungen ausgeübt werden.* Es sind jene alles in allem bedeutungsvollen *Überprüfungen der Diakone, welche eindeutig nach vollendeter Beurteilung aufweisen, dass die Ausführenden letztlich die innere als auch die äußere Stärke durch den Glauben in der Kraftausgießung des Heiligen Geistes in ihren Herzen innehaben, sodass alle Diakone diese bedeutsamen Amtsbefugnisse dem Willen Gottes in Jesus Christus gemäß mit ganzer ehrsamer Aufrichtigkeit vollbringen können.*

Ja – allein aufgrund *dieser* von allen Gemeindemitgliedern vollbrachten Handlungen beweisen sie mittels ihrer *vorsorglichen Syste-*

matik, dass ihre in ihren Herzen auffindbaren, Gott wohlgefälligen Tugenden aufzeigen, dass die Gnade des sie liebenden Gottes sie alle miteinander ***... fest gemacht hat bis ans Ende, sodass sie unverklagbar sind am Tag*** (der Parusie / der Wiederkunft am Tag des Jüngsten Gerichts!) ***... unsers Herrn Jesus Christus*** (1.Korinther, Kapitel 1, Vers 8) – so der Apostel.

Vers 11: Somit fährt Paulus seine Anweisungen an die Gemeinde fort, dass *die weiblichen Amtsmitglieder* (die Diakonissen!) *ebenfalls* ***... ehrbar,*** ja – *gleichwie ihre männlichen Mitarbeiter auch anhand ihrer ehrenwerten, charakterfesten und zugleich rechtschaffen Wesenszüge mittels* ***... nicht verleumderischer, sondern mit nüchternen, in allem treuen*** *Attributen angesichts ihrer rundweg Gott wohlgefälligen Manieren auszeichnen sollen.* Ja – auch in den Herzen der Diakonissen *sollen keinerlei üblen Nachreden, Beschimpfungen* bzw. *gegenüber an andere Gemeindemitgliedern von ihnen vollbrachte verunglimpfte Herabsetzungen auffindbar sein.* Vielmehr sollen ihre *vernunftmäßigen als auch ihre besonnenen und zugleich ihre auf Gott und Christus bezogenen Handlungen aufzeigen, dass sie* ***... eifrig bemüht sind, die Einheit des Geistes*** (die durch den Geist gewirkte Einheit = Quelle: Schlachter-Bibel 2000!) *innerhalb der gesamten Gemeinde* ***... durch das Band des Friedens zu bewahren*** (Epheser, Kapitel 4, Vers 3). In der Tat – so Paulus – die Diakonissen ***... sollen solche sein, die das Gute lehren*** (Titus, Kapitel 2, Vers 3b). Daher lässt uns auch der Herr Jesus Christus mittels Seiner Ermahnung zum treuen Dienen in dem Evangelium des Lukas in Kapitel 16 im 10.Vers unmissverständlich wissen: ***... wer im Geringsten treu ist, der ist auch im Großen treu; und wer im Geringsten ungerecht ist, der ist auch im Großen ungerecht.***

Dass der Apostel Paulus die weiblichen Diakone *sehr schätzt,* lässt er uns anhand seines Briefes an die Römer in Kapitel 16 in den Versen 1 + 2 in Erfahrung bringen; denn dort *betont er ausdrücklich:* ***... ich empfehle euch aber unsere Schwester Phöbe, die eine Dienerin*** (eine weibliche Diakonin!) ***... der Gemeinde in Kenchreä ist, damit ihr sie aufnehmt im Herrn, wie es sich für Heilige geziemt, und ihr in allen Dingen beisteht, in denen sie euch braucht; denn auch sie ist vielen ein Beistand gewesen, auch mir selbst.***

Ist die Aufgabe der Diakonissen nun über die weiblichen Hilfebedürftigen innerhalb der Gemeinde von Paulus ausgesprochen worden, oder liegen diese „hervorzuhebenden Ehrungen" der weiblichen Helferinnen in den ihnen angeborenen, mütterlich-geprägten Genen, welche ihre liebevollen Charaktere von denen der männlichen Diakonen nochmals deutlich differenzieren? *Beide Erwägungen des Apostels treffen an dieser Stelle nach der Meinung des Autors zu. Einerseits* ist dem Apostel selbst die fürsorgliche Liebe der Schwester Phoebe in seinem Brief an die Römer zuteilgeworden – *andererseits* können somit auch die sich nochmals intensivierenden, solidarischen Charaktereigenschaften der Frauen gegenüber den männlichen Diakonen herauskristallisieren. *Der Apostel differenziert nun die Aufgabengebiete der Aufseher* (Ältesten / Bischöfe!) *von denen der Diakonen. Weiblichen Gemeindemitgliedern ist das Amt eines Bischofs generell versagt* – so Paulus – *aber bei den Tätigkeiten der Dienstausübungen der Diakone sieht der Apostel das weibliche Geschlecht als eine unverzichtbare, überaus bedeutsame Hilfe an.*

Dafür spricht nun auch der kommende 12.Vers dieses gleichnamigen 3.Kapitels (siehe die direkt nachfolgende Auslegung!). *Denn was sollte die weiblichen Diakone daran hindern, ihre Gatten bei deren individuellen Hilfeleistungen innerhalb der Gemeinde nicht mit Rat und Tat,* ja – *aufgrund ihrer aller seelsorgerischen Nächstenliebe helfend im Glauben beizustehen, wenn ihre gemeinsame Ehe mittels Gott in Christus stets gewollten, wohlgefälligen Tugenden dem Willen Ihrer beider unantastbaren Herrlichkeit entsprechend ausgeübt werden?*

Vers 12: Daraufhin betont der Apostel mit unzweifelhafter Schärfe – jedoch mit stets gegenüber der gesamten Gemeinde zu Gute dienenden Worte: ***... die Diakone sollen jeder Mann e i n e r Frau sein, ihren Kindern und ihrem Haus gut vorstehen.*** Abermals lobt Paulus die von Gott ausgesprochene (Ein-)Ehe aus 1.Mose, Kapitel 2, Vers 24 – die da lautet: ***... darum wird ein Mann seinen Vater und seine Mutter verlassen und seiner Frau anhängen, und sie werden e i n Fleisch sein*** – welche sich *nicht nur* auf *die Aufseher* (Ältesten / Bischöfe!) bezieht, *sondern auch auf die Diakone und einen jeden anderen Mann in einem Ehestand zutrifft.* Nun betont der Apostel, dass die Diakone ***... ihren Kindern und ihrem Haus gut vorstehen sollen.*** Paulus will es der Gemeinde zu verstehen geben, dass *wenn die Diakone mit ehrbaren und zugleich herausragenden christlichen Tugenden anhand rundweg Anerkennung verdienender Güte, Freundlichkeit als auch Ehrlichkeit ihre eigenen Verwaltungen betreuen, sie folglich auch fähig sind, einer Gemeinde gut vorzustehen.* So gewinnen die Diakone *nicht nur die Herzen ihrer eigenen Familienangehörigen, sondern zugleich auch die Herzen der Gemeindemitglieder,* ganz gemäß dem Willen Gottes in dem Herrn Jesus Christus entsprechend.

Zwischenbemerkung:

Da der Autor bereits eine detaillierte Auslegung betreffend dieser Forderungen des Apostels Paulus anhand dieses 3.Kapitels des 1.Timotheusbriefes (zwar bezogen auf die Aufseher, *die jedoch ebenfalls auf die Diakone zutreffen!*) verfasst hat, bedarf es an dieser Stelle keiner weiteren zusätzlichen Erwähnung (siehe hierzu abermals Auslegung zu 1.Thessalonicher, Kapitel 3, Verse 2 + 4!).

Vers 13: Unmissverständlich wird erkennbar, dass fortan die Gemeindemitglieder *die Aufgabengebiete der Diakone als im Glauben und in der Liebe Gottes in Christus Jesus stehende als auch zu vollführende Ämter in Augenschein nehmen, welches von ihrer Seite aus gegenüber den Diakonen mit würdigender Demut in Betracht gezogen werden muss.* Daher hebt Paulus diese den Diakonen zuteilwerdende, nun der Gemeinde preisgegebene Wertschätzung wie folgt hervor: ***... denn wenn sie*** (die Diakone!) ***... ihren Dienst gut versehen, erwerben sie sich selbst eine gute Stufe und viel Freimütigkeit im Glauben in Christus Jesus.*** Daher offenbart der Heiland – der Herr Jesus Christus – *den treuen Knechten* (hier bezogen auf *die im wahren, rechtschaffenen Dienst Gottes stehenden Diakone!*) in Seinem Gleichnis von den anvertrauten Talenten folgende auf sie zutreffenden Worte: ***... du bist über wenigem treu gewesen, ich will dich über vieles setzen; geh ein zur Freude deines Herrn!*** (Matthäus, Kapitel 25, Vers 21b). Auch der Apostel Petrus lässt uns folgen Worte mittels seines 1.Briefes in Erfahrung bringen: ***... wenn einer spricht, dann Worte Gottes; wenn einer dient, dann aus der Kraft, die Gott ihm schenkt, damit in allen Dingen Gott verherrlicht werde durch Jesus Christus; ihm sei die Herrlichkeit und die Herrschaft***

in alle Ewigkeit, Amen. (1.Petrus, Kapitel 4, Vers 11 / Zürcher Bibel).

Da das Amt eines wahrhaftigen Dieners in der Gemeinde *allseits mit von Gott in Christus beseelten Tugenden aufgrund dieses Dieners im Herzen ruhenden Heiligen Geistes mittels seines tiefgründigen Glaubens umrahmt ist,* wird es verständlich – so Paulus – dass dieser Diakon seine rundum ehrbare *Arbeit als ein ihm persönlich offenbartes Geschenk Gottes auffasst.* Wahrhaft – dieser treue Diener hebt aufgrund seiner von ihm vollbrachten, Gott stets wohlgefälligen Handlungen hervor, *dass der allmächtige Gott und der Herr Jesus Christus in seinem Leben unentwegt den gewichtigen Mittelpunkt allen Seins bilden. Dieses über alle Maßen bedeutende Grundprinzip des Glaubens aber* „rückt" *den Träger mittels der an ihm vollbrachten Kraft des Heiligen Geistes selbst in das Licht der unvergänglichen Herrlichkeit Jesu Christi empor* – und weist somit diesen treuen Diener stets darauf hin, *dass er einzig und allein aufgrund seiner christlichen, rundum Gott erfreuenden Tugenden in den Heilsbereich des ihn liebenden, himmlischen Vaters im Glauben an Ihn angelangt ist.* Jene diesem treuen Diener zuteilgewordene Ehrerbietung *aber ist allein geprägt von der gnadenreichen Barmherzigkeit Gottes in dem Herrn Jesus Christus.* Daraufhin wiederholt Paulus an dieser Stelle abermals *seine immerdar gewichtigen Worte* anhand seines wunderbaren Briefes an die Epheser wie folgt: ***… denn aus Gnade seid ihr errettet durch den Glauben, und das nicht aus euch – Gottes Gabe ist es; nicht aus Werken, damit niemand sich rühme. Denn wir sind seine*** (Gottes!) ***… Schöpfung,*** (oder sein Werk / sein Gebilde; sein „Gemachtes"; ein anderes Wort als nachher „zu guten Werken" = Quelle: Schlachter-Bibel 2000!) ***… erschaffen in Christus Jesus zu guten Werken, die Gott zuvor bereitet hat, damit wir in ihnen wandeln sollen*** (Epheser, Kapitel 2, Verse 8 – 10).

Dies ist abermals *die Bedeutung* jener von dem Apostel Paulus benannten ***... guten Stufe*** *und die damit verbundene* ***... Freimütigkeit im Glauben in Christus Jesus*** (1.Timotheus, Kapitel 3, Vers 13b). Ja – ist es jene *von Gott in Christus erwirkte Gnade, die sich nun in dem Herzen des Dieners mittels der Kraftausgießung des Heiligen Geistes aufgrund seines innigen Glaubens rundweg auszeichnet. Allein durch das Empfangen der Gnade Gottes hat ihm der himmlische Vater Sein Heil in Christus Jesus offenbart* – und formt den Diakon *somit zu Seinem Eigentum in die Sphären Seiner selbst.* In der Tat – *dieser Mensch* hat ***... den Geist der Sohnschaft empfangen, indem wir rufen: Abba, Vater! Der Geist*** (Gottes!) ***... selbst gibt Zeugnis zusammen mit unserem Geist, dass wir Gottes Kinder sind. Denn alle, die durch den Geist Gottes geleitet werden, die sind Söhne Gottes*** (hier ist die Sohnesstellung vor Gott in Christus gemeint, an der *alle Gläubigen unabhängig von ihrem leiblichen Geschlecht teilhaben* = Quelle: Schlachter-Bibel 2000!) – schreibt der Apostel Paulus daraufhin in seinem Brief an die Römer in Kapitel 8 in den Versen 15b; 16 + 14.

Denn das, was der Gemeindediener letztlich aus der barmherzigen Gnade des wunderbaren Gottes *empfangen hat, das lebt dieser auch mittels seiner unentwegt zuverlässigen Gewissheit im Glauben aus.* Somit weist dieser von Gott Gesegnete nicht nur die Gemeindemitglieder sondern auch sich selbst darauf hin, *dass das an ihm vollbrachte gnädige Wirken des himmlischen Vaters in Christus mittels seiner nunmehr deutlich sicht- und erkennbar werdenden Tugenden von der einzigartigen stets zu lobpreisenden* ***... Liebe*** *Gottes* ***... angezogen wurde, die das Band der Vollkommenheit ist*** (Kolosser, Kapitel 3, Vers 14).

Wahrhaft – *es ist jenes dem Diakon zuteilwerdende Wort der vollkommenen Wahrheit Gottes,* welches ihm *d i e Freiheit* verschafft, *die einzig und allein in dem Herrn Jesus Christus auffindbar ist.* Denn der Herr Jesus spricht: ***... wenn euch nun der Sohn*** (Jesus Christus!) ***... frei machen wird, so seid ihr wirklich frei*** (Johannes, Kapitel 8, Vers 36).

Diese vertrauensvolle Zuversichtlichkeit ist es wiederum, die den von Glauben erfüllten Diakon von jeglichen fremdeinwirkenden Befangenheiten *befreit, um sein Amt in Gott wohlgefälligen Tätigkeiten ausüben zu können und zugleich aufzeigt, dass der Segen des Höchsten in Christus ihn in ein rundum von Harmonie geprägtes Gemeindeleben hineininkludiert hat.* Ja – es ist eben genau *dieser anhaftende Segen Gottes in der vor allem stehenden Kraftausübung des Heiligen Geistes, der den Diener zu solchen seelsorgerischen Zügen der Nächstenliebe fördert.* Somit wird eindeutig ersichtlich, *dass die Freude zwar aus dem gesegneten Herzen dieses Gemeindedieners durch den in ihm ruhenden, inständigen Glauben im Geist der Wahrheit Gottes entspringt – dessen Vollender als auch Vollführer jedoch allein in und aus dem glorreichen, barmherzigen Segen des allmächtigen Gottes in Jesus Christus hervortritt.*

Daher gelten auch hier folgende, *unmissverständliche, stets einzuhaltende Grundprinzipien des Glaubens,* welche nochmals in den Versen 8 – 13 dieses 3.Kapitels des 1.Thimoteusbriefes *zur alleinigen Ehre Gottes* deutlich hervortreten. Diese lauten daher: ***... und was immer ihr tut in Wort oder Werk, das tut alles im Namen des Herrn Jesus und dankt Gott, dem Vater, durch ihn*** (Kolosser, Kapitel 3, Vers 17).

Verse 14 – 16

Der Wandel im Haus Gottes
und das Geheimnis der Gottesfurcht

[14]Dies schreibe ich dir in der Hoffnung, recht bald zu dir zu kommen, [15]damit du aber, falls sich mein Kommen verzögern sollte, weißt, wie man wandeln soll im Haus Gottes, welches die Gemeinde des lebendigen Gottes ist, der Pfeiler und die Grundfeste der Wahrheit. [16]Und anerkannt groß ist das Geheimnis der Gottesfurcht: Gott ist geoffenbart worden im Fleisch, gerechtfertigt im Geist, gesehen von den Engeln, verkündigt unter den Heiden, geglaubt in der Welt, aufgenommen in die Herrlichkeit.

Auslegung:

Vers 14: Des Apostel Paulus` in seinem Innern ruhende Sehnsucht, ***... (m)sein echtes Kind im Glauben,*** (1.Timotheus, Kapitel 1, Vers 2a / siehe Auslegung!) *den Timotheus – erneut persönlich zu wiederzusehen, wird an dieser Stelle deutlich wahrnehmbar.* Es ist eben exakt *diese alleinige durch den Geist Gottes verbundene Liebe des Gesandten Gottes mit der Person des Timotheus durch den inständig gemeinsam geprägten Glauben beider Gottesmänner, welches dieses herzergreifende und zugleich sehnsüchtige Verlangen des Apostels unterstreichend hervorhebt, bald zu Timotheus nach Ephesus zu kommen.* Auch hat man den bleibenden Eindruck, dass Paulus den Timotheus in der nun folgenden Angelegenheit *nicht sich selbst überlassen will,* nämlich – mit der Bekanntgabe, *inwiefern* der Wandel im Haus Gottes und das damit verbundene Geheimnis der Gottesfurcht *nachvollzogen werden soll.* Jedoch schreibt Paulus dem Timotheus, dass er sich *sehnlichst wünscht, bald zu ihm zu kommen.* Es ist jene ***... Hoffnung,*** welche die innerliche aus dem Herzen des Paulus` kommende Sehnsucht nochmals ersichtlich werden lässt. Der Apostel jedoch *vertraut vollends dem unantastbaren Willen des allmächtigen Gottes, dass – w e n n der himmlische Vater es ihm im Geist gewährt – diese seine Hoffnung bald in Erfüllung geht.* Daher ist es wiederum möglich, *dass der himmlische Vater einen für den Apostel bestimmten Plan vorgesehen hat, den Paulus nicht beeinflussen kann und demzufolge auch niemals beeinflussen will.* Dies ist nach der Meinung des Autors auch der Grund, *warum Paulus dem Timotheus keine* „handfeste", ja – *eine bestimmte Zusage seinerseits geben kann – und ihn somit mit Worten der* ***... Hoffnung*** *tröstet, um dem Timotheus zugleich belehrend mit Hilfe seiner an ihn gerichteten Anweisungen wie folgt zur Seite zu stehen.* Denn der Apostel Paulus weiß aufgrund seiner stets zu Gott und dem Herrn Jesus Christus bezogenen Verbundenheit im unverzagten Glauben allzu genau, ***... dass denen, die Gott lieben, alle Dinge zum Besten dienen,*** (zum Guten zusammenwirken = Quelle: Schlachter-Bibel 2000!) ***... denen, die nach dem Vorsatz*** (d.h. gemäß dem im Voraus gefassten Beschluss oder der Absicht Gottes = Quelle: Schlachter-Bibel 2000!) ***... berufen sind*** (Römer, Kapitel 8, Vers 28).

Vers 15: Somit ist es durchaus möglich, dass der Apostel seine Ankunft in Ephesus auf einen noch für ihn als auch dem Timotheus betreffend zu erachtenden „unbestimmten Zeitpunkt" aufschieben muss – und diesbezüglich lässt er sein geliebtes Kind im Glauben unzweifelhaft wissen: ***... damit du aber, falls sich mein Kommen verzögern sollte, weißt, welches die Gemeinde des lebendigen Gottes ist, der Pfeiler und die Grundfeste der Wahrheit.***

Dies will Paulus dem Timotheus als Vorsteher der Gemeinde bekunden ***… damit ihr unsträflich und lauter*** (unvermischt mit Bösem / ohne Falsch = Quelle: Schlachter-Bibel 2000!) ***… seid, untadelige Kinder Gottes inmitten eines verdrehten und verkehrten Geschlechts, unter welchem ihr leuchtet als Lichter in der Welt*** (Philipper, Kapitel 2, Vers 15) – und fügt mittels seines Briefes an die Epheser aus dem 2.Kapitel in Vers 22 hinzu: ***… in dem auch ihr miterbaut werdet zu einer Wohnung Gottes im Geist*** (oder durch den Geist = Quelle: Schlachter-Bibel 2000!).

Mit dieser seiner Aussage will Paulus es dem Timotheus unterstreichend hervorheben, dass eine zu dem allmächtigen Gott und dem Herrn Jesus Christus bezogene Gemeinde, die den Geist der Wahrheit in ihren Herzen besitzen, daher nur mit Personen in Form der Bischöfe als auch der Diakonen / Diakonissen bestehen kann, die alle Vorzüge eines zu Gott und Christus bezogenen Lebensstil im Glauben aufweisen, welche Paulus dem Timotheus in Kapitel 3 des 1.Timotheusbriefes in den Versen 1 – 7 (bezogen auf die Aufseher / Ältesten / Bischöfe / siehe Auslegung!) als auch mittels seiner an ihn gerichteten Verse 8 – 13 in Bezug auf die Diakone / Diakonissen (siehe Auslegung!) zum Wohl aller Gemeindemitglieder dem Willen Gottes gemäß bekannt gegeben hat.

Daher ist die Aufforderung des Apostels an den Timotheus *nicht als solche zu verstehen, dass Paulus den Timotheus zu einem anderen Verhalten auffordert – denn das Verhalten und der tiefgegründete Glauben im Herzen des Gemeindeleiters sind stets mit wohlwollenden Zügen auf Gott und den Herrn Jesus Christus als auch immerdar auf das Wohl der gesamten Gemeinde in Ephesus gerichtet.* Vielmehr geht es dem Paulus *um diejenigen Personen, welche mittels unbekümmerter, leichtfertiger und zugleich pflichtwidriger Einstellungen jene von Gott dem Apostel offenbarten Anweisungen mit stoischer, ja – desinteressierter Gelassenheit entgegenblicken und nicht verstehen w o l l e n, dass diese dem Apostel von Gott offenbarten Anweisungen von dringlicher Erfordernis umschlossen sind, sodass auch sie zu der dringend erforderlichen, stets von Gott und Christus geforderten Einsicht kommen, wie* man ***... im Haus Gottes wandeln soll*** (1.Timotheus, Kapitel 3, Vers 15b). Nämlich: ***... das Christus über sein eigenes Haus;*** (von Gott gesetzt ist!) ***... und dass wir sein Haus sind, wenn wir die Zuversicht und das Rühmen der Hoffnung bis zum Ende*** (der Wiederkunft Jesu Christi!) ***... standhaft festhalten*** (Hebräer, Kapitel 3, Vers 6).

Daher ist es für Paulus *notwendig,* ja – von Gott *gewollt* – diese dem Timotheus *zum Wohl aller Gemeindemitglieder* verfassten Worte *genauestens preiszugeben,* um es dem Gemeindeleiter *nochmals deutlich zu hinterlegen, dass einzig und allein eine fest im Glauben stehende, von ganzem Zusammenhalt im Glauben als auch im Heiligen Geist stehende Gemeinde* (siehe hierzu noch einmal die Auslegung zu 1.Timotheus, Kapitel 3, Verse 1 – 13!) *dieses Haus Gottes mittels ihres verbündenden Glaubens prägt, fördert und mit Früchten des Heils* im stets gewollten Sinne Gottes in dem Herrn Jesus Christus gemäß *stärkt. Wenn* diese *unbedingt zu erfüllenden Forderungen in ihrer ganzen Konsistenz ausgeübt,* bzw. *von allen Gemeindemitgliedern ausgelebt werden, dann erst* ist die *ganze Gemeinde* als ***... die Gemeinde des lebendigen Gottes*** *in Betracht zu ziehen* (1.Timotheus, Kapitel 3, Vers 15c). Es ist jenes durch den Glauben im Heiligen Geist zu betrachtende *gemeinschaftliche,* ja – dieses *vereinte Handeln aller in der barmherzigen Gnade Gottes stehenden Gemeindemitglieder, die nunmehr das ihnen allen zuteilgewordene, rundum zur Freiheit berufene Werk Gottes im Herrn Jesus Christus darstellen,* so der Apostel. Daher hat *ihnen allen* der himmlische

Vater, *der das Leben als Ganzes inkludiert* – auch *den Menschen* verliehen, *welche von ganzem Herzen an Ihn glauben.* Folglich ist die *fest im Glauben stehende, rundum zu Gott und dem Herrn Jesus Christus bezogene, als auch fest entschlossene,* ja – *rundweg zusammenhaltende Gemeinde an sich als* ***... die Pfeiler und die Grundfeste der Wahrheit*** (1.Timotheus, Kapitel 3, Vers 15d) aufzufassen. Denn das *Wesen Gottes, Seine Werke und Seine unnachahmlichen, zur Seligkeit führenden Gaben inkludieren Seine rundum vollkommenen Wahrheitsprinzipien, die einzig und allein im unantastbaren Wesen Seiner selbst auffindbar sind.* Daher lässt uns der Herr Jesus Christus eindeutig wissen: ***... dein*** (Gottes!) ***Wort ist Wahrheit*** (Johannes, Kapitel 17, Vers 17b).

So bilden ***... die Pfeiler*** *die unerschütterliche als auch hochrangig zu betrachtende Erhabenheit des von Gottes Liebe zu den im Glauben und im Geist der Wahrheit stehenden Gemeindemitgliedern, welche von nun an aufweisen, dass sie mittels der ihnen allen von Gott offenbarten* ***... Grundfeste*** *einen geebneten, sicheren als auch felsenfesten Träger bilden, welche ihnen allen nur die barmherzige Gnade des himmlischen Vaters in Seiner immerdar unnachahmlichen Liebe hinterlegt hat. Dies ist das gnadenumwobene, voller Herrlichkeit offenbarte Werk des allmächtigen Gottes in dem Lichtglanz des Herrn und Erlösers Jesus Christus, welches aufweist,* dass ***... jedes einzelne Glied*** (der Gemeinde!) ***... das Wachstum des Leibes zur Auferbauung seiner selbst*** (Jesus Christus!) ***... in Liebe*** prägt (Epheser, Kapitel 4, Vers 16b), so Paulus. Wahrhaft – weil die Gemeinde *als eine Einheit* die vollkommene Wahrheit Gottes repräsentiert, ist es von allerhöchster Bedeutung, dass ihnen *allen eben diese reine Wahrheit in ihren Herzen hinterlegt ist, denn auf diesen von Gott gewollten Grundprinzipien des Glaubens beruhen die stets einzuhaltenden Aufforderungen des Apostels Paulus.*

Denn die ihnen von Gott in Christus Jesus offenbarte Reinheit ist *das Aushängeschild der Gemeinde,* welches mit ihrem Tun und Handeln *genau diese unantastbare Reinheit Gottes widerspiegelt.* In dieser unnachahmlichen Reinheit beruht *exakt die Pflicht aller Gemeindemitglieder, genau diese Wahrheit Gottes nach innen als auch nach außen hin unentwegt preiszugeben,* so Paulus. Dies ist das Geheimnis des Glaubens, nämlich – dass ein *jedes Gemeindemitglied* – gleich, wie der Apostel Paulus im Geist der Wahrheit Gottes behaupten kann: ***... daher übe ich mich darin, allezeit ein unverletztes Gewissen zu haben gegenüber Gott und den Menschen*** (die Apostelgeschichte des Lukas, Kapitel 24, Vers 16).

Vers 16: Daraufhin lässt Paulus den Timotheus die nun folgenden Worte in Erfahrung bringen: ***... anerkannt groß ist das Geheimnis der Gottesfurcht:*** (der Gottseligkeit / der rechten Gottesverehrung = Quelle: Schlachter-Bibel 2000!) ***... Gott ist geoffenbart worden*** (oder offenbar geworden / erschienen = Quelle: Schlachter-Bibel 2000!) ***... im Fleisch, gerechtfertigt im Geist, gesehen von den Engeln,*** (Sendboten = Quelle: Schlachter-Bibel 2000!) ***... verkündigt unter den Heiden, geglaubt in der Welt, aufgenommen in die Herrlichkeit.***

Gleich, wie der Herr Jesus Christus selbst, so ist auch das Evangelium Seiner unvergleichbaren Herrlichkeit *ein geoffenbartes, unaussprechlich großes Wunder des himmlischen Vaters.* Wahrhaft – ist jenes – wie Paulus es ausdrückt ***... anerkannt große Geheimnis der Gottesfurcht*** (1.Timotheus, Kapitel 3, Vers 16a) – ja, das Geheimnis Gottes bei Seiner Selbstverherrlichung, bzw. Seiner Selbstverwirklichung in die Person Seines Sohnes – den Herrn Jesus Christus – ***... (nämlich) das Geheimnis, das verborgen war, seitdem es Weltzeiten und Geschlechter gibt, das jetzt aber seinen Heiligen offenbar ge-***

macht worden ist. Ihnen wollte Gott bekannt machen, was der Reichtum der Herrlichkeit dieses Geheimnisses unter den Heiden ist, nämlich: Christus in euch, die Hoffnung der Herrlichkeit (Kolosser, Kapitel 1, Verse 26 + 27). *Die Frömmigkeit und der Glaube liegen unzertrennbar beieinander,* so der Apostel (siehe hierzu Auslegung zu 1.Timotheus, Kapitel 3, Vers 9!).

Folglich besteht die von *ganzer Wirklichkeit beseelte, vollkommene Wahrheit Gottes darin, dass der Heilige Geist die Glaubenden in die (Glaubens-)Verehrung des himmlischen Vaters hineininkludiert.* Daher sind die Gläubigen *bedingt durch die vollkommene, reine Wahrheit Gottes zur Wahrheit im Glauben an Ihn anhand ihrer ihnen allen vom Höchsten geoffenbarter, zuversichtlicher Loyalität in der Kraftausgießung des Geistes Gottes letztlich zu der Wahrheit Gottes angelangt.* So entsteht und fruchtet zugleich *diese* zuversichtliche Gewissheit in den Herzen der Glaubenden *allein in und durch die unverblümte Reinheit der Wahrheit Gottes.* Somit *ent*steht, bzw. *be*steht das Geheimnis des Glaubens – nämlich – *dass die im Glauben stehenden Menschen den allmächtigen Gott in Seiner ihnen zuteilgewordenen Wahrheit lobpreisen und anbeten.* In der Tat – so Paulus: ***... das alles aber (kommt) von Gott, der uns mit sich selbst versöhnt hat durch Jesus Christus und uns den Dienst der Versöhnung gegeben hat*** (2.Korinther, Kapitel 5, Vers 18). Somit liegt ***... das Geheimnis der Gottesfurcht*** (1.Timotheus, Kapitel 3, Vers 16a) in dem *Geheimnis des allmächtigen Gottes selbst* – ja – *das Geheimnis des Glaubens und die von den Glaubenden zu Gott ausgehenden lobpreisenden Anbetungen prägen das wunderbare* „Tätigkeitswerk" *des himmlischen, uns liebenden Vaters in den Herzen der Beschenkten.*

Der Apostel Paulus beginnt nun mit der Beschreibung der unumstritten größten Tat Gottes – *anhand einer detaillierten Charakteri-*

sierung unseres Herrn und Erlösers Jesus Christus – unserem Heil. Dabei verwendet er *eine Parallel-Gegenüberstellung der himmlischen Attribute im Vergleich mit* bzw. *zu den irdischen Wesenszügen des Heilands Jesus Christus,* welche das Werk und die dazugehörenden Geheimnisse des allmächtigen Gottes in Christus Jesus *näher ergründen.* Wiederum muss unzweifelhaft festgestellt werden, dass auch das von Gott vollbrachte Geschehen, welches sich *in und durch den Glauben der Kinder Gottes auswirkt, ebenfalls als ein reines Geheimnis Gottes darstellt – eben weil den Glaubenden sowohl die augenscheinliche Erkenntnis als auch die Offenlegung dieses vom Höchsten vollbrachten Geschehens verborgen bleibt.* Aber *weil* die im Glauben stehenden Menschen ihren Glauben *nicht aus ihrem Inneren selbst heraus beurteilen können,* glauben sie – *sondern* aufgrund der ihnen *anhängenden Verbundenheit durch die Wirkung des Heiligen Geistes Gottes, der die Gläubigen in die Sphären Gottes eigener Herrlichkeit in und durch den Herrn Jesus Christus bewegt und lenkt.* Folglich liegt nun auch das Geheimnis des Glaubens darin begründet, *dass dieses grandiose Mysterium Gottes i n Christus Jesus von* dem himmlischen Vater *er-* und *be*gründet wurde. So bewegt *uns daraufhin der Geist Gottes aufgrund der Wahrheit Seiner selbst in diese von Gott durch Christus Jesus erwirkte Entzückung,* sodass *die Wahrheit im Glauben mittels der Glaubenden aus ihren Herzen kommender, unverzagter Gewissheit rundweg bestätigt wird.* So wird nun das Geheimnis Gottes *durch die Wahrheit des Christus in Frömmigkeit von den Glaubenden durch den in ihren Herzen ruhenden Heiligen Geist von Gott bestätigt* – und weist uns unentwegt darauf hin, dass *wir in dem Lichtglanz der Herrlichkeit Jesu Christi angelangt sind. Denn der Heilige Geist gibt uns das konstante Zeugnis, dass der Herr Jesus Christus* ***... unsere Hoffnung ist*** (1.Timotheus, Kapitel 1, Vers 1b / siehe Auslegung!).

Daher *be*steht und *ent*steht *zugleich die den Gläubigen in ihren Herzen von Gott durch Christus offenbarte Hoffnung* – ja – *jene fromme Gottesfurcht aus dem Geheimnis Gottes in Jesus Christus,* durch welchen in den gläubigen Herzen *die ihnen von Gott wiederum ausgehende und geoffenbarte Glaubenskraft entsteht, welche aufbauend darauf einzig und allein durch Jesus Christus nach dem Willen Gottes ihre bleibende Etablierung als auch den auf Ewigkeit fortlaufenden Sieg empfängt.* Nun wird es allzu deutlich ersichtlich, *dass die Versöhnung der Menschheit allein aus dem Glauben an Gott in und durch den Herrn Jesus Christus von Gott gewährleistet werden kann.* Ja – *einzig und allein der himmlische Vater hat mittels Seiner gnadenreichen Barmherzigkeit uns in Seinem Sohn Jesus Christus die Gnade offenbart und im Geist der Wahrheit wirksam werden lassen.*

Dieser in der Tat *größte Liebesbeweis Gottes an die gläubige Menschheit ist genau dieses von uns zu bestaunende, allseits vom Geist Gottes geleitete* ***... Geheimnis der*** frommen ***... Gottesfurcht,*** (1.Timotheus, Kapitel 3, Vers 16a) *welche wiederum unmissverständlich belegt,* ***... dass Gott die Welt so (sehr) geliebt hat, dass er seinen eingeborenen Sohn gab, damit jeder, der an ihn glaubt, nicht verlorengeht, sondern*** (*durch ihn – den Herrn Jesus Christus!*) ***... ewiges Leben hat*** (Johannes, Kapitel 3, Vers 16).

Mit einer exakten Detaillierung beschreibt der Apostel nun die von Gott an Jesus Christus vollbrachten Handlungen. Dabei zeigt Paulus auf, *inwiefern der uns liebende Gott in und durch den Herrn und Erlöser Jesus Christus in die nun von dem Heiland erwirkten,* „barrierefreien", *offen stehenden Sphären Seiner selbst leitet.* Erneut muss an dieser Stelle die stets zu beachtende *Ehre Gottes in den Vordergrund treten, weil der himmlische Vater uns mittels Seiner unentwegt barmherzigen Gnade durch Christus den Eintritt in das Reich Seiner unnachahmlichen Herrlichkeit gewährleistet.* So wird *der bereits vor Grundlegung der Welt bei Gott lebende Christus der Menschheit anhand der Selbstverwirklichung des Höchsten in Jesus Christus mittels Seines menschlichen Körpers sichtbar gemacht,* indem der Heiland – *ganz Mensch und ganz Gott – den Ihm auf Ewigkeit gebührenden Platz im Reich der Herrlichkeit Gottes verließ, um allen an Ihn Glaubenden Ewiges Leben im Reich Seines Vaters durch das von Ihm vergossene Blut am Kreuz von Golgatha zu gewährleisten.*

Ja – ***... Gott ist geoffenbart worden im Fleisch*** (1.Timotheus, Kapitel 3, Vers 16b). Wahrhaft – ***... das Wort*** (Gottes!) ***... wurde Fleisch*** (Jesus Christus!) ***... und wohnte unter uns; und wir sahen seine Herrlichkeit, eine Herrlichkeit als des Eingeborenen vom Vater, voller Gnade und Wahrheit*** (Johannes, Kapitel 1, Vers 14). So verbrachte der im Fleisch (*jedoch immerdar sündenfreie Herr Jesus Christus!*) lebende Heiland die Zeit auf Erden mit den Seinen – jedoch „stand“ der Herr und Erlöser Jesus Christus *aufgrund seiner fleischlich-menschlichen Hülle unter göttlichem Fluch. Christus ist es – der durch die sündige Menschheit am Kreuz von Golgatha zum Fluch Gottes wurde* – denn es steht geschrieben: ***... denn von Gott verflucht ist derjenige, der (ans Holz) gehängt wurde*** (5.Mose, Kapitel 21, Vers 23b / in Verbindung zu Galater, Kapitel 3, Vers 13b!) – und folglich dem Tod übergeben wurde. Jedoch wurde dem Herrn Jesus Christus *die Rechtfertigung Gottes aufgrund des Geistes Gottes zuteil, weil Er in einem vollkommen sündenfreien Dasein* = „Gott Gleich“ *auf Erden lebte*. Denn so heißt es weiterhin: ***... Gott*** (*hier an dieser Stelle bezogen auf den Herrn Jesus Christus!*) ***... kann nicht lügen*** (Titus, Kapitel 1, Vers 2a).

Jesus Christus aber wurde von Gott ***... gerechtfertigt im Geist*** (1.Timotheus, Kapitel 3, Vers 16c). Somit wird ersichtlich, *dass*

Christus durch den Geist Gottes wiederum von Gott gerechtfertigt worden ist – als auch dass Ihn der Geist Gottes von den Toten auferweckt hat. Eben weil der Geist Gottes in Christus Jesus ist, ist er somit der absolut Gegenwärtige – ja – *der Gott Gleiche – der durch den Willen Gottes in der Welt wirksam wurde.* Diese unmissverständliche, von Gott dem Christus zuteilgewordene Gewissheit *im Geist Gottes bewirkt, dass der Herr und Erlöser Jesus Christus die vollkommene Wahrheit Gottes in Sich trägt – und somit beweist der Heiland Seine vollkommene, stets sündenfreie Reinheit in der* „Ebenwürdigkeit des allmächtigen Gottes“. *Darum* hat Ihn der himmlische Vater *in den Stand des* „Christus“ *berufen – weil die ganze Wahrheit des allmächtigen Gottes auch in gleicher Weise in dem Herrn Jesus Christus auffindbar ist.* So werden nun auch die an Gott und den Herrn Jesus Christus Glaubenden durch Christus Jesus gerechtfertigt werden – ***… denn wenn du mit deinem Mund Jesus als den Herrn bekennst und in deinem Herzen glaubst, dass Gott ihn aus den Toten auferweckt hat, so wirst du gerettet*** – schreibt Paulus in seinem Brief an die Römer in Kapitel 10, Vers 9. Ja – ***… uns hat Christus losgekauft vom Fluch des Gesetzes, indem er ein Fluch wurde um unsertwillen*** – fügt der Apostel Paulus mittels seines Briefes an die Galater in Kapitel 3 in Vers 13a den vorangegangenen Worten seines Römerbriefes hinzu.

Nun aber *nach* des Herrn Jesus Christus Auferstehung wurde Er von Gott in die himmlischen (Regionen) aufgenommen – und hat sich zur Rechten Gottes gesetzt – daher ist der Herr Jesus Christus somit *für die Menschen nicht sichtbar* – jedoch ***… gesehen von den Engeln*** (1.Timotheus, Kapitel 3, Vers 16d). Denn: ***… ihnen wurde geoffenbart, dass sie nicht sich selbst, sondern uns dienten mit dem, was euch jetzt bekannt gemacht worden ist durch diejenigen, welche euch das Evangelium verkündigt haben im Heiligen Geist, der vom***

Himmel gesandt wurde – Dinge, in welche auch die Engel hineinzuschauen begehren (1.Petrus, Kapitel 1, Vers 12). Was jedoch für uns Menschen ***… unsichtbar ist, das ist ewig*** – schreibt Paulus in seinem 2.Brief an die Korinther in Kapitel 4, Vers 18 – ***… denn wir sehen nicht auf das Sichtbare sondern auf das Unsichtbare.***

Und des Herrn Jesus Christus von ganzer Herrlichkeit umrahmte, zum ewigen Heil führende Botschaft wurde ***… unter den Heiden verkündet*** (1.Timotheus, Kapitel 3, Vers 16e); denn das Evangelium der Herrlichkeit Gottes in dem Herrn Jesus Christus *hat den Missionsbefehl des Heilands verwirklicht, indem des Herrn Jesus Christus Befehl von den Aposteln und Predigern in die Tat umgesetzt wurde,* der da lautet ***… geht hin in alle Welt und verkündigt das Evangelium der ganzen Schöpfung!*** (Markus, Kapitel 16, Vers 15b).

Bedingt durch *diesen Gehorsam der Worte Jesu* gelangt das Heil *zu allen Menschen, die an ihn glauben* und *dieses* Heil *verwirklicht sich nunmehr über die Grenzen Israels hinaus in die Herzen aller an Ihn Glaubenden.* Daher wurde Jesus Christus ***… in der Welt geglaubt*** (1.Timotheus, Kapitel 3, Vers 16f). Dies ist wiederum *das alleinige Werk Gottes in Christus Jesus,* welches uns eindeutig zu erkennen gibt, *dass einzig und allein aufgrund der gnadenreichen Barmherzigkeit des uns liebenden Gottes der Herr Jesus Christus* ***… unser Friede ist, der aus beiden*** (aus den Juden und aus den Heiden = Quelle: Schlachter-Bibel 2000!) ***… eins gemacht und die Scheidewand des Zaunes*** (die einst trennende Mauer = Quelle: Schlachter-Bibel 2000!) ***abgebrochen hat*** (Epheser, Kapitel 2, Vers 14). So ist der im Herzen der Gläubigen ruhende, vom Geist Gottes beseelte Glaube *das unverkennbare Indiz, in alle Ewigkeit mit dem Herrn Jesus Christus aufgrund der alles in allem uns geoffenbarten Liebe Gottes verbunden zu sein.*

Nun aber hat der uns liebende Gott Seinen Sohn ***… in die Herrlichkeit*** Seiner selbst ***… aufgenommen*** (1.Timotheus, Kapitel 3, Vers 16g). Wahrhaft – mittels der Himmelfahrt Jesu Christi hat ihn der himmlische Vater in das Reich der Himmel aufgenommen. In der Tat – Gottes Ziel **in dem Herrn Jesus Christus* ist mit *aller Ihm gebührender Eindeutigkeit Seinem Willen gemäß mit folgenden, allein von dem himmlischen Vater vollbrachten Handhabungen rundum mittels Seines seit Ewigkeit nun ausführenden Willens in der Person des Christus verherrlicht worden:*

… *das Geheimnis der Gottesfurcht – *Seine Offenbarwerdung im Fleisch – *Seine Rechtfertigung Gottes im Geist – *Seine Sichtbarkeit unter den Engeln – *Seine Verkündigung unter den Heiden – *der von den Menschen angenommene Glaube an Christus Jesus – *und des Heilands` Aufnahme in das Reich der Herrlichkeit Seines himmlischen, als auch unser aller Gläubigen Vaters.

Kapitel 4

Verse 1 – 5
Verführung
und Abfall vom Glauben in der letzten Zeit

[1]Der Geist aber sagt ausdrücklich, das in späteren Zeiten etliche vom Glauben abfallen und sich irreführenden Geistern und Lehren der Dämonen zuwenden werden [2]durch die Heuchelei von Lügenrednern, die in ihrem eigenen Gewissen gebrandmarkt sind. [3]Sie verbieten zu heiraten und Speisen zu genießen, die doch Gott geschaffen hat, damit sie mit Danksagung gebraucht werden von denen, die gläubig sind und die Wahrheit erkennen. [4]Denn alles, was Gott geschaffen hat, ist gut, und nichts ist verwerflich, wenn es mit Danksagung empfangen wird; [5]denn es wird geheiligt durch Gottes Wort und Gebet.

Auslegung:

Vers 1: Von dem in die Herrlichkeit des allmächtigen Gottes aufgenommenen Erlöser, den Herrn Jesus Christus – schweift nun des Apostels Paulus Blick *zu den zukünftigen Ereignissen, welche sich auf die ausschweifenden, von Gott und dem Herrn Jesus Christus entfernten Lehren der (Kirchen-)Gemeinden beziehen* – und teilt somit dem Timotheus unter Anwendung der eindeutigen Schärfe mit, dass ***… der Geist aber ausdrücklich sagt, dass in späteren Zeiten etliche vom Glauben abfallen und sich irreführenden Geistern und***

Lehren der Dämonen zuwenden werden. So lässt uns der Herr Jesus Christus in dem Evangelium des Johannes in Kapitel 16 im 13.Vers Folgendes in Erfahrung bringen: ***… wenn aber jener kommt, der Geist der Wahrheit,*** (der Heilige Geist!) ***… so wird er euch in die ganze Wahrheit leiten; denn er wird nicht aus sich selbst reden, sondern was er hören wird, das wird er reden, und was zukünftig ist, wird er euch verkündigen.*** Paulus erkennt jedoch mittels eines abschweifenden, ja – anhand eines vom Wohl der Kirchengemeinden *abfallenden Blickes in der Kraft des in seinem Herzen ruhenden Heiligen Geistes die beschwerlichen Zukunftsaussichten* ***… etlicher*** Menschen, ***… die vom Glauben abfallen*** (1.Timotheus, Kapitel 4, Vers 1a). Es sind jene *auf etliche Menschen zukommenden, von Gott und Christus restlos entfernten Zerstreuungen, welche sich mit* ***… irreführenden Geistern und Lehren der Dämonen*** (1.Timotheus, Kapitel 4, Vers 1b) *vom wahren, zum Heil der Herrlichkeit führenden Glauben beirren lassen.* Daher bekennt der Gesandte Gottes dem Timotheus weiterhin: ***… das aber sollst du wissen, dass in den letzten Tagen schlimme Zeiten eintreten werden*** (2.Timotheus, Kapitel 3, Vers 1 / Auslegung folgt!).

Der Apostel jedoch hat diesen bedeutenden Briefinhalt, (wie auch alle anderen von ihm verfassten Briefe!) der sich auf die reine, zu Gott und Christus bezogene Lehre bezieht *nicht ohne Hintergrund verfasst,* sondern mit diesen seinen Worten will es Paulus dem Gemeindeleiter Timotheus, den Aufsehern als auch den Diakonen / Diakonissen aufzeigen, *wie immens wichtig es ist, mit reinen stets zu Gott und dem Herrn Jesus Christus bezogenen Tugenden die ihnen zugeteilten Ämter im Geist der unabdingbaren Wahrheit zu vollführen, sodass alle Gemeindemitglieder als auch die außenstehenden Personen mit bleibender Achtung bemerken, wie wunderbar glückselig es ist, in der vom Geist Gottes geoffenbarten, ihnen allen zuteil-*

gewordenen Liebe Jesu Christi zu wandeln, um erfolgreiche Anwärter für das Reich der Himmel zu werden – dem Zielhafen des rundum von Gott in Christus Jesus gewollten Glaubens, dem *alle Menschen nachfolgen sollen, um in Ihre Herrlichkeit eingehen zu können.*

Folglich beschreibt diese von ganzer seelsorgerischer Nächstenliebe ummantelte Warnung des Apostels *die auf die gläubigen Menschen zu überwindenden Kampfausübungen mittels der gewichtigen, von Gott in Christus Jesus geoffenbarten Hilfsmaßnahmen in der Kraft des Heiligen Geistes,* um anhand dieser rundweg erforderlichen Abwehrmaßnahmen *nicht* in Versuchung zu geraten, *sodass ihr Glaube dem Willen Gottes gemäß rundum bewahrt bleibt.* Wahrhaft – es ist ein Kampf, der unmissverständlich aufzeigt, dass das Wohl und das Heil der Kirche von den Starken im Glauben *beschützt werden muss, sodass diese von Gott in dem Herrn Jesus Christus gegebenen Grundprinzipien der unabdingbaren Wahrheit die Glaubenden ohne abfallende Verführungen zum Ewigen Leben leiten.* Jedoch teilt der Geist der Wahrheit dem Apostel Paulus unzweifelhaft mit, dass den Gemeinden *negative, von Gott abfallende Beeinflussungen mancher* bzw. *einiger Menschen nicht erspart bleiben.* Die Gemeindemitglieder der Epheser selbst konnten bereits *einige Personen* innerhalb ihrer eigenen Gemeinde „kennenlernen“, *welche den listigen Verführungskünsten des Teufels nicht standhalten konnten* (siehe hierzu erneut Auslegung zu 1.Timotheus, Kapitel 1, Verse 3 – 11!). Diese vom Geist Gottes geprägten Warnungen des Paulus aber sind somit *bereits geschehene, sich in Zukunft noch weiter ausbreitende Abirrungen vom wahren Glauben, welche sich in* ***... späteren Zeiten mittels Zuwendungen an irreführenden Geistern und Lehren der Dämonen*** *widmen* (1.Timotheus, Kapitel 4, Vers 1b). Diese rundum bestätigten Worte des Geistes aber *weisen eindeutig darauf hin, dass der Geist unter der Verwendung mittels eines evident geprägten*

Sprachgebrauchs spricht. In der Tat – *die Gefahr verursacht Aufsehen.* Zwar hat der Glaube an bzw. in einigen / etlichen Personen Wirkung aufgezeigt – jedoch sticht es allzu deutlich hervor, *dass des Glaubens Ende die beschämende Verlorenheit preisgibt und bekundet, das einst anvertraute Wort Gottes in Christus restlos abgelegt,* ja – *rundum abgestoßen zu haben.* Nun aber weist uns der Glaube darauf hin, dass dieser in der Kraft des Heiligen Geistes bekennt: ***... dass der, welcher ein gutes Werk angefangen hat, es auch vollenden wird bis auf den Tag*** (die Wiederkunft / die Parusie Jesu Christi am Tag des Jüngsten Gerichts!) ***... Jesu Christi*** (Philipper, Kapitel 1, Vers 6b). Wie aber kann ein im Geist der Wahrheit stehender, fester Glaube mit widerwärtigen, gegen den allmächtigen Gott und den Herrn Jesus Christus gerichteten Handlungen befleckt und folglich rundum abgelegt werden?

Wiederum offenbart uns der Geist, *dass der restlose Verfall des Glaubens* von dem Apostel Paulus bereits benannten, gewichtigen *Kampf des Glaubens abhängig ist.* Die nun *etliche Menschen verführenden,* ja – ***... irreführenden Geister, Lehren und Dämonen*** (1.Timotheus, Kapitel 4, Vers 1b) *sind somit als entgegen der Lehre Gottes in Christus aufkommende Zerstörungsfaktoren christlicher, von Gott gewollter Lebensführungen in Betracht zu ziehen.* Es sind jene von dem Heiland Jesus Christus ausgesprochenen, warnenden Worte die da unmissverständlich lauten: ***... und es werden viele falsche Propheten auftreten und werden viele verführen*** (Matthäus, Kapitel 24, Vers 11). Noch eindeutiger präsentieren sich die mahnenden Worte Jesu Christi anhand der Deutung des Gleichnisses vom Sämann im Evangelium des Markus in Kapitel 4 in den Versen 16 – 19, welche die Abkehr vom Glauben in aller Deutlichkeit wie folgt offen darlegen: ***... und gleicherweise, wo auf steinigen Boden gesät wurde, das sind die, welche das Wort, wenn sie es hören, sogleich***

mit Freuden aufnehmen; aber sie haben keine Wurzel in sich, sondern sind wetterwendisch. Später, wenn Bedrängnis oder Verfolgung entsteht um des Wortes willen, nehmen sie zugleich Anstoß. Und die, bei denen unter die Dornen gesät wurde, das sind solche, die das Wort hören, aber die Sorgen dieser Weltzeit und der Betrug des Reichtums und die Begierden nach anderen Dingen dringen ein und ersticken das Wort, (das Wort Gottes / die Frohe Botschaft!) ***… und es wird unfruchtbar.***

Wahrhaft – so Paulus – *es sind die von den Dämonen aus verruchter Eigenregie erdachten Lehren, welche mittels heimtückischer Verführungskünste aller Art* „ihr eigenes Evangelium“ *den vom wahren Glauben abfallenden,* ja – genau *diesen etlichen Personen preisgeben.* Sie gleichen ***… Wolken ohne Wasser, von Winden umhergetrieben, unfruchtbare Bäume im Spätherbst, zweimal erstorben und enzwurzelt*** – betont der Halbbruder unseres Herrn Jesus Christus – Judas – anhand seines Briefes in Vers 12b. In der Tat – *es sind jene vom Herrlichkeitsbereich Gottes rundweg abirrenden,* ja – *in gottlose als auch trostlose Dekadenz verfallenden Personen,* ***… denen der Gott dieser Weltzeit*** (der Satan / der Teufel!) ***… die Sinne verblendet hat, sodass ihnen das helle Licht des Evangeliums von der Herrlichkeit des Christus nicht aufleuchtet, welcher Gottes Ebenbild ist*** (2.Korinther, Kapitel 4, Vers 4). Somit sind *die Geister als die irreführenden Widersacher Gottes in Betracht zu ziehen – die Dämonen präsentieren ihre verfinsternden, von Gott abkehrenden Versuchungen anhand ihrer ihnen in Verruchtheit anhängenden, selbst erdachten, gottwidrigen Lehren,* so der Apostel. Es sind jene alles in allem *unerschrockenen, fest entschlossenen und zugleich machthaberisch geprägten Versuchungsdelikte fremder Mächte, welche stets darauf bedacht sind, die Glaubenden in ihren verfinsternden, vollkommen lichtleeren Bann der allseits von Gott in Christus getrennten, bedau-*

ernswerten und zugleich rundweg abgeschiedenen Einsamkeit zu ziehen, so Paulus. Der Halbbruder unseres Herrn Jesus Christus – Jakobus – beschreibt daraufhin *solche vom wahren Glauben an Gott und den Heiland Jesus Christus abfallende Personen mit warnender Aussprache wie folgt, denn sie* ***… gleichen einer Meereswoge, die vom Winde getrieben und aufgepeitscht wird. Ein solcher Mensch denke nicht, dass er etwas von dem Herrn empfangen werde. Ein Zweifler ist unbeständig auf allen seinen Wegen*** (Jakobus, Kapitel 1, Verse 6b – 8 / Lutherbibel 2017).

Vers 2: Es sind solche von ganzer Unentschlossenheit geprägten Individuen, welche ***… durch die Heuchelei*** (oder Verstellungskunst = Quelle: Schlachter-Bibel 2000!) ***… von Lügenrednern in ihrem eigenen Gewissen gebrandmarkt sind,*** so Paulus. Wahrhaft – *diese rundum fern vom Geist der Wahrheit Gottes lebenden Menschen halten ihre vom Fleisch* (von Sünde!) *beseelte, unehrlich geprägte Arglist für eine bedeutende Tugend, merken jedoch selbst nicht, dass sie sich anhand ihrer eigenen erlogenen Worte selbst dem Zorn Gottes preisgeben, sondern auch ihre willig-schwachen Zuhörer mittels ihrer sich aufblähenden Äußerungen in die von ganzer Dekadenz entfernte, gottwidrige Leere hineinkatapultieren.* Daher ist auch *ihre ethische Gesinnung,* ja – *ihr eigenes Verantwortungsbewusstsein vollkommen entwürdigt,* so Paulus. Daher mahnt auch unser Herr Jesus Christus die an Ihn Glaubenden vor solchen Falschpredigern wie folgt: ***… hütet euch aber vor den falschen Propheten, die in Schafskleidern zu euch kommen, inwendig aber reißende Wölfe sind!*** (Matthäus, Kapitel 7, Vers 15) – und fügt diesen Irrlehrern zugleich die sie charakterisierenden Worte hinzu ***… ihr habt den Teufel zum Vater*** (Johannes, Kapitel 8, Vers 44a).

In der Tat – aus ihren eigenen Herzen *sprechen sie sich selbst ihr eigenes abgeschlossenes Urteil; denn die von Gott und dem Herrn Jesus Christus ausgehende Gnade kann sie nicht erreichen oder gar an sie herannahen, weil ihre versteinerten Herzen die vollkommenen Wahrheit Gottes in Christus Jesus mittels ihrer durch* „Eigenregie erdachter Klugheit" *strikt abwehren.* Ja – ***… das Herz der Narren schreit die Torheit heraus*** – heißt es daher in den Sprüchen Salomos in Kapitel 12, Vers 23b – denn ***… ihre Gesinnung als auch ihr Gewissen sind befleckt*** – komplettiert der Apostel Paulus die Worte des König Salomo in seinem Brief an Titus in Kapitel 1, Vers 15b. Diese falschen Propheten suchen *eine neue Lehre, um Gott und den Menschen wohlzugefallen, bedenken jedoch nicht, dass ihre sündenbefleckten, gottwidrigen Taten mittels der von Gott an sie gerichteten Strafe Folgendes ausgerichtet haben* – denn: ***… die Sünde wurde mit eisernem Griffel aufgeschrieben und mit diamantener Spitze auf die Tafel ihrer Herzen eingegraben*** (Jeremia, Kapitel 17, Vers 1).

Es sind solche von der vollkommenen Wahrheit Gottes als auch der unantastbaren Evangeliums-Lehre Jesu Christi *abgekapselte Individuen,* welche sich aufgrund ihrer Taten wie folgt zu erkennen geben – denn ***… die Unwissenden und Ungefestigten*** (im Glauben!) ***… verdrehen*** die Botschaft des Evangeliums des Apostels Paulus ***… als auch die übrigen Schriften*** (hier bezeugt Petrus, dass die Briefe des Apostels Paulus zu den heiligen Schriften gehören und schon damals als solche anerkannt waren = Quelle: Schlachter-Bibel 2000!) ***… zu ihrem eigenen Verderben*** – betont der Apostel Petrus aufgrund seiner vom Heiligen Geist umrahmten, intensiven Glaubensgewissheit zu Gott und dem Herrn Jesus Christus in seinem 2.Brief in Kapitel 3 in Vers 16b.

Vers 3: Diese neue Gesinnung der Lehre jener Falschprediger weist zugleich auf, *dass sie den wahren Glauben vollends verlassen und somit resigniert haben – indem* ***… sie verbieten zu heiraten und Speisen zu genießen, die doch Gott geschaffen hat, damit sie mit Danksagung gebraucht werden von denen, die gläubig sind und die Wahrheit erkennen*** – betont der Apostel Paulus.

Die Verstocktheit der Irrlehrer hält sie noch nicht einmal davon ab, die von Gott geheiligte (Ein-)Ehe zwischen Mann und Frau zu achten; denn ***… die Ehe soll von allen in Ehren gehalten werden*** – heißt es im Brief an die Hebräer in Kapitel 13, Vers 4a. Stattdessen *verbieten die Falschprediger die vom Höchsten allen Menschen geoffenbarte heilige Ehe mittels ihres selbst erdachten gesetzlichgeprägten, anmutendem Zwanges.* Vielleicht liegt der durchtrieben erdachte Hintergrund dieses Verbotes darin begründet, *dass durch das Eheverbot der göttliche Wille mittels des Geistes Gottes ausgelöscht wird.*

Auch spricht Gott, der HERR: ***… alles, was sich regt und lebt, soll euch zur Nahrung dienen; wie das grüne Kraut habe ich es euch alles gegeben*** (1.Mose, Kapitel 9, Vers 3). Jedoch auch *diese von Gott den Menschen gegebenen Satzungen ignorieren diese Gottesgegner mittels ihrer intolerant gekennzeichneten, rundum dogmatischen Rechthaberei anhand alttestamentlicher, jedoch von dem Messias Jesus Christus aufgehobenen Speiseritualen.* So spricht der Heiland Jesus Christus: ***… alles, was von außen in den Menschen hineingeht, kann ihn nicht unrein machen. Denn es geht nicht in sein Herz, sondern in den Bauch und kommt heraus in die Grube. Damit erklärte er alle Speisen für rein. Und er sprach: Was aus dem Menschen herauskommt, das macht den Menschen unrein. Denn von innen, aus dem Herzen der Menschen, kommen heraus die***

bösen Gedanken, Unzucht, Diebstahl, Mord, Ehebruch, Habgier, Bosheit, Arglist, Ausschweifung, Missgunst, Lästerung, Hochmut, Unvernunft. All dies Böse kommt von innen heraus und macht den Menschen unrein (Markus, Kapitel 7, Verse 18b – 23 / Lutherbibel 2017).

Denn so schreibt Paulus in seinem Brief an die Römer in Kapitel 14, Vers 6b: ***… wer isst, der isst für den Herrn, denn er dankt Gott; und wer nicht isst, der enthält sich der Speise für den Herrn und dankt Gott auch – denn es wird geheiligt durch Gottes Wort und Gebet*** (1.Timotheus, Kapitel 4, Vers 5 / Auslegung folgt!).

Wahrhaft – anhand dieser *gottwidrigen, rundweg ungehorsam sich ausweisenden Handhabungen beflecken diese Irrlehrer nicht nur die natürlichen Ordnungen des himmlischen Vaters, sondern rauben und zerstören zugleich die dem Glaubenden seine ihm vom Höchsten gegebene Freiheit.* So schreibt der Apostel Paulus *über die Ungläubigen* in seinem Brief an die Römer folgende unmissverständliche auf sie zutreffende Worte: ***… denn obgleich sie Gott erkannten, haben sie ihn doch nicht als Gott geehrt und ihm nicht gedankt, sondern sind in ihren Gedanken in nichtigen Wahn verfallen, und ihr unverständiges Herz wurde verfinstert. Sie, welche die Wahrheit Gottes mit der Lüge vertauschten und dem Geschöpf Ehre und Gottesdienst erwiesen anstatt dem Schöpfer, der gelobt ist in Ewigkeit. Amen!*** (Römer, Kapitel 1, Verse 21 + 25).

Der Glaubende jedoch schaut auf *das,* was Gott ihm in Seiner barmherzigen Gnade tut und schenkt. Mit *demütiger Haltung bleiben somit die Gläubigen in,* bzw. *unter den ihnen geoffenbarten Anweisungen des himmlischen Vaters in dem Herrn Jesus Christus.* Daher *lebt und schöpft die im Glauben stehende Menschheit ihre vertrau-*

ensvolle Zuverlässigkeit immerdar aus der ihnen zuteilgewordenen Liebe Gottes in Christus Jesus. Glaube kann somit immer mit pflichterachtender Gottesfurcht als auch mit der lobpreisenden Anerkennung Gottes in Betracht gezogen werden – aus Eigenregie hervorgetretene Scheinheiligkeitsszenarien *obliegen der rundum beschämenden und zugleich befleckenden Gottesbeschämung,* ja – *der rundum widerwertigen Gotteslästerung.* Wer jedoch die Gaben Gottes *so* betrachtet, *wie sie von Gott für sie erschaffen wurden, diejenigen Gläubigen schenken dem Herrn der Welt dankende, aus ihren vom Glauben erfüllten Herzen kommenden Charaktere der Gott anerkennenden Ehrung mittels ihrer zu Ihm gerichteten Gebete.* Die schweifenden Blicke der Dankbarkeit der Glaubenden gen Himmel *haben erkannt, dass die ihnen geoffenbarte Ehrerbietung des Höchsten ihnen dies alles ermöglicht und zukommen lässt. Es ist jene ihnen allen von dem sie liebenden himmlischen Vater übergebene Segnung im Glauben an den Herrn und Erlöser Jesus Christus, der ihnen gemeinsam diese in ihren von Glauben erfüllten Herzen ruhende Freiheit durch das fleischgewordene Wort Gottes* (Jesus Christus!) *in ihre fleischernen, von Liebe getränkten Herzen legt.* Daher bekennen sie dem himmlischen Vater folgende lobpreisenden Worte: ***… gelobt sei der HERR; denn er hat erhört die Stimme meines Flehens. Der HERR ist meine Stärke und mein Schild; auf ihn traut mein Herz und mir ist geholfen. Nun ist mein Herz fröhlich, und ich will ihm danken mit meinem Lied*** (Psalm 28 – Bitte um Verschonung – Dank für Errettung – ein Psalm Davids, Verse 6 + 7 / Lutherbibel 2017).

Vers 4: Mit Worten der unabänderlichen Wahrheit bekennt der Apostel nun, dass ***… alles, was Gott geschaffen hat, gut ist, und nichts verwerflich ist, wenn man es mit Danksagung empfangen wird.*** So heißt es eindeutig im 1.Buch Mose in Kapitel 1, Vers 31a:

... und Gott sah alles, was er gemacht hatte; und siehe, es war sehr gut. Und in Bezug *auf die von den Irrlehrern angefochtenen Speisevorschriften* betont der Apostel***: ... nun bringt uns aber eine Speise nicht näher zu Gott; denn wir sind nicht besser, wenn wir essen, und sind nicht geringer, wenn wir nicht essen*** (1.Korinther, Kapitel 8, Vers 8). Paulus bezieht diese seine Äußerung noch ein weiteres Mal *hinsichtlich jener von den Gegnern Gottes verbotenen Speiserituale.* Daraufhin bekennt er weiterhin: ***... und wenn ich es dankbar genieße, warum sollte ich gelästert werden über dem, wofür ich danke? Ob ihr nun esst oder trinkt oder sonst etwas tut – tut alles zur Ehre Gottes!*** (1.Korinther, Kapitel 10, Verse 30 + 31).

Unmissverständlich wird es offenbar, *dass die verbotenen Vorschriften der Widersacher Gottes keinerlei zu Gott und dem Herrn Jesus Christus bezogenen Wahrheitsdelikte erkennen lassen.* Sie sind daher *als nichtige, rundum von Gott in Christus getrennte Aussagen in Betracht zu ziehen, welche mit ihren rundweg falschen Behauptungen die Reinheit Gottes in Christus beflecken.* Die Worte Gottes und die Evangeliums-Verkündigung Jesu Christi *schenken den Gläubigen die wahren, unmissverständlichen und zugleich verbindlich einzuhaltenden Wahrheitsprinzipien, um erfolgreiche Anwärter für das Himmelreich zu werden.* Um das exakt *diese Prinzipien der Wahrheit von allen Gemeindemitgliedern eingehalten werden,* verfasst der Apostel Paulus *diese an den Timotheus gerichteten Worte, weil in ihnen die vom Heiligen Geist Gottes geoffenbarte Wahrheit des allmächtigen Gottes ruht.* Mittels dieser *allseits verbindlichen, von Paulus verfassten, einzig und allein von Gott in Christus Jesus gegebenen, stets einzuhaltenden Anweisungen formt der himmlische Vater nicht nur den Timotheus zu einem Kind Seiner selbst, sondern auch alle Gemeindemitglieder werden unter Einhaltung dieser vom Höchsten in Christus geoffenbarten Richtlinien in den Lichtglanz der Herrlichkeit*

Jesu Christi vollends aufgenommen, so der Apostel. Durch genau *diese* zum Ewigen Leben führenden Eigenschaften *setzen alle Gemeindemitglieder der Epheser den zur Seligkeit führenden Willen Gottes in Jesus Christus um, weil sie es* ***... mit Danksagung empfangen*** (1.Timotheus, Kapitel 4, Vers 4b).

Vers 5: Eben weil die Gemeindemitglieder im Glauben und in der ihnen allen geoffenbarten Kraft des Heiligen Geistes als ***... Söhne des Lichts und Söhne des Tages*** (1.Thessalonicher, Kapitel 5, Vers 5a) *von Gott in Christus aufgenommen wurden,* ja – *weil sie alle* ***... mit Danksagung*** (1.Timotheus, Kapitel 4, Vers 4b) *dem Herrn der Welt ihren Dank durch das ihnen zuteilgewordene Heil in Christus bekunden, wird alles, was der himmlische Vater in Jesus Christus erschaffen hat* ***... geheiligt durch Gottes Wort und Gebet*** (1.Timotheus, Kapitel 4, Vers 5). Sie sind es, welche ***... gläubig sind und die Wahrheit erkannt haben*** (1.Timotheus, Kapitel 4, Vers 3 / siehe Auslegung!).

Paulus weist die Gemeinde an dieser Stelle auf die *stets einzuhaltenden Worte Gottes hin, wobei er nochmals die von Gott ihnen allen gegebenen Speisen als auch die Schöpfungsgeschichte des himmlischen Vaters in Betracht zieht.* Es ist sind wiederum *jene in den von ganzen Glauben erfüllten Herzen voller Dankbarkeit an Gott gerichteten* ***Gebete,*** *welche die Lobpreisungen Seiner an die Gemeindemitglieder im Heiligen Geist offenbarte Herrlichkeit im Lichtglanz Jesu Christi bekunden.* Dies sagt zugleich aus, dass *alles, was uns der himmlische Vater schenkt, in einem stets von Gott in Christus gewollten, nahen Zusammenhang,* ja – *in verbindlicher Gemeinsamkeit mit Ihnen selbst steht.* Somit ist *alles, was Gott uns schenkt, unmissverständlich als* „sehr gut" *zu beurteilen.* Darum sind auch die an Gott und den Herrn Jesus Christus gerichteten Gebete, *welche die Gaben als auch die Dankbarkeit der uns geschenkten Speisen beinhalten, keinesfalls unheilig, sondern diese allseits zu Gott und Christus Jesus gerichteten Gebete tragen dazu bei, dass die uns zuteilwerdenden Gaben des allmächtigen Schöpfers einen rundum heiligen Status besitzen, welche abermals den unantastbaren Willen Gottes bekunden.*

Der Apostel Paulus will mittels dieser seiner Worte dem Timotheus berichten, *wie immens wichtig es ist, anhand seiner im Geist der Wahrheit Gottes offenbarten* (des Apostels` an den Timotheus gerichteten!) *Anweisungen ein Gott und Christus wohlgefälliges Leben in und zugleich aus der Kraft des Heiligen Geistes zu begehen als auch rundum zu vollführen.* Folglich sind die *vorgeschriebenen Pflichtausübungen der Irrlehrer von Gott und Christus immerdar entfernte, stets scheiternde Verdrehungen der zur vollkommenen Wahrheit und zum ewigen Heil führenden, unwiderruflichen Maßnahmen Gottes.* Denn *nur der Geist Gottes hinterlegt den Glaubenden die vollkommene Wahrheit des himmlischen Vaters in Christus Jesus.* Eben weil der Apostel *den Timotheus* ***… als (m)sein geliebtes Kind*** (2.Timotheus, Kapitel 1, Vers 2a / Auslegung folgt!) *so sehr schätzt und liebt, schenkt und legt er ihm mit seinen Worten die unverblümte Wahrheit Gottes in dem Herrn Jesus Christus in einer besonders wohlwollenden, jedoch stets ernst zu nehmenden Ausführlichkeit in der Kraft des ihm von Gott in Christus gegebenen Heiligen Geistes aus.* Denn des Paulus vom Geist der Wahrheit Gottes getragene *Wille* ist es, *das alle Gemeindemitglieder in den unnachahmlichen Heilsbereich des himmlischen Vaters gelangen, der ihnen allen von und durch den Herrn und Heiland Jesus Christus in der ihnen allen geoffenbarten Liebe des höchsten Gottes zugänglich gemacht wurde.*

Der Apostel ist gewiss, dass der Leiter der Gemeinde – Timotheus – *diese unermesslich wichtige Aufgabe nach bestem Wissen und Gewissen mittels seines tief im Herzen ruhenden, vom Heiligen Geist getragenen Glauben erfüllen wird,* (siehe nachfolgende Auslegung unter 1.Timotheus, Kapitel 4, Vers 6 ff.!) sodass letztlich *alle Gemeindemitglieder der Epheser voller Dankbarkeit dem himmlischen Vater bekunden können:* ***… dass Güte und Treue einander begegnen, Gerechtigkeit und Friede sich küssen; dass Treue auf der Erde wachse und Gerechtigkeit vom Himmel schaue; dass uns auch der HERR Gutes tue und unser Land seine Frucht gebe; dass Gerechtigkeit vor ihm her gehe und seinen Schritten folge*** (Psalm 85 – ein Psalm der Korachiter, Verse 11 – 14 / Lutherbibel 2017).

Verse 6 – 16

Anweisungen für treue Diener Gottes

[6]Wenn du dies den Brüdern vor Augen stellst, wirst du ein guter Diener Jesu Christi sein, der sich nährt mit den Worten des Glaubens und der guten Lehre, der du nachgefolgt bist. [7]Die unheiligen Altweiberlegenden aber weise ab; dagegen übe dich in der Gottesfurcht! [8]Denn die leibliche Übung nützt wenig, die Gottesfurcht aber ist für alles nützlich, da sie die Verheißung für dieses und für das zukünftige Leben hat. [9]Glaubwürdig ist das Wort und aller Annahme wert; [10]denn dafür arbeiten wir auch und werden geschmäht, weil wir unsere Hoffnung auf den lebendigen Gott gesetzt haben, der ein Retter aller Menschen ist, besonders der Gläubigen. [11]Dies sollst du gebieten und lehren! [12]Niemand verachte dich wegen deiner Jugend, sondern sei den Gläubigen ein Vorbild im Wort, im Wandel, in der Liebe, im Geist, im Glauben, in der Keuschheit!

[13]Bis ich komme, sei bedacht auf das Vorlesen, das Ermahnen und das Lehren. [14]Vernachlässige nicht die Gnadengabe in dir, die dir verliehen wurde durch Weissagung unter Handauflegung der Ältestenschaft! [15]Dies soll deine Sorge sein, darin sollst du leben, damit deine Fortschritte in allen Dingen offenbar seien! [16]Habe acht auf dich selbst und auf die Lehre; bleibe beständig dabei! Denn wenn du dies tust, wirst du sowohl dich selbst retten als auch die, welche auf dich hören.

Auslegung:

Vers 6: Paulus geht nun über zu seinen Anweisungen, welche den treuen Dienern Gottes gewidmet sind – und betont nunmehr gegenüber dem Leiter der Gemeinde – dem Timotheus – *dass er die Worte insbesondere* aus den Versen 3 + 4 des gleichnamigen 4.Kapitels dieses 1.Briefes an Timotheus (siehe Auslegung!) *in seinem Amt umsetzen muss, damit* Timotheus ***… ein guter Diener Jesu Christi sein wird, der sich nährt mit den Worten des Glaubens und der guten Lehre, der*** *Timotheus* ***… nachgefolgt ist.***

Mittels *exakt dieser vom Geist Gottes wohlwollenden, als auch vom Geist der Wahrheit durch den Glauben gesegneten Handhabungen wird nun ersichtlich, dass die Gemeinde.* ja – ***… die Brüder*** (die Glaubensgeschwister! / 1.Timotheus, Kapitel 4, Vers 6a) *der Epheser den Timotheus* ***… als Diener des Christus und Haushalter*** (Verwalter = Quelle: Schlachter-Bibel 2000!) ***… der Geheimnisse Gottes*** (1.Korinther, Kapitel 4, Vers 1b) *in Betracht ziehen – und ihm ihre volle Aufmerksamkeit, als auch ihr vollstes Vertrauen im Glauben widmen, weil er sich anhand dieser Gott stets wohlgefälligen Hand-*

lungen immerdar aufgrund seines vom Heiligen Geist geleiteten Glaubens mit ***... viel standhaftem Ausharren in Bedrängnissen, in Nöten*** *und* ***... in Ängsten,*** ja – *sich rundum jederzeit als ihr* „oberster" ***... Diener Gottes empfiehlt*** (2.Korinther, Kapitel 6, Vers 4). Anhand *dieser* vom Geist der Wahrheit getragenen Liebesbeweise gegenüber allen Gemeindemitgliedern der Epheser ***... strebt*** Timotheus ***... eifrig danach, sich Gott als bewährt zu erweisen, als ein Arbeiter, der sich nicht zu schämen braucht, und der das Wort der Wahrheit recht teilt*** (richtig unterscheidet / austeilt / gerade schneidet = Quelle: Schlachter-Bibel 2000!) – so Paulus in 2.Timotheus, Kapitel 2, Vers 15 / Auslegung folgt!).

Es ist jener aufgrund des innigen Glaubens *sich einfügende als auch zu vollführende* „Tätigkeitswille" des Timotheus, *welcher in der Kraft des Heiligen Geistes eifrig bemüht ist, die Wahrheit Gottes in Christus Jesus in die Herzen anderer Menschen* (an dieser Stelle bezogen auf die Gemeindemitglieder der Epheser!) *voller seelsorgerischer Nächstenliebe zu hinterlegen.* In der Tat – *es ist nun jener sich der Gemeinde* „repräsentierende Timotheus" – *der sich mittels der unabdingbaren* ***... Wahrheit*** *der Worte Gottes anhand seines* ***... Glaubens und der guten Lehre*** *der Gemeinde als solcher zu erkennen gibt.* Es ist erneut *genau dieser von Gott gewollte Gemeindeleiter, der sich aufgrund seiner vom Geist der Wahrheit* „forcierten" ***... Lehren*** *ausweist,* ***... welchen*** Timotheus *unentwegt* ***... nachgefolgt ist,*** (1.Timotheus, Kapitel 4, Vers 6b) *um dieses bedeutende Amt gemäß dem über allem stehenden Willen Gottes in Christus auszuüben zu können.*

Nun kann des Apostels Paulus ***... geliebtes Kind*** (2.Timotheus, Kapitel 1, Vers 2a / siehe noch kommende Auslegung!) im Glauben – Timotheus – voller Dankbarkeit dem allmächtigen Gott und dem

Herrn Jesus Christus im Gebet bekunden: ***… empfing ich deine*** (Gottes!) ***… Worte, so habe ich sie verschlungen, und deine Worte wurden meine Wonne, die Freude meines Herzens, denn dein Name ist ausgerufen über mir, HERR, Gott der Heerscharen*** (Jeremia, Kapitel 15, Vers 16 / Zürcher Bibel). Und weiterhin kann Timotheus den ihn liebenden himmlischen Vater in dem nun folgenden Gott lobpreisenden Gebet der Dankbarkeit aussprechen: ***… wohl dem, der nicht wandelt im Rat der Gottlosen noch tritt auf den Weg der Sünder noch sitzt, wo die Spötter*** (Frevler = Quelle: Lutherbibel 2017!) ***… sitzen, sondern hat Lust am Gesetz des HERRN und sinnt über seinem Gesetz Tag und Nacht! Der ist wie ein Baum, gepflanzt an den Wasserbächen, der seine Frucht bringt zu seiner Zeit, und seine Blätter verwelken nicht. Und was er macht, das gerät wohl*** (Psalm 1, Verse 1 – 3 / Lutherbibel 2017).

Abermals kann man an dieser Stelle die dem Timotheus von dem Apostel Paulus gewidmete Liebe förmlich nachfühlen – und diese von ganzem Herzen ausgehende Zuneigung *unterstreicht zugleich die des Paulus in seinem Herzen ruhende Nächstenliebe in der Kraftausgießung des Heiligen Geistes.* Folglich entpuppen sich *die Worte des Glaubens immerdar als solche, welche wiederum den Glauben rundum bewirken.* Denn die an Timotheus gerichteten Worte *umrahmen die seelsorgerischen Wesenszüge,* ja – *die alles prägende Fürsorge des Apostels, der mittels dieser unentwegt hilfreichen, zum Ewigen Leben führenden Hilfsmaßnahmen als des Timotheus Ziehvater im Glauben nicht nur den Leiter der Gemeinde, sondern alle Gemeindemitglieder der Epheser in die himmlischen Sphären des sie liebenden, allmächtigen Gottes leiten will.* Erneut wird es allzu deutlich erkennbar, dass Paulus *vollends in und aus der Kraft der Evangeliums-Botschaft Gottes in Christus Jesus sein vom Geist der Wahrheit betuchtes Leben begeht. Seine ganze Freude,* ja – *der rundum prägende über allem stehende Inhalt,* wahrhaft – *der wichtigste Mittelpunkt seines Daseins ist* ***… Christus – die Hoffnung der Herrlichkeit*** (Kolosser, Kapitel 1, Vers 27b). *Diesen von Gott in Jesus Christus gewollten Richtlinien soll sich Timotheus anschließen, sodass auch er immerdar der Gemeinde in Ephesus als ein (r)echtes Vorbild zum Wohl aller in Betracht gezogen werden kann: als ein von der ganzen Gemeinde zu lobpreisender Diener Gottes im Herrn Jesus Christus.* In der Tat – *es ist jener von Christus Jesus geebnete, von allen Glaubenden zu begehende Weg, der die Auserwählten in das Reich der Himmel leitet.*

Vers 7: Daraufhin mahnt der Apostel Paulus den Timotheus eindringlich: ***… die unheiligen Altweiberlegenden*** (Spekulationen / erfundenen Geschichten / „Mythen" = Quelle: Schlachter-Bibel 2000!) ***… aber weise ab; dagegen übe dich in der Gottesfurcht!*** Abermals bezieht sich Paulus *auf die von ihm bereits benannten Kriterien der *nichtigen Mutmaßungen, welche keinerlei zum Heil fordernde Hilfsmaßnahmen durch den wahren Glauben beinhalten.* Von solchen ***… unheiligen*** „Mythen" *soll sich Timotheus stets fernhalten* (*siehe erneut Auslegung zu 1.Timotheus, Kapitel 1, Vers 4!).

Vielmehr aber soll sich Timotheus ***… der Gottesfurcht üben,*** (1.Timotheus, Kapitel 4, Vers 7b) *die im Glauben mit* ***… Gnade, Barmherzigkeit*** *und* ***… Frieden*** (1.Timotheus, Kapitel 1, Vers 2b / siehe Auslegung!) *beseelt ist. Exakt diese vorbildlichen, vom Geist Gottes geleiteten Charaktere weisen sich immerdar als Gott und Christus wohlgefällige Tugenden eines wahren, von Ihnen geleiteten Diener Gottes aus.* Wahrhaft – *diese* ***… Gottesfurcht ist eine große Bereicherung*** (1.Timotheus, Kapitel 6, Vers 6a / Auslegung folgt!) *für den Träger als auch für die ganze Gemeinde ,* so der Apostel.

So betitelt der Apostel Petrus die Gottesfurcht in seinem 2.Brief, Kapitel 1 in den Versen 6 + 7 wie folgt: ***... in der Erkenntnis aber die Selbstbeherrschung, in der Selbstbeherrschung aber das standhafte Ausharren,*** (die Geduld / das „Darunterbleiben" ohne Lasten und Schwierigkeiten = Quelle: Schlachter-Bibel 2000!) ***... im standhaften Ausharren aber die Gottesfurcht, in der Gottesfurcht aber die Bruderliebe*** (Geschwisterliebe / Nächstenliebe!) ***... in der Bruderliebe aber die Liebe*** (die Liebe Gottes = Quelle: Schlachter-Bibel 2000!).

Paulus will an dieser Stelle *die Gottesfurcht hervorheben, welche die tugendhaften Kennzeichen eines Glaubenden umrahmend preisgeben. Diese von ganzer Güte, Freundlichkeit und Reinheit ummantelten, Gott und Christus stets wohlgefälligen Handlungen eines im Heiligen Geist gesegneten Gemeindeleiters sind es letztlich, die zum Heil des von Paulus benannten Amt-Trägers als auch zum Heil der gesamten Gemeinde beitragen, um die vor allem stehende Seligkeit im Herrn zu bewirken.* Daraufhin *harmonisieren der zu Gott und dem Herrn Jesus Christus bezogene Glaube mit den von den Menschen ausgehenden christlichen Handhabungen miteinander in eine von Gott stets beabsichtigte, nicht zu trennende Einheit, welche letztlich zur Seligkeit Seiner Herrlichkeit selbst führen.* Daher ist es immens wichtig, dass Timotheus *diesen Weg der Gottesfurcht wählt, um sich nicht mittels fremder, ganz und gar unbedeutender, vollkommen irreführender Worte dahin gibt, welche ohne jegliche gewährleistenden mit Gewinn fördernden Vorhaben geschmückt sind, denn diese verlassen die vollkommene Reinheit Gottes in dem Herrn Jesus Christus und zerschellen folglich in trostlose, vollkommen lichtleere Dekadenz.* Darum *müssen genau die zum Heil der Herrlichkeit Gottes führenden Maßnahmen befolgt* und von Timotheus *eingeschlagen werden* – so Paulus – *um in den Heilsbereich des himmlischen Vaters durch Christus Jesus eingehen zu können.* Es ist exakt *dieser alles in allem entfachend-bewegende, widerstandsfähige als auch der zugleich stabilisierende Weg der Gottesfurcht,* der den Dienst eines Gemeindeleiters in die himmlischen Sphären Gottes leitet. *Nur in und aufgrund dieser Tugenden wird ein reines, zu Gott und Jesus Christus bezogenes Dasein in der Kraftwirkung des Heiligen Geistes sicht-, erkenn- als auch für alle anderen Gemeindemitglieder der Epheser nachvollziehbar, weil allein diese Handlungen voll und ganz dem Willen Gottes in Christus vollends entsprechen.*

Wenn nun *diese von ganzer Gottesfurcht vom Heiligen Geist gegebenen Tugenden in die Herzen aller Gemeindemitglieder einkehren, dann können sie gemeinschaftlich miteinander bekunden:* ***… Gutes und Barmherzigkeit werden mir folgen mein Leben lang, und ich werde bleiben im Hause des HERRN immerdar*** (Psalm 23 – der gute Hirte, ein Psalm Davids, Vers 6 / Lutherbibel 2017).

Vers 8: Der Apostel *stellt nun* ***… die leibliche Übung der Gottesfurcht*** *gegenüber* – und kommt zur folgenden Feststellung: ***… denn die leibliche Übung nütz wenig, die Gottesfurcht aber ist für alles nützlich, da sie die Verheißung für dieses und für das zukünftige Leben hat.*** Es sind jene menschlich-geprägten Übungen, der … ***leiblichen Übungen,*** die sich wie folgt erkenntlich zeigen: ***… „rühre das nicht an, koste jenes nicht, betaste dies nicht!“ – was doch alles durch den Gebrauch der Vernichtung anheimfällt – (Gebote) nach den Weisungen und Lehren der Menschen, die freilich einen Schein von Weisheit haben in selbst gewähltem Gottesdienst und Demut und Kasteiung des Leibes*** (d.h. eine harte Behandlung bzw. Vernachlässigung des Leibes in eigenwilliger Askese = Quelle: Schlachter-Bibel 2000!) ***… (und doch) wertlos sind und zur Befrie-***

digung des Fleisches dienen (Kolosser, Kapitel 2, Verse 21 – 23). Wahrhaft – so Paulus – *die* „mythisch-menschlichen Kraftausübungen“ *sind keinerlei zur Reinheit Gottes führende Argumente, welche zur Seligkeit beitragen* (siehe hierzu erneut Auslegung unter 1.Timotheus, Kapitel 1, Verse 3 + 4!). *Jedoch bändigen diese Handhabungen den Leib mit entkräftenden Nebenwirkungen mittels der rundum schwachen, menschlichen Absichten.*

Daher gilt für den Apostel Paulus: ***... ich bezwinge meinen Leib und beherrsche ihn*** (1.Korinther, Kapitel 9, Vers 27a) *anhand christlicher, Gott zu Christus führenden Tugenden durch Glauben in der Kraft des Heiligen Geistes, weil durch das Bezwingen des Leibes die von Glauben erfüllte Ehrerbietung Gottes hervorgerufen wird.*

Vielmehr aber sind es die überaus bedeutenden, zum Heil der Herrlichkeit führenden, von ganzer Seligkeit umrahmten, Gott und Christus wohlgefälligen Handlungen ***... der Gottesfurcht,*** *welche den Menschen mittels seines Glaubens in der Kraft des Heiligen Geistes zu dem Willen als auch dem Ausführen* ***... der Gottesfurcht*** *mittels der* ***... Verheißung*** *leiten.* So heißt es: ***... fürchtet den HERRN, ihr seine Heiligen! Denn die ihn fürchten, haben keinen Mangel*** (Psalm 34 – ein Psalm Davids, Vers 10 / Lutherbibel 2017). Denn *diese allseits willigen, durchaus von dem Leib der Menschen ausgehenden* „Übungen“ *sind immerdar nahrhaft, weil sie mit dem Lichtglanz der Herrlichkeit Gottes im Herrn und Heiland Jesus Christus in bleibender Verbindung stehen – und genau von dieser geistigen Kraft ernährt werden, um mittels der von den Menschen ausgehenden, leiblich-geistigen Übungen in den Heilsbereich der Herrlichkeit Gottes in Christus eingehen zu können. Allein mit diesem durch Glauben in der Kraft des Heiligen Geistes ernährten Handeln in Form von Denken, Agieren und Tun wird die den Menschen immerdar von Gott* *in Christus offenbarte Seligkeit erkennbar;* denn mittels dieser stets vom Höchsten unterstützter Handhabungen *wird gleichzeitig die Ehre als auch die unnachahmliche Herrlichkeit des himmlischen Vaters in dem Herrn Jesus Christus hervorgerufen, als auch verwirklicht.* Denn in der von Glauben erfüllten Frömmigkeit *wird nicht nur das Verhalten der Gläubigen, sondern auch das rundum stets gewichtig zu erachtende,* ja – *jenes zu Gott und Christus bezogene Handeln in den über allen stehenden Vordergrund gestellt, welches rundweg betont, dass mittels exakt dieser Handhabungen genau dieses von Gott verheißene, selige Leben auffindbar ist, welches nach den stets gewollten Richtlinien des Allmächtigen in Christus ausgeübt wird.* Denn *nur* mit diesen Gott und dem Herrn Jesus Christus wohlgefälligen Handeln *wird das Heil in den Herzen der Menschen mittels der Kraft des Heiligen Geiste sicht- und erkennbar.*

Die Gaben und der Segen Gottes führen die Gläubigen in den Heilsbereich Seiner unwiderruflichen Herrlichkeit in Christus Jesus – und zeigen den Menschen auf, *dass jene Gaben und der dazugehörende Segen Gottes in der gewichtigen Verbindung mit dem Glauben die Menschen anhand des ihnen zuteilgewordenen Heiligen Geistes nunmehr die Glaubenden in den Heilsbereich des himmlischen Vaters einkehren lassen, dessen alleiniger Wegbereiter der Herr und Erlöser Jesus Christus selbst ist.* Der Weg der Frömmigkeit *muss durch den Glauben zur Ehre Gottes führen, um anhand der uns geoffenbarten Kraft des Geistes Gottes erfolgreiche Anwärter für das Reich der Himmel zu werden.* Mittels *dieser* frommen, durch Glauben geprägten Handlungen – so Paulus – *wird den Glaubenden nicht nur das Heil Gottes im Hier und Jetzt zuteil, sondern zugleich auch das den Gläubigen noch einst zuteilwerdende Heil in der noch vor ihnen allen liegenden Zukunft obliegt diesen frommen, von ganzem Glauben umfassten Tugenden.* Daher schreibt der König, Prophet und Psalmist

David: ***... habe deine Lust am HERRN; der wird dir geben, was dein Herz wünscht*** (Psalm 37, Vers 4 / Lutherbibel 2017).

Dennoch unterscheiden sich diese beiden Heilsoffenbarungen wie folgt: Noch leben wir *in der uns gegebenen Kraft des Heiligen Geistes durch unseren Glauben zwar in Christus – und Christus in uns – und dennoch* *getrennt *vom Heiland in einer sterblichen Hülle unseres eigenen Leibes* – dann – *wenn die Parusie* (die Wiederankunft des Herrn Jesus Christus am Tag des Jüngsten Gerichts!) *naht – jedoch werden die Glaubenden als Auferstandene mit einem *[1]unsterblichen Leib versehen, der uns nunmehr eindeutig zu erkennen gibt:* ***... denn wir sehen *jetzt mittels eines Spiegels wie im Rätsel, *[1]dann aber von Angesicht zu Angesicht; *jetzt erkenne ich stückweise, *[1]dann aber werde ich erkennen, gleichwie ich erkennt bin*** (1.Korinther, Kapitel 13, Vers 12). Dies bedeutet jedoch *n i c h t, dass wir – die an Gott und den Herrn Jesus Christus Glaubenden – das bereits an uns vollbrachte Handeln Gottes fern bleibt – denn wir genießen schon im Hier und Jetzt das an uns durch Gott und Christus Geschehene mittels der in unseren Herzen ruhenden Kraft und Freude im Geist der Wahrheit Gottes mittels zu Ihnen gerichteter, vom Geist der Wahrheit getragener, fruchtbarer Handlungen, welche uns in das Reich Ihrer Herrlichkeit leiten. Eben diese von ganzer Frömmigkeit und Glauben behafteten Tugenden sind die Wegweiser für und in das Ewige Leben – dem Zutritt zu Gott durch unseren Herrn Jesus Christus.* So bekennt Paulus: ***... denn der Lohn der Sünde ist der Tod; aber die Gnadengabe Gottes ist das ewige Leben in Christus Jesus, unserem Herrn*** (Römer, Kapitel 6, Vers 23).

Wahrhaft – *die irdisch-vergängliche Zeitperiode verbindet sich in und mit der durch den Glauben getränkten Harmoniestruktur in Verbindung mit dem Geist der Herrlichkeit Gottes zu der den Gläubigen mittels ihrer fest im Herzen liegenden, zuversichtlichen Glaubensgewissheit zu den ewig-bleibenden Herrlichkeitsoffenbarungen Gottes in dem Herrn Jesus Christus im Reich der Himmel.* So ist auch *das Reich Gottes rundum frei von allen* leiblich-vergänglich-menschlichen Übungen und daher weist uns der Apostel Paulus auf Folgende, auf die Glaubenden einst zutreffenden Geschehnisse im Reich der Herrlichkeit Gottes hin: ***… denn das Reich Gottes ist nicht Essen und Trinken, sondern Gerechtigkeit, Friede und Freude im Heiligen Geist*** – betont der Apostel anhand seines zum ewigen Heil führenden Briefes an die Römer in Kapitel 14, Vers 17. Erneut wird es auch an dieser Stelle allzu deutlich erkennbar, *wie immens wichtig es ist, alle Handlungen auf die Ehre Gottes zu beziehen* – denn in Gott ***… ist die Kraft und die Herrlichkeit in Ewigkeit*** (Matthäus, Kapitel 6, Vers 13c).

Vers 9: Daher betont Paulus nunmehr: ***… glaubwürdig ist das Wort und aller Annahme wert*** (siehe hierzu ebenfalls Auslegung zu 1.Timotheus, Kapitel 1, Vers 15a!). Wahrhaft – an die Worte Gottes *kann,* ja – *muss man sich stets mit völliger Gewissheit richten.* Denn die Worte des uns liebenden, himmlischen Vaters sind *unentwegt treu, gerecht, unverändert, vollkommen korrekt und folglich voll und ganz wahrheitsgetreu.* Es handelt sich bei den Worten Gottes *nicht um Empfehlungen, sondern um einzuhaltende Richtlinien gemäß Seiner unantastbaren Herrlichkeit. Weil Gottes Worte heilig sind, so sollen auch die an Ihn Glaubenden heilig sein.* Daher betont der allmächtige Gott: ***… ihr sollt heilig sein, denn ich bin heilig, der HERR, euer Gott!*** (3.Mose, Kapitel 19, Vers 2b). Wenn jedoch unreine Sinnlichkeiten in der sündenbehafteten Welt in Form der Gegner Gottes mitleidslose Urteile aussprechen und inhumane Behandlungen hervorrufen, wird es allzu deutlich ersichtlich, *dass diejenigen*

Richter auch keinerlei vergebende Anzeichen in ihren Herzen tragen, welche folglich auch die fleischlichen, sündenbehafteten, ja – *menschlichen Hüllen erdulden, noch (er)retten können. Exakt aus diesen Gründen widersprechen die Widersacher Gottes den vollkommenen Worten Gottes im Herrn Jesus Christus, weil sie die Wahrheit Gottes in Christus leugnen. Aber diese soeben benannte unwiderrufliche Wahrheit des himmlischen Vaters im Herrn Jesus Christus jedoch ist in der Tat* ***... aller Annahme wert;*** *denn unser Heiland – der Herr Jesus Christus spricht mit folgenden, eindeutigen, allein zum Heil der Herrlichkeit Gottes führenden Worten:* ***... ich bin der Weg und die Wahrheit und das Leben; niemand kommt zum Vater als nur durch mich!*** (Johannes, Kapitel 14, Vers 6b). So verfeinert der Apostel Paulus *die Worte Jesu Christi wie folgt in und mittels der Kraft des in seinem Herzen ruhenden Heiligen Geistes:* ***... wir wissen ja dieses, dass unser alter Mensch mitgekreuzigt worden ist, damit der Leib der Sünde außer Wirksamkeit gesetzt sei, sodass wir der Sünde nicht mehr dienen; denn wer gestorben ist, der ist von der Sünde freigesprochen. Wenn wir aber mit Christus gestorben sind, so glauben wir, dass wir auch mit ihm leben werden, da wir wissen, dass Christus, aus den Toten auferweckt, nicht mehr stirbt; der Tod herrscht nicht mehr über ihn. Denn was er gestorben ist, das ist er der Sünde gestorben, ein für alle Mal; was er aber lebt, das lebt er für Gott*** (Römer, Kapitel 6, Verse 6 – 10).

Vers 10: Der Apostel Paulus fügt zu seinen Worten aus dem soeben ausgelegten 9.Vers diese rundum bedeutenden Worte jenes nun folgenden 10.Verses hinzu, die da lauten: ***... denn dafür arbeiten wir auch und werden geschmäht, weil wir unsere Hoffnung auf den lebendigen Gott gesetzt haben, der ein Retter aller Menschen*** (Erhalter aller Menschen = Quelle: Schlachter-Bibel 2000!) ***... ist, be-***

sonders der Gläubigen. Wahrhaft – dass das Wort des uns liebenden, himmlischen Vaters in Christus Jesus *Seine vollkommene Wahrheit inkludiert, bekennt Paulus von seinem ganzen Herzen.* Der Apostel betrachtet diese zum Ewigen Leben führenden Worte Gottes in Christus *als rundum Euphorie durch den Geist der Wahrheit erweckende, von ganzer* ***... Gerechtigkeit*** *gekürte Worte, welche* ***... Friede und Freude im Heiligen Geist*** *im* ***... Reich Gottes*** (Römer, Kapitel 14, Vers 17) *hervorrufen. Deshalb* ***... vertrauen*** *die an Gott und Christus Glaubenden* ***... nicht auf sich selbst, sondern auf Gott, der die Toten auferweckt*** – betont Paulus mittels seines fest in seinem vom Geist Gottes verankerten Herzens Dank seines Glaubens anhand seines 2.Briefes an die Korinther in Kapitel 1, Vers 9b. In der Tat – ***... dafür*** – so Paulus in seinem Brief an die Kolosser in Kapitel 1, Vers 29 – ***... ringe ich auch gemäß seiner*** (des Herrn Jesus Christus`!) ***... wirksamen Kraft, die in mir wirkt mit Macht.***

Ja – es sind jene Worte Gottes in Christus Jesus, *welche die Ehre Gottes mit voll Glauben erfüllter Ehrerbietung huldigen,* so der Apostel. Wiederum sind es *genau diese vom Höchsten ausgehenden Worte, welche die vollkommenen Wahrnehmungen als auch die miteinander verschmelzenden Einklänge der gläubigen Herzen vereinnahmen müssen.* In der Tat – *diese rundweg wahrheitsgereuen Worte des Höchsten in Jesus Christus bezeugen mit zuversichtlicher, vom Geist Gottes getragener Gewissheit, dass das den Gläubigen aufgrund ihres Glaubens, letztlich aufbauend darauf durch jene Vergabe des Heiligen Geistes fruchtbringende Glaubensannahme das Ziel in sich trägt, welches zum Reich der Himmel leitet. Dafür* arbeiten schließlich Paulus und Timotheus stets *in Gott und Christus wohlgefälligen Handlungen gemäß ihres beiderseitigen, tiefgründigen Glaubens, welcher den Apostel als auch den Gemeindeleiter der Epheser wiederum zu Gott und Jesus Christus ehrehrbietenden Mitarbeitern im*

Geist formt und sie zugleich zu Anwärtern des Reiches Gottes heranbildet, weil sie ihre Hoffnung auf den lebendigen Gott gesetzt haben, ***... der ein Retter aller Menschen ist, besonders der Gläubigen*** (1.Timotheus, Kapitel 4, Vers 10b).

Dass dieses vom Geist der Wahrheit gesegnete Leben jedoch mit äußerlichen, mehr als nur unbequemen Anfechtungen von statten geht, erklärt sich mittels der bereits in dieser Auslegung beschriebenen, störenden Faktoren der Irrlehrer von selbst; denn der Apostel Paulus übermittelt uns folgende auf ihn einwirkenden Belastungen: ***... ich habe weit mehr Mühsal, über die Maßen viele Schläge ausgestanden, war weit mehr in Gefängnissen, öfters in Todesgefahren*** (bezogen auf die von Paulus benannten falschen Aposteln!) ***... von den Juden habe ich fünfmal 40 Schläge weniger einen empfangen; dreimal bin ich mit Ruten geschlagen, einmal gesteinigt worden; dreimal habe ich Schiffbruch erlitten; einen Tag und eine Nacht habe ich in der Tiefe zugebracht*** (vermutlich auf hoher See, in Seenot mitten auf dem Meer = Quelle: Schlachter-Bibel 2000!) ***... ich bin oftmals auf Reisen gewesen, in Gefahren auf Flüssen, in Gefahren durch Räuber, in Gefahren vom eigenen Volk, in Gefahren von Heiden, in Gefahren in der Stadt, in Gefahren in der Wüste, in Gefahren auf dem Meer, in Gefahren unter falschen Brüdern; in Arbeit und Mühe, oftmals in Nachtwachen, in Hunger und Durst; oftmals in Fasten, in Kälte und Blöße; zu alledem der tägliche Andrang zu mir, die Sorge für alle Gemeinden*** (2.Korinther, Kapitel 11, Verse 23b – 28).

Aber diese ganzen Erduldungen, ja, *jene standhaften von ganzer Ausdauer geprägten Durchhaltevermögen belegen, dass der Apostel Paulus die über ihn ergangenen Züchtigungen als stets zu erachtende, zu Gott und dem Herrn Jesus Christus bezogene Prüfungen auf-*

fasste, die sich wie folgt erkenntlich zeigen, *um diese wiederum mittels eines von ganzem Willen umfassten Glaubens in und mit der Kraft des Geistes Gottes zu bestehen, denn so heißt es in dem Brief an die Hebräer:* ***... „mein Sohn, achte nicht gering die Züchtigung*** (oder Erziehung = Quelle: Schlachter-Bibel 2000!) ***... des Herrn und verzage nicht, wenn du von ihm zurechtgewiesen wirst!*** (oder gestraft / überführt wirst = Quelle: Schlachter-Bibel 2000!) ***... denn wen der Herr lieb hat, den züchtigt er, und er schlägt jeden Sohn, den er annimmt. Denn standhaftes Ausharren tut euch Not, damit ihr, nachdem ihr den Willen Gottes getan habt, die Verheißung erlangt*** (Hebräer, Kapitel 12, Verse 5b + 6 + Kapitel 10, Vers 36).

Dieses auf uns erstmals einwirkende *harte Handeln Gottes jedoch entpuppt sich bei näherer Betrachtung als eine uns immerdar zugute dienende Prüfung, die letztlich mittels unseres Glaubens überwunden werden kann als auch muss, um zur Seligkeit gelangen zu können.* Folglich hat des *Apostels Paulus unerschütterlicher Glaube ihm unzweifelhaft zu erkennen gegeben, dass er sich an der ihm geoffenbarten Gnade Gottes in Christus Jesus* ***... genügen lassen soll,*** *denn so spricht zu ihm der Herr Jesus Christus:* ***.... lass dir*** (Paulus!) ***... an meiner Gnade*** (die Gnade Jesu Christi!) ***... genügen, denn meine Kraft wird in der Schwachheit vollkommen!*** (denn meine Kraft kommt zur Ausreifung / gelangt ans Ziel durch Schwachheit = Quelle: Schlachter-Bibel 2000! / 2.Korinther, Kapitel 12, Vers 9a). Paulus aber *hat erkannt, dass der gläubige Mensch,* wie es unser Herr Jesus bereits in dem Evangelium des Johannes in Kapitel 15 in Vers 5b betont ***... getrennt von ihm*** (Christus!) ***... nichts tun kann.*** Daraufhin bemerkt Paulus abermals in seinem 2.Korintherbrief in Kapitel 12 in den Versen 9b + 10 folgende rundum gehorsame, ja – von ganzer Befreiung trotz seines in Schwachheit bleibenden Fleisches lautenden Worte: ***... darum will ich mich am liebsten vielmehr meiner***

Schwachheiten rühmen, damit die Kraft des Christus bei mir wohne. Darum habe ich Wohlgefallen an Schwachheiten, an Misshandlungen, an Nöten, an Verfolgungen, an Ängsten um des Christus willen; denn wenn ich schwach bin, dann bin ich stark.

Ja – der Apostel Paulus hat seine ihm von Gott durch Christus offenbarte Gnade *vollends verwirklicht; denn alle von ihm erduldeten Zuwiderhandlungen gaben ihm niemals die Veranlassung, an der ihm von Gott in Christus zuteilgewordenen Ehre zu zweifeln.* Des Paulus` ganze Hoffnung lag *unentwegt* auf dem Handeln des ihn liebenden Gottes *– durch die Gnadentat des Höchsten im Herrn Jesus Christus – niemals auf seiner vom Geist erlangten Seligkeit, sondern vielmehr hielt sich der Apostel auf das von Gott verheißene Wort, das jenen Personen, die Gott und dem Herrn Jesus Christus die Ehre im Glauben an Sie schenken, von Gott in Christus mit Ewigen Leben im Reich Ihrer Herrlichkeit belohnt werden.*

Somit prägen folgende zu Gott und dem Herrn Jesus Christus bezogene Tugenden das standhafte Ausharren des Paulus als auch das des Timotheus: *Beharrliche, friedfertige und zielsichere Intensitätsgewissheiten eines wahrhaftigen Glaubens, der unentwegt belegt, dass die zu Gott und Christus gerichteten Gebete selbst Zeiten schwerer Nöte bestehen, weil sie im Dienst Jesu Christi stehen und folglich mittels dieser Tugenden sich Gott in Christus als* ***… Retter aller Menschen, besonders aber der Gläubigen*** (1.Timotheus, Kapitel 4, Vers 10b) *zu erkennen geben.* Dies ist *ein* – ja – *d e r Dienst* für *die Ewigkeit.* In dieser unendlichen Periode *verwirklicht sich der Glaube in eine rein zu Gott in Christus Jesus gerichtete Basis, welche die ewige Verbundenheit zu Ihnen bewirkt und beständig fördert.* Es ist jene *zusammenhaltende, innere Verbundenheit zwischen den von Glauben erfüllten Menschen, welche die allerrettenden Verheißungen*

Gottes im Herrn Jesus Christus von Tag zu Tag mittels aller christlichen Tugenden fördern. So ist auch *der Mensch nicht gleich Mensch, weil der Glaube den Menschen zu dem formt, was Gott jedem Menschen offenbaren will, denn Gott will,* ***... dass alle Menschen gerettet werden und zur Erkenntnis der Wahrheit kommen*** (1.Timotheus, Kapitel 2, Vers 4 / siehe Auslegung!). In der Tat – *ein wahrhaftiger, unerschütterlich geprägter Glaube verändert den Menschen zu einem Kind Gottes.* Daher obliegt dieses miteinander kommunizierte Wirken der glaubenden Menschen mit Gott und dem Herrn Jesus Christus erstmals ***... den Gläubigen*** (1.Timotheus, Kapitel 4, Vers 10b).

Die Schuld des Unglaubens aber obliegt an denjenigen Personen, *welche Gott nicht die Ehre mittels ihres an Ihn und Christus gerichteten Glaubens geben.* Folglich bilden *die Gläubigen die stets von Gott gewollte Gemeinschaft zwischen Ihm, den Glaubenden und dem Herrn Jesus Christus. Jedoch scheidet Paulus die von Gott in Christus Errettenden von den anderen Menschen* wie folgt *und bezieht sich mittels dieser seiner Aussage auf die auf alle Menschen zukommende 1.Auferstehung, welche er wie folgt bekundet:* ***... denn gleichwie in Adam alle sterben, so werden auch in Christus alle lebendig gemacht werden. Ein jeder aber in seiner Ordnung: als Erstling Christus; danach die, welche Christus angehören,*** (die Gläubigen!) ***... bei seiner Wiederkunft; danach das Ende, wenn er das Reich Gott, dem Vater übergeben wird, wenn er jede Herrschaft, Gewalt und Macht beseitigt hat. Denn er muss herrschen, bis er alle Feinde unter seine Füße gelegt hat*** (1.Korinther, Kapitel 15, Verse 22 – 25).

Und in seinem Brief an die Römer schreibt der Apostel Paulus daher in Kapitel 8 in den Versen 19 - 21: ***... denn die gespannte Erwartung der Schöpfung sehnt die Offenbarung der Söhne Gottes herbei. Die Schöpfung ist nämlich der Vergänglichkeit unterwor-***

fen, nicht freiwillig, sondern durch den, der sie unterworfen hat, auf Hoffnung hin, dass auch die Schöpfung selbst befreit werden soll von der Knechtschaft der Sterblichkeit zur Freiheit der Herrlichkeit der Kinder Gottes – und betont nochmals in Römer, Kapitel 14, in den Versen 8 + 9 in aller Ausdrücklichkeit gegenüber allen Menschen: ***... denn leben* wir, so leben *wir dem Herrn, und sterben *wir, so sterben *wir dem Herrn; ob *wir nun leben oder sterben, *wir gehören dem Herrn. Denn dazu ist Christus auch gestorben und auferstanden und wieder lebendig geworden, dass er sowohl über Tote als auch über Lebende Herr sei*** (***wir** = *alle* Menschen!).

Eindeutig steht es daraufhin unzweifelhaft fest – so Paulus:

Verachtende Maßnahmen gegen die Worte Gottes enden mit einer beabsichtigten Blockierung aller ungläubigen Menschen gegenüber den von Gott in Christus Jesus stets erdachten, und zugleich gegenüber allen Menschen gewollten, ihnen allen in ganzer Gemeinsamkeit zu Gute dienenden Effektivität. Auch diese Erfüllung wird sich durch Gottes Allmacht rundweg verwirklichen, weil die Gegner Gottes letztlich erkennen müssen, dass der himmlische Vater den Glauben an Ihn und Seinen Sohn mit dem Eintritt in das Reich Seiner Herrlichkeit belohnen wird – ***... euch*** (die Widersacher Gottes!) ***... selbst aber hinausgestoßen*** (Lukas, Kapitel 13, Vers 28b).

Ein rundum zu Gott und dem Herrn Jesus Christus bezogenes, inniges Verhältnis durch den Glauben lassen den Heiligen Geist in den Herzen der Auserwählten mit stets von Gott gewollten Effizienz-Maßnahmen *wirken und betonen zugleich, dass die immerdar Gott und Christus wohlgefälligen Tugenden das Heil bewirken, welches die Annahme der Glaubenden im Reich der Herrlichkeit Gottes her-*

vorruft. Ja – die Hoffnung aller Glaubenden *ist unentwegt auf den allmächtigen Gott und den Herrn und Erlöser Jesus Christus gerichtet.* Denn so spricht der Herr und Messias Jesus Christus zu Seinen Kindern im Glauben: ***... kommt her, ihr Gesegneten meines Vaters, und erbt das Reich, das euch bereitet ist seit Grundlegung der Welt*** (Matthäus, Kapitel 25, Vers 34b).

Daher gibt der Apostel Paulus noch einmal mit unmissverständlichen Worten der Schärfe *einem jeden Gegner Gottes bekannt:* ***... ja, o Mensch, wer bist denn du, dass du mit Gott rechten willst? Denn die Weisheit dieser Welt ist Torheit vor Gott; denn es steht geschrieben: *[1]„Er fängt die Weisen in ihrer List“*** (Römer, Kapitel 9, Vers 20 a + 1.Korinther, Kapitel 3, Vers 19 / *[1] bezogen auf das Buch Hiob, Kapitel 5, Vers 13a!).

Vers 11: Daraufhin betont der Apostel gegenüber dem Gemeindeleiter Timotheus: ***... dies sollst du gebieten und lehren!*** Ja – Timotheus *soll auf* ***... das Vorlesen,*** (dieses Briefes!) ***... das Ermahnen und das Lehren*** (die alttestamentlichen Schriften, in welchen Timotheus von seiner Großmutter und seiner Mutter unterrichtet wurde – als auch die Evangeliums-Botschaft Jesu Christi in Form der an Timotheus überbrachten Lehre des Paulus!) ***... bedacht sein,*** (1.Timotheus, Kapitel 4, Vers 13 / siehe noch folgende Auslegung!) ***... und nichts verschweigen von dem, was nützlich ist, sondern*** *Timotheus* ***... soll*** *es exakt* wie Paulus auch – *den Gemeindemitgliedern der Epheser diese Botschaft mittels seiner* ***... lehrenden*** Worte ***... öffentlich und in den Häusern verkündigen*** (die Apostelgeschichte des Lukas / die Abschiedsrede des Paulus an die Ältesten in Ephesus, Kapitel 20, Vers 20). Anhand dieser rundum bedeutenden Anweisungen des Apostels Paulus *soll Timotheus als der Gemeinde-*

leiter der Gemeinde in Ephesus ***... die Widrigkeiten als ein guter Streiter Jesu Christi erdulden*** (2.Timotheus, Kapitel 2, Vers 2 / Auslegung folgt!).

Wahrhaft – Timotheus soll *alle* bisherigen von Paulus verfassten Anweisungen der Gemeinde im Geist der Wahrheit Gottes preisgeben, welche ihm der Apostel voller Wohlwollen gegenüber Timotheus als auch allen anderen Gemeindemitgliedern der Epheser in Kapitel 4 des 1.Timotheusbriefes in den Versen 6 – 10 (siehe Auslegung!) hat zukommen lassen; denn diese Worte inkludieren die vollkommene Wahrheit Gottes in Christus Jesus. Es ist wiederum jenes von dem Apostel Paulus *aufgeforderte* ***... gebieten und lehren,*** *welches bekundet, dass der wahre Glaube eine innige, gemeinsam geprägte,* ja – *eine ineinander verschmelzende Harmonie zwischen Gott und den gläubigen Menschen hervorruft, die jedoch unentwegt aufweist, das die damit verbundenen starken Inanspruchnahmen als auch die damit mit hineinintegrierten, von dem Timotheus auszutragenden Hingaben stets den zu Gott und dem Herrn Jesus Christus bezogenen Glauben mittels einer zuversichtlichen Gewissheit krönen.*

Diese gewichtige, einzig und allein zum Ewigen Leben führende Lehre ist es letztlich, welche der Gemeindeleiter Timotheus den Gemeindemitgliedern der Epheser *predigen muss,* um das *alle Glaubenden in gemeinschaftlicher Übereinstimmung wiederum anhand ihres tiefgründigen Glaubens erkennen, dass die von ganzer Zuneigung ummantelte Gabe des sie liebenden Gottes allein zur Ehre des himmlischen Vaters durchgeführt werden muss, um in den Heilsbereich der himmlischen Regionen eingehen zu können – das jedoch fremdeinwirkende, vom wahren Glauben abirrende Lehren in einer von Gott und Christus entfernten, lichtleeren Abgeschiedenheit zerschellen,* so Paulus. In der Tat – Timotheus *muss der Gemeinde mittels seiner an sie gerichteten, vom Heil des herrlichen Lichtglanzes Jesu Christi geleiteten Evangeliums-Botschaft selbst zum (Glaubens-)Vorbild werden, damit alle Epheser seinen von Gott gewollten, mustergültigen Richtlinien mittels ihres Glaubens nachahmen* – und aus ihren Herzen heraus dem allmächtigen Gott voller Dankbarkeit bekunden können: ***... wenn dein Gesetz nicht mein Trost gewesen wäre, so wäre ich vergangen in meinem Elend. Ich will deine Befehle nimmermehr vergessen; denn du erquickst mich damit*** (Psalm 119 – die Herrlichkeit des Wortes Gottes, Verse 92 + 93 / Lutherbibel 2017).

Vers 12: Gerade *weil* Paulus den Timotheus als seinen treuen Diener Gottes zum Leiter der Gemeinde in Ephesus benannt hat, resultierend des dem Gemeindeleiters Timotheus` geoffenbarten Geistes Gottes – die Früchte des Heils in seinem Herzen in Form seines tief geprägten Glaubens hervorsprießen lässt, *soll sich Timotheus aufgrund seines noch* ***... jungen Alters von niemanden verachten*** *lassen,* denn *nicht das Alter, sondern der von ganzem Glauben erfüllte Mensch tritt hier in den Vordergrund.* Es ist *jener Mensch* – Timotheus – *der mittels* ***... der Worte, im Wandel,*** (d.h. im Lebenswandel, in der praktischen Lebensführung = Quelle: Schlachter-Bibel 2000!) ***... in der Liebe, im Geist, im Glauben*** *und* ***... in der Keuschheit*** (die sittliche Reinheit / Züchtigkeit = Quelle: Schlachter-Bibel 2000!) ***... den Gläubigen ein Vorbild*** *darstellt, nach welchem sich alle Gemeindemitglieder richten sollen und zugleich müssen, um zur Seligkeit gelangen zu können.*

Wahrhaft – es sind *exakt diese dem Timotheus von Gott in dem Herrn Jesus Christus gegebenen, von dem Apostel Paulus benannten Wesenszüge des tiefgründigen Glaubens, welche sich unentwegt als die vor allen stehenden, vom Heiligen Geist geleiteten Tugenden repräsentieren, die den Timotheus letztlich auszeichnen – und ihn somit für dieses gewichtige Amt als das Vorbild der Gemeinde in Ephesus prädestinieren.* Diese von Gott gesegneten Eigenschaften sagen zugleich aus, *dass das Predigen, als auch die rundum von Gott in Christus geforderten, von Timotheus vollbrachten seelsorgerischen Züge der Nächstenliebe mittels tugendreicher Handlungen bestückt sind, die abermals aufweisen, dass Timotheus sehr wohl das ihm vom Höchsten Offenbarte von den sündenumwobenen Lastern der Irrlehrer differenzieren als auch voneinander scheiden kann.*

Diese zu Gott und dem Herrn Jesus Christus dem Timotheus offenbarten, charakterfesten Tugenden der christlichen Lehre *definieren* sich wie folgt:

im Wort: *die Worte, welche er predigt, beziehen sich vollends auf die Worte Gottes in Christus Jesus und inkludieren die vollkommenen Wahrheitsprinzipien Gottes, welche den Lichtglanz des Herrn Jesus Christus in den Herzen der von Glauben erfüllten Zuhörer aufleuchten lässt, denn von nun an haben* ***... Gott und der Heiland Jesus Christus in diesen Herzen Wohnung genommen*** (Johannes, Kapitel 14, Vers 23b).

im Wandel: *in dem von dem Timotheus ausgeübten, im Geist der Wahrheit Gottes beseelten Tugenden erkennt man unzweideutig die Erneuerung des alten, einst sündenbehafteten Menschen zu dem neuen, vom Heiligen Geist durch Glauben revolutionierten Menschen in Gott und Christus,* wie es der Apostel Paulus beschreibt – *und zugleich anhand der Wesenshaltung des Timotheus wie folgt gegenüber allen Gemeindemitgliedern dargestellt wird:* ***... ist jemand in Christus, so ist er eine neue Schöpfung; das Alte ist vergangen; siehe, alles ist neu geworden! Das alles aber (kommt) von Gott, der uns***

mit sich selbst versöhnt hat durch Jesus Christus und uns den Dienst der Versöhnung gegeben hat (2.Korinther, Kapitel 5, Verse 17 + 18).

in der Liebe: *erneut sollte man an dieser Stelle die von dem Apostel Paulus definierten Worte der Liebe in Betracht ziehen, denn diese sind mittels ihres mustergültigen, vom Heiligen Geist geleiteten Wissens nicht ausführlicher als auch produktiver erklärbar:* ***… die Liebe ist langmütig und gütig, die Liebe beneidet nicht, die Liebe prahlt nicht, sie bläht sich nicht auf; sie ist nicht unanständig, sie sucht nicht das Ihre, sie lässt sich nicht erbittern, sie rechnet das Böse nicht zu; sie freut sich nicht an der Ungerechtigkeit, sie freut sich aber an der Wahrheit; sie erträgt alles, sie glaubt alles,*** (bezogen auf die Worte Gottes in Jesus Christus!) ***… sie hofft alles, sie erduldet alles*** (1.Korinther, Kapitel 13, Verse 4 – 7). Ja – *die Liebe ist rundum von dem zum Heil der Herrlichkeit führenden Lichtglanz der Unfehlbarkeit Gottes in Christus Jesus gekürt.*

im Geist: *ein durch und von dem Glauben von Gott in Christus erwirktes Handeln Ihrer den Gläubigen zukommenden Liebe, die bewirkt, dass die vertrauensvolle, durch den Geist Gottes hervorgerufene Attraktivität auf der unantastbaren Wahrheit Gottes aufgrund des Glaubens beruht, welche in dem Herrn Jesus Christus zur Vollendung gelangte. Abermals müssen erneut die Worte des Apostels Paulus den Geist wie folgt mit beispielhafter Umschreibung für das vollendete Verstehen wie folgt benannt werden: die Glaubenden* ***…sind erneuert worden im Geist ihrer Gesinnung und haben den neuen Menschen angezogen, der Gott entsprechend geschaffen ist in wahrhafter Gerechtigkeit und Heiligkeit*** (Epheser, Kapitel 4, Verse 23 + 24).

im Glauben: *es ist der Beginn der ineinander verschmelzenden Gemeinsamkeit zwischen Gott und den Menschen, welcher aufweist, dass diesen Menschen die Wahrheit des Ewigen in ihren Herzen mittels des Heiligen Geistes in Christus Jesus offenbart wurde und ihnen folgende Worte des Herrn Jesus Christus bekennt:* ***… und ihr werdet die Wahrheit erkennen, und die Wahrheit wird euch frei machen!*** (Johannes, Kapitel 8, Vers 32). Der Verfasser des Briefes an die Hebräer lässt uns weiterhin einige nachfolgende Glaubensprinzipien in Erfahrung bringen, die da lauten: ***… es ist aber der Glaube eine feste Zuversicht*** (eine Verwirklichung dessen / ein Beharren auf dem = Quelle: Schlachter-Bibel 2000!) ***… auf das, was man hofft, eine Überzeugung von Tatsachen, die man nicht sieht. Durch Glauben verstehen wir, dass die Welten*** (oder die Welt / die Weltzeiten = Quelle: Schlachter-Bibel 2000!) ***… durch Gottes Wort bereitet worden sind, sodass die Dinge, die man sieht, nicht aus Sichtbarem entstanden sind*** (Hebräer, Kapitel 11, Verse 1 + 3).

in der Keuschheit: *es ist jene ethische Reinheit, bzw. Makellosigkeit, welche sich mittels Gott und Christus wohlgefälligen Tugenden vereint – und folglich anhand von anständigen Handhabungen unterstrichen wird. Es ist wiederum jene vom Heiligen Geist durch Glauben hervorgerufene und zugleich diese vom Helfer Gottes getragene, geistliche Frucht, die bewirkt, dass dieser vom Geist Gottes beschenkte Mensch sich mittels der eigenen, wiederum vom Geist erwirkten Selbstzüchtigung der gottwidrigen Beschmutzungen der Sünde enthält. Abermals bekennt uns der Apostel Paulus die sittliche Keuschheit anhand einer von ihm verfassten Gegenüberstellung wie folgt:* ***… denn als wir im Fleisch*** (in der Sünde!) ***… waren, da wirkten in unseren Gliedern die Leidenschaften der Sünde, die durch das Gesetz sind, um den Tod Frucht zu bringen. Jetzt aber sind wir vom Gesetz frei geworden, da wir dem gestorben sind, worin wir***

festgehalten wurden, sodass wir im neuen Wesen des Geistes dienen und nicht im alten Wesen des Buchstabens (Römer, Kapitel 7, Verse 5 + 6).

In der Tat – die Glaubensintensität der Gemeinde ist von einem Leiter abhängig, *der dieses vom Heiligen Geist betuchte, Gott wohlgefällige Funktionsmuster des Glaubens in seinem Herzen trägt.* Es ist jenes Verhaltensbeispiel, *welches die Gemeinde benötigt, um in den von Gott stets beabsichtigten Glaubensstand einzukehren, der zugleich aufweist, es verstanden zu haben, inwiefern man die Worte Gottes predigt, wie man in den Glaubensstand gelangt als auch wie man anhand dieses Wissens folglich die üblen Absichten der Falschprediger identifizieren kann.* Wahrhaft – *das Herz des Timotheus hat den Glauben aufgrund der in ihm wohnenden Liebe in der Kraftwirkung des Heiligen Geistes erfasst und zugleich vereinnahmt* – und belegt wiederum die Worte des Apostels Paulus, die nunmehr lauten: ***…. der Glaube wird durch die Liebe wirksam*** (Galater, Kapitel 5, Vers 6b). *Es ist jene von dem Timotheus mittels seiner missionierenden Tätigkeit ausgehende, zum Glauben leitende, Christus nachfolgende Botschaft, welche wiederum bewirkt, dass man diesen seinen wahrheitsgetreuen Worten gehorchen und glauben muss, um eine von ganzem Glauben erfüllte Gemeinde darzustellen, damit deren Mitglieder daraufhin von Gott und Christus als erfolgreiche Anwärter für das Reich der Himmel benannt werden können.*

Vers 13: Paulus teilt nun dem Timotheus mit, *dass er gedenkt, zu ihm nach Ephesus zu kommen, um Timotheus bei seiner Tätigkeit als Gemeindeleiter zu unterstützen* (siehe hierzu abermals Auslegung zu 1.Timotheus, Kapitel 3, Vers 14!). Jedoch *soll* sich des Timotheus` Tätigkeit als Gemeindeleiter der Epheser *bis zu der Ankunft des Pau-*

lus` mittels ***... dem Vorlesen, dem Ermahnen und der Verbreitung der Lehre*** (1.Timotheus, Kapitel 4, Vers 13) *beschränken*, damit der Apostel dem Leiter der Gemeinde weitere Anweisungen – *je nach den noch offen liegenden, vielleicht noch zu klärenden Bedürfnissen der Versammlungsmitglieder der Epheser – unterbreiten kann, wenn Paulus persönlich bei ihm in Ephesus verweilt,* bzw. *diese Tätigkeiten bei Bedarf in Bezug auf die Person des Paulus von dem Apostel selbst vollbracht werden.*

Es sind jene bis zur Ankunft des Paulus an Timotheus gerichtete, von dem Gemeindeleiter auszuübende Maßnahmen, die sich wie folgt erkenntlich zeigen: ***... alle Schrift*** (*alle* biblischen Bücher / *die ganze Schrift = *Quelle: Schlachter-Bibel 2000!) *welche Timotheus der Gemeinde vorlesen soll, sind folglich* ***... von Gott eingegeben und nützlich zur Belehrung, zur Überführung, zur Zurechtweisung, zur Erziehung in der Gerechtigkeit, damit der Mensch Gottes ganz zubereitet sei, zu jedem guten Werk völlig ausgerüstet*** – betont der Apostel Paulus daher gegenüber dem Timotheus in seinem 2.Brief an Timotheus in Kapitel 3 in den Versen 16 + 17 (Auslegung folgt!).

Paulus ist davon ***... überzeugt,*** *sodass er behaupten kann, dass Timotheus an seinem* ***... ungeheucheltem Glauben festhalten kann,*** *der bereits in seiner* ***... Großmutter Lois und in seiner Mutter Eunike*** (2.Timotheus, Kapitel 1, Vers 5 / Auslegung folgt!) *auffindbar war, denn diese beiden gottesfürchtigen,* *[1]*jüdischen Frauen* (*[1]hierzu sei angemerkt, *dass Timotheus selbst ein Jude war, denn seine Mutter Eunike war* ***... eine gläubige jüdische Frau,*** *des Timotheus` Vater jedoch war* ***... ein Grieche*** / siehe die Apostelgeschichte des Lukas, Kapitel 16, Vers 1!) *lehrten dem Timotheus die alttestamentliche Bibelkunde.* Dies ist zumal ein weiterer Grund, *warum Paulus den Timotheus darauf angewiesen hatte, die Heilige Schrift innerhalb der*

Gemeinde in Ephesus vorzulesen, denn in den neutestamentlichen Schriften wurde Timotheus selbst von dem Apostel Paulus über das Heil der Herrlichkeit Jesu Christi unterrichtet. Somit betont Paulus eindeutig in 2.Timotheus, Kapitel 3 in den Versen 14 + 15 (Auslegung folgt!) gegenüber dem Timotheus: ***… du aber bleibe in dem, was du gelernt hast und was dir zur Gewissheit geworden ist, da du weißt, von wem du es gelernt hast, und weil du von Kindheit an die heiligen Schriften kennst, welche die Kraft haben, dich weise zu machen zur Errettung durch den Glauben, der in Christus Jesus*** (durch den Glauben an Christus Jesus = Quelle: Schlachter-Bibel 2000!) ***… ist!***

So sollen *die biblischen Bücher* – so Paulus – von Timotheus in der Kirchengemeinde in Ephesus wie von ihm verlangt, *vorgelesen werden; denn alle Schriften der Heiligen Schrift verbinden sich mit zum Heil der Herrlichkeit Gottes in Christus Jesus führenden, rundum fruchtbringenden Maßnahmen,* welche wiederum belegen, dass *einerseits* ***… das Ermahnen*** (1.Timotheus, Kapitel 4, Vers 13) *dazu dient, mittels dieser wahrheitsgemäßen Worte in Zusammenhang mit der Glaubensannahme in den zuhörenden Herzen der Gemeindemitglieder ein Gott und Christus unentwegt wohlgefälliges Handeln anzustreben, welches anhand der Einhaltung dieser Worte nicht nur vor den verruchten, gottwidrigen Reden der Irrlehrer bewahrt, sondern zugleich dafür Sorge trägt, dass sündige Vergehen generell vermieden werden. Andererseits führt das Einhalten der von Timotheus an die Gemeinde weitergeleiteten.* ***… Lehre*** (1.Timotheus, Kapitel 4, Vers 13) *zu der von ganzer Bedeutung geprägten, von den Mitgliedern der Gemeinde durch ihren Glauben im Geist Gottes widerhallenden Entgegennahmen der von ganzer Wahrheit umrahmten Lehrworte des Timotheus, welche sie letztlich in bleibender Gemeinsamkeit zu Kindern Gottes formt,* ganz gemäß dem seit Ewigkeit bestehenden Willen des sie liebenden Gottes in und durch den Herrn Jesus Christus.

Der Apostel *vertraut dem Timotheus an, dieses gewichtige Amt mittels seines vom Geist betuchten Glaubens in Form* von **... vorlesen, ermahnen und lehren** *auszuüben.* Jedoch offenbart Paulus *ihm eine mahnende Bitte mittels seiner abhaltenden Worte, Timotheus möge sich von weiteren Reden fernhalten, denn* – so Paulus – *Timotheus würde sich keinerlei Gefallen damit tun, wenn er sich selbst reden hören würde. Diese mehr oder weniger unbedachten Reden könnten* den Timotheus dazu anleiten, über die Worte Gottes hinaus Gespräche zu führen, *welche die Reinheit der Worte Gottes beeinträchtigen könnten.* Daher soll sich Timotheus auf *d a s* beschränken, *was tatsachlich in den Segensbereich des allmächtigen Gottes und des Herrn und Heilands Jesus Christus führt,* nämlich – *die reine zu Ihnen bezogene Lehre der Heiligen Schrift.*

Vers 14: Mittels dieser Timotheus von dem Apostel Paulus geoffenbarten Einhaltungsprinzipien *will ihm der Gesandte Gottes wohl bewusst anhand der nun folgenden, Timotheus gebührenden, ihn anerkennenden Wertschätzung mitteilen, dass er* **... nicht die Gnadengabe vernachlässigen soll,** *die dem Timotheus in der Gnade Gottes aufgrund der an ihm vollbrachten Kraftausgießung des Heiligen Geistes* **... verliehen wurde.** Eben *weil* diese Gnadengabe des Höchsten im Herrn Jesus Christus *erst dann wirksam tätig wird, wenn sie mittels der von Timotheus ausgeübten Tätigkeiten durch* **... vorlesen, ermahnen und lehren** (1.Timotheus, Kapitel 4, Vers 13 / siehe Auslegung!) *zur Blüte der Botschaft Gottes in Christus gelangt, so sollen auch exakt diese Prinzipien von ihm angewendet werden.* Timotheus würde – so Paulus – *ineffektiv handeln, wenn er diese seine von Gott* *gegebenen Tugenden nicht ausüben würde.* Es ist jene *dem Timotheus von Gott in Christus Jesus offenbarte Gnadengabe, welche hier in den Vordergrund tritt.* Darum haben dem Timotheus auch ***... die Ältesten*** (Aufseher / Bischöfe!) ***... durch Weissagung unter Handauflegung*** (1.Timotheus, Kapitel 4, Vers 14b) *zu diesem ausführenden Amt als Leiter der Gemeinde berufen.* Ja – *diesen Männern wurde die Macht der Weissagung von Gott gegeben* (siehe hierzu erneut Auslegung unter 1.Timotheus, Kapitel 1, Vers 18!) – *und diese haben schließlich dem Timotheus die ihm gebührende Ehre erwiesen, sodass er gewiss sein kann, dass die Gnade des allmächtigen Gottes im Herrn Jesus Christus ihn zu diesem Amt auserkoren hat.* Diese Gnadengabe im Heiligen Geist bewirkt wiederum, *dass Timotheus g e n a u d i e s e Aufmerksamkeit Gottes bedarf, um ihn mittels dieses göttlichen Geschenkes mit allen erforderlichen Maßnahmen auszurüsten, um dass das ihm zugeteilte Werk des Höchsten in Christus schließlich auch die Früchte des Heils gegenüber den Gemeindemitgliedern hervorbringt.*

Aus genau diesem Grund erachtet es der Apostel Paulus auch so immens wichtig, dass Timotheus sich auf diese ihm von Gott in Christus geoffenbarte Gnadengabe beschränkt als auch bezieht – ja – *dass diese von dem Timotheus letztlich verlangten Einhaltungsprinzipien dem Willen Gottes gemäß vollbracht werden.* Wahrhaft – an exakt *dieser Gnade* soll Timotheus seine an die Gemeinde verrichteten Tätigkeiten festhalten; *denn diese entsprechen dem über allem stehenden Willen Gottes in Christus Jesus. Dass dieser glanzvolle Segen nicht unbedacht von dem Gemeindeleiter Timotheus begangen wird, betont Paulus daher noch einmal in aller Wichtigkeit in dem nun darauffolgenden Vers:*

Vers 15: *... dies soll deine Sorge sein, darin sollst du leben, damit deine Fortschritte in allen Dingen offenbar seien!* Diese Worte, welche sich im ersten Moment als harte, durchgreifend geprägte Anweisungen zu erkennen geben, „mildern jedoch den Ton" des Apostels Paulus *bei näherer Betrachtung; denn erneut kann man förmlich die gegenüber der Person des Timotheus von ganzer Herzlichkeit gebührende Liebe des Apostels Paulus wahrnehmen.* Ja – *diese von ganzer seelsorgerischer Nächstenliebe ummantelte Botschaft des Gesandten Gottes und des Herrn Jesus Christus kristallisiert sich zunehmend als eine dem Timotheus zum Besten dienende Anweisung heraus, welche ihm nochmals eindeutig aufweist, welch eine immense Gnade dem Gemeindeleiter Timotheus Gott durch den Herrn und Erlöser Jesus Christus bei der Befolgung der bereits von Paulus benannten Einhaltungsprinzipien übergeben wurde.* Gleich, wie der allmächtige Gott zu Josua sprach, *so soll auch der Leiter der Gemeinde* – Timotheus – *diese Worte des himmlischen Vaters in seinem Herzen als auch in seinem Handeln gegenüber den Gemeindemitgliedern der Epheser verwirklichen;* diese lauten: ***... lass dieses Buch des Gesetzes*** (oder der Weisung / der Unterweisung = Quelle: Schlachter-Bibel 2000!) ***... nicht von deinem Mund weichen, sondern forsche darin*** (sinne darüber nach = Quelle: Schlachter-Bibel 2000!) ***... Tag und Nacht, damit du darauf achtest, alles zu befolgen,*** (entsprechend all dem zu handeln = Quelle: Schlachter-Bibel 2000!) ***... was darin geschrieben steht; denn dann wirst du Gelingen haben auf deinen Wegen, und dann wirst du weise handeln!*** (Josua, Kapitel 1, Vers 8).

Es ist jene *von dem Timotheus verlangte,* ja – *diese von Gott und Jesus Christus ihm vom Heiligen Geist geoffenbarte, auszuübende Treue und Wachsamkeit gegenüber der Gemeinde in Ephesus, welche ihn aufgrund der barmherzigen Gnadengabe des Höchsten in seinen eigenen Glaubensstand beförderte, die er stets nutzen soll, sodass das an Timotheus vollbrachte Werk des himmlischen Vaters mittels der Timotheus stets wachsenden Glaubensintensitäten Früchte des Heils gegenüber allen Gemeindemitgliedern hervorbringt.* Wahrhaft – mit *diesen Handhabungen* ***... hütet*** Timotheus ***... die Gemeinde Gottes*** (die Apostelgeschichte des Lukas, Kapitel 20, Vers 28b). Genau *diese eifernde Wirksamkeit soll u n e n t w e g t im Herzen des Gemeindeleiters mittels einer immerdar fürsorglichen Verantwortung aufzufinden sein, um anhand dieser vom Glauben geprägten Obhut,* ja – *jener rundweg anspornenden Impulsivität das an ihm vollbrachte Werk des Ewigen zur Seiner vollsten Zufriedenheit ausüben zu können,* so der Apostel Paulus.

Vers 16: Daher betont Paulus nun gegenüber dem Timotheus: ***... habe acht auf dich selbst und auf die Lehre; bleibe beständig dabei! Denn wenn du dies tust, wirst du sowohl dich selbst retten*** (oder bewahren = Quelle: Schlachter-Bibel 2000!) ***... als auch die, welche auf dich hören.*** Darum soll auch Timotheus ***... acht auf den Dienst haben,*** den er ***... im Herrn empfangen hat, damit er ihn erfüllt!*** (1. Timotheus, Kapitel 4, Vers 16 + Kolosser, Kapitel 4, Vers 17b).

Wenn Timotheus in dieser vom Geist der Wahrheit beseelten Beständigkeit handelt, *so prägen ihn nicht nur seine eigenen christlichen Wesenszüge zu einem rundum lobenswerten Gemeindeleiter, sondern die durch sein Handeln weitergegebene, seelsorgerische Nächstenliebe trägt fortan dafür Sorge, sodass auch die Mitglieder der Gemeinde in Ephesus aufgrund der Umsetzung seiner Worte in deren Herzen durch den Glauben zu Anwärtern für das Reich Gottes geformt werden.* In der Tat – *aufgrund der in seinem eigenen Herzen auffindbaren, christlichen Tugenden bewegt Timotheus die Gemeinde zu Gott und dem Herrn Jesus Christus wohlgefälligen Kindern Ihrer selbst.* Der Apostel macht den Timotheus darauf aufmerksam, *dass das von Gott in Christus Jesus an ihm selbst vollbrachte Werk für ihn – als auch für die Gemeinde an sich – mittels einer stets gewissenhaften Ausübung begangen werden soll – damit er zu dem gewichtigen Ziel gelangt – nämlich – den Willen Gottes im Herrn Jesus Christus gemäß vollends zu erfüllen.* Somit wird es allzu deutlich ersichtlich, *dass das dem Timotheus vom Höchsten im Heiland vollbrachte Wirken mit Hilfe seiner missionierenden Tätigkeit aufgrund des ihn prägenden, vom Heiligen Geist umrahmten Glaubens den Gemeindemitgliedern der Epheser gegenüber zu einer unentwegt von Gott beabsichtigten Einheit im Glauben gelangt, welche unzertrennbar miteinander verbunden sind.*

Folglich ist das von Paulus gegenüber dem Timotheus aufgeforderte ***... achte auf dich selbst*** *keinesfalls* als ein „arrogant zu betrachtendes Selbstwertgefühl" *in Augenschein zu nehmen – vielmehr betont diese Weisung das an Timotheus von Gott in Christus Jesus durch Gnade verrichtete Werk, welches den Gemeindeleiter in den Stand berufen hat, in dem er letztlich steht und wirkend tätig ist – nämlich – mittels christlicher Tugenden auf* **... die Lehre** *zu achten, um diese überaus gewichtige Aufgabe* **... beständig** *zu vollführen.* Wahrhaft – Timotheus *gewinnt* bei der von dem Apostel Paulus verlangten, *nunmehr von dem Leiter der Gemeinde vollbrachten Ausübung einzig und allein aufgrund der an ihm geschehenen Erfüllung Gottes wiederrum das an ihm vollbrachte Heil, welches letztlich dem Timotheus selbst widerfahren ist.* So vollführt sich die Errettung der Mitglieder der Gemeinde der Epheser *durch das von Timotheus vollbrachte Missionieren n u r aufgrund der ihm zuteilgewordenen, barmherzigen Gnade des Höchsten in Christus mittels seiner vollauf konsistenten Hingabe seines vom Geist erschaffenen Dienstes auf-*

grund des Timotheus` in seinem Herzen ruhenden, tiefgründigen Glaubens. Es ist jene *innerliche, im Herzen des Beschenkten entstandene, geisterwirkte Freude, welche es unentwegt anstrebt, andere Menschen in den über allen stehenden Heilsbereich Gottes in Christus Jesus miteinzubeziehen* – um zugleich den Missionsbefehl des Heilands Jesus Christus vollends umzusetzen, der da lautet: ***... so geht nun hin und macht zu Jüngern alle Völker, und tauft sie auf den Namen des Vaters und des Sohnes und des Heiligen Geistes und lehrt sie alles halten, was ich euch befohlen habe*** (Matthäus, Kapitel 28, Verse 19 + 20a).

Wahrhaft – ein vom Geist Gottes offenbartes, christliches Leben *ist bewegt von der Liebe des Herrn und Erlösers Jesus Christus, welche in den Herzen der Beschenkten ausgegossen wurde, sodass die Ehre Gottes das Dasein dieser gesegneten Menschen mittels ihrer christlicher, rundweg treuen, zum Ewigen bezogenen Tugenden prägt.* Daher *gelten für einen jeden Christen* folgende Anweisungen des Apostel Paulus als auch die des Apostels Petrus, die da lauten: ***... du aber bleibe in dem, was du gelernt hast und was dir zur Gewissheit geworden ist, da du weißt, von wem du es gelernt hast ... denn auf diese Weise wird euch der Eingang in das ewige Reich unseres Herrn und Retters Jesus Christus reichlich gewährt werden*** (2.Timoheus, Kapitel 3, Vers 14 + 2.Petrus, Kapitel 1, Vers 11).

Kapitel 5

Fortsetzung

Anweisungen für treue Diener Gottes

[1]Einen älteren Mann fahre nicht hart an, sondern ermahne ihn wie einen Vater, jüngere wie Brüder, [2]ältere Frauen wie Mütter, jüngere wie Schwestern, in aller Keuschheit.

Auslegung:

Vers 1: Die ersten beiden Verse dieses ausdruckstarken, nun folgenden 5.Kapitels des 1.Timotheusbriefes *beginnen ohne eine neue Überschrift* – und weil sich diese beiden Verse *direkt an die inhaltlichen Anweisungen* für die treuen Diener Gottes aus Kapitel 4, Verse 6 – 16 (siehe Auslegung!) des Apostels Paulus gegenüber dem Gemeindeleiter der Epheser, dem Timotheus anschmiegen – *verbinden sie sich somit zu einer mit dazugehörenden Einheit.* Daher lässt Paulus den Timotheus unmissverständlich wissen, *dass er in Gegenwart von* ***... älteren Männern*** *ihnen gegenüber keine maßregelnden Worte anwenden soll, sondern vielmehr soll der Leiter der Gemeinde diese stets zu achtenden* „älteren Mitbrüder der Gemeinde" *in Ehrfurcht mittels seiner in seinem Herzen wohnenden, seelsorgerischen Nächstenliebe behandeln, als* „ständen sie" *wie* ***... ein Vater*** *zu ihm.* Somit heißt es im 3.Buch Mose in Kapitel 19, Vers 32 – denn dort spricht der allmächtige Gott ***... vor einem grauen Haupt sollst du aufstehen und die Person eines Alten*** (das Angesicht eines Alten = Quelle:

Schlachter-Bibel 2000!) ***… ehren; und du sollst dich fürchten vor deinem Gott! Ich bin der HERR.*** So ist die Ehrerbietung gegenüber ***… älteren Männern*** *stets* als ein Anzeichen in Betracht zu ziehen – so der Apostel – *welches die bereits von den älteren Personen aufgrund ihres höheren Alters durchlebten* (als auch – oder vor allem geistlichen durch Glauben geprägten!) *Erfahrungen zu ehren als auch zu akzeptieren.* Selbstverständlich können *auch diese Personen irren und zurechtgewiesen werden,* (gleich wie der Gemeindeleiter der Epheser – Timotheus auch!) *aber diese Worte wirken mittels ihrer gemeinschaftlichen Glaubensbasis der Liebe nicht verletzend, sondern sich gegenseitig helfend.* So ist *die Liebe ein von der ganzen Weisheit Gottes in Christus umrahmtes Feststellungsmerkmal der gegenseitigen, wiederum von Nächstenliebe sich auswirkende,* ja – *eine sich gegenseitig widerspiegelnden, beherrschten Einsicht aller anderen Personen gegenüber, welche es in ganzer Nächstenliebe versteht, Zurechtweisungen zu akzeptieren, eben weil diese in der Liebe vollbracht werden, die in einem jeden Herzen aller Gemeindemitglieder aufgrund ihres Glaubens wirkend tätig ist.*

An dieser Stelle treffen jedoch zwei Komponente aufeinander: *Einerseits* der Gemeindeleiter Timotheus, *welcher resultierend seines noch …* ***jugendlichen Alters von niemandem*** *in der Gemeinde* ***… verachtet werden soll.*** Gerade weil Timotheus *aufgrund seines noch jungen Alters als Gemeindeleiter der Epheser von* ***… der Ältetestenschaft durch Weissagung unter*** *ihrer* ***… Handauflegung*** *zu diesem rundum von Bedeutung geprägten Amt durch den Geist Gottes berufen wurde,* müssen sowohl Timotheus selbst – als auch *anderseits die anderen Gemeindemitglieder* (siehe hierzu Auslegung zu Vers 2!) – *dazugehörend* ***… die älteren Männer*** – *sein noch junges Alter mit gegenüber gestelltem Wohlwollen in zueinander geprägter, respekt-*

voller Nächstenliebe akzeptieren (siehe hierzu erneut Auslegung zu 1.Timotheus, Kapitel 4, Verse 12 + 13 – 16!).

Nicht ohne Grund mahnt der Apostel Paulus voller seiner unentwegt aus seinem tiefsinnig von Glauben erfüllten Herzen kommenden, wohlwollenden Liebe mittels der Kraft des Heiligen Geistes die Gemeinde der Kolosser in seinem gleichnamigen Brief in Kapitel 3 in den Versen 12 – 17, *dessen rundum geistbetuchten Worte des Glaubens er auch dem Timotheus als auch allen anderen Gemeindemitglieder der Epheser in deren Herzen mittels der von ihnen gleicherweise auszuübenden, von ganzer Nächstenliebe* „umrahmten Charaktere" *hinterlegen will:* ***... so zieht nun an als Gottes Auserwählte, Heilige und Geliebte herzliches Erbarmen, Freundlichkeit, Demut, Sanftmut, Langmut; ertragt einander und vergebt einander, wenn einer gegen den anderen zu klagen hat; gleichwie Christus euch vergeben hat, so auch ihr. Über dies alles aber (zieht) die Liebe (an), die das Band der Vollkommenheit ist. Und der Friede Gottes regiere in euren Herzen; zu diesem seid ihr ja auch berufen in einem Leib; und seid dankbar! Lasst das Wort des Christus reichlich in euch wohnen in aller Weisheit; lehrt und ermahnt einander und singt mit Psalmen und Lobgesängen und geistlichen Liedern dem Herrn lieblich in euren Herzen. Und was immer ihr tut in Wort oder Werk, das tut alles im Namen des Herrn Jesus und dankt Gott, dem Vater, durch ihn.***

Wahrhaft – *es ist jenes brüderlich sich einander auswirkende, von Glauben und geisterwirkter Stärke sich auszeichnende, vom Lichtglanz der Herrlichkeit Jesu Christi umgebene, mittels christlicher Tugenden von Gott offenbarte als auch das vom himmlischen Vater stets gewollte Handeln, welches an dieser Stelle in den gewichtigen Vordergrund tritt,* so Paulus. Ja – es sind wiederrum *exakt diese auf-*

einander treffenden Wertschätzungen, welche eindeutig aufweisen, *dass die Liebe Gottes in Christus Jesus in den Herzen der Beschenkten die aufeinander zukommenden Früchte des Heils trägt und bewirkt.* Diese inständige, vom Heiligen Geist geprägte *Liebe ist der Garant für ein nachfolgendes, christliches Dasein, in den Fußstapfen des Herrn Jesus Christus zu wandeln.* Anhand dieser ergebenen, stets von Gott geforderten Tugenden *werden die Etiketten aller Gemeindemitglieder mittels ihrer von seelsorgerischer Nächstenliebe umrahmten Handlungen gegenüber jedermann mehr als nur sicht- als auch erkennbar.* „Zuchtbringende Maßnahmen" *kristallisieren sich folglich mittels ihrer kraftspendenden, immerdar zueinander findenden* „Erquickungen" *aufgrund der den Gemeindemitgliedern anhängenden, in ihren Herzen wohnenden Liebe heraus.*

Vers 2: Gleicherweise soll sich Timotheus mittels seiner christlichen Tugenden *auch dem weiblichen Geschlecht,* ja – *bei* ***... älteren Frauen wie Mütter, jüngere wie Schwestern*** (als auch umgekehrt!) *mittels seiner im Herzen ruhenden Nächstenliebe zu erkennen geben* (siehe abermals Auslegung zu 1.Timotheus, Kapitel 5, Vers 1!). Es bestehen daher *keinerlei Unterschiede zwischen dem weiblichen und dem männlichen Geschlecht.* Somit betont Paulus anhand seines Briefes an die Galater in Kapitel 3 in Vers 28 folgende Worte: ***... da ist weder Jude noch Grieche, da ist weder Knecht noch Freier, da ist weder Mann noch Frau; denn ihr seid aller einer in Christus Jesus.*** Auch gegenüber *dem weiblichen Geschlecht muss daher die vor allem stehende Liebe in gegenseitigen, respektvollen Maßnahmen mittels der vom Geist Gottes geprägten Liebe stets aufzufinden sein. Somit werden feindselige, gegeneinander geprägte Handlungen von Anfang an restlos ausgeschlossen.* Und der Herr Jesus Christus lässt uns folgende Worte der unabänderlichen Wahrheit in Erfahrung bringen: ***... denn wer den Willen meines Vaters im Himmel tut, der ist mir Bruder und Schwester und Mutter!*** (Matthäus, Kapitel 12, Vers 50).

Weiterhin jedoch benennt Paulus die ***... Keuschheit*** (bzw. die mit Anstand resultierende Enthaltsamkeit!). Dies sagt eindeutig aus – so Paulus – *dass wenn Worte der Mahnungen gegenüber den* ***... jüngeren Frauen*** *mit von* „Herz zu Herz“ *von dem Timotheus ausgesprochen Maßregelungen versehen werden müssen, diese folglich* ***... mit allem Anstand*** (Lutherbibel 2017), ja – ***... in aller Lauterkeit*** (Zürcher-Bibel) sprich – *mit Maßnahmen der absoluten Integrität von dem Gemeindeleiter nachvollzogen werden sollen* – und zwar in einer solchen Art und Weise – *als führe Timotheus mit den jüngeren Frauen einen Gott und Christus stets wohlwollenden Umgang als wie mit* „seinen Schwestern im Herrn“, so der Apostel. *Diese Verhaltensmaßnahme des Timotheus versteht sich aufgrund seiner unentwegt zu Gott und dem Herrn Jesus Christus bezogenen, inständigen Glaubensintensität von selbst.* Daher betont der Apostel Paulus gegenüber *allen Gemeindemitgliedern der Epheser* nochmals bei seiner Abschiedsrede an die Ältesten in Ephesus : ***... so habt nun acht auf euch selbst und auf die ganze Herde, in welcher der Heilige Geist euch zu Aufsehern gesetzt hat, um die Gemeinde Gottes zu hüten*** (die Apostelgeschichte des Lukas, Kapitel 20, Vers 28a). Ja – *die immerdar von Gott in dem Herrn Jesus Christus dem Timotheus überbrachte Stärke in der Kraft des Heiligen Geistes soll stets des Gemeindeleiters gewichtigen Mittelpunkt in seinem bedeutungsvollen Amt beleuchten* – so der Apostel Paulus – *sodass Timotheus rundweg nach den vor allen stehenden Richtlinien des ihn liebenden Gottes handelt, welche durch Jesus Christus zur Vollendung gelangten.*

Verse 3 – 16

Von den Witwen in der Gemeinde

[3]Ehre die Witwen, die wirklich Witwen sind. [4]Wenn aber eine Witwe Kinder oder Enkel hat, so sollen diese zuerst lernen, am eigenen Haus gottesfürchtig zu handeln und den Eltern Empfangenes zu vergelten; denn das ist gut und wohlgefällig vor Gott. [5]Eine wirkliche und vereinsamte Witwe aber hat ihre Hoffnung auf Gott gesetzt und bleibt beständig im Flehen und Gebet Tag und Nacht; [6]eine genusssüchtige jedoch ist lebendig tot. [7]Sprich das offen aus, damit sie untadelig sind! [8]Wenn aber jemand für die Seinen, besonders für seine Hausgenossen, nicht sorgt, so hat er den Glauben verleugnet und ist schlimmer als ein Ungläubiger. [9]Eine Witwe soll nur in die Liste eingetragen werden, wenn sie nicht weniger als 60 Jahre alt ist, die Frau eines Mannes war [10]und ein Zeugnis guter Werke hat; wenn sie Kinder aufgezogen, Gastfreundschaft geübt, die Füße der Heiligen gewaschen, Bedrängten geholfen hat, wenn sie sich jedem guten Werk gewidmet hat. [11]Jüngere Witwen aber weise ab; denn wenn sie gegen (den Willen des) Christus begehrlich geworden sind, wollen sie heiraten [12]und kommen (damit) unter das Urteil, dass sie die erste Treue gebrochen haben. [13]Zugleich lernen sie auch untätig zu sein, indem sie in den Häusern herumlaufen; und nicht nur untätig, sondern auch geschwätzig und neugierig zu sein; und sie reden, was sich nicht gehört. [14]So will ich nun, dass jüngere Witwen heiraten, Kinder gebären, den Haushalt führen und dem Widersacher keinen Anlass zur Lästerung geben; [15]denn etliche haben sich schon abgewandt, dem Satan nach. [16]Wenn ein Gläubiger oder eine Gläubige Witwen hat, so soll er sie versorgen, und die Gemeinde soll nicht belastet werden, damit diese für die wirklichen Witwen sorgen kann.

Auslegung:

Vers 3: Verschiedene Anweisungen des Apostels folgen nun, *inwiefern sich* Timotheus gegenüber *den Witwen innerhalb der Gemeinde in Ephesus verhalten soll.* Daher betont Paulus in diesem 3.Vers: ***… ehre die Witwen, die wirklich Witwen sind*** (der Begriff „ehren" schließt in diesem Zusammenhang materielle Unterstützung mit ein. Witwen ohne Angehörige waren in der damaligen Zeit ohne richtige Altersversorgung; die Gemeinde übernahm offensichtlich die Versorgung unter bestimmten Bedingungen = Quelle: Schlachter-Bibel 2000! – siehe hierzu nachfolgende Worte und spätere Auslegung zu Vers 16 dieses gleichnamigen 5.Kapitels!). Somit erwähnt der Apostel in 1.Thimotheus, Kapitel 5, Vers 16 (in Bezug auf diesen 3.Vers!): ***… wenn ein Gläubiger oder eine Gläubige Witwen hat, so soll er sie versorgen, und die Gemeinde soll nicht belastet werden, damit diese für die wirklichen Witwen sorgen kann.***

So soll es Timotheus *verhindern, dass* ***… die Witwen*** *innerhalb der Gemeinde in Ephesus* ***… bei der täglichen Hilfeleistung übersehen werden*** (die Apostelgeschichte des Lukas, Kapitel 6, Vers 1b). Daher betont der allmächtige Gott in den alttestamentlichen Schriften Seine Anweisungen gegenüber dem Mose als auch gegenüber dem Volk Israel wie folgt: ***… ihr sollst keine Witwen und Waisen bedrücken. Wenn du sie dennoch in irgendeiner Weise bedrückst und sie schreien zu mir, so werde ich ihr Schreien gewiss erhören, und dann wird mein Zorn entbrennen, sodass ich euch mit dem Schwert umbringe, damit eure Frauen zu Witwen werden und eure Kinder zu Waisen!*** (2.Mose, Kapitel 22, Verse 21 – 23). Und im 5.Buch Mose in Kapitel 10 in den Versen 17 + 18 spricht der Allmächtige: ***… denn der HERR, euer Gott, Er ist der Gott der Götter und der Herr***

der Herren, der große, mächtige und furchtgebietende Gott, der die Person nicht ansieht und kein Bestechungsgeschenk annimmt, der der Waise und der Witwe Recht schafft und den Fremdling lieb hat, sodass er ihm Speise und Kleidung gibt.

Allzu deutlich wird es ersichtlich, *dass die Witwen stets als hilfebedürftige als auch ehrwürdige Personen innerhalb der Gemeinden angesehen wurden.* So *fordert* nun auch der Apostel Paulus den Gemeindeleiter der Epheser – den Timotheus – *dazu auf, Witwen,* **... die wirklich** *vereinsamt und allein im Leben stehen,* sprich – **... die wirklich Witwen sind,** *mit allen erforderlichen Maßnahmen zu* **... ehren** (1.Timotheus, Kapitel 5, Vers 3). Ja – *d i e s e Witwen sollen immerdar gebührend mittels organisatorischen, ihnen angemessenen,* ja – *anhand rundum d i e s e n Witwen gebührenden Maßnahmen versorgt – und in Form von seelsorgerischer Nächstenliebe mittels Gott und dem Herrn Jesus Christus wohlgefälligen Tugenden betreut werden.* Es handelt sich also um *solche Witwen, deren Familienangehörige und deren Verwandtschaft bereits verstorben oder in weite Ferne von ihnen weg-* bzw. *ausgezogen sind. D i e s e n Witwen* sollen Timotheus als auch die restlichen Gemeindemitglieder mittels ihres unverzagten Glaubens nahe beistehen – *w i r t s c h a f t l i c h als auch g e i s t i g wirkungsvoll* – denn dieses Verhalten *v e r l a n g t ihr vom Heiligen Geist gesegneter Glaube an Gott in dem Herrn Jesus Christus.* Denn schließlich hat der Heiland – der Herr Jesus Christus – *die Frauen* (natürlich auch *die Witwen!*) *in den gleichen, unterschiedslosen Stand der göttlich-barmherzigen Gnade wie auch die Männer berufen als auch hineingestellt.* Folglich hatten *d i e s e Witwen,* deren Familienangehörige verstorben oder von ihnen fortgezogen waren *nun den exakt identischen Anteil am Reich der Herrlichkeit Gottes wie die männlichen Personen auch.*

Vers 4: Falls jedoch folgender Fall eintritt – nämlich – so verfasst es der Apostel: ***... wenn aber eine Witwe Kinder oder Enkel hat, so sollen diese zuerst lernen, am eigenen Haus*** (sprich: in *dieser* Familie!) ***... gottesfürchtig zu handeln und den Eltern Empfangenes zu vergelten; denn das ist gut und wohlgefällig vor Gott*** – so Paulus. Abermals tritt der aus dem soeben ausgelegten 3.Vers wiederum der noch folgende 16.Vers dieses gleichnamigen 5.Kapitels in Kraft (siehe Auslegung unter 1.Timotheus, Kapitel 5, Vers 3!). So spricht daraufhin der Herr und Heiland Jesus Christus im Evangelium des Matthäus in Kapitel 15 in Vers 4: (in Bezug auf 2.Mose, Kapitel 20, Vers 12a + 3. Mose, Kapitel 20, Vers 9!) ***... denn Gott hat geboten und gesagt: „Du sollst deinen Vater und deine Mutter ehren!" und „wer Vater oder Mutter flucht, der soll des Todes sterben!".***

Paulus *unterscheidet* nun zwischen den ***... wirklichen Witwen*** *o h n e Familienangehörige* (1.Timotheus, Kapitel 5, Vers 3 / siehe Auslegung!) sprich – *diejenigen wirklichen Witwen, die sich mit ganzer Entschlossenheit einer weiteren Ehe entsagen – und solchen Witwen,* die er in diesem 4.Vers erwähnt, nämlich wiederum *d i e j e n i g e n* Witwen, welche ***... Kinder oder Enkel*** haben. Wenn *dieser noch existierende Familienstand auf diese Witwen zutrifft,* so brauchen sie die aus dem 3.Vers benannte *Fürsorglichkeit der Gemeinde nicht* (in Bezug auf die Gemeinde zukommenden ökonomischen Pflichtausübungen benötigen diese Witwen *nicht* – die geistige, seelsorgerische Nächstenliebe gegenüber diesen Witwen aber *bleibt* selbstverständlich unentwegt aufgrund der gläubigen Gemeinde in deren Herzen ruhenden Glaubens in der Kraftwirkung des Heiligen Geistes beständig *bestehen!*). Hier *unterscheiden sich* „Witwen der Vereinsamung" (Vers 3) und „Witwen, welche ***... Kinder und Enkel*** haben" (Vers 4). Daher betont der Apostel Paulus ausdrücklich in seinem Brief an die Kolosser in Kapitel 3 in Vers 20: ***...***

ihr Kinder, seid gehorsam euren Eltern in allem, denn das ist dem Herrn wohlgefällig! *Dies* ist in der Tat *ein dem allmächtigen Gott und dem Herrn Jesus Christus gebührendes Handeln, denn mittels dieser von* ***… den Kindern und Enkeln*** *ausgehenden Wesenszüge im Glauben bestätigen diese, dass sie den Glauben in ihren Herzen tragen, um den stets gewollten Anforderungen Gottes in dem Herrn und Heiland Jesus Christus anhand ihrer* ***… guten und Gott wohlgefälligen*** *Verantwortungsbereiche rundum gerecht zu werden.* Folglich sind diese ***… Kinder und Enkel*** nicht nur im Stande, *ihre Mutter* (Großmutter!) *im Witwenstand mittels* ***… Gott*** *gebührenden,* ***… wohlgefälligen*** *Maßnahmen zu versorgen,* sondern weisen zugleich auf, *dass sie in dem gleichen christlichen Standpunkt mit einem unverzagten Glauben dieses bedeutende Amt nach den Richtlinien Gottes in dem Herrn Jesus Christus gemäß voller Tatendrang ausüben.* Mit diesen ihren Handhabungen erweisen sie *Gott die Ehre.*

Es sind *jene* Haushalter Gottes, *welche – gleich wie die Witwe ihrer Versorgung –* ***… ein gutes Zeugnis guter Werke haben, Gastfreundschaft üben, die Füße der Heiligen waschen, Bedrängten helfen*** *und* ***… sich jedem guten Werk gewidmet haben*** (1.Timotheus, Kapitel 5, Vers 10 / Auslegung folgt!). Mittels exakt *dieser Tätigkeiten* zeigen sie unmissverständlich auf, *dass sie in der barmherzigen Gnade des allmächtigen Gottes angelangt sind – und folglich als Haushalter Gottes angesehen werden können – und somit erstatten sie* ***… den Eltern Empfangenes,*** *welches wiederum* ***… gut und wohlgefällig vor Gott*** *ist* (1.Timotheus, Kapitel 5, Vers 4b). Wahrhaft diese ***… Kinder und Enkel*** *haben nicht nur den wirtschaftlichen Aspekt bei ihren Familienangehörigen übernommen, sondern vor allem sind sie jenen über allen stehenden geistlichen Wesenszügen in Form des vom Geist betuchten, inständigen Glaubensmuster ihrer Eltern nachgefolgt, indem auch sie zu dem himmli-*

schen Vater sprechen als auch rufen können: ***Abba, Vater!*** (Römer, Kapitel 8, Vers 15b). Ja – *unter Danksagung* üben sie die vor allem stehenden Verpflichtungen Gottes in dem Herrn Jesus Christus gemäß des himmlischen Vaters und des Heilands stets wahrheitsgemäßen Richtlinien *in der Ehrerbietung Gottes aus.* Außerdem *vergelten diese* ***... Kinder und Enkel*** *der Witwe genau das, was ihnen von Gott abverlangt wird* – nämlich – *dass sie die interne Gemeinsamkeit mit der Witwe rundweg aufrechterhalten.* In der Tat – der Geist der Wahrheit Gottes hat die ***... Kinder und Enkel*** dazu *verpflichtet, aufgrund ihres tiefbeseelten Glaubens genau diese* ***... Gott wohlgefälligen*** *Tugenden zu erlernen als auch zu vollbringen – und die* Witwe *kann zugleich ihren geistlichen Dienst im Glauben voller Freude in der ihr geoffenbarten Kraft im Heiligen Geist innerhalb der Gemeinde weiterhin ausüben, um die ehrenden Lobpreisungen Gottes n i c h t außer Acht zu lassen.*

Auch wird es an dieser Stelle erneut unmissverständlich ersichtlich, *dass gemeinschaftlich-geprägte, vom Höchsten in Christus Jesus anbefohlene Tugenden das Wohlwollen aller Gemeindemitglieder prägend formen – und dass Gott bei Seinen unantastbaren Entscheidungen stets das Wohlbehagen aller Menschen in den Vordergrund stellt – wobei die über allem stehende Ehre wiederum allein Ihm –* dem himmlischen Vater allen Seins – *gebührt.* Daher können *alle vom Heiligen Geist Beschenkten* dem allmächtigen Gott bekennen: ***... nicht uns, HERR, nicht uns, sondern deinem Namen gib Ehre um deiner Gnade und Treue willen!*** (Psalm 115, Vers 1 / Lutherbibel 2017).

Vers 5: Erneut kehrt der Apostel auf eine weitere Erklärung zurück, welche die ***... wirklichen Witwen*** betrifft – und schließt somit diese seine nun folgenden Worte an die bereits ausgelegten Verse 3 + 4 dieses gleichnamigen 5.Kapitels des 1.Thimoteusbriefes an, (siehe Auslegung!) indem er gegenüber dem Timotheus betont: ***... eine wirkliche und vereinsamte Witwe aber hat ihre Hoffnung auf Gott gesetzt und bleibt beständig im Flehen und Gebet Tag und Nacht.*** Daher können wir des Paulus` prägende Aussage im Evangelium des Lukas in Kapitel 2 in den Versen 36 + 37 mittels einer ***... wirklichen Witwe*** wie folgt in Erfahrung bringen: ***... und da war auch Hanna, eine Prophetin, die Tochter Phanuels, aus dem Stamm Asser, die war hochbetagt und hatte nach ihrer Jungfrauschaft mit ihrem Mann sieben Jahre gelebt; und sie war eine Witwe von etwa 84 Jahren; die wich nicht vom Tempel, sondern diente (Gott) mit Fasten und Beten Tag und Nacht.*** Ja – in der Tat – Gott spricht im Buch des Propheten Jeremia in Kapitel 49, Vers 11: ***... lass nur deine Waisen! Ich will sie am Leben erhalten, und deine Witwen mögen auf mich vertrauen!*** Und weiterhin können wir anhand des 146.Psalms – der Gottes Treue bekennt – in den Versen 8b + 9 anhand der Worte der Lutherbibel 2017 Folgendes von der über allem stehenden Gerechtigkeit des uns liebenden Gottes erfahren: ***... der HERR richtet auf, die niedergeschlagen sind. Der HERR liebt die Gerechten. Der HERR behütet die Fremdlinge und erhält die Waisen und Witwen; aber die Gottlosen führt er in die Irre.***

Eindeutig wird erkennbar, dass die von dem Apostel Paulus benannten ***... wirklichen und vereinsamten Witwen,*** *diejenigen Menschen verloren haben, mit welchen sie einst verbunden waren – und fortan führen diese Witwen ein reines, zum allmächtigen Gott und dem Herrn Jesus Christus bezogenes als auch gekennzeichnetes Dasein anhand ihres tiefgegründeten, inständigen Glaubens aus, weil sie mit* ***... Flehen und Gebet*** *vollends dem allmächtigen Gott ihre verbleibenden irdischen Tage voll und ganz anvertrauen* (1.Timotheus,

Kapitel 5, Vers 5). Ja – *der ihnen stets beistehende Geist der Wahrheit Gottes leitet diese* ***... wirklichen und vereinsamten Witwen*** *aufgrund ihres unverzagten Glaubens in den wunderbaren, allerrettenden Heilsbereich des sie liebenden Gottes in dem Herrn Jesus Christus.* Und der allmächtige Gott *schenkt ihnen das von diesen Witwen von Glauben erfüllten Herzen kommende Vertrauen, welches zu diesen Witwen dank ihrer Glaubensgewissheit im Heiligen Geist diesen Frauen unmissverständlich bekennt:* ***... ich*** (Gott!) ***will dich nicht aufgeben und dich nicht verlassen*** (Josua, Kapitel 1, Vers 5b). Wahrhaft – ihre Glaubensintensität bekennt ihnen nachdrücklich: ***... sorgt euch um nichts; sondern in allem lasst durch Gebet und Flehen mit Danksagung eure Anliegen vor Gott kundwerden*** (Philipper, Kapitel 4, Vers 6).

In der Tat – der Dienst dieser ***... wirklichen und vereinsamten Witwen*** ist somit ein Paradebeispiel *des wahren Glaubens in einer priesterlichen Funktion.* Ja – ihr Glauben ist geprägt von stets *nachzuahmenden voll Glauben im Geist der Wahrheit umhüllten Bedeutsamkeitsfaktoren gegenüber allen anderen Mitgliedern der Gemeinde in Ephesus,* so Paulus. *Alle sehnsüchtigen Erwartungen,* welche diese ***... wirklichen und vereinsamten Witwen*** prägen, *sind weder Hoffnungen auf einen Mann, noch auf die Hilfe der Gemeinde an sich, sondern die auf den allmächtigen Gott in Christus gerichteten, inbrünstigen Blicke gen Himmel mittels ihrer flehenden und von ganzer Demut umrahmten Gebete;* denn allein von dort – *von dem himmlischen Vater allen Seins – erwarten diese gläubigen Witwen das auf sie zukommende, sie niemals vernachlässigende, noch sie jemals verlassende Heil,* welches in Christus Jesus zur Vollendung gelangt. *Allein der Glaube in der Kraftwirkung des Heiligen Geistes ist es wiederum, der ihnen diese unverzagte Heilsgewissheit in ihre Herzen legt.* Es sind *allein diese von Glauben erfüllten, die Witwen auszeich-*

nenden Kraftauswirkungen Gottes in dem Herrn und Erlöser Jesus Christus, welche diese Witwen mittels des Heiligen Geistes zu Töchtern des Heils kennzeichnet. Ja – diese ***… wirklichen und vereinsamten Witwen*** sind sich dieser *sie niemals verlassenden Hilfe Gottes in dem Herrn Jesus Christus g e w i s s* – und bekennen dem allmächtigen Gott ihre von Herzen kommende Dankbarkeit in ganzer Gott wohlgefälliger Beständigkeit wie folgt: ***… dennoch bleibe ich stets an dir; denn du hältst mich bei meiner rechten Hand, du leitest mich nach deinem Rat und nimmst mich am Ende mit Ehren an. Wenn ich nur dich habe, so frage ich nichts nach Himmel und Erde. Wenn mir gleich Leib und Seele verschmachtet, so bist du doch, Gott, allezeit meines Herzens Trost und mein Teil*** (Psalm 73 – ein Psalm Asafs, Verse 23 – 26 / Lutherbibel 2017).

Vers 6: Der Apostel hält mit seinen von ganzer Bedeutung geprägten Anweisungen gegenüber dem Timotheus „kein Blatt vor dem Mund“ – denn schließlich soll der Leiter der Gemeinde in Ephesus *alle Wesenszüge sämtlicher Witwen-Gruppierungen genauestens in Erfahrung bringen, um manchen von ihnen – wenn nötig – helfend bei Seite zu stehen, um das auch sie in den Heilsbereich des Höchsten angelangen können.* Daraufhin betont Paulus nun *das rundweg desertierte V e r h a l t e n einer* ***… genusssüchtigen*** (***ausschweifend*** = Lutherbibel 2017 / ***die es sich gut gehen lässt*** = Zürcher Bibel) *Witwe.* Diese ***… ist*** – so Paulus – ***… lebendig tot.*** Daher bekennt der Herr Jesus Christus *diesen vom Glauben abtrünnigen Personen* unmissverständlich: ***… ich kenne deine Werke: Du hast den Namen, dass du lebst, und bist doch tot*** (die Offenbarung des Johannes, Kapitel 3, Vers 1b).

Wenn wir das Wort *g e n u s s s ü c h t i g* definieren, so kommen wir zu der nun folgenden Feststellung – dieses *V e r h a l t e n* der Witwe ist folglich: *maßlos, unersättlich, ungezügelt, hemmungslos, undiszipliniert, lasterhaft, ruchlos, ich-bezogen und somit einzig und allein auf das Ihre bedacht.*

Allzu deutlich wird es ersichtlich, dass diese von Gott und dem Herrn Jesus Christus *abkapselnden, irdisch-geprägten Attribute dieser Witwen dem lasterhaften Vergnügen dienen, welche vor Gott und dem Herrn Jesus Christus keinen Bestand haben.* Unmissverständlich betitelt der Apostel Paulus diese ***... genusssüchtige*** Witwe als ***... lebendig tot.*** Sie ist *keine w i r k l i c h e Witwe, weil ihre abtrünnigen Wesenszüge ihr rundum beflecktes Denkschema gnadenlos aufdecken.* So ist der Mensch bereits *g e i s t i g t o t* – ja – ***... lebendig tot,*** *wenn dieser seine ganz und gar unnützen Verlangen – welche vor Gott vollkommen unakzeptabel und nichtig sind – in den gewichtigen Vordergrund stellt.* Daher bekennt Paulus mit unmissverständlicher Schärfe folgende von ihm verfassten Worte mittels seines Briefes an die Römer in Kapitel 7 in den Versen 9 + 10: ***... ich aber lebte, als ich noch ohne Gesetz war; als aber das Gebot kam, lebte die Sünde auf, und ich starb; und ebendieses Gebot, das zum Leben gegeben war, erwies sich für mich als todbringend.***

Wahrhaft – *dieses rein irdisch-vergängliche – an dieser Witwe sich festhaftende, von Gott und dem Herrn Jesus Christus isolierte Verhaltensmuster der* ***... genusssüchtigen*** Witwe *verbindet sie mit den abscheuerregenden Werken des* ***... Gottes dieser Weltzeit*** – (dem Teufel!) *weil dieser Widersacher jener Witwe* ***... die Sinne verblendet hat, sodass ihr das helle Licht des Evangeliums der Herrlichkeit des Christus nicht aufleuchtet, welcher Gottes Ebenbild ist*** (2.Korinther, Kapitel 4, Vers 4). In der Tat – ***... ihr Wort frisst um***

sich wie ein Krebsgeschwür – so Paulus in seinem 2.Brief an Timotheus in Kapitel 2 in Vers 17a (Auslegung folgt!) – *daher* ist *diese* ***... genusssüchtige*** Witwe *auch als* ***... lebendig tot*** *in Augenschein zu nehmen,* so der Apostel.

Vers 7: Eben *weil* Gott *a l l e Menschen zu sich ziehen will,* ja – *weil der himmlische Vater will,* ***... dass alle Menschen gerettet werden und zur Erkenntnis der Wahrheit kommen*** (1.Timotheus, Kapitel 2, Vers 4 / siehe Auslegung!) – *weist der Apostel Paulus nun den Timotheus an:* ***... sprich das offen aus, damit sie untadelig sind!*** (1.Timotheus, Kapitel 5, Vers 7). Denn der allmächtige Gott bekennt: ***... oder habe ich etwa Gefallen am Tod der Gottlosen, spricht GOTT, der Herr, und nicht vielmehr daran, dass er sich von seinen Wegen bekehrt und lebt?*** (Hesekiel, Kapitel 18, Vers 23).

Wahrhaft – *weil Gott die allein von Ihm ausgehende, barmherzige Gnade allen Menschen in Christus Jesus zugänglich gemacht hat – soll somit nun Timotheus –* von Paulus beauftragt – *dafür Sorge tragen, dass sich der Wille Gottes innerhalb der Gemeinde in Ephesus erfüllt.* Ja – in des Apostels Paulus Herzen ruht die Gewissheit, *dass* ***... sein geliebtes Kind im Glauben*** (2.Timotheus, Kapitel 1, Vers 2a / Auslegung folgt!) – Timotheus – *aufgrund des in dem Gemeindeleiter der Epheser ruhenden Glaubens in der Kraft des Heiligen Geistes dieses nicht einfach zu erfüllende Werk nach bestem Wissen und Gewissen mit der dem Timotheus von Gott und Christus unterstützten als auch die von Ihnen ihm geoffenbarte Pflichterfüllung eines vom Geist Gottes beseelten Gemeindeleiters den Richtlinien des himmlischen Vaters in Jesus Christus gemäß ausüben wird;* weil *alle Personen innerhalb der Gemeinde in Ephesus bei der Parusie Jesu Christi* (der Wiederankunft des Herrn Jesus Christus!) *am*

Jüngsten Tag – dem Tag des göttlichen Gerichts – bestehen müssen; damit sie alle gemeinsam das Reich der Herrlichkeit Gottes erblicken können, dessen alleiniger Wegbereiter der sie liebende Gott in dem Heiland Jesus Christus selbst ist.

Vers 8: Daher gelten nun folgende, unmissverständlich zu akzeptierende Maßregelungen des Apostels Paulus, welche nunmehr lauten: ***… wenn aber jemand für die Seinen,*** (den nahestehenden Anverwandten / jemandem zuliebe mittels der Handhabung der Nächstenliebe!) ***… besonders für seine Hausgenossen,*** (d.h. seine näheren Familienangehörigen und Bediensteten, die mit ihm im Haus leben = Quelle: Schlachter-Bibel 2000! – und *nicht nur die Witwen!*) ***… nicht sorgt, so hat er den Glauben verleugnet und ist schlimmer als ein Ungläubiger.*** Erneut bezieht sich der Apostel auf den bereits von ihm benannten 4.Vers dieses gleichnamigen Kapitels (siehe Auslegung!) – und fügt diesen Worten hinzu, dass solche *Handlungsverweigerer, welche behaupten, Christen zu sein* ***… vorgeben, Gott zu kennen, aber mit den Werken*** (ihren *eigenen nicht handelnden Werken!*) ***… verleugnen sie ihn, da sie verabscheuungswürdig und ungehorsam und zu jedem guten Werk untüchtig sind*** (Titus, Kapitel 1, Vers 16). Vielmehr aber *sollen vom Glauben überzeugte, vom Heiligen Geist gesegnete Menschen ihre zu Gott und dem Herrn Jesus Christus bezogenen Handlungen in Form der seelsorgerischen Nächstenliebe wie folgt aufweisen* ***… so lasst uns nun, wo wir Gelegenheit haben, an allen Gutes tun, besonders aber an den Hausgenossen des Glaubens*** (Galater, Kapitel 6, Vers 10), so der Apostel.

Paulus will es dem Timotheus als auch der Gemeinde im Ganzen verdeutlichen, *dass selbst ein Heide an die natürlichen Pflichtausübungen mittels seines eigenen Verantwortungsbewusstseins gebun-*

den ist. Handelt dieser dementsprechend, *so vollführt dieser Heide eine weitaus größere als auch vor Gott angesehenere Handlung, wie ein Christ, der diese gewichtig zu leistende Hilfe trotz seines Glaubens verweigert, in dessen Herzen jedoch die Kraftwirkung des ihm von Gott in Christus geoffenbarten Heiligen Geistes die Werke vollbringen sollte, welche ihm letztlich der himmlische Vater in Seinem Sohn voller barmherziger Gnade herauskristallisiert hat.* Ja – *diese* überaus bedeutende, *christliche Pflichtausübung gegenüber* ***… den Seinen, besonders für seine Hausgenossen*** (1.Timotheus, Kapitel 5, Vers 8a) *zeugt davon, mit einer wahren christlichen Glaubensgemeinschaft inständig verbunden zu sein.* Es ist eine *durch Glauben vom Heiligen Geist Gottes anweisende Handlung, welche unmissverständlich aussagt, in den Fußstapfen Jesu Christi zu wandeln, um das die seelsorgerische Nächstenliebe gegenüber einer jeden Person zum realisierten Vorschein gelangt.* Wer diese Handlungen jedoch *trotz seines in seinem Herzen ruhenden Glaubens b e w u s s t ignoriert, der handelt rundweg fahrlässig als auch pflichtwidrig und zugleich* ***… den Glauben verleugnend*** (1.Timotheus, Kapitel 5, Vers 8b). Ja – „dieser Christ“ *handelt g e g e n den Geist Gottes* – denn – so verfasst der Halbbruder unseres Herrn Jesus Christus – Jakobus folgende Worte: ***… so ist es auch mit dem Glauben: Wenn er keine Werke hat, so ist er an und für sich tot*** (Jakobus, Kapitel 2, Vers 17).

Mit diesen seinen Worten *kennzeichnet Jakobus nicht nur die mahnenden Worte des Apostels Paulus aus* 1.Timotheus, Kapitel 5, Vers 8 – *sondern vor allem die über alles stehende Evangeliums-Botschaft seines Halbbruders – unseres Herrn Jesus Christus – mittels des Heilands* Gleichnisses vom barmherzigen Samariter – das ein Paradebeispiel der seelsorgerischen, stets nachzuahmenden, christlichen Nächstenliebe bekundet: Als ein Gesetzeslehrer den Herrn Jesus fragte, was er tun müsse, um das Ewige Leben zu erben, antwortete ihm der Heiland: ***... es ging ein Mensch von Jerusalem nach Jericho hinab und fiel unter die Räuber; die zogen ihn aus und schlugen ihn und liefen davon und ließen ihn halb tot liegen, so wie er war. Es traf sich aber, dass ein Priester dieselbe Straße hinabzog; und als er ihn sah, ging er auf der anderen Seite vorüber. Ebenso kam auch ein Levit, der in der Gegend war, sah ihn und ging auf der anderen Seite vorüber. Ein Samariter*** (die Samariter waren ein Mischvolk, das von den Juden verachtet wurde = Quelle: Schlachter-Bibel 2000!) ***... aber kam auf seiner Reise in seine Nähe, und als er ihn sah, hatte er Erbarmen; und er ging zu ihm hin, verband ihm die Wunden und goss Öl und Wein darauf, hob ihn auf sein eigenes Tier, führte ihn in eine Herberge und pflegte ihn. Und am anderen Tag, als er fortzog, gab er dem Wirt zwei Denare und sprach zu ihm: Verpflege ihn! Und was du mehr aufwendest, will ich dir bezahlen, wenn ich wiederkomme.*** So spricht nun der Herr Jesus Christus zu dem ihm fragenden Gesetzeslehrer: ***... welcher von diesen dreien ist deiner Meinung nach nun der Nächste dessen gewesen, der unter die Räuber gefallen ist? Er*** (der Gesetzeslehrer!) ***sprach:*** (zu dem Herrn Jesus Christus!) ***...der, welcher die Barmherzigkeit an ihm geübt hat! Da sprach Jesus zu ihm: So geh du hin und handle ebenso!*** (Lukas, Kapitel 10, Verse 30b – 37).

In der Tat – dieses von dem Herrn und Erlöser Jesus Christus geprägte, unnachahmliche Musterbeispiel *übt eine bleibende Wirkung auf* „das Aushängeschild" *stets nachzuahmender, seelsorgerischer Nächstenliebe anhand des vom Geist umrahmten Glaubens nicht nur gegenüber* **... den Seinen** *als auch unter Rücksichtnahme für die* **... eigenen Hausgenossen** *aus,* (1.Timotheus, Kapitel 5, Vers 8a) *sondern* dieses Paradebeispiel weist zugleich eindeutig darauf hin, *dass ein Christ gegenüber jedermann genau so handeln soll, um das diese ihm von Gott in dem Herrn Jesus Christus geoffenbarten, wohlgefäl-*

ligen Tugenden zum Vorschein gelangen, damit alle anderen Menschen erkennen, dass ***… Gott, der dem Licht gebot, aus der Finsternis hervorzuleuchten, er hat es auch in unserem Herzen Licht werden lassen, damit wir erleuchtet werden in der Erkenntnis der Herrlichkeit Gottes im Angesicht Jesu Christi*** – **…** (so)***dass auch unser Licht leuchtet vor den Leuten, dass sie unseren guten Werke sehen und unseren Vater im Himmel preisen*** (2.Korinther, Kapitel 4, Vers 6 + Matthäus, Kapitel 5, Vers 16). Wahrhaft – *diese christlichen Wesenszüge tragen nicht nur dazu bei, mittels zum Himmel gerichteter Lobpreisungen das uns vom Höchsten vollbrachte Heil im Herrn Jesus Christus zu bekennen – sondern die Ehre Gottes wird mittels dieser Tugenden vollends aufgrund unserer zuversichtlichen Gewissheit anhand des uns allein vom himmlischen Vater geoffenbarten, geistbeseelten Glaubens fundiert hervorgehoben,* so Paulus.

Vers 9: Der Apostel kehrt mit diesem 9.Vers erneut zu den von ihm benannten *Witwen-Gruppierungen* zurück – und betont nunmehr gegenüber dem Timotheus: ***… eine Witwe soll nur in die Liste eingetragen werden,*** (in den Gemeinden gab es offensichtlich Verzeichnisse der unterstützungsbedürftigen Witwen = Quelle: Schlachter-Bibel 2000!) ***… wenn sie nicht weniger als 60 Jahre alt ist,*** und ***… die Frau eines Mannes war.*** Paulus bezieht sich mittels dieser seiner Aussage erneut auf die bereits ausgelegten Verse aus 1.Timotheus, Kapitel 3, Vers 2 + 1.Timotheus, Kapitel 3, Vers 12 (siehe Auslegung!) – *und lässt somit die aus diesen beiden Versen von ihm betonten, auszuübenden,* ja – *jene von dem allmächtigen Gott und dem Herrn Jesus Christus bestimmten, stets Ihnen wohlgefälligen Attribute* der Aufseher / Ältesten bzw. der Bischöfe *der Gemeinde in Ephesus auf diese Witwen-Gruppierung überfließen, sodass auch diese Frauen sich an den bedeutenden Handlungen dieser Männer-*

Gruppierungen innerhalb der Gemeinde mittels gleicher Pflichtausübungen orientieren als auch dass diese Witwen w i l l i g sind, aufgrund ihres unentwegt zu Gott und Christus bezogenen, innigen Glaubens mittels ihrer ihnen vom Geist Gottes geoffenbarten Stärke diese konstanten, zum Wohl der anderen Gemeindemitglieder dienenden, seelsorgerischen Charaktereigenschaften der Nächstenliebe zu übernehmen.

Timotheus – der als Gemeindeleiter in Ephesus die Aufsicht über *alle Gruppierungen der Glaubenden* zu verwalten hatte, weil er von dem Apostel Paulus und ***... der Ältestenschaft*** der Epheser (siehe Auslegung zu 1.Timotheus, Kapitel 4, Vers 14!) zu dieser Aufgabe *bestimmt wurde – hatte natürlich demzufolge auch d i e s e Witwen-Gruppierung mittels einer von ihm geführten* ***... Liste*** *in Aufsicht – welche* – wie es der Apostel ihm gegenüber betonend hervorhebt – *nur diese Witwen darin* ***... eingetragen*** *darf,* ***wenn diese Frauen nicht weniger als 60 Jahre alt sind und die Frau eines Mannes waren.*** Diese *zwei Grundprinzipien* setzt Paulus *a*lso anhand dieses 9.Verses *voraus,* um das *diese Witwen in einer in der Gemeinde bestehenden* ***... Liste eingetragen*** *werden können als auch dürfen.* Timotheus soll folglich *auf das von diesen* ***... nicht weniger als 60 Jahre alten Witwen*** *vollführte Leben achten* – nämlich – *nur diejenigen Witwen darf er demzufolge in* ***... diese Liste eintragen,*** *welche in einem anstandslosen Lebenszyklus mittels der* „Ein-Ehe", (***... die Frauen eines Mannes waren***!) *ihr Dasein in stets dem allmächtigen Gott und dem Herrn Jesus Christus wohlgefälligen Tugenden nachvollzogen haben.*

Vers 10: Weiterhin *soll* diese aus dem soeben ausgelegten 9.Vers vom dem Apostel Paulus benannte Witwen-Gruppe *folgende, diese*

Frauen weiterhin anhand der sie kennzeichnenden, von Gott und Christus gewollten Eigenschaften mit einschließen – welche Timotheus zusätzlich weiterhin zu den Anforderung aus Vers 9 (siehe Auslegung!) beachten muss – *die da wären:* ***... ein Zeugnis guter Werke, wenn sie Kinder aufgezogen hat, die Füße der Heiligen gewaschen, Bedrängten geholfen hat, wenn sie sich jedem guten Werk gewidmet hat*** – *um diese* ***... nicht unter 60-jährigen Witwen*** *letztlich in die von ihm geführte* ***... Liste*** (1.Timotheus, Kapitel 5, Vers 9) *mit aufnehmen zu können.* Der Apostel betont somit anhand dieses 10.Verses die an den Timotheus weitergegebenen, von dem Leiter der Gemeinde *zu überprüfenden,* ja – jene von *dieser Witwe bereits vollbrachten Eigenschaften, welche die weiteren Werke dieser Witwe mittels Gott und den Herrn Jesus Christus würdigenden Handlungen geprägt haben.*

Ja – Paulus schenkt dem Timotheus einen genauen Einblick, *inwiefern sich diese Witwe innerhalb der Gemeinde auszuzeichnen hat, um das sie in* ***... die Liste*** (1.Timotheus, Kapitel 5, Vers 9a / siehe Auslegung!) *eingetragen werden kann.* Wahrhaft – *der Dienst dieser Witwe soll von ihr in Gott und dem Herrn Jesus Christus wohlgefälligen Handlungen in aller Ehrbarkeit ausgeübt worden sein.* Von *vorneherein schließt der Apostel somit diejenigen Witwen aus, welche die* (Ein-)Ehe *verletzten.* Damit bekennt er die unabdingbaren Worte des Herrn Jesus Christus, denn der Heiland betont ausdrücklich, *dass eine Frau* (oder ein Mann!), *die* (der!) *von ihrem Mann* (oder Frau!) *geschieden wurde und sich mit einen zweiten Mann* (oder einer zweiten Frau!) *verheiratet hat, die Ehe bricht* und folglich – so der Apostel – *mit dieser ihrer rundweg beschämenden Handhabung die Gemeinde entehrt – vor allem aber die Ehre Gottes als auch die Ehre des Herrn Jesus Christus beschämend befleckt.* Denn ausdrücklich betont der Heiland in dem Evangelium des Lukas in Kapitel 16 im 18.Vers –

dessen Worte selbstverständlich auch auf das weibliche Geschlecht zutreffen: ***... jeder, der sich von seiner Frau scheidet und eine andere heiratet, der bricht die Ehe, und jeder, der eine von ihrem Mann Geschiedene heiratet, der bricht die Ehe.***

Weiterhin hebt Paulus hervor, dass *diese Witwe mittels ihrer anerkennungswürdigen Werke der Gemeinde gut vorstehen soll* (siehe auch auf *diese Witwe* zutreffenden Erklärungen unter 1.Timotheus, Kapitel 3 – gleichwie die Tugenden der Aufseher, Ältesten, Bischöfe!). Zu diesen ihr angehörenden Eigenschaften *gesellen sich die vorstehenden Tugenden ihres Hauses in Form von der Erziehung ihrer Kinder als auch der sie auszeichnenden Gütefaktoren anhand ihrer von seelsorgerischer Nächstenliebe umgebenen Liebe gegenüber ihren Nächsten in Form* ***... der Gastfreundschaft*** (1.Timotheus, Kapitel 5, Vers 10). Am Beispiel der Schwester Phöbe aus dem Brief an die Römer in Kapitel 16, in den Verse 1 + 2 können wir *die ihr anhängenden, Gott und Christus würdigenden Tugenden nachlesen, die sich wie folgt mittels der Gastfreundlichkeit ersichtlich zeigen – und welche zugleich die rundum ehrbaren Charaktere einer jeden soliden Witwe auszeichnen* – denn dort schreibt der Apostel Paulus: ***... ich empfehle euch aber unsere Schwester Phöbe, die eine Dienerin*** (Diakonin = Quelle: Schlachter-Bibel 2000!) ***... der Gemeinde in Kenchreä ist, damit ihr sie aufnehmt im Herrn, wie es sich für Heilige geziemt, und ihr in allen Dingen beisteht, in denen sie euch braucht; denn auch sie ist vielen ein Beistand gewesen, auch mir selbst.*** Und so heißt es weiterhin in dem Brief an die Hebräer: ***... bleibt fest in der brüderlichen*** (in der geschwisterlichen!) ***... Liebe! Vernachlässigt nicht die Gastfreundschaft; denn durch sie haben etliche ohne ihr Wissen Engel beherbergt*** (Hebräer, Kapitel 13, Verse 1 + 2).

Daher hat diese Witwe auch ***... die Füße der Heiligen gewaschen*** (1.Timotheus, Kapitel 5, Vers 10). Wahrhaft – mit dieser eindeutigen, voll Glauben erfüllten Geste *zeichnet sich diese Witwe abermals anhand ihrer stets Gott und Christus wohlgefälligen Tugenden aus,* so Paulus. Erneut wird es ersichtlich, dass sie mittels *d i e s e r Handlungen die untertänigen Tätigkeiten einer Dienerin einnimmt – und zuggleich aufweist, dass exakt dieses von dem Herrn Jesus Christus gegenüber Seinen Jüngern ausgeübte Verhalten* (siehe hierzu Johannes, Kapitel 13, Verse 4 – 17!) *auch jene von Gott dieser Witwe offenbarten, rundum barmherzigen Gnadenerweise zu erkennen gibt* – nämlich – *dass sie das Eigentum des allmächtigen Gottes darstellt, um mittels ihres nun ausübenden Liebensdienstes dieses ihr zukommende Geschenk des Höchsten gebührend mittels ihrer Handlungen zu ehren.* Wahrhaft – mit diesen jenen Witwen prägenden *untertänigen Handlungsschemen aber weisen sich diese Witwen selbst als* die *E r h ö h t e n in den Augen Gottes als auch in den Augen des Herrn Jesus Christus aus* – denn der Herr Jesus Christus spricht: ***... der Größte aber unter euch soll euer Diener sein*** (Matthäus, Kapitel 23, Vers 11).

Dazu gesellen sich auch – so der Apostel – ***... die Bedrängten,*** (1.Timotheus, Kapitel 5, Vers 10) *welchen diese Witwe mittels ihrer seelsorgerischen Hilfsmaßnahmen anhand ihrer in ihrem Herzen ruhenden Nächstenliebe ihre Beihilfe nicht versagt hat.* Ja – *es sind jene von diesen Witwen vollbrachten, vom Geist durch ihren Glauben erwirkten* ***... guten Werke, wie es sich für Frauen geziemt, die sich zur Gottesfurcht bekennen*** (siehe Auslegung zu 1.Timotheus, Kapitel 2, Vers 10).

In der Tat – *diese Witwe hat ihre vom Geist Gottes umschlossene, willige Dienstbereitschaft im Glauben an den himmlischen Vater im*

Herrn Jesus Christus nachvollzogen, die ihr beständig aufweist, sich ***... jedem guten Werk zu widmen*** (1.Timotheus, Kapitel 5, Vers 10). Es sind wiederum jene Gott wohlgefälligen Handhabungen, *die eine Dienerin im Herrn* – bezogen auf *d i e s e* Witwe – *in der Nachfolge Jesu Christi auszeichnen.* Ja – *die Richtlinien ihres Witwendaseins basieren unentwegt auf dem Willen Gottes in dem Herrn Jesus Christus – und genau d i e s e vom Geist durch ihren Glauben vollbrachten Tugenden zeichnen diese Frau letztlich auch als eine Tochter des Höchsten aus,* so Paulus.

Vers 11: *Ausgenommen* von diesen aus dem soeben ausgelegten 9. + 10.Vers dieses gleichnamigen 5.Kapitels genannten ***... wirklichen Witwen*** (siehe abermals Auslegung zu 1.Timotheus, Kapitel 5, Vers 5) *sind jedoch* ***... die jüngeren Witwen,*** so der Apostel. Diese Witwen-Gruppe *soll Timotheus* ***... abweisen.*** Paulus begründete diese seine Anweisung indem er zunächst weiterhin gegenüber dem Leiter der Gemeinde betont: ***... denn wenn sie gegen (den Willen des) Christus begehrlich geworden sind, wollen sie heiraten.*** Abermals bezieht sich der Apostel auf die von ihm bereits verfassten Verse 9 dieses gleichnamigen Kapitels (siehe Auslegung!) – und auf den noch nachfolgenden Vers 14 des ebenfalls gleichlautenden 5.Kapitels dieses 1.Timotheusbriefes (Auslegung folgt!). Paulus betrachtet diese ***... jüngeren Witwen*** *als eine durchaus sich gegen den Herrn Jesus Christus widersetzende Frauen-Gruppe, welche mittels ihrer Etiketten meinen, sie würden aufgrund der ihnen vom Herrn Jesus Christus gewährenden Gemeindezugehörigkeit untervorteilt, indem sie behaupten, dass sie nicht zu ihrem Wohl mittels angemessener von der Gemeinde ihnen gebührenden Hilfsmaßnahmen erfüllt werden.* Daher sind diese ***... jüngeren Witwen*** *der Meinung, sie würden aufgrund dieser Voraussetzungen unter der Verminderung ihres eigenen irdi-*

schen Daseins von den Hilfeleistungen der Gemeinde benachteiligt werden. Diese auf sie zukommenden, sich im Nachhinein beschränkte Reduzierungen basieren demzufolge auf den Todesfällen ihrer Gatten – daher sind sie folglich aufgrund ihres noch *im Anfangsstadium situierten, bedürftigen Glaubens willig, erneut zu heiraten.* Der Apostel *verwehrt* ihnen eine weitere Heirat *n i c h t,* (siehe noch kommende Auslegung unter 1.Timotheus, Kapitel 5, Vers 14!) *jedoch erhält dieses Vorhaben eine sich zuspitzende, g e g e n diese jungen Witwen gerichtete Wende, w e n n sich diese* ***… jüngeren Witwen*** *unter die von der Gemeinde erwählten Witwen gestellt haben,* so der Apostel …

Vers 12: Diese *fehlenden,* zu Gott und dem Herrn Jesus Christus bezogenen *Richtlinien des Glaubens* „verleiten" *den Apostel Paulus zu weiteren, diesen Witwen gebührenden* „Anschuldigungen", *welche die* ***… jüngeren Witwen*** (1.Timotheus, Kapitel 5, Vers 11) *wie folgt betreffen* – so die Meinung des Autors: ***… und kommen (damit) unter das Urteil, dass sie die erste Treue gebrochen haben.***

Mittels dieser von ihnen getoffenen Entscheidungen wählen diese jungen Witwen – abermals nach Meinung des Autors – bezogen auf die persönlichen Meinung des Apostels Paulus – *eine von ihren in den Anfangsstadien ihres wahren Glaubens sich einschleichende, abkehrende Wende, welche eindeutig aufzeigt, dass sie dem irdischen Dasein m e h r Beachtung schenken als den himmlischen zuversichtlichen Gewissheitsfaktoren Gottes in dem Herrn Jesus Christus, die ihnen wiederum die von Glauben erfüllten Gemeindemitglieder aufweisen wollen. Ihr Glaube wurde mittels irdischer, jedoch vergänglicher Bedürfnisse von dem rechten, zum ewigen Heil führenden Weg in Christus Jesus abgelenkt.* In ihren Herzen *fehlten* folgende zu Gott und Christus führende *Gewissheitsstrukturen, die da unmissverständlich lauten:* ***... nehmt Anteil an den Nöten der Heiligen, übt willig Gastfreundschaft!*** (Römer, Kapitel 12, Vers 13) – so der Apostel Paulus – *um ein zu Gott und dem Herrn Jesus Christus erfülltes Dasein in der Kraft des Heiligen Geistes durch den inständigen Glauben gänzlich wiederum in Gott und dem Herrn Jesus Christus wohlgefälliger Manier auszuleben.* Daher schreibt Paulus in 1.Timotheus, Kapitel 5, Vers 15 (Auslegung folgt!): ***... denn etliche haben sich schon abgewandt, dem Satan nach.***

Vers 13: Weitere von dem Apostel Paulus *an die* ***... jüngeren Witwen*** (1.Timotheus, Kapitel 5, Vers 11) „gerichtete Zuwiderhandlungen" *kündigen sich* – nach der persönlichen Meinung des Paulus an – *die der Apostel wie folgt beschreibt:* ***... zugleich lernen sie auch untätig zu sein, indem sie in den Häusern herumlaufen; und nicht nur untätig, sondern auch geschwätzig und neugierig zu sein; und sie reden, was sich nicht gehört.*** In der Tat – so Paulus – diese ***... jüngeren Witwen ... *verführen und lassen sich verführen*** (1.Timotheus, Kapitel 5, Vers 11 + *2.Timotheus, Kapitel 3, Vers 13b / *Auslegung folgt!). Eben *weil* diese ***... jüngeren Witwen ... die erste Treue gebrochen*** *haben* (1.Timotheus, Kapitel 5, Verse 11a + 12b / siehe Auslegung!) *sind sie aufgrund dieses Fauxpas mit unnützen Handlungen beschäftigt, welches ihr irdisches Dasein letztlich mit folgenden schlechten Angewohnheiten belasten,* die da wären:

Sie lernen untätig zu sein: sie lernen *tatenlos, denkfaul, inaktiv* und *müßig* zu sein. *Anhand dieser Müßigkeit nutzten sie die Zeit,* ***... in den Häusern herumzulaufen.*** Ja – *diese* ***... jüngeren Witwen*** *lernen mittels dieser ihrer beschämenden Handlungen christliche Konversationen aus diesen Häusern nicht nur f ä l s c h e n d aufzunehmen,* *sondern diese in den Häusern stattfindenden Konversationen verleiten sie dazu, diese Gespräche anhand ihrer unnützen Worte zu debattieren.* Daher benennt der Apostel ihre *beredenden Erörterungen nicht nur als* ***… untätig,*** *sondern er fügt zu diesen von den* ***… jüngeren Witwen*** *vollbrachten Übertretungen zugleich ihre geistlose* ***… Geschwätzigkeit und Neugierigkeit*** *hinzu, die ihre Zuwiderhandlungen damit krönen,* ***… indem sie reden, was sich nicht gehört.*** *Mit ihren falschen Behauptungen irritieren,* ja – *verführen diese* ***… jüngeren Witwen*** *nicht nur ihre ehemalige korrekte Glaubenseinstellung, sondern zugleich verleiten sie die Gläubigen in den Häusern mittels ihrer rundum trostlosen Konversationen jeglicher Art,* ***… die sich nicht gehören.*** Wahrhaft – so Paulus – *diese* ***… jungen Witwen … *sind mit Sünden beladen und von mancherlei Lüsten umtrieben, die immerzu lernen und doch nie zur Erkenntnis der Wahrheit kommen können*** (1.Timotheus, Kapitel 5, Vers 11a + *2. Timotheus, Kapitel 3, Verse 6b + 7 / *Auslegung folgt!). Daher betont der Apostel *e i n d e u t i g* gegenüber dem Gemeindeleiter Timotheus: ***… denen muss man den Mund stopfen, denn sie bringen ganze Häuser durcheinander mit ihren ungehörigen Lehren um schändlichen Gewinn willen*** (Titus, Kapitel 1, Vers 11).

Unmissverständlich wird erkennbar, *dass die den* ***… jüngeren Witwen*** *anhängende Trägheit und das von ihnen* „versuchte Lernen“ *nicht miteinander harmonisieren; denn die christliche Lehre ist ein unmissverständlichen Indiz, welches das Wachstumspotenzial eines im Glauben stehenden Menschen identifiziert. Leeres Geschwätz und die damit verbundene falsch aufgenommene Neugierigkeit sind folglich eindeutig klare Anzeichen, den wahren Glauben völlig missverstanden zu haben – und zugleich die vollkommen reine Lehre des allmächtigen Gottes in dem Herrn Jesus Christus beschmutzend zu verletzen,* so Paulus. Daher gilt – in den Augen des Apostels – folgende Feststellung: ***... wo viel geredet wird, bleiben Vergehen nicht aus*** (die Sprüche Salomos, Kapitel 10, Vers 19a / Zürcher Bibel).

Zwischenbemerkung:

Abermals möchte der Autor an dieser Stelle mittels einer persönlichen Anmerkung betreffend der soeben ausgelegten Verse aus – 1.Timotheus, Kapitel 5, Verse 11 – 13 – nochmals zu einem nähren Verständnis die nun folgenden Worte beitragen. Erneut sollte man sich beim genaueren Betrachten dieser „sehr hart" und „gegen die jüngeren Witwen" klingenden Worte, welche der Apostels Paulus in diesen Versen verwendet hat, nicht zu nah an sich „herantreten lassen". *Die heutige Emanzipation der Frauen lässt uns zu Recht zu diesen Aussagen keinerlei Verständnis aufkommen.* Es handelt sich an dieser Stelle *erneut um die persönliche Meinung des Paulus, welche wiederum des Apostels spezifische Meinung unterstreicht. Wie und warum* Paulus *solche resistenten,* ja – *rundweg strengen Beschuldigungen gerade gegenüber dieser jungen Frauengruppe anhand seiner Worte wählt, bleibt offen.*

Fest steht doch generell, *dass ein jeder noch so gläubige Mensch ein Sünder ist und auch bleibt.* Diese jeden Menschen anhängende Schandtat wurde uns von dem ersten Menschen – Adam – weiterverebt. *Niemand kann sich aus diesem Fauxpas gänzlich freisprechen, weder die wahren Witwen* (bzw. die wahren Witwer!) – *noch die jungen Witwen* (bzw. die jungen Witwer!) – *noch eine jede andere Frau oder ein jeder andere Mann kann sich dieser Sünde gänzlich entziehen.* Verbleiben wir doch einmal bei der Schöpfungsgeschichte im 1.Buch Mose; Kapitel 1 + 2: Wenn wir uns die „Vorgehensweise der Schöpfung“ *des allmächtigen Gottes einmal näher in Betracht ziehen, so werden wir eindeutig feststellen, dass der himmlische Vater* „das Beste Seiner Schöpfung“ *bis zum Schluss aufbewahrte. Denn dann wurde der Mensch vom Allmächtigen erschaffen. Zuerst der Mann – danach aber die F r a u!*

Blicken wir weiter zu den Evangelien in den neutestamentlichen Schriften, so können wir auch dort unmissverständlich erkennen, *dass die Frauen generell mit einem noch tieferen, inständigeren als auch mehr gefestigten Glauben auftraten als die Männer.* Am Beispiel aus dem Evangelium des Johannes in Kapitel 20 in den Versen 11 - 18 *wird ersichtlich, dass Maria Magdalena voller Glauben war,* die Jünger – zum Beispiel der Jünger Thomas – *aber glaubte nur, wenn er seine Finger und Hände in die Nägelmale und Wunden des Herrn Jesus Christus legen würde* (Johannes, Kapitel 20, Verse 24 + 25). Petrus aber musste zum Grab Jesu Christi laufen, *um festzustellen, ob Maria Magdalena, Johanna und Maria und die anderen Frauen ihm die Wahrheit erzählten, um glauben zu können, dass der Herr Jesus Christus auferstanden sei* (Lukas, Kapitel 24, Verse 9 – 12). Auch die Emmaus-Jünger *zweifelten an der Auferstehung des Herrn Jesus Christus* (siehe Lukas, Kapitel 24, Verse 13 – 35).

Generell sollte man nach Meinung des Autors *bestimmte Gruppierungen eines jeden Geschlechts w e d e r bevor- n o c h benachteiligen, da jeder Mensch in manchen Dingen mittels seines Glaubens g l ä n z e n oder gar mittels seiner sündigen Vergehen v e r s a g e n kann.* Wenn doch selbst der Herr und Heiland – unser Herr Jesus Christus, *der alle vollkommenen Gene des himmlischen Vaters in seinen Herzen trägt,* bei einer auf Ihn zukommenden Frage, welche mit: ***Guter Meister*** beginnt – daraufhin antwortet: ***Was nennst du mich gut? Niemand ist gut als Gott allein*** (Lukas, Kapitel

18, Verse 18 – 19) *– und der Apostel Paulus somit manche* „Witwen-Gruppierungen“ *als* „hervorstechend“ *– andere wiederum als* „abwertend“ *deklariert – kann der Autor weder verstehen, noch diese Meinung des Apostels Dank der soeben genannten Argumente in seinem Verständnis mit ihm teilen – eben weil es sich hier um die p e r s ö n l i c h e – und nicht um die * v o m H e i l i g e n G e i s t g e l e i t e t e A u s s a g e n des Apostels Paulus handelt, *die generell mit der unantastbaren Reinheit Gottes in dem Herrn Jesus Christus beseelt und vom himmlischen Vater gewollt sind, als auch rundum mit diesen geistbetuchten Aussagen des Apostels Paulus vollends übereinstimmen – und an der keinerlei Zweifel bestehen, sodass diese selbstverständlich immerdar mittels einer zuversichtlicher Gewissheit im Glauben aufgrund der Kraftwirkung des Heiligen Geistes übernommen werden können als auch müssen, um ein erfolgreicher Anwärter für das Reich der Herrlichkeit Gottes zu werden, dessen gnadenreich-barmherziger Wegbereiter wiederum allein mittels der den Glaubenden offenbarten Gnade Gottes der Herr, Heiland und Erlöser Jesus Christus selbst ist.*

Fortsetzung der Auslegung:

Vers 14: Paulus *besänftigt* nun seine Aussagen aus 1.Timotheus, Kapitel 11 – 13, (siehe Auslegung!) indem der Apostel gegenüber dem Timotheus *nunmehr in Bezug auf die* ***... jüngeren Witwen*** (1.Timotheus, Kapitel 5, Vers 11a) *betont:* ***... so will ich nun, dass jüngere (Witwen) heiraten, Kinder gebären, den Haushalt führen und dem Widersacher keinen Anlass zur Lästerung geben.*** Paulus bekräftigt diesen seinen persönlichen Willen ***... damit die jungen Frauen dazu angeleitet werden, ihre Männer und ihre Kinder zu***

lieben, besonnen zu sein, keusch, (oder rein / züchtig / von schamhafter Zurückhaltung = Quelle: Schlachter-Bibel 2000!) ***… häuslich,*** (d.h. dass sie sich gewissenhaft und treu um die Angelegenheiten des Haushaltes und der Familie kümmern = Quelle: Schlachter-Bibel 2000!) ***… gütig und sich ihren Männern unterordnen, damit das Wort Gottes nicht verlästert wird*** (Titus, Kapitel 2, Verse 4 + 5). *Damit will der Apostel weiterhin bewirken,* ***… dass der verborgene Mensch*** (hier in dieser Auslegung des 14.Verses auf die junge Witwe bezogen!) ***… des Herzens in den unvergänglichen Schmuck eines sanften und stillen Geistes*** *eintaucht,* ***… der vor Gott sehr kostbar ist*** (1.Petrus, Kapitel 3, Vers 4).

Der Apostel *zielt* mit dieser seiner Aussage *darauf hin, dass die* ***… jüngeren (Witwen)*** *mittels seines gegenüber dem Leiter der Gemeinde Timotheus gegebenen Anweisungen,* ja – *mittels des Paulus` zu vollbringenden Willens aus den Fängen des Unheils* (siehe hierzu abermals Auslegung zu 1.Timotheus, Kapitel 5, Verse 11 – 13!) *errettet werden.* Wahrhaft – die ***… jüngeren (Witwen)*** *sollen heiraten, um mit dieser von Gott gesegneten Handlung die rundum ehrenhaften Tugenden einer vom Höchsten gesegneten Ehe ausüben zu können.* Mit dieser seiner Anweisung *werden generell unnütze Dinge vermieden, weil diese jungen Frauen sich fortan dem Willen Gottes hingeben, der sie mittels ehelicher Pflichterfüllungen in Form von* ***… Kinder gebären, den Haushalt führen*** *und mittels nun zu dem allmächtigen Gott in Jesus Christus bezogenen, stets wohlgefälligen Tugenden diese* ***… jungen (Witwen)*** *aus dem Sog der ihnen ehemalig angehörenden Trostlosigkeit befreit, indem sie fortan* ***… dem Widersacher keinen Anlass zur Lästerung geben.*** So heißt es in dem Buch der Psalmen: ***… siehe, Kinder sind eine Gabe des HERRN, und Leibesfrucht ist ein Geschenk*** (Psalm 127 – ein Psalm Salomos – ein Wallfahrtslied, Vers 3 / Lutherbibel 2017).

In der Tat – *diese erneute, zweite Eheschließung soll folglich diese* ***… jungen (Witwen)*** *in die himmlischen Sphären des allmächtigen Gottes zu dem Herrn und Erlöser Jesus Christus leiten, um dass der Wille Gottes erfüllt wird,* ***… denn Gott will, dass alle Menschen gerettet werden und zur Erkenntnis der Wahrheit kommen*** (1.Timotheus, Kapitel 2, Vers 4 / siehe Auslegung!).

So muss nun auch ihr zweiter Ehegatte dieser jungen Frau – als auch die junge Frau als zweite Ehegattin ihrem Mann ***… die Zuneigung, die er ihr schuldig ist geben, ebenso aber auch die Frau dem Mann. Die Frau verfügt nicht selbst über ihren Leib, sondern der Mann; gleicherweise verfügt aber auch der Mann nicht selbst über seinen Leib, sondern die Frau. Entzieht euch einander nicht, außer nach Übereinkunft eine Zeit lang, damit ihr euch dem Fasten und dem Gebet widmen könnt; und kommt dann wieder zusammen, damit euch der Satan nicht versucht um eurer Unenthaltsamkeit*** (oder eures Mangels an Selbstbeherrschung = Quelle: Schlachter-Bibel 2000!) ***… willen*** (1.Korinther, Kapitel 7, Verse 3 – 5). Wahrhaft – so Paulus – *die junge Frau soll nicht verführt – noch in Übertretung der Sünde geraten* ***… sie soll aber (davor) bewahrt werden,*** (oder gerettet werden = Quelle: Schlachter-Bibel 2000!) ***… durch das Kindergebären, wenn sie bleiben im Glauben und in der Heilung samt der Zucht*** (1.Timotheus, Kapitel 2, Vers 15 / siehe Auslegung!).

Vers 15: *Gänzlich auszuschließen ist es folglich jedoch nicht* – so der Apostel – *dass sich* ***… etliche schon dem Satan nach abgewandt haben.*** Hat nun der Satan diese jungen Witwen verführt oder sind es menschliche Verführer, welche die Frauen in den Bann des Teufels zogen? Es ist davon auszugehen – so die Meinung des Autors – *dass* „menschliche Verführungskünste“ *dafür Sorge trugen, dass diese* *jungen Frauen in den Bann des Teufels gezogen wurden; denn der Satan begehrt fortan nicht weiterhin, den nunmehr guten Ruf der Gemeinde anzugreifen. Diese rundweg abtrünnigen,* ja – *erbarmungswürdigen Verhaltensregeln mögen damit zusammengehangen haben, dass die nunmehr* „keusch-disziplinierten Tugenden der einst abtrünnigen Witwen" *manch andere sich einschleichende Falschprediger innerhalb der Gemeinde in Ephesus* „störten" – *und diese die jungen Witwen mittels ihrer ihnen anhängenden, nun befreiten, zu Gott und dem Herrn Jesus Christus bezogenen Tugenden versuchten, sie in ihren alten Bann der g e g e n Gott und den Herrn Jesus Christus gerichteten, unabdingbaren Wahrheit zurückkehren zu lassen.*

Insofern *handelt der Teufel i n d i r e k t – mittels der sich in die Gemeinde der Epheser einschleichenden Irrlehrer* (siehe hierzu Auslegung unter 1.Timotheus, Kapitel 1, Verse 5 – 11 + Vers 20!). Davor will Paulus *nicht nur den Timotheus als den Gemeindeleiter an sich, sondern vor allen die jungen Witwen warnen.* So betont der Apostel Paulus weiterhin anhand seines Briefes an die Philipper in Kapitel 3 in den Versen 18 + 19: ***... denn viele wandeln, wie ich euch oft gesagt habe und jetzt auch weinend sage, als Feinde des Kreuzes des Christus; ihr Ende ist das Verderben, ihr Gott ist der Bauch, sie rühmen sich ihrer Schande, sie sind irdisch gesinnt*** (*ihre Gedanken sind auf das irdische gerichtet = *Quelle: Schlachter-Bibel 2000! / ihre Gedanken sind mit weltlichen Sünden der Schande in von Gott und dem Herrn Jesus Christus abgeschotteter Dekadenz verfallen!). Auch der Apostel Petrus warnt vor diesen Irrlehrern mittels seiner stets einzuprägenden Worte wie folgt: ***... und viele werden ihren verderblichen Wegen nachfolgen, und um ihretwillen wird der Weg der Wahrheit*** (der *in* und *durch* den Herrn Jesus Christus zum Ewigen Leben führt!) ***... verlästert werden. Denn wenn sie*** (die Irrlehrer

= Quelle: Schlachter-Bibel 2000!) ***... durch die Erkenntnis des Herrn und Retters Jesus Christus den Befleckungen der Welt entflohen sind, aber wieder darin verstrickt und überwunden werden, so ist der letzte Zustand für sie schlimmer als der erste. Denn es wäre für sie besser, dass sie den Weg der Gerechtigkeit nie erkannt hätten, als dass sie, nachdem sie ihn erkannt haben, wieder umkehren, hinweg von dem ihnen überlieferten heiligen Gebot. Doch es ist ihnen ergangen nach dem wahren Sprichwort: „*Der Hund kehrt wieder um zu dem, was er erbrochen hat, und die gewaschene Sau zum Wälzen im Schlamm.“*** (2.Petrus, Kapitel 2, Vers 2 + Verse 20 – 22 / *bezogen auf die Sprüche Salomos, Kapitel 26, Vers 11a – mit nachfolgendem, gewichtigen Satz: ***... so ist ein Narr, der seine Dummheit wiederholt*** = die Sprüche Salomos, Kapitel 26, Vers 11b).

In der Tat – der Apostel Paulus *warnt vor diesen voll Schande befleckten, gänzlich von Gott und dem Herrn Jesus Christus abkehrenden Verführungskünsten der Falschprediger. Mit genau diesen von Gott und dem Herrn Jesus Christus* „abkehrenden Predigten“ *haben diese einst im Glauben stehenden Personen* **... den Weg, die Wahrheit und das Leben** (Johannes, Kapitel 14, Vers 6) *verloren, welches ihnen in und durch den Herrn Jesus Christus einst von Gott im Geist der Wahrheit anhand des vom Höchsten ausgehender, vollkommener und zugleich gnadenreichen Barmherzigkeit geoffenbart wurde.*

Vers 16: Der Apostel Paulus wendet sich am Ende dieses 1.Kapitelabschnittes des 5.Kapitels mittels dieses 16.Verses *zu den durchaus lukrativen, von Glauben beseelten Maßnahmen,* indem er nunmehr gegenüber dem Gemeindeleiter Timotheus betont: ***... wenn ein Gläubiger oder eine Gläubige Witwen hat, so soll er sie versorgen, und die Gemeinde soll nicht belastet werden, damit diese für***

die wirklichen Witwen sorgen kann. Paulus kehrt somit zu seinen schriftlich verfassten Aussagen aus 1.Timotheus, Kapitel 4, Vers 8 und zu 1.Timotheus, Kapitel 5, Verse 3,4, 5 + 8 (siehe Auslegung!) zurück. So lässt Paulus den Timotheus erneut wissen, dass – *falls es keine männlichen Angehörigen einer Witwe gibt – folglich die gläubigen Frauen in Form ihrer Töchter für das Wohl der Witwen sorgen sollen. Diese Töchter sollen der Mutter ihren guten, vom Heiligen Geist umgebenen Willen aufgrund ihres Glaubens,* ja – *mittels ihrer in ihren Herzen sich befindenden, seelsorgerischen Nächstenliebe zukommen lassen – nicht nur im Sinne der von ihnen vollbrachten, beistehenden, guten Dienste in Form von handfester, praktischer Hilfe – sondern zugleich auch auf finanzieller Basis sollen diese Töchter die Anzeichen der seelsorgerischen Nächstenliebe mittels ihres tiefergründeten Glaubens nutzen* – denn: ***... sie soll versorgt und die Gemeinde soll nicht belastet werden, damit diese für die wirklichen Witwen sorgen kann*** (1.Timotheus, Kapitel 5, Vers 16b / + siehe erneut zusätzlich ergänzend das von unserem Herrn Jesus Christus` benannte, stets nachzuahmende *Gleichnis des barmherzigen Samariters* aus dem Evangelium des Lukas in Kapitel 10, Verse 30b – 37 / in dieser Auslegung bereits erwähnt und nachzulesen in 1.Timotheus, Kapitel 5, Vers 8!).

Erneut wird es allzu deutlich ersichtlich, *dass vor allem die alten Gemeindemitglieder* (siehe nachfolgende Auslegung des 2.Kapitelabschnittes dieses 5.Kapitels des 1.Timotheusbriefes ab Vers 17!) *wohlwollend versorgt als auch mittels christlicher Tugenden geehrt werden, sodass* ***... das Wort des Christus reichlich*** *in dieser Gemeinde* ***... wohnt*** (Kolosser, Kapitel 3, Vers 16a). Wahrhaft – *das Wort Jesu Christi wird aufgrund des inständigen, fortwährenden Glaubens in der Kraft des Heiligen Geistes in den Vordergrund allen Seins gehoben – und verwirklicht sich somit mit dem vor allem* *stehenden Willen des uns liebenden, himmlischen Vaters.* Ja – *es ist jener allein von dem allmächtigen Gott ausgehende Wille – welcher wiederum in dem Herrn Jesus Christus zur Vollendung gelangte. So stehen der allmächtige Gott, der Herr und Erlöser Jesus Christus – und der an Sie Glaubende in einer stets von Gott beabsichtigten und zugleich von Ihm gewollten miteinander verbundenen Einheit, die fortan alle Handlungen der Gemeindemitglieder dem Willen Gottes in dem Herrn Jesus Christus gemäß mittels des Höchsten gnadenreicher Barmherzigkeit wohlwollend umrahmt.*

Daher können nun alle Glaubenden den aus ihren Herzen sich ausbreitenden Dank für Gottes ihnen allen geoffenbarter Hilfe wie folgt dem himmlischen Vater bekunden: ***… ich will anbeten zu deinem heiligen Tempel hin und deinen Namen preisen für deine Güte und Treue; denn du hast dein Wort herrlich gemacht um deines Namens willen. Wenn ich dich anrufe, so erhörst du mich und gibst meiner Seele große Kraft*** (Psalm 138 – ein Psalm Davids – Dank für Gottes Hilfe, Verse 2 + 3 / Lutherbibel 2017).

Verse 17 – 22

Die richtige Haltung gegenüber den Ältesten

[17]Die Ältesten, die gut vorstehen, sollen doppelter Ehre wert geachtet werden, besonders die, welche im Wort und in der Lehre arbeiten. [18]Denn die Schrift sagt: „Du sollst dem Ochsen nicht das Maul verbinden, wenn er drischt!“, und „Der Arbeiter ist seines Lohnes wert“. [19]Gegen einen Ältesten nimm keine Klage an, außer aufgrund von zwei oder drei Zeugen. [20]Die, welche sündigen, weise zurecht vor allen, damit sich auch die anderen fürchten. [21]Ich er-

mahne dich ernstlich vor Gott und dem Herrn Jesus Christus und den auserwählten Engeln, dass du dies ohne Vorurteil befolgst und nichts aus Zuneigung tust! [22]***Die Hände lege niemand schnell auf, mache dich auch nicht fremder Sünden teilhaftig, bewahre dich selbst rein!***

Auslegung:

Vers 17: Die richtige Haltung gegenüber den Ältesten soll stets von dem Timotheus als auch von den Mitgliedern der Gemeinde in Augenschein genommen werden. Paulus betont dem Leiter der Gemeinde gegenüber, dass ***… die Ältesten, die gut vorstehen*** *der* ***… doppelten Ehre*** (Anerkennung = Quelle: Schlachter-Bibel 2000!) ***… wert geachtet werden sollen,*** *vor allem denjenigen Personen gegenüber, welche* ***… im Wort und in der Lehre arbeiten.*** Die Wertschätzung *diesen* ***… Ältesten*** *gegenüber soll sich aber auch d a r a n erkenntlich zeigen, dass diese Personen aufgrund der Ausführung ihrer Amtstätigkeit belohnt werden.* So schreibt der Apostel Paulus in seinem 1.Brief an die Korinther in Kapitel 9 in Vers 14 Folgendes: ***… so hat auch der Herr angeordnet, dass die, welche das Evangelium verkündigen, vom Evangelium leben sollen*** – und vervollständigt diese Anweisung wir folgt: ***… wer im Wort unterrichtet wird, der gebe dem, der ihn unterrichtet, Anteil an allen Gütern!*** (Galater, Kapitel 6, Vers 6). Mit dieser seiner Aussage bezieht sich der Apostel ebenfalls auf die Worte des Herrn und Heiland Jesus Christus anhand des Evangelium des Lukas, Kapitel 10, Vers 7b, denn dort spricht der Messias: ***… denn der Arbeiter ist seines Lohnes wert.***

Wie wir es bereits mittels dieser Auslegung aus 1.Timotheus, Kapitel 3ff. in Erfahrung bringen konnten, *zählten die Aufseher / Bischöfe zu den Ältesten in der Gemeinde. So gehören n i c h t n u r die gewichtige Gruppierung der Alten zu den am höchst zu ehrenden Personen in der Gemeinde, weil diese Personen den Rat der Gemeinde umschlossen, welche wiederum sämtliche Anliegen der Gemeinde an sich regelten, s o n d e r n auch die Gruppierung der Ältestenschaft soll von den Gemeindemitgliedern in aller Anerkennung in Betracht gezogen werden. Somit liegt die Bedeutung der Ältesten etwa auf einer zu betrachtenden Ebene wie jene der Witwen,* (siehe Auslegung zu 1.Timotheus, Kapitel 5, Verse 1 – 16!) so Paulus.

Da der Apostel nur die Voraussetzungen für den Dienst der Aufseher (Ältesten) in der Gemeinde in Kapitel 3 in Erwägung zog, *hat er es sich jedoch vorbehalten, erst mittels der jetzigen Verse in Kapitel 5 von den verpflichtenden Maßnahmen den Timotheus zu informieren, inwiefern die Gemeinde an sich für diese Personen sorgen soll, sowohl aus materieller als auch aus geistlicher, ja – ehrwürdiger Betrachtung ihnen gegenüber.* So kommt man unwillkürlich zu folgender Feststellung: In Kapitel 3 des 1.Timotheusbriefes betonte der *Apostel inwiefern die Gemeinde der Epheser für die Ältesten zu sorgen hat* – nun, in Kapitel 5 des 1.Timotheusbriefes mittels der nun folgenden Verse – macht Paulus den Timotheus darauf aufmerksam, *wie die Gemeinde diese Ältestenschaft zu ehren als auch zu belohnen hat.*

Eindeutig betont Paulus, *dass dieses rundum gewichtige Amt von anleitenden Menschen* (Aufsehern, Dienern, Presbytern, Bischöfen!) *ausgeübt wurde, die in einem ehrwürdigen Dienst standen, welche die Gemeindemitglieder wiederum mittels anerkennungswürdigender Behandlungen entgegentreten sollten.* Diese Achtung *w e i t e t sich* weiterhin *anhand ihrer Worte und Lehren* *a u s, nicht nur auf materieller Basis, sondern auch auf einem stets zu ehrenden Ausgangspunkt der ehrwürdigen Behandlung ihnen gegenüber.*

Daher ist es wiederum verständlich, *dass eventuelle Missachtungen der von Paulus angewiesenen Bestimmungen den Ältesten gegenüber nicht zu einer den Ältesten zukommenden Ehrung, sondern zu ihrer Entehrung dienten. Entehrende Handhabungen jedoch entsprechen keinesfalls den christlichen Tugenden, welche von seelsorgerischen Maßnahmen der Nächstenliebe im Glauben mittels der Kraft des Heiligen Geistes in den Herzen der Gemeindemitglieder der Epheser ruhen – ganz im Gegenteil – denn diese entehren die unantastbare Herrlichkeit Gottes in dem Herrn Jesus Christus.* Wahrhaft – die Ältesten sind aufgrund ihres *hochbetagten Christenstandes* zu *ehren,* aber auch weil es sich immerdar gebietet, stets das Alter an sich mittels würdevoller Gesten in Augenschein zu nehmen, denn diese von Gott gewollten Handlungen sind vom Höchsten wie folgt bestimmt worden: ***... vor einem grauen Haupt sollst du aufstehen und die Person eines Alten*** (das Angesicht eines Alten = Quelle: Schlachter-Bibel 2000!) ***... ehren*** (3.Mose, Kapitel 19, Vers 32a). So heißt es weiterhin: ***... graue Haare sind eine Krone der Ehre; sie wird erlangt auf dem Weg der Gerechtigkeit*** (die Sprüche Salomos, Kapitel 16, Vers 31).

Somit fordert Paulus nun den Timotheus als auch die Gemeinde an sich auf, *denjenigen Personen eine doppelte Ehrerbietung zukommen zu lassen, welche insbesondere* ***... im Wort und in der Lehre arbeiten*** (1.Timotheus, Kapitel 5, Vers 17b). *Diese sind es, denen eine besondere Achtung gebührt* – nämlich – *die Personen, welche die Evangeliums-Botschaft im Heiligen Geist Kraft ihres ihnen von Gott und dem Herrn Jesus Christus geoffenbarten Glaubens in ihren Her-*

zen tragen, so der Apostel. Ja – *sie sind es – die im Dienst des Herrn und Erlösers Jesus Christus stehen.*

Vers 18: Folglich stehen hier nicht nur die an den Alten von der Gemeinde *vollbrachten Barmherzigkeitsfaktoren* als auch die ihnen gegenüber *vollbrachten Vergünstigungen* gegenüber, *sondern vor allem die ihnen von der Gemeinde rundum zuteilwerdenden, ehrenden Wertschätzungen werden hiermit von dem Apostel in den gewichtigen Vordergrund gerückt, welche die substanziellen Wertanerkennungen dieser Personen mittels bestätigter, rundum von der Gemeinde an sie gerichteter, würdigender Gesten ausgeübt werden sollen.* Anhand eines aus den alttestamentlichen Schriften stammenden Zitates des Moses welches lautet: ***... „du sollst dem Ochsen nicht das Maul verbinde, wenn er drischt!"*** (1. Timotheus, Kapitel 5, Vers 18 / vgl. 5.Mose, Kapitel 25, Vers 4) – *vergleicht Paulus nun das Recht des Arbeitenden, der die vergütungsfreie, ehrenamtliche Auftragsarbeit freiwillig vollführt – wiederum mit den Pflichten der Gemeinde, welche sich diesem* „Arbeiter im Herrn" *mittels eines ihm gebührenden Unterhaltes annehmen soll, weil sich dieser aufgrund seiner führenden Maßnahmen innerhalb der Gemeinde für sie im Namen des Herrn einsetzt.* Diesbezüglich setzt Paulus die an Timotheus als auch an die Gemeinde gerichtete Botschaft mit des Herrn Jesus Christus Worten fort, *welche sich wiederum auf die Pflichterfüllung der Gemeinde gegenüber dem g e i s t l i c h e n Arbeiter bezieht, welche da lautet:* ***... „der Arbeiter ist seines Lohnes*** (****seiner Nahrung***!) ***... wert"*** (1.Timotheus, Kapitel 5, Vers 18 / vgl. Lukas, Kapitel 10, Vers 7b + *Matthäus, Kapitel 10, Vers 10b).

In der Tat – *auf die Gebote des allmächtigen, uns liebenden Gottes folgen unmissverständlich auch die zu befolgenden Anweisungen des himmlischen Vaters an die Empfänger* (= hier zu verstehen im Sinne auf die Gemeinde der Epheser als die Empfänger der Frohen Botschaft!). Denn *ein jeder der arbeitet, hat demzufolge auch das Recht auf seine Vergütung in Form seines Lohnes.*

Vers 19: Weiterhin bleiben die von dem Apostel *ausgesprochenen als auch stets zu beachtenden Ehrerbietungscharaktere in dem gewichtigen Vordergrund,* welche von Timotheus als auch allen anderen Personen innerhalb der Gemeinde *stets nachvollzogen werden sollen.* Daran erkennt man auch die weiterführenden Worte des Paulus anhand diese 18.Verses, *denn auch diese einprägenden, bedeutenden, stets nachzuahmenden Lehrsätze sind mit* „ehrerbietenden Beachtungsmaßnahmen" *bestückt.* So heißt nun die von ganzer Bedeutung geprägte Anweisung an den Gemeindeleiter Timotheus, dass *er gegenüber* ***... einen Ältesten keine Klage annehmen*** *soll* – mit der gewichtigen Unterscheidung *e s s e i d e n n:* ***... außer aufgrund von zwei oder drei Zeugen.***

Mit dieser seiner Aussage hält sich Paulus *strikt an die unabänderlich einzuhaltenden Worte der Heiligen Schrift.* So heißt es daher im 5.Buch Mose in Kapitel 19 im 15.Vers (im Vergleich zu den von dem Herrn Jesus Christus gesprochenen Worten anhand des Evangeliums des *[1]Matthäus in Kapitel 18 im 16.Vers!): ***... ein einzelner Zeuge soll nicht gegen jemand auftreten wegen irgendeiner Schuld oder wegen irgendeiner Sünde, mit der man sich versündigen kann; *[1]sondern auf der Aussage von zwei oder drei Zeugen soll jede Sache beruhen.***

Jedoch *s p ü r t man* bei näherer Betrachtung dieses 18.Verses des 5.Kapitels dieses 1.Timotheusbriefes (***...gegen einen Ältesten nimm***

keine Klage an) förmlich das von dem Apostel Paulus gegenüber diesen Ältesten ausgehende, ihnen zuteilwerdende und zugleich das von ihm an sie gerichtete, *innige Vertrauen.* Diese Gewissheitsstruktur mittels des in des Apostels` Herzen aufkommenden *Anvertrauens formt diese Aussage zu einer soliden Grundlage christlicher Richtmaße, die wiederum aufgrund der vollbrachten Werke der Ältesten unter Festhaltung der Worte Gottes im unerschütterlichen Glauben in den Vordergrund ihrer Arbeit rückt* (siehe hierzu erneut Auslegung unter 1.Timotheus, Kapitel 3, Verse 2 – 4, 6 +7). Ja – *diese rundweg würdigenden Faktoren formen letztlich die Ältesten zu ehrbaren Individuen, welche nicht allseits mittels skeptischer Aufsichtsmaßnahmen von den Gemeindemitgliedern in Augenschein genommen werden müssen.* Aufgrund dieser eindeutigen Feststellung kann der Apostel Paulus nun den Beisatz anfügen, *dass sich ein Vergehen dieser Person ausschließlich mittels* ***... zwei oder drei Zeugen*** *anhand einer gegen sie gerichteten* ***... Klage*** *bewahrheitet* (1.Timotheus, Kapitel 5, Vers 19).

Vers 20: Diese den Ältesten angehörenden, verbindlich sie prägenden Vertrauensfaktoren *jedoch müssen anhand ihres tiefgesinnten Glaubens gegeben sein, um das stets die Wahrheit ihrer Worte in die Herzen aller Gemeindemitglieder gelangt;* denn das ist der Wille Gottes in dem Herrn Jesus Christus. *Falls jedoch die gewichtige, von Wahrheit vorausgesetzte Grundsubstanz* „ins Wanken gerät“ – *und folglich die verderbende Sünde zum Vorschein gelangt,* so soll Timotheus ***... die, welche sündigen vor allen*** (der gesamten Gemeinde!) ***... zurechtweisen, damit sich auch die anderen fürchten*** – *und folglich diese* „Vergehen“ *von Anfang an meiden* ***... und gesund seien im Glauben*** (1. Timotheus, Kapitel 5, Vers 20 + Titus, Kapitel 1, Vers 13b).

Daher gilt: ***... in des Gerechten Haus ist großes Gut; aber in des Gottlosen Gewinn steckt Verderben.*** Ja – ***... durch Güte und Treue wird Missetat gesühnt, und durch die Furcht des HERRN meidet man das Böse*** (die Sprüche Salomos, Kapitel 15, Vers 6 + Kapitel 16, Vers 6 / Lutherbibel 2017). Somit heißt es auch im 3.BuchMose, in Kapitel 19 im 17.Vers: ***... du sollst deinen Bruder nicht hassen in deinem Herzen; sondern du sollst deinen Nächsten ernstlich zurechtweisen, dass du nicht seinetwegen Schuld tragen musst!*** Auch der Apostel Paulus hat – zum Beispiel – *strikt nach diesen von Gott dem Mose gegebenen Richtlinien den Apostel Petrus mit zwingend notwendigen Worten der seelsorgerischen Nächstenliebe ihm gegenüber gehandelt, als Paulus den Petrus mittels zurechtweisender Worte ermahnte* – denn – so Paulus – ***... er war im Unrecht*** (Galater, Kapitel 2, Vers 11b).

Ist nun die Sünde an das Licht der Wahrheit gelangt – so soll Timotheus *n i c h t* *zögern – diese schonungslos aufzudecken, sodass alle anderen Personen innerhalb der Gemeinde unzweifelhaft erkennen können, dass die Sünde stets eine zerstörende Macht in sich trägt, welche die zusammengefügte Einheit der Wahrheit in der vom Heiligen Geist beseelten, glaubenden Gemeinde nach und nach in utopische Fallstricke der von Gott und Christus abkehrenden Dekadenz verleitet.* Erkennbar wird somit, dass diese schandhaften Vergehen öffentlich vollzogen werden. Denn mit diesen befleckten Maßnahmen *wird die vollkommene Reinheit Gottes in dem Herrn Jesus Christus mittels Lügen rundum infiziert – auch die Gemeinde an sich kehrt sich unwillkürlich von dem Licht der unantastbaren Wahrheit Christi ab.* Dies soll jedoch *stets vermieden werden,* indem Timotheus *diese Sünden von Anfang an mit Hilfe der ganzen Gemeinde wohlwollender, jedoch zurechtweisender Worte der Wahrheit bekämpft, indem er diese Zuwiderhandlungen* ***... aufgrund zweier***

oder dreier Zeugen (1.Timotheus, Kapitel 5, Vers 19b / siehe Auslegung!) *schonungslos darlegt – und somit die vor allem stehende Wahrheit innerhalb der gesamten Gemeinde als ein Zeichen der ihnen einst zukommenden, barmherzigen Gnade des himmlischen Vaters in Christus Jesus bewahrt.* Ja – *die ganze Gemeinde soll erkennen, dass sie sich fürchten müssen, wenn sie sündigen.* Erneut wird eindeutig erkennbar, *dass Gott sämtliche Sünden schonungslos beim Namen nennt – und dass nur in Ihm und in Seinem Sohn die konstante Wahrheit aufzufinden ist* – denn der Heiland betont: ***... dein*** (Gottes!) ***... Wort ist Wahrheit*** (Johannes, Kapitel 17, Vers 17b). In der Tat – *Paulus will, dass alle Mitglieder der Gemeinde mittels der in ihren Herzen angenommenen Wahrheitsprinzipien zum himmlischen Vater allseits sprechen können:* ***... leite mich in deiner Wahrheit und lehre mich! Denn du bist der Gott, der mir hilft; täglich harre ich auf dich. Dein Wort ist nichts als Wahrheit, alle Ordnungen deiner Gerechtigkeit währen ewiglich*** (Psalm 25 – ein Psalm Davids, Vers 5 + Psalm 119, Vers 160 / Lutherbibel 2017).

Wahrhaft – wenn diese von dem allmächtigen Gott vorgeschriebenen, weisen Richtlinien in aller Beharrlichkeit anhand den Grundsätzen der Wahrheit Gottes in Jesus Christus von allen Mitgliedern der Gemeinde ausgeübt werden, ***... so hat die Gemeinde Frieden und wird auferbaut und wandelt in der Furcht des Herrn und wächst durch den Beistand des Heiligen Geistes – ... bewahrt durch das Band des Friedens – ... auferbaut auf der Grundlage der Apostel und Propheten, während Jesus Christus selbst der Eckstein ist, in dem der ganze Bau, zusammengefügt, wächst zu einem heiligen Tempel im Herrn, in dem auch ihr miterbaut werdet zu einer Wohnung Gottes im Geist,*** so Paulus (die Apostelgeschichte des Lukas, Kapitel 9, Vers 31 + Epheser, Kapitel 4, Vers 3b + Epheser, Kapitel 2, Verse 20 – 22).

Vers 21: Folglich sind die von Paulus an den Gemeindeleiter Timotheus ausgesprochenen Worte der Mahnung *n i c h t n u r gut gemeinte Ratschläge, s o n d e r n vor allem beinhalten diese Mahnungen den Willen Gottes in dem Herrn und Erlöser Jesus Christus als auch den der ausgewählten Engel; wenn der Apostel seinem Kind im Glauben unmissverständlich mitteilt:* ***... ich ermahne dich ernstlich vor Gott und dem Herrn Jesus Christus und den auserwählten Engeln, dass du dies ohne Vorurteil befolgst und nichts aus Zuneigung tust!*** Ja – es ist jenes *reine – den Anweisungen Gottes zu haltende* ***... Gebot,*** (das geoffenbarte Wort Gottes der Heiligen Schrift = Quelle: Schlachter-Bibel 2000!) *welches* ***... untadelig und unbefleckt bewahrt*** *werden soll* ***... bis zur Erscheinung unseres Herrn Jesus Christus*** – betont Paulus weiterhin gegenüber dem Leiter der Gemeinde in 1.Timotheus, Kapitel 6, Vers 14 (Auslegung folgt!). Wahrhaft – *diese von Gott ausgehende, stets zum himmlischen Vater leitende, überaus gewichtige Ermahnung trägt immerdar dazu bei, dass* ***... das Wort*** *der Wahrheit Gottes in Jesus Christus von dem Timotheus* ***... verkündigt wird*** – *indem er* ***... dafür eintritt, sei es gelegen oder ungelegen, überführe, tadle, ermahne mit aller Langmut und Belehrung!*** (2.Timotheus, Kapitel 4, Vers 2 / Auslegung folgt!), so der Apostel.

Paulus will dem Timotheus mit dieser überaus bedeutenden, stets einzuhaltenden Mahnung mitteilen, *dass er ihm die verbindliche Einhaltung gegenüber allen Personen der Gemeinde auferlegt – ob Timotheus manche von ihnen* „bevorzugt“ *oder gar manche Personen gut leiden kann – und es folglich zu dem Trugschluss kommt,* dass er *diesen in seinen Augen anerkennenswerten Vorzeige-Personen nicht zutraut, dass diese solche Vergehen tätigen.* Daher gilt auch hier: ***... prüft alles, das Gute behaltet!*** (1.Thessalonicher, Kapitel 5, Vers 21). Weiterhin will der Apostel dem Timotheus *eindeutig zu verstehen* *geben, dass die von Gott in Christus der Gemeinde offenbarte Gemeinsamkeit durch die* ***... auserwählten Engel*** (1.Timotheus, Kapitel 5, Vers 21) *charakterisiert als auch vermittelt wird, weil die stets zu würdigende* „Rangstufe" *dieser* ***... auserwählten Engel*** *in einer engen Verbindung zwischen den Handlungen Gottes und der vom Heiligen Geist beseelten Gemeinde steht.* Somit ist diese von dem Apostel Paulus an den Timotheus ausgehende, stets zu befolgende Mahnung *allseits eine verbindlich auszuführende Anweisung,* ja – *ein überaus bedeutender zum Licht der Herrlichkeit Gottes in Christus Jesus zu vollführender Hinweis, der nicht nur den Leiter der Gemeinde* – den Timotheus – *sondern alle im Glauben stehenden Gemeindemitglieder bei jener strikten Einhaltung zu Anwärtern des Reiches Gottes formt. D a s ist der unantastbare Wille des allmächtigen Gottes* – denn der Ewige spricht unmissverständlich: ***... im Gericht soll es kein Ansehen der Person geben, sondern ihr sollt den Geringen anhören wie den Großen und euch vor niemand scheuen; denn das Gericht steht bei Gott*** (5.Mose, Kapitel 1, Vers 17a).

Vers 22: Basierend auf dieser soeben beruhenden, von Gott gewollten Anweisung *folgt eine noch weitere, bedeutende Mahnung des Paulus an den Timotheus, die da lautet:* ***... die Hände lege niemand schnell auf, mache dich auch nicht fremder Sünden teilhaftig; bewahre dich selbst rein!*** Dieser Fauxpas *soll von vorneherein vermieden werden, indem Timotheus diese für die bedeutenden, auszuführenden Ämter auserwählten Personen mittels ihres Glaubens und ihrer Werke* ***... erprobt*** – *e r s t d a n n* soll Timotheus dafür Sorge tragen ***... dass sie dienen, wenn sie untadelig sind*** (1.Timotheus. Kapitel 3, Vers 10 / siehe Auslegung!) – so Paulus – *n a c h dieser bedeutenden Überprüfung kann der Gemeindeleiter Timotheus ihnen die Hände auflegen, um ihnen den Segen zu erteilen.*

Wenn Timotheus *nach diesen* von dem Apostel Paulus *benannten Kriterien handelt, so vermeidet er von Anfang an* ***... sich fremder Sünden teilhaftig zu machen*** *als auch* ***... sich selbst als rein zu bewahren*** (1.Timotheus, Kapitel 5, Vers 22b). Wahrhaft – *ein tiefgreifendes Vertrauen gegenüber allen Personen der Gemeinde entsteht immer e r s t d a n n, wenn die von Wahrheit ummantelte Gerechtigkeit aufgrund der Kriterien des ausübenden Glaubens in der Kraft des Heiligen Geistes eines jeden zum Vorschein gelangt, um das Wort Gottes mittels dieser zum Höchsten leitenden Gesten* – ja – *es allseits nach den weisen Richtlinien Gottes in dem Herrn Jesus Christus e r f ü l l e n zu können* (siehe hierzu noch nachfolgende Auslegung unter 1.Timotheus, Kapitel 4, Vers 24!).

Verse 23 – 25

Persönliche Ratschläge an Timotheus

[23]Trinke nicht mehr nur Wasser, sondern gebrauche ein wenig Wein um deines Magens willen und wegen deines häufigen Unwohlseins. [24]Die Sünden mancher Menschen sind allen offenbar und kommen vorher ins Gericht; manchen aber folgen sie auch nach. [25]Gleicherweise sind auch die guten Werke allen offenbar; und die, mit welchen es sich anders verhält, können auch nicht verborgen bleiben.

Auslegung:

Vers 23: Mit persönlichen, an den Timotheus gerichteten, gut gemeinten und zugleich von seelsorgerischer Nächstenliebe sein geliebtes Kind im Glauben betreffenden Empfehlungen lässt der Apostel Paulus den Leiter der Gemeinde anhand der nun drei folgenden Verse mittels dieses 23.Verses wissen, dass er aufgrund ***... seines Magens willen und wegen seines häufigen Unwohlseins nicht mehr nur Wasser, sondern ein wenig Wein gebrauchen soll,*** *um diese Beschwerden mittels des Weines zu besänftigen.* Bei diesem 23.Vers sollte man seine Beachtung ebenfalls auf die vorherigen Aussagen des Apostels beziehen (siehe Auslegung!) – *denn diese schenken uns einen genauen Einblick, warum Timotheus an diesen Gesundheitsstörungen litt.* Es ist allzu verständlich, *dass das bedeutende Amt des Timotheus nicht leicht zu verwalten war.* Auch er war *nur* ein Mensch, *der zwar voll und ganz im Namen des Herrn Jesus Christus in der Kraft des Heiligen Geistes als Leiter der Gemeinde in Ephesus sein Aufgabengebiet nach bestem Wissen und Gewissen ausübte.* Jedoch versteht es sich von selbst, dass des Timotheus` Wohlbefinden unter diesem großen Verantwortungsgefühl *mittels gesundheitlicher Störungen in Form von Magenbeschwerden oder gar einiger moralischer Ernüchterungen bestückt war.*

Doch die Behebung dieses dem Timotheus zukommenden ***... Unwohlseins*** *liegt nicht allein in dem besänftigenden* „Genuss der Zunahme“ ***... wenigen Weines***, *sondern in der vom Heiligen Geist beseelten Kraft des inständigen Glaubens,* so der Apostel. Dies ist auch der Grund, *warum* Paulus dem Timotheus *diese persönlichen Empfehlungen ihm gegenüber zukommen ließ:*

Der Gemeindeleiter soll nicht nur auf das Wohl der anderen Gemeindemitglieder bedacht sein, *sondern er soll und muss auch auf sein eigenes Wohl achten, damit Timotheus in der ihm stets beglei-*

tenden Liebe des allmächtigen Gottes und der des Herrn Jesus Christus in der Kraft des Heiligen Geistes seine gewichtige Aufgabe weiterhin nach den stets weisen Richtlinien des Höchsten ausführen kann. In der Tat – es ist eben diese uns allen *bekannte menschliche Schwäche, welche uns oftmals vergessen lässt,* dass der himmlische Vater, der Herr Jesus Christus und der in unseren Herzen stets verweilende Heilige Geist uns *n i e m a l s v e r l a s s e n, sondern mit unentwegter, stets zuversichtlicher Gewissheit b e i u n s w e i l e n.*

Diese unbefangene Zuversichtlichkeit will Paulus dem Leiter der Gemeinde in Ephesus – dem Timotheus – *erneut unzweifelhaft darlegen* – vielleicht auch anhand seiner aus dem 2.Korintherbrief einst verfassten Worte, *die auch Timotheus* (sowie ein jeder andere gläubige Christ!) *anhand seines inständigen Glaubens in seinem Herzen unentwegt einfügen soll; denn diese lauten unmissverständlich wie folgt:* ***... und er*** (der Herr und Heiland Jesus Christus!) ***... hat zu mir gesagt: Lass dir an meiner Gnade genügen,*** (meine Gnade genügt dir = Quelle: Schlachter-Bibel 2000!) ***... denn meine Kraft wird in der Schwachheit vollkommen!*** (denn meine Kraft kommt zur Ausreifung / gelangt ans Ziel durch Schwachheit = Quelle: Schlachter-Bibel 2000!) ***... Darum will ich mich am liebsten vielmehr meiner Schwachheiten rühmen, damit die Kraft des Christus bei mir wohne. Darum habe ich Wohlgefallen an Schwachheiten, an Misshandlungen, an Nöten, an Verfolgungen, an Ängsten um des Christus willen; denn wenn ich schwach bin, dann bin ich stark*** (2.Korinther, Kapitel 12, Verse 9 + 10).

Wahrhaft – diese eindeutigen, zum Heil der Herrlichkeit Gottes führenden Worte des Apostel Paulus *erleichtern nicht nur das bedeutende Aufgabengebiet des Timotheus, sondern einen jeden anderen Christen belegen diese wahren, vom Geist Gottes gesegneten Worte, w i e man mit einem inständigen Glauben diese Störungen des irdischen Daseins ins Abseits leiten,* ja – fremde Sünden *n i c h t zu nah an sich herantreten lassen kann, damit das eigene, stets von Gott und dem Herrn Jesus Christus erdachte als auch gewollte Wohl erneut zum Vorschein gelangt, sodass das eigene vom Geist umrahmte, reine Gewissen unberührt bleibt – und man mittels eines zuversichtlichen, inständig getragenen Glaubens folgende Worte zum himmlischen Vater voller Dankbarkeit erneut aussprechen kann:* ***... HERR, du erforschest mich und kennest mich. Ich sitze oder stehe auf, so weißt du es; du verstehst meine Gedanken von ferne. Ich gehe oder liege, so bist du um mich und siehst alle meine Wege. Denn siehe, es ist kein Wort auf meiner Zunge, dass du, HERR, nicht alles wüsstest. Von allen Seiten umgibst du mich und hältst deine Hand über mir. Diese Erkenntnis ist mir zu wunderbar und zu hoch, ich kann sie nicht begreifen*** (Psalm 139, Gott – allwissend und allgegenwärtig, ein Psalm Davids, Verse 1 – 6 / Lutherbibel 2017).

Vers 24: Eine weitere Vorsichtmaßnahme betont nun der Apostel gegenüber dem Timotheus wie folgt: ***... die Sünden mancher Menschen sind allen offenbar und kommen vorher ins Gericht; manchen aber folgen sie auch nach.*** Es sind jene „offenbar werdende Gesten" – nach Meinung des Autors – *welche sich mittels* ***... der Werke des Fleisches*** *ersichtlich zeigen – und aufgrund* ***... Eifersucht, Zorn, Selbstzucht, Unreinheit und Zügellosigkeit*** *belegen lassen* – so Paulus in seinem Brief an die Galater in Kapitel 5, Vers 19. In der Tat – es sind *jene Worte des Herrn und Heilands Jesus Christus,* die hier zum Vorschein gelangen: ***... es ist aber nichts verdeckt, das nicht aufgedeckt werden wird, und nichts verborgen, das nicht bekannt werden wird*** (Lukas, Kapitel 12, Vers 2).

Wahrhaft – diese oftmals beschwerlich zu beurteilenden, ins Abseits leitenden Gewohnheitssitten anderer Menschen *sind nicht einfach anhand eigener, menschlicher Auswertungen in Betracht zu ziehen.* Gott aber allein wird diese Entscheidung *mittels Seiner unantastbaren Allwissenheit anhand Seiner stets in Ihm ruhenden, göttlichen, niemals fehlenden Instanz mit den Ihn anhängenden Richtmaßnahmen Seiner Vollkommenheit bewerten,* so Paulus. *Zwar kann diese Vergehen der im Heiligen Geist stehende, glaubende Mensch erkennen und versuchen, diese mittels der unmissverständlichen Wahrheitsindizien Gottes im Herrn Jesus Christus anhand der Worte der Heiligen Schrift zu bekämpfen, jedoch liegt die letzte Instanz der unwiderruflichen Beurteilung in den niemals fehlenden Händen des Herrn Jesus Christus und vor allen in denen, des himmlischen, uns liebenden Vaters.*

Eindeutig bekennt Paulus dem Timotheus daher, dass ***... bei manchen Menschen die Sünden offenbar sind, bevor das göttliche Gericht über sie urteilt*** (1.Timotheus, Kapitel 5, Vers 24a) – *und sie somit von dem inständigen Glauben der Gemeinde trennt. Daraufhin eilen die Sünden dem noch bevorstehenden Gericht Gottes voran,* bzw. *diese tragen* mittels der schon offenbar gewordenen, irdischen Betrachtung *dafür Sorge, dass diese Sünden zum endgültigen Urteil des göttlichen Gerichts gelangen* (siehe hierzu abermals Auslegung zu 1.Timotheus, Kapitel 1, Vers 18!).

Vers 25: Abermals kann es offensichtlich werden – so der Apostel Paulus – *dass ein sündiges Vergehen nicht immer für den Außenstehenden* (gleich!) *zu erkennen ist. Diese sich im Nachhinein aufweisenden Sünden belegen, dass dann, wenn das Urteil des allmächtigen Gottes noch aussteht, diesem Sünder seine Vergehen zugerechnet* *werden.* So entsteht nun *ein Kontrast zwischen den Sünden und den guten Werken;* denn Paulus betont nunmehr gegenüber dem Timotheus: ***... gleicherweise sind auch die guten Werke allen offenbar; und die, mit welchen es sich anders verhält, können auch nicht verborgen bleiben.*** Wahrhaft – *es sind jene guten Werke, die sich wie folgt erkenntlich zeigen; denn unser Herr Jesus Christus* spricht im Evangelium des Matthäus in Kapitel 5 im 16.Vers: ***... so soll euer Licht leuchten vor den Leuten, dass sie eure guten Werke sehen und euren Vater im Himmel preisen.***

In der Tat – *auch hier werden dem im Geist Gottes stehenden Menschen die guten Werke der anderen Menschen offensichtlich. Doch auch diese können* verdeckt sein, so der Apostel. *Denn auch ein in den Augen der Glaubenden gutes, Gott wohlgefälliges Handeln kann sich mittels falscher Maßnahmen mit Misstrauen und Anschuldigungen der e i g e n t l i c h e n R e i n h e i t entziehen.* Daher kann dieses löbliche Verhalten *dennoch in unmoralischen Verhaltensmaßnahmen enden, welche mit Vergehen der Hartherzigkeit kontern, die wiederum mit verleugnenden Maßnahmen der Gebote Gottes bestückt sind.* Jedoch wird auch hier das göttliche Gericht *die allumfassende Entscheidung des niemals fehlenden himmlischen Vaters mittels Seiner unumstößlichen Richtlinien der Herrlichkeit und Seiner konsistenten Machtvollkommenheit hervorheben, welche unentwegt über und vor allen menschlichen Betrachtungen stehen,* so Paulus.

Daher ist es niemals einfach, *aus menschlicher von Glauben erfüllter Betrachtungsweise die Werke eines Menschen zu beurteilen. So werden nun auch von dem Menschen erfüllte Werke, welche von Außenstehenden als u n b e a c h t e t a l s a u c h m i s s i n t e r p r e t i e r t deklariert wurden, von der Unantastbarkeit des niemals fehlenden Gottes nach Seinen unumstößlichen*

Richtmaßen mittels der in ganzer in Ihm ruhenden Vollkommenheit beurteilt werden. Wann dieses Gericht über die ausübenden Personen geschehen wird – *ob zu Lebzeiten oder zu der Zeit der Parusie Jesu Christi* (der Tag der Wiederkunft Jesu Christi!) *am Tag des Jüngsten Gerichts – bleibt offen,* so Paulus.

Daraufhin lässt der Apostel Paulus uns anhand seines 2. Briefes an die Korinther in Kapitel 5 in Vers 10 bezugnehmend auf die soeben ausgelegten Verse 24 + 25 dieses 5.Kapitels des 1.Timotheusbriefes Folgendes in Erfahrung bringen: ***… denn wir alle müssen vor den Richterstuhl des Christus offenbar werden, damit jeder das empfängt, was er durch den Leib gewirkt hat, es sei gut oder böse.***

Kapitel 6

Verse 1 + 2
Vom richtigen Verhalten der Knechte

[1]Diejenigen, die als Knechte unter dem Joch sind, sollen ihre eigenen Herren aller Ehre wert halten, damit nicht der Name Gottes und die Lehre verlästert werden. [2]Die aber, welche gläubige Herren haben, sollen diese darum nicht gering schätzen, weil sie Brüder sind, sondern ihnen umso lieber dienen, weil es Gläubige und Geliebte sind, die darauf bedacht sind, Gutes zu tun. Dies sollst du lehren und dazu ermahnen!

Auslegung:

Vers 1: Der Apostel Paulus kommt nun auf ***... die Knechte*** bzw. ***... die Sklaven*** (Lutherbibel 2017 + Zürcher-Bibel!) zu sprechen. Diese gruppiert er in einer besonderen Sparte gegenüber dem Gemeindeleiter Timotheus heraus, *denn auch von ihnen geht* „das Recht der Ehrerbietung“ *in Betrachtung auf ihre H e r r e n gegenüber aus, von denjenigen Personen, welche innerhalb der christlichen Gemeinschaft in Ephesus den Dienst Gottes im Herrn Jesus Christus nachvollziehen.* Paulus betont mittels *zweier Anweisungen* (Verse 1 + 2 / Vers 2 folgt!) *gegenüber dem Timotheus anhand seiner ersten Anweisung* mittels diese 1.Verses, *dass* ***... diejenigen Knechte / Sklaven,*** *welche gegenüber ihren Herren* ***... unter dem Joch sind, ... ihre***

eigenen Herren ***… aller Ehre wert halten sollen, damit nicht der Name Gottes und die Lehre verlästert wird.***

So betont der Apostel Paulus nun mittels seines 1.Korintherbriefes in Kapitel 7 in den Versen 20 – 24 Folgendes: ***… jeder bleibe in dem Stand, in dem er berufen worden ist. Bist du als Sklave*** (oder als Leibeigener / Knecht = Quelle: Schlachter-Bibel 2000!) ***… berufen worden, so sei deshalb ohne Sorge! Wenn du aber auch frei werden kannst, so benütze es lieber. Denn der im Herrn berufene Sklave ist ein Freigelassener des Herrn; ebenso ist auch der berufene Freie ein Sklave des Christus. Ihr seid teuer erkauft; werdet nicht Knechte der Menschen! Brüder, jeder bleibe vor Gott in dem (Stand), in dem er berufen worden ist.*** *Daher sollen nun auch* ***die … Knechte / Sklaven … ihren leiblichen Herren mit Furcht und Zittern gehorchen, in Einfalt ihres Herzens, als dem Christus; nicht mit Augendienerei, um Menschen zu gefallen, sondern als Knechte des Christus, die den Willen Gottes von Herzen tun*** (Epheser, Kapitel 6, Verse 5 + 6). Weiterhin betont Paulus in seinem Brief an Titus, dass ***… die Knechte / Sklaven … in allem gern gefällig sein sollen, nicht widersprechen, nichts entwenden, sondern alle gute Treue beweisen, damit sie der Lehre Gottes, unseres Retters, in jeder Hinsicht Ehre machen*** (Titus, Kapitel 2, Verse 9b + 10).

In der Tat – anhand dieses 1.Verses aus 1.Timotheus, Kapitel 6, Vers 1 tritt gegenüber dem 2.Vers aus 1.Timotheus, Kapitel 6, Vers 2 (siehe noch kommende Auslegung!) eine von dem Apostel Paulus bereits vorgegriffene *Schwankung* auf, *welche zuerst* ***… diejenigen Knechte / Sklaven*** *benennt, die* ***… ihre eigenen Herren aller Ehre wert halten sollen, damit nicht der Name Gottes und die Lehre verlästert werden.*** Diese im wahren an Gott und den Herrn Jesus Christus im Glauben stehenden ***… Knechte / Sklaven*** *sind folglich* *mit ihren heidnischen Herren zwar in der Gemeinde mit einem gleichen Recht wie diejenigen ebenfalls im wahren Glauben an Gott und den Herrn Jesus Christus stehenden* ***... Knechte / Sklaven,*** *welche* ***... gläubige Herren*** (1.Timotheus, Kapitel 6, Vers 2a / siehe noch kommende Auslegung!) *haben in Betracht zu ziehen. Jedoch belastet diese* ***... Knechte / Sklaven*** aus diesem Vers 1 *insbesondere das über sie ergehende Urteil der* „heidnischen, von Gott und Christus getrennten Herren". Wahrhaft – *trotz dieser von Gott und dem Herrn Jesus Christus getrennten Herren sollen sich die* ***... Knechte / Sklaven*** aus Vers 1 *gegenüber ihren ungläubigen Herren mit Ehrerbietung ihnen gegenüber erkenntlich zeigen, denn diese* ***... Knechte / Sklaven*** *stehen im wahren Glauben an den allmächtigen Gott und den Herrn Jesus Christus. Dieser* Glaube ist er wiederum, der es ihnen aufweist, *dass sie anhand ihrer zuversichtlichen Gewissheit im Geist der Wahrheit Gottes* ***... mit Worten des Glaubens und der guten Lehre genährt worden sind*** (1.Timotheus, Kapitel 4, Vers 6b / siehe Auslegung!). Ja – *diese von Gott gewollten Verhalten weisen diese* ***... Knechte / Sklaven*** *darauf hin,* dass ***... diese Lehre von Gott ist*** (Johannes, Kapitel 7, Vers 17b). Wahrhaft – *diese im wahren Glauben stehenden* ***... Knechte / Sklaven ... blieben beständig in der Lehre der Apostel und in der Gemeinschaft und im Brotbrechen und in den Gebeten*** (die Apostelgeschichte des Lukas, Kapitel 2, Vers 42) – *ungeachtet der an ihnen ungerecht ergehenden Beurteilungen der heidnischen Herren.* Wahrhaft – *diese* ***... Knechte / Sklaven ... sind von Herzen gehorsam gemäß dem Vorbild der Lehre, welches ihnen*** (von den Aposteln!) ***... überliefert worden ist*** (Römer, Kapitel 6, Vers 17b – *denn sie stehen nunmehr* ***... im vollen Empfang*** *ihres* ***... Lohnes,*** *sodass sie* ***... den Vater und den Sohn haben*** (2.Johannes, Verse 8b + 9b).

Trotz der eindeutigen Erkenntnis, dass die heidnischen Herren ihre im Glauben stehenden ***... Knechte / Sklaven*** *mit von Gott und dem Herrn Jesus Christus beschämenden, getrennten als auch ungerechten Urteilen beschuldigen, beurteilen dennoch diese Untergeordneten ihre fehlenden Herren als ihre durch das Recht ihnen geoffenbarten Herren, denen sie Ehrerbietung erweisen.* Dieses durch den inständigen Glauben im Heiligen Geist geförderte Handeln ist wiederum ein unverkennbares Indiz, welches eindeutig aufweist, *dass diese von dem Lichtglanz Gottes in dem Herrn Jesus Christus ergriffenen* ***... Knechte / Sklaven*** *für die Ehre und Achtung der Gemeinde sorgen, damit diese in den Augen Gottes unberührt bleibt.* An dieser Stelle kann man erneut wahrnehmen, *w i e immens wichtig es ist, den wahren Glauben nicht zu verletzen; denn mit einer Missachtung des Glaubens wird folglich unmissverständlich* ***... der Name Gottes und die Lehre verlästert*** (1.Timotheus, Kapitel 6, Vers 1b), so Paulus.

Somit beinhalten der Glaube und die damit verbundenen Richtlinien des allmächtigen Gottes in dem Herrn Jesus Christus *klare Anweisungen, inwiefern sich ein wahrer Christ gegenüber einem noch so ungerechten Herrn zu verhalten hat.* Treten an dieser Stelle jedoch *Vergehen von Seiten der* ***... Knechte / Sklaven*** *auf,* so spricht man unwillkürlich *von Seiten der doch ihnen gegenüber ohne jeglichen Zweifel fehlenden Herren von widerwilligen,* ja – *w i d e r s t r e b e n d sich ausbreitenden Verhaltensmissachtungen dieser* ***... Knechte / Sklaven*** *– und beschuldigt diese somit als* „unsittliche Personen“, *welche ihren Herren bewusst nicht gehorchen wollen – und folglich* „mutwillig die Gemeinschaft der Epheser zerstören“, so der Apostel.

Dass diese ***... im Joch stehenden Knechte / Sklaven*** *wahre Vorzeigepersonen im Glauben sind, beweist uns die unnachgiebige, be-*

ständige Glaubensstruktur *ihrer unverzagten Gewissheit in der Kraftwirkung des wunderbaren, in ihren Herzen ruhenden Heiligen Geistes, dass der allmächtige, sie liebende, himmlische Vater sie n i e m a l s außer Acht lässt, denn ihr entschlossener Glaube bekennt ihnen im Geist der Wahrheit Gottes, dass der sie liebende Gott unentwegt mit folgenden Worten Seiner niemals fehlenden, gegenüber ihnen allen geoffenbarten Liebe besänftigt und beschützt, denn diese lauten unmissverständlich:* ***... ich habe das Elend meines Volkes sehr wohl gesehen, und ich habe ihr Geschrei gehört über die, welche sie antreiben; ja, ich kenne ihre Schmerzen. Ich will dich nicht aufgeben und dich nicht verlassen. Kann auch eine Frau ihr Kindlein vergessen, dass sie sich nicht erbarmt über ihren leiblichen Sohn? Selbst wenn sie (ihn) vergessen sollte – ich will dich nicht vergessen!*** (2.Mose, Kapitel 3, Vers 7b + Josua, Kapitel 1, Vers 5c + Jesaja, Kapitel 49, Vers 15).

Vers 2: So betont nun der Apostel Paulus gegenüber dem Timotheus in diesem 2.Vers, *dass* ***... diejenige Knechte / Sklaven ... welche gläubige Herren haben,*** *darum n i c h t mittels* „überheblichen Betrachtungen ihnen gegenüber" diese ***... gläubigen Herren gering schätzen sollen.*** Diese Aussage bekennt Paulus wie folgt: „Ihre Herren" *sind zwar ihre* ***... Brüder*** *im Glauben, jedoch liegt diese Ehrerbietung der* ***... Knechte / Sklaven*** *umso deutlicher im ehrenhaften, Gott wohlgefälligem Dienen,* ***... weil*** *diese Herren* ***... Gläubige und Geliebte sind, die darauf bedacht sind, Gutes zu tun*** *– und wiederum somit* ***... die Knechte / Sklaven*** *in ebenfalls Gott wohlgefälligen, stets achtsamen Tugenden ihnen gegenüber bemüht sind, ihren untergeordneten Dienern die zu benötigte E h r e Gottes im Herrn Jesus Christus zu erweisen,* so der Apostel.

In der Tat – auch bei diesen fest im Glauben stehenden ***… Knechten / Sklaven*** *bleibt der Stand der Ehrbarkeit gegenüber ihren* ***… gläubigen Herren*** *rundweg bestehen. So brauchten diese im Glauben stehenden Sklaven gegenüber ihren* ***… gläubigen Herren*** *k e i n e Furcht als solche* (im Vergleich zu den ***… Knechten / Sklaven,*** welche ***… unter dem Joch stehen*** – aus dem soeben ausgelegten Vers 1!) *zu haben,* sondern Paulus *will ihnen diese dienstbeflissen Ehrfurchtfaktoren ersichtlich werden lassen, an welchen sich diese* ***… Knechte / Sklaven*** *mit ihren* ***… gläubigen Herren*** *stets halten sollen.*

Diese von Paulus dem Gemeindeleiter Timotheus weitergegebene Ermahnung sagt unmissverständlich aus, *dass diese* ***… Knechte / Sklaven*** *einen Gott wohlgefälligen Dienst im Sinne des Herrn und Heilands Jesus Christus verrichten, welcher ihnen eindeutig belegt, die brüderliche Gemeinsamkeit innerhalb der Gemeinde mittels ihrer christlichen Handhabungen beständig zu fördern.* Diese untertänig dem Willen Gottes entsprechend ausgeübten Handlungen *erweisen sich als Christus ähnliche Ehrerbietungsmaßnahmen, welche unzweifelhaft belegen, dass das Wohlergehen des Nächsten gegenüber die Kennzeichen der seelsorgerischen Nächstenliebe voll und ganz aufweisen.* Ja – *es ist jene von ganzer Freundlichkeit umrahmte, voll Liebe und heilsamer Wirkung betuchte Wirken der im Geist Gottes stehenden Menschen.* Ihr inständig unerschütterliche Glaube *bezeugt diesen von ganzem Glauben erfüllten Personen zugleich, dass ihr Wirken ihnen allen zu erkennen gibt, dass sie mittels ihrer christlichen Tugenden in die Fußstapfen des Heilands getreten sind, denn der Herr Jesus Christus betont:* ***… der Größte aber unter euch soll euer Diener sein*** (Matthäus, Kapitel 23, Vers 11). Wahrhaft – *aus menschlicher Betrachtungsweise sind diese* ***… Knechte / Sklaven*** *als solche zu betrachten – aus der über und vor allem stehenden Betrachtungsweise des allmächtigen Gottes in dem Herrn und Heiland*

Jesus Christus aber ist der ausübende Dienende der Größte. In der Tat – *an dieser Stelle verschmilzt die von dem allmächtigen Gott und dem Herrn Jesus Christus gewollte Nächstenliebe miteinander zu e i n e r E i n h e i t* – ja – *zu einem gegenseitig zu betrachtenden, zusammengehörenden Liebesbeweis im Angesicht des Herrn Jesus Christus.* Denn:

Einerseits beweisen die über den ***... Knechten / Sklaven*** „angesiedelten ***... gläubigen Herren***“, dass sie ***... den Knechten das gewähren, was recht und billig ist, da sie wissen, dass auch sie einen Herrn im Himmel haben*** (Kolosser, Kapitel 4, Vers 1) –

andererseits belegen die ***... Knechte / Sklaven*** *anhand ihrer christlich umrahmten Tugenden, dass sie in den Fußstapfen des Heilands Jesus Christus wandeln, eben weil sie ihren* „untertänigen Dienst“ *mit stets wohlgefälligen Ausübungen der seelsorgerischen Nächstenliebe verrichten, welche eindeutig belegen:* ***... und was immer ihr tut in Wort oder Werk, das tut alles im Namen des Herrn Jesus und dankt Gott, dem Vater, durch ihn*** (Kolosser, Kapitel 3, Vers 17). Wahrhaft – es ist jene *über allem stehende Liebe, die ein jeder von ihnen* ***... angezogen hat, die das Band der Vollkommenheit ist*** (Kolosser, Kapitel 3, Vers 14). Denn: ***... da ist weder Jude noch Grieche, da ist weder Knecht noch Freier, da ist weder Mann noch Frau; denn ihr seid aller einer in Christus Jesus*** – betont der Apostel Paulus daher in seinem Brief an die Galater in Kapitel 3, Vers 28. Ja – ***... denn wir sind seine*** (des allmächtigen Gottes!) ***... Schöpfung, erschaffen in Christus Jesus zu guten Werken, die Gott zuvor bereitet hat, damit wir in ihnen wandeln sollen*** (Epheser, Kapitel 2, Vers 10) – ***... ein Herr, ein Glaube, eine Taufe; ein Gott und Vater aller; über allen und durch alle und in euch allen*** (Epheser, Kapitel 4, Verse 5 + 6). *Alles beruht auf der von Herzen kommenden Zielausübung der*

Liebe Gottes, welche in Christus Jesus wirksam ist, so Paulus. Daher akzentuiert Paulus die Wichtigkeit seiner an den Timotheus weitergeleiteten Worte – und lässt sein geliebtes Kind im Glauben noch einmal bezugnehmend zu 1.Timotheus, Kapitel 6, Verse 1 + 2 (siehe Auslegung!) mit Nachhaltigkeit wissen: ***... dies sollst du lehren und dazu ermahnen!*** (1.Timotheus, Kapitel 6, Vers 2c).

Zwischenbemerkung:

Auch an dieser Stelle will der Autor es den Lesern nahelegen, dass man bezugnehmend aus 1.Timotheus, Kapitel 6, Verse 1 + 2 (siehe Auslegung!) die Worte des Apostels Paulus aus der Zeitperiode in Augenschein nehmen muss, aus welchen sie letztlich entstammen: Am Anfang dieser Auslegung hat es der Autor bereits in der Einleitung zum 1.Timotheusbrief vermerkt, dass der Apostel Paulus diesen Brief etwa 64 – 65 n.Chr. verfasste – zu einer Zeit, als es *zeitentsprechend* war, dass Knechte / Sklaven mit Fronarbeiten belastet wurden. Dass diese rundum mit Beschwerlichkeit bepackten Dienste nur mit einem inständig geprägten Glauben in der niemals versiegenden Hoffnung auf Gott und den Herrn Jesus Christus nur schwerlich auszuüben waren – trotz allem aber von diesen geschändeten Personen gemeistert werden mussten – erklärt sich von selbst.

Wir – die wir in der heutigen Zeit unser Dasein auf Erden vollbringen – können Gott und dem Herrn Jesus Christus beständig dafür danken, dass die Zeit sich zu unseren Gunsten gewandelt hat – und die Knecht- bzw. die Sklavendienste der einstigen Vergangenheit angehören. Heute leben wir in einer im Gegensatz zu der einst stattgefundenen Sklaverei in einem Land, welches uns die Freiheit gewährt, frei zu leben als auch Meinungsäußerungen preiszugeben, welche damals niemals geduldet, geschweige denn akzeptiert wurden.

Nun belegt der Artikel 1 unseres Grundgesetzes, **dass die Würde des Menschen unantastbar ist* – und beweist uns zugleich, dass diese tiefgreifende Maßnahme formulierte **Ewigkeitsklausel vom verfassungsändernden Gesetzgeber inhaltlich weder abgeschafft noch verändert werden kann* (= Quelle: Artikel 1 des Grundgesetzes für die Bundesrepublik Deutschland / Wikipedia*).

Wir können mittels dieses in unserem Land gegebenen Grundgesetzes frei aufatmen – und unseren Glauben im Gegensatz zu manchen anderen Ländern, in welchen die Christenverfolgungen an der Tagesordnung stehen, in F r e i h e i t genießen.

Doch auch diesen noch unterdrückten Menschen sollen und müssen auch wir stets mittels unserer inständigen, zu dem allmächtigen Gott und dem Herrn Jesus Christus gerichteten, mit zuversichtlicher Gewissheit gekürten Gebete gedenken, sodass unser niemals versiegende Glaube in der Hoffnung als auch in der gewichtigen Kraft des Heiligen Geistes beständig dafür Sorge trägt und zugleich darin beruht, dass diese Gott und den Herrn Jesus Christus befleckende Schandtaten der baldigen Vergangenheit angehören, sodass noch möglichst viele Menschen in den Genuss gelangen, die Ehre Gottes als das oberste Ziel ihres Daseins in Augenschein zu nehmen – und folglich mit allein diesem durch den Willen Gottes letztlich von Christus Jesus befreienden Glauben zur Seligkeit Gottes im Reich Seiner unnachahmlichen Herrlichkeit als die geliebten Kinder Seiner selbst angelangen zu können.

Verse 3 – 10

Warnung vor Irrlehrern und Habgier

[3]Wenn jemand fremde Lehren verbreitet und nicht die gesunden Worte unseres Herrn Jesus Christus annimmt und die Lehre, die der Gottesfurcht entspricht, [4]so ist er aufgeblasen und versteht doch nichts, sondern krankt an Streitfragen und Wortgefechten, woraus Neid, Zwietracht, Lästerung, böse Verdächtigungen entstehen, [5]unnütze Streitgespräche von Menschen, die eine verdorbene Gesinnung haben und der Wahrheit beraubt sind und meinen, die Gottesfrucht sei ein Mittel zur Bereicherung – von solchen halte dich fern! [6]Es ist allerdings die Gottesfurcht eine große Bereicherung, wenn sie mit Genügsamkeit verbunden wird. [7]Denn wir haben nichts in die Welt hineingebracht, und es ist klar, dass wir auch nichts hinausbringen können. [8]Wenn wir aber Nahrung und Kleidung haben, soll uns das genügen! [9]Denn die, welche reich werden wollen, fallen in Versuchung und Fallstricke und viele törichte und schädliche Begierden, welche die Menschen in Untergang und Verderben stürzen. [10]Denn die Geldgier ist eine Wurzel alles Bösen; etliche, die sich ihr hingegeben haben, sind vom Glauben abgeirrt und haben sich selbst viel Schmerzen verursacht.

Auslegung:

Vers 3: Noch ein weiteres Mal (siehe hierzu insbesondere Auslegung zu 1.Timotheus, Kapitelabschnitt 1 – Abwehr falscher Lehren ff.!) warnt der Apostel Paulus den Leiter der Gemeinde in Ephesus – den Timotheus – vor den sich in die Gemeinde einschleichenden

Irrlehrern und den Folgen der Habgier. So lässt der Apostel den Timotheus mittels dieses 3.Verses eindeutig wissen, *dass er sich stets vor solchen Falschpredigern schützen soll, denn diese lassen der gesamten Gemeinde* ***... fremde Lehren*** *zukommen,* ***... die nicht den gesunden Worten des Herrn Jesus Christus als auch der Gottesfurcht*** (Frömmigkeit / Gottseligkeit = Quelle: Schlachter-Bibel 2000!) ***... entsprechen.***

Wahrhaft – *diese Irrlehrer soll Timotheus mittels ihrer verfälschend-preisgebenden Worte anhand ihrer immerdar unaufrichtigen Botschaften erkennen, damit die gläubige Gemeinschaft der Epheser* ***... ein stilles und ruhiges Leben führen können in aller Gottesfurcht und Ehrbarkeit*** (1.Timotheus, Kapitel 2, Vers 2b / siehe Auslegung!). Darum, so Paulus: ***... denn die leibliche Übung nützt wenig, die Gottesfurcht aber ist für alles nützlich, da sie die Verheißung für dieses und für das zukünftige Leben hat.*** *Daher gilt:* ***... glaubwürdig ist das Wort und aller Annahme wert*** (1.Timotheus, Kapitel 4, Verse 8 + 9 / siehe Auslegung!). Der Apostel kann diese seine Behauptung wie folgt im Geist der Wahrheit Gottes belegen, denn im seinem Brief an Titus schreibt er Folgendes: ***... Paulus, Knecht Gottes und Apostel Jesu Christi, gemäß dem Glauben der Auserwählten Gottes und der Erkenntnis der Wahrheit, die der Gottesfurcht entspricht*** (Titus, Kapitel 1, Vers 1) – so spricht und schreibt der Apostel Paulus *in der ihm überlieferten apostolischen Vollmacht im Auftrag Gottes durch den Herrn Jesus Christus mittels der stets Gott wohlgefälligen Botschaften der Frömmigkeit* (siehe hierzu erneut die Apostelgeschichte des Lukas, Kapitel 9!).

In der Tat – diese Heilsbotschaft des Paulus *beschreibt die zum Licht der Herrlichkeit führende, inkludierte Liebe und die dazugehörende durch Glauben erfüllte Ehre Gottes im Herrn Jesus Christus, welche die Gemeindemitglieder zu einer völligen, Gott stets gewollten Liebe im Heiligen Geist v e r e i n t, um sie somit aufgrund dieser ihnen allen zukommenden, vom Geist Gottes geleiteten, freudvollen Dienstbereitschaft zu dem allmächtigen Gott in dem Herrn Jesus Christus wohlgefälligen Anwärtern für das Reich der Herrlichkeit Gottes zu f o r m e n.*

Da der Apostel diese gewichtige an den Timotheus gerichtete Botschaft nochmals erwähnend betont, *zeigt eindeutig auf, welch eine immense Bedeutung diese Mitteilung hat* – nämlich – *dass die gesamte Gemeinde der Epheser in der von dem Paulus ihnen allen geoffenbarten Evangeliums-Verkündigung verbleibt – und sich folglich von den irreführenden, gänzlich verfälschten Lehren der Irrlehrer voll und ganz absondert. Dazu soll der Gemeindeleiter Timotheus unentwegt seine Aufmerksamkeit richten, dass diese Vergehen rundweg ausbleiben. Daher mahnt der Apostel Paulus mittels eindeutigen, zur wahren Evangeliums-Verkündigung bezogenen Worte* anhand seines Briefes an die Galater in Kapitel 1, Vers 6 wie folgt *auch die Gemeinde der Epheser:* ***... aber selbst wenn wir oder ein Engel vom Himmel euch etwas anderes als Evangelium verkündigen würden als das, was wir euch verkündig haben, der sei verflucht!***

Denn: *Der gesunde Glaube und die Seligkeit Gottes gehören untrennbar zueinander,* so der Apostel. Ja – *bedingt durch diese zusammengehörende Einheit hat der Glaube in der Kraft des Heiligen Geistes die Gemeinde der Epheser aufgrund der barmherzigen Gnade des sie liebenden, himmlischen Vaters durch die apostolische Vollmacht des Paulus im Auftrag Jesu Christi sie alle gemeinsam zu Kindern des Lichtes Gottes in dem Herrn Jesus Christus geformt.* Diesen zum Heil der Herrlichkeit Gottes leitenden Anspruch *versuchen die Falschprediger mittels verfälschender, vom wahren Evangelium des*

Herrn Jesus Christus sich abkapselnder, suggerierter Botschaften zu durchkreuzen, weil sich ihnen diese wahre Lehre aufgrund folgender, von dem Apostel Paulus in dem nun folgenden Vers 4 genannten Hinweise *als unwichtig und unbedeutend herauskristallisieren ...*

Vers 4: In der Tat – wenn jemand an diesen rundum falschen, von der Wahrheit Gottes in dem Herrn Jesus Christus sich entfernten Botschaften festhält, ***... so ist er aufgeblasen und versteht doch nichts, sondern krankt an Streitfragen und Wortgefechten, woraus Neid, Zwietracht, Lästerung, böse Verdächtigungen entstehen,*** so der Apostel Paulus. Ja – ***... wenn aber jemand meint, etwas zu wissen, der hat noch nichts so erkannt, wie man erkennen soll*** – betont Paulus anhand seines 1.Briefes an die Korinther in Kapitel 8, Vers 2. Es sind daher jene von Paulus beschriebenen, *die Worte Gottes rundweg verfälschenden Aussagen der Irrlehrer, welche sich mittels dieser von Gott und dem Herrn Jesus Christus abkehrenden Lügen selbst anhand* „bewundernder Zuneigungsbestrebungen“ *ihrer eigenen Größe preisgeben wollen.*

Diese *eigene Größe* jedoch *verstößt sie selbst* mittels ihrer von der vollkommenen Wahrheit verfälschenden Worte *in eine rundum lichtleere, allseits von Gott und Christus entfernte, völlig trostlose, rundum verdunkelte Dekadenz.* Wahrhaft – *sie widerlegen und tadeln die allein zur Herrlichkeit führende Evangeliums-Botschaft des Herrn und Erlösers Jesus Christus mit ihren den Heiland befleckenden, rundum kritisierten als auch falschen Maßnahmen.* Ihr *eigener Geist hat keinerlei Zugang zu jenen zum Heil der Herrlichkeit Gottes leitenden Attribute; denn der himmlische Vater hat ihnen diese Gnade im Heiligen Geist strikt versagt. Ihre ominösen Aussagen weisen unzweifelhaft darauf hin, dass sie in den listigen Fängen* ***... des Got-***

tes dieser Weltzeit (2.Korinther, Kapitel 4, Vers 4a) *gefangen genommen wurden – und demzufolge an und mittels dieser unheildrohenden Worten e r k r a n k t sind. Diesen Verführern gilt es immerdar mittels der wahren Evangeliums-Botschaft Gottes in dem Herrn Jesus Christus zu widerstreben als auch zu widerstehen!*

Denn, so der Apostel Paulus: ***… der natürliche*** (seelische = Quelle: Schlachter-Bibel 2000!) ***… Mensch aber nimmt nichts an, was vom Geist Gottes ist; denn es ist ihm eine Torheit, und er kann es nicht erkennen, weil es geistlich beurteilt werden muss*** (1.Korinther, Kapitel 2, Vers 14). Aufgrund dieser dem Falschlehrer anhängenden Tatsachen ergibt es sich zweifelsohne, dass dieser Irrlehrer an ***… Streitfragen und Wortgefechten*** (1.Timotheus, Kapitel 6, Vers 3a) gänzlich scheitert; denn diese ***… erzeugen nur Streit*** (2.Timotheus, Kapitel 2, Vers 23b / Auslegung folgt!) innerhalb der gesamten Gemeinde. Wenn wir diese dem Irrlehrer anhängenden Hindernisse einmal genauer definieren, so werden wir Folgendes feststellen:

Neid: *Missgunst, Eifersucht, Habgier, aus Eigennutz verruchte Reden, welche das Wort Gottes rundum verfälschen –*

Zwietracht: *widerstreitende Wortwechsel, kontroverse Spannungen, von Uneinigkeit geprägter Hader – der die Gemeinschaft Gottes versucht mittels von Unfrieden stiftender Maßnahmen zu zerstören –*

Lästerung: *Schmähungen, Erniedrigungen, Beleidigungen und von Blasphemie durchtränkte, kränkende Anschuldigungen, welche die Reinheit Gottes in Christus Jesus rundum beflecken –*

böse Verdächtigungen: *feindlich gesinnte, aggressiv zu beurteilende und zugleich böswillige Anschuldigungen –* bzw. *Beschuldigungen* *in Form ihrer eigenen Unwissenheit den im Geist der Wahrheit gesegneten Personen gegenüber.*

Mittels dieser Definitionen wird es allzu deutlich ersichtlich, *dass dieser Falschprediger aufgrund seiner unzweifelhaften Unwissenheit die gesunde Lehre des Christus meidet, um andere in seinen verruchten Bann hineinzuziehen.* Diesen Irrlehrern soll Timotheus *von Anfang an e n t g e h e n,* so Paulus. *Denn die Wahrheit des himmlischen Vaters erzeugt die Liebe, die der allmächtige Gott in dem Herrn und Erlöser Jesus Christus hat wirksam werden lassen, für alle, die an Sein niemals anzuzweifelndes Wort von ganzem Herzen in der ihnen geoffenbarten Kraft des Heiligen Geistes glauben.*

Vers 5: So soll nun auch der Gemeindeleiter Timotheus *von vorneherein* ***... unnütze Streitgespräche von Menschen, die eine verdorbene Gesinnung haben und der Wahrheit beraubt sind und meinen, die Gottesfurcht sei ein Mittel zur Bereicherung*** *meiden.* Daher mahnt der Apostel Paulus den Timotheus noch ein weiteres Mal mit folgenden Worten: ***... von solchen*** (verruchten Menschen!) ***... halte dich fern!*** Daher bekennt Paulus anhand seines 1.Briefes an die Korinther in Kapitel 11 in Vers 16 eindeutig: ***... wenn aber jemand rechthaberisch sein will – wir haben eine solche Gewohnheit nicht, die Gemeinde Gottes auch nicht.*** *Diese Menschen sind* – so der Apostel: *von* ***... völlig verdorbener Gesinnung*** *geprägt,* ***... untüchtig zum Glauben*** (2.Timotheus, Kapitel 3, Vers 8b / siehe noch nachfolgende Auslegung).

Wahrhaft – *die Irrlehrer besitzen einen rundum anstößigen, allseits gegen Gott und den Herrn Jesus Christus gerichteten Standpunkt, denn ihr von der vollkommenen Wahrheit Gottes abkehrendes Ver-*

ständnis ist aufgrund ihrer frivolen Einstellung ***... vom Gott dieser Weltzeit*** (vom Teufel / Satan / 2.Korinther, Kapitel 4, Vers 4a) *völlig verfinstert worden, denn* ***... das helle Licht des Evangeliums von der Herrlichkeit des Christus*** (2.Korinther, Kapitel 4, Vers 4b) *kann in ihren von Sünde verdunkelten Herzen für keinerlei Lichtfülle sorgen, die doch einzig und allein vom Heiland ausgeht.* Ja – *ihre Herzen sind steinern und nicht fleischlich. Diese konsistent in Betracht zu ziehenden, undurchdringbaren Strukturen führen sie zu ihren rundweg abstoßenden Selbstbewusstseinsfestlegungen, welche zudem noch mit den abscheuerregenden Genen der Habsucht befleckt sind. Ihnen allen liegt die Wahrheit Gottes in Christus in unerreichbarer Ferne. Was sie jedoch beabsichtigen, ist das Erreichen der Wohlhabenheit. Diese wollen sie mittels ihrer verfälschten Gedanken an das von ihnen erdachte Ziel führen – und benutzen daraufhin ihre aus Eigenregie entworfenen, rundum widersinnig geprägten Evangeliums-Verkündigungen, welche zudem mit völlig absurden, gegen Gott und den Herrn Jesus Christus bestückten Inhalten darauf bedacht sind, die gesamte Gemeinde Gottes in ihren vernebelten Bann zu ziehen.*

So ist es offensichtlich, *dass sich nicht nur bei diesen rundweg ordinären Handhabungen die vor allem und über allen stehende Ehrerbietung Gottes in dem Herrn und Heiland Jesus Christus befleckt und beschämt wird,* sondern zugleich wird die von ihren Gedanken geprägte Absicht erkennbar, *dass sie sich mittels Bereicherungen in Form von Anhäufungen des verderbenden Mammons und dem damit verbundenen Ansehen eines stolzen Wertgefühls innerhalb der Gemeinde nicht nur schmücken, sondern auch bereichern wollen.* Vor diesen *verderbenden Fängen des Reichtums* mahnt der Herr und Erlöser Jesus Christus mit diesen Seinen niemals vergehenden Worten wie folgt: ***... ihr sollt euch nicht Schätze sammeln auf Erden, wo die Motten und der Rost sie fressen und wo die Diebe nachgra-***

ben und stehlen. Sammelt euch vielmehr Schätze im Himmel, wo weder die Motten noch der Rost sie fressen und wo die Diebe nicht nachgraben und stehlen! Denn wo euer Schatz ist, da wird auch euer Herz sein. Das Auge ist die Leuchte des Leibes. Wenn nun dein Auge lauter ist, so wird dein ganzer Leib Licht sein. Wenn aber dein Auge verdorben ist, so wird dein ganzer Leib finster sein. Wenn nun das Licht in dir Finsternis ist, wie groß wird dann die Finsternis sein! Niemand kann zwei Herren dienen, denn entweder wird er den einen hassen und den anderen lieben, oder er wird den einen anhängen und den anderen verachten. Ihr könnt nicht Gott dienen und dem Mammon! (Matthäus, Kapitel 6, Verse 19 – 24).

In der Tat – *ihr in dem Bann des Verderbens stehendes Verhältnis mit den Mächten des Bösen katapultiert diese Menschen folglich in die Abgeschiedenheit Gottes und bestätigt ihnen zugleich, stets mittels gottwidriger Maßnahmen gehandelt zu haben,* so Paulus. Ihre Religiosität *ist gekennzeichnet von einer konsistent fehlenden, wahren Glaubenseinstellung.* Jene diesen Menschen anhängenden Sünden verleiten diese Individuen *zu einem durch Falschaussagen geprägten, durchtriebenen Vorsatz: Sie beabsichtigen diese mittels unmoralischer Handhabungen anhand ihrer aus Eigenregie erdachten Evangeliums-Botschaften gegenüber der Gemeinde zu erreichen. Es erklärt sich von selbst, dass diese rundum kläglich zu erachtenden Vergehen mit den stets wohlwollenden Absichten Gottes n i e m a l s ü b e r e i n s t i m m e n k ö n n e n.* Ja – *das zum Heil leitende Werk und Ziel Gottes in dem Herrn Jesus Christus wird durch diese beschämenden Absichten dieser Personen rundweg missachtet und zugleich völlig verfälscht.*

Erneut wird es aufgrund dieser beschämenden Absichten jener Menschen erkennbar, *dass ihre verderbenden Handhabungen die vollkommene Wahrheit Gottes in Christus ruinieren. Diese Menschen wollen n i c h t für das Wohl der Gemeinde sorgen, s o n d e r n sind darauf bedacht, ihr eigenes Wohl in Form von Geld, Macht und Ansehen zu fördern. In ihren Gedanken ruht und steht der Erfolg an erster Stelle, der jedoch einzig und allein den Glaubenden von Gott in dem Herrn Jesus Christus gänzlich sichtbar wird – und zugleich den Gläubigen diesen allein ihnen gebührenden, allerrettenden Wirkungsgrad aufgrund des den Kindern Gottes vom himmlischen Vater geoffenbarten Kreuzestod durch den Herrn Jesus Christus mit dem Eintritt in das Reich der Herrlichkeit Gottes erzielt werden kann.* Dieses von Gott in Christus beabsichtigte, befreite Dasein *wehren diese Irrlehrer jedoch völlig ab, weil sie nicht erkennen, dass die Mächte des Bösen sie in ihren verderbenden Bann eingeschlossen haben.* Nun wird es allzu deutlich ersichtlich, *warum Paulus den Timotheus nochmals mit den Worten:* ***... von solchen halte dich fern!*** (1.Timotheus, Kapitel 6, Vers 5b) – *ausdrücklich mahnt.*

Vers 6: Gott wohlgefällige Maßnahmen können *aber nur dann* in Betracht gezogen werden, *wenn die Evangeliums-Botschaft nach den unanfechtbaren Richtlinien Gottes in dem Herrn Jesus Christus in aller Gott und Christus ehrbaren Aufrichtigkeit in der Kraft des Heiligen Geistes vermittelt werden – und somit die Früchte des Heils hervorsprießen können.* Die damit inkludierte ***... Genügsamkeit*** *verbindet sich mittels dieser miteinander verschmelzenden Faktoren zu einer stets von Gott in Christus gewollten, immerdar von Ihnen beabsichtigten Einheit.* So wird das *wahre Leben,* welches *in der unnachahmlichen Regie Gottes im Heiligen Geist durch Christus Jesus gestaltet wird, erstmals mit bedeutsamen,* ja – *rundweg heilsamen Potential bestückt, als auch zugleich erstmals rundum lebenswert. Dieses von* ***... Gottesfurcht*** *entstehende, aus Glauben sich* *beständig mehr und mehr entwickelnde Dasein* ist *das* gewichtige Indiz, *in dem Lichtglanz Gottes in der nunmehr den Gläubigen offenbarten Segnung des Heiligen Geistes als auch in der Liebe Jesu Christi bedingt der an ihnen allen vollbrachten, barmherzigen Gnade des himmlischen Vaters angelangt zu sein.* So heißt es in dem Psalmen: ***... wenn ich nur dich habe, so frage ich nichts nach Himmel und Erde*** (Psalm 73 – ein Psalm Asafs, Vers 25 / Lutherbibel 2017). Aufgrund dieser den von Gott gesegneten *Menschen immer deutlicher hervorgehobenen Gnadensegnungen in der Kraft des Heiligen Geistes wird es offenbar, dass diese zum wahren Leben ausgerichteten Segnungen des Höchsten fortan dafür Sorge tragen, dass von nun an in diesen von Glauben erfüllten Herzen die unverzagte, bewusste Gewissheit ruht, dass n i c h t die weltlichen Begierden das Dasein des wahren Lebens bestimmen, s o n d e r n* ***... die Gottesfurcht eine große Bereicherung ist, wenn sie mit Genügsamkeit verbunden wird*** (1.Timotheus, Kapitel 6, Vers 6).

Nun können diese Gesegneten in der Gnade des allmächtigen Gottes voller Dankbarkeit zum himmlischen Vater sprechen: ***... HERR, lass leuchten über uns das Licht deines Antlitzes! Du erfreust mein Herz mehr als zur Zeit, da es Korn und Wein gibt in Fülle. Ich liege und schlafe ganz mit Frieden; denn allein du, HERR, hilfst mir, dass ich sicher wohne*** (Psalm 4 – ein Psalm Davids, Verse 7b – 9 / Lutherbibel 2017). Somit rücken die „Genügsamkeitsfaktoren" in den Vordergrund, *welche eindeutig belegen, dass ein Dasein o h n e die sich in den glaubenden Herzen ausbreitenden* „Trinitätsstrukturen" (Dreifaltigkeitsstrukturen = Gott-Vater, Sohn-Jesus Christus und der Heiliger Geist!) *des allmächtigen Gottes keinerlei Bestand haben.* Diese von dem allmächtigen Gott in das menschliche Leben *durch* Seine Gnade einberufenen *Heilsstrukturen* sind es letztlich, *welche die Ehre Seiner selbst in Christus Jesus aufgrund der Kraftwirkung* *des Heiligen Geistes gegenüber Seinen Auserwählten ersichtlich werden lassen – und ihnen im Geist der Wahrheit unmissverständlich bezeugen:* Ja – *es ist jenes Zeichen des uns liebenden, wunderbaren Gottes.* Wahrhaft – *diese von Ihm an uns geoffenbarte, entschlossene Zuversichtlichkeit ist* ***... das Reichtum der Herrlichkeit*** – ja – ***Christus*** *ist* ***... in uns,*** *der Heiland ist* ***... die Hoffnung der Herrlichkeit*** (Kolosser, Kapitel 1, Vers 27). Folglich trägt der inständige Glaube der von Gott gesegneten Menschen *kontinuierlich dazu bei, dass der Heilige Geist ihnen allen bekennt, dass alle noch so bedrängenden Gegebenheiten im Leben als nichtig in Betracht zu ziehen sind, weil diese Glaubenden Folgendes erkannt haben:* ***... wer den Sohn hat, der hat das Leben; wer den Sohn Gottes nicht hat, der hat das Leben nicht*** (1.Johannes, Kapitel 5, Vers 12). Ja – in der Tat, so bezeugt uns unser Glaube: ***... besser wenig in der Furcht des HERRN als ein großer Schatz und keine Ruhe*** (die Sprüche Salomos, Kapitel 15, Vers 16 / Zürcher Bibel).

Vers 7: Diese ***... Gottesfurcht der Genügsamkeit*** (1.Timotheus, Kapitel 6, Vers 6 / siehe Auslegung!) zeigt sich daran als auch darin erkenntlich, dass ***... wir nichts in die Welt hineingebracht haben,*** so ***... ist es auch klar, dass wir nichts hinausbringen können*** – so der Apostel. in diesem 7.Vers. So heißt es im Buch des Hiob: ***... nackt bin ich aus dem Leib meiner Mutter gekommen; nackt werde ich wieder dahingehen*** (das Buch Hiob, Kapitel 1, Vers 21a) – und der Prediger Salomo fügt zu diesem Satz hinzu: ***... und er kann gar nichts für seine Mühe mitnehmen, das er in seiner Hand davontragen könnte*** (der Prediger Salomo, Kapitel 5, Vers 14b). Weiterhin betont der Psalm 49 – ein Psalm der Korachiter – in den Versen 17 + 18 (Lutherbibel 2017): ***... fürchte dich nicht, wenn einer reich wird, wenn die Herrlichkeit seines Hauses groß wird. Denn er wird nichts***

bei seinem Sterben mitnehmen, und seine Herrlichkeit wird ihm nicht nachfahren.

Wahrhaft – Gott hat uns bei unserer Geburt nackt erschaffen – und nackt werden wir auch bei unserem irdischen Tod diese vergängliche Welt verlassen. *Irdischer Besitz bleibt in dieser Welt – völlig unabhängig – wie groß oder gering er auch immer ausgefallen ist. Der Sterbende m u s s das Vergängliche zurücklassen.* Paulus betont somit gegenüber dem Leiter der Gemeinde, dem Timotheus, dass das *irdische Hab und Gut nur die einst von uns scheidenden Lebenszugaben prägen – nicht aber das von dem himmlischen Vater geoffenbarte, w a h r e L e b e n selbst,* welches uns der allmächtige Gott in Seiner barmherzigen ganzen Gnade in Christus geschenkt hat. *So bilden der Anfang unseres Daseins und das damit verbundene Ende eine zusammengehörende Einheit; denn wenn der Mensch seine Besitztümer von Gott mit auf seinen Lebensweg bekommen hätte, so würden diese ihn auch mit auf seinen Abschied von dieser Weltzeit begleiten. Aber dieser rundum episodische Besitzstand bleibt in der Welt – der Mensch jedoch muss diese Welt o h n e seine Habseligkeiten verlassen.*

Vers 8: Selbstverständlich braucht der Mensch einige Güter, um mit ihnen seine irdische Existenz bestehen zu können – doch diese fallen für den Apostel Paulus nur sehr gering aus. So lässt er den Timotheus mittels dieses 8.Verses wissen: ***… wenn wir aber Nahrung und Kleidung haben, soll uns das genügen!*** An dieser Stelle nimmt Paulus – nach der Meinung des Autors – die Kleidung in Verbindung mit dem des Menschen beschützende Behausung in Form des „unter eines Daches wohnen“ *in eine Kategorie mit auf.*

Mit dieser seiner allseits von ganzer Genügsamkeit geprägten Aussage als auch mittels dieser in seinem Innern ruhenden Handhabungen prägt der Apostel Paulus des Herrn Jesus Christus an Seine Jünger einzuhaltende Botschaft, *welche unwillkürlich dazu aufruft, in* „spärlicher", *stets genügsamer Lebensausübung das Leben im wahrhaftigen Glauben an Gott und an den Heiland zu begehen; denn dies ist der wahre, zum Ewigen Leben führende Inhalt* dieser vor und über allen stehenden Botschaft: *Wenn das irdische Leben nach diesen von Gott und dem Herrn Jesus Christus stets beabsichtigten als auch für alle Menschen gewollten, ihnen allen zu Gute kommenden Vorzügen im Glauben handeln, so werden der himmlische Vater und der Herr Jesus Christus die Namen dieser getreuen, an Sie glaubenden Diener* ***... in das Buch des Lebens** *1 **des Lammes*** (*1 = der Herr und Heiland Jesus Christus! / die Offenbarung des Johannes, Kapitel 21, Vers 27b) *schreiben, und diese Namen werden auf Ewigkeit bewahrt bleiben. Denn dort im Reich der Herrlichkeit Gottes werden die Schätze im Himmel durch den inständig bewirkten Glauben der noch vor Beginn dieser Weltzeit Auserwählten* ***... weder*** (im Gegensatz zu den irdischen Besitztümern!) ***... von den Motten und dem Rost gefressen*** als auch von den ***... Dieben nachgegraben und gestohlen werden*** (Matthäus, Kapitel 6, Vers 20b) – *sondern dieser himmlische Ort trägt a l l e z e i t dafür Sorge, dass diese Gott und dem Herrn Jesus Christus stets wohlgefälligen Tugenden die Kinder des himmlischen Vaters wie folgt kennzeichnen; denn nunmehr spricht der Herr und Heiland Jesus Christus zu diesen Auserkorenen des Höchsten :* ***... kommt her, ihr Gesegneten meines Vaters, und erbt das Reich, das euch bereitet ist seit Grundlegung der Welt!*** (Matthäus, Kapitel 25, Vers 34b).

In der Tat – *Paulus war mit dem* „Allernötigsten" *zufrieden, denn ihm oblag es v o r a l l e m, den ihm geoffenbarten Willen des*

Herrn Jesus Christus im Auftrag des höchsten Gottes (siehe hierzu erneut die Apostelgeschichte des Lukas, Kapitel 9!) *mittels seiner apostolischen Vollmacht nach bestem Wissen und Gewissen a u s z u ü b e n* – nämlich – *die Verkündigung des Evangeliums Jesu Christi – welches dem Apostel mit bravouröser Praktizierung schließlich auch aufgrund seines ihm vom Höchsten in Christus virtuos geprägten, tief in seinem Herzen ruhenden Heiligen Geistes auch gelang.* Für Paulus *lag diese vor und über allen stehende Pflichterfüllung in dieser ihm von Gott und Christus geoffenbarten irdischen Lebenszeit unentwegt an e r s t e r S t e l l e. Besitztum war in den Augen des Apostels s t e t s z w e i t r a n g i n g – und daher konnte er diese* „Glücksgüter" *nur der absoluten, für ihn nicht zu erwähnenden und zugleich unbrauchbaren V er g ä n g l i c h k e i t preisgeben.* Anhand seines Briefes an die Philipper lässt der Apostel Paulus uns nun Folgendes in Erfahrung bringen; denn dort schreibt er in Kapitel 4 in den Versen 11 – 14: ***... nicht wegen des Mangels sage ich das; ich habe nämlich gelernt, mit der Lage zufrieden zu sein, in der ich mich befinde. Denn ich verstehe mich aufs Armsein, ich verstehe mich aber auch aufs Reichsein; ich bin mit allem und jedem vertraut, sowohl satt zu sein als auch zu hungern, sowohl Überfluss zu haben als auch Mangel zu leiden. Ich vermag alles durch den,*** (oder *in dem* = Quelle: Schlachter-Bibel 2000!) ***... der mich stark macht, Christus. Doch habt ihr recht gehandelt, dass ihr Anteil nahmt an meiner Bedrängnis.*** Daher heißt es weiterhin in dem Brief an die Hebräer in Kapitel 13 im 5.Vers: ***... euer Lebenswandel sei frei von Geldliebe! Begnügt euch mit dem, was vorhanden ist; denn er*** (Gott!) ***... selbst hat gesagt: *„Ich will dich nicht aufgeben und dich niemals verlassen!"*** (*bezogen auf Josua, Kapitel 1, Vers 5).

Zwar konzentrierte sich *des Apostels Paulus` irdisches Dasein k o n s t a n t auf die Evangeliums-Botschaft des Herrn und Erlösers Jesus Christus – doch seine immerdar größte, vor allem anderen stehende, innerliche, von seinem ganzen Herzen kommende S e h n s u c h t berief sich* ***... von der Welt abzuscheiden, um bei Christus zu sein, was auch viel besser wäre – ... aber es ist nötiger im Fleisch zu bleiben um euretwillen*** – betont er somit ebenfalls ausdrücklich in seinem Brief an die Philipper in Kapitel 1 in den Versen 23b + 24. So heißt es weiterhin in diesem Brief anhand des Apostels Paulus an die Philipper verfassten, sehnsuchtsvollen Worte: ***... denn für mich gilt: Leben heißt Christus, und Sterben ist für mich Gewinn*** (Philipper, Kapitel 1, Vers 21 / Zürcher Bibel).

Vers 9: Immer verständlicher wird es nun, wenn Paulus gegenüber dem Gemeindeleiter Timotheus Folgendes anspricht – nämlich – *dass diejenigen Personen, welche* ***... reich werden wollen in Anfechtung und Fallstricke und viele törichte und schädliche Begierden verfallen.*** *Diese sich präzise vom Reich Gottes abkehrenden Handlungen sind es* – so Paulus – *welche dafür Sorge tragen, dass diese Individuen sie mittels ihrer eigen verschuldeten Handhabungen* ***... in Untergang und Verderben stürzen.*** Bereits in den Sprüchen Salomos heißt es daher in Kapitel 23 in Vers 4: ***... bemühe dich nicht Reichtum zu erwerben; Aus eigener Einsicht lass davon!*** Und weiterhin schenken uns die Sprüche Salomos folgende Einsicht in Bezug auf diese schädlich zu betrachtenden Versuchungen anhand des 15.Kapitels in Vers 27: ***... wer sich unrechtmäßigen Gewinn verschafft, der richtet sein Haus zugrunde, Wer aber Bestechungsgeschenke hasst, der wird leben.***

Wahrhaft – diese begehrenden Maßnahmen fördern *n i c h t* das vermeintliche *Glück der Suchenden, s o n d e r n beflecken diese habgierigen Menschen mit sündhaften Lastern, welche verderbende Folgen in Form der Versuchungen in sich tragen.* Ja – *diese sich von Gott und dem Herrn Jesus Christus abkehrenden Anfechtungen können Ihnen nicht wohl gefallen, denn mit diesen irdisch-sündhaften Wesenszügen bekennt der Suchende, weltlich-vergänglichen Reichtum anzuhäufen – anstelle mittels eines inständig zum himmlischen Vater bezogenen, nimmermehr vergehenden, suchenden Glaubens einen Schatz im Himmel anzusammeln, der doch auch für diese einst von Glauben erfüllten Menschen auf Ewigkeit einen bleibenden Platz in dem Reich der Herrlichkeit Gottes vorgesehen hat.*

In der Tat – *diese fehlenden Menschen benutzen den Dienst Gottes, um mit diesen von und durch den Herrn Jesus Christus ihnen allen zugedachten befreienden Pfad im wahren Glauben die Reinheit des Höchsten mit verabscheuungswürdigen Maßnahmen zu missbrauchen. Doch mittels dieser vergehenden Handlungen und all ihrer sich mitinkludierten Eingriffen in Form von den von ihnen vollbrachten Ausübungen* ***… schädlicher Begierden*** (1.Timotheus, Kapitel 6, Vers 9) *katapultieren sie sich selbst in* ***… Untergang und Verderben*** (1.Timotheus, Kapitel 6, Vers 9b), so der Apostel.

Anstelle diesen *Weg des Verderbens zu verlassen, häufen sie sich mittels ihrer habsüchtigen Begierden immer mehr Unheil an, welches sich anhand unbeherrschter und zugleich lasterhafter Vorhaben erkenntlich zeigen, die doch nur aufweisen, dass sich diese Personen in den listigen Fängen des Teufels verstrickt haben.* Ja – *diese von Sünde umwobenen Menschen fallen ab von der Gnade Gottes, denn ihr sehnsüchtiges Verlangen trägt dafür Sorge, dass ihre Augen die über allem stehende Herrlichkeit Gottes in dem Herrn und Erlöser Jesus*

Christus nicht erkennen – und ihre verstopften Ohren die zum Heil führende Botschaft des himmlischen Vaters schlichtweg mittels ihrer undurchdringbaren, versteinerten Herzen ignorieren.

Vers 10: Unmissverständlich steht für den Apostel Paulus *ein für diese Menschen zuteilwerdendes Urteil fest, weil sie sich mittels ihrer eigenverschuldeten, gottwidrigen Maßnahmen von der Herrlichkeit Gottes in dem Herrn Jesus Christus bewusst abgesetzt haben.* So lässt der Apostel den Timotheus unmissverständlich wissen: ***… denn die Geldgier ist eine Wurzel alles Bösen; etliche, die sich ihr hingegeben haben, sind vom Glauben abgeirrt und haben sich selbst viel Schmerzen verursacht.*** Daher betont der Halbbruder unseres Herrn Jesus Christus – Jakobus – Folgendes über diese von der Herrlichkeit Gottes abkehrenden Menschen: ***… wohlan nun, ihr Reichen, weint und heult über das Elend, das über euch kommt!*** (Jakobus, Kapitel 5, Vers 1).

In der Tat – *ihr Herz hat sich in den Fallstricken,* ja – *in der entweihten Zuneigung des Geldes verfangen – ihr abirrender Glaube hat sich den verderbenden* „Fängen dieser Weltzeit" *preisgegeben,* so Paulus. Diese verheerenden Kraftwirkungen des Reichtums aber verwickeln diese Personen *gnadenlos in sich immer mehr anhäufende, lasterhafte Vergehen, welche mittels ihrer desaströsen, nach und nach auftretenden Wirkungen diesen habgierigen Menschen* ***…. viel Schmerzen verursachen*** (1.Timotheus, Kapitel 6, Vers 10b). Diese Personen sind sich dieser *rundweg fatalen Wachstumsprozesse n i c h t bewusst, d e n n* es ist jene von dem Apostel Paulus benannte ***… Wurzel alles Bösen,*** (1.Timotheus, Kapitel 6, Vers 10a) *die mit beständiger Zunahme die gottwidrigen, in jeder Hinsicht nichtigen Utensilien der entwürdigenden Habgier beständig fördern.*

Wahrhaft – der an Gott gerichtete, beständig geförderte Glaube und ***... die Wurzel des Bösen*** *jedoch können unmöglich miteinander harmonieren.* Denn mit dem Beginn der Habgier *muss unwillkürlich der einst in diesem Herzen jenes Menschen ruhende, wahre Glaube mittels der sich noch im Anfangsstadium befindenden, zu diesem Zeitpunkt noch unvorhersehbaren, jedoch mit Sicherheit zukünftig eintretenden Folgen weichen, welche unmissverständlich von* ***... der Wurzel des Bösen*** *abstammen,* so der Apostel Paulus. *Eine beiderseitige, zusammengehörende Verbundenheit ist somit von Beginn an völlig ausgeschlossen;* denn der Herr und Heiland Jesus Christus lässt uns eindeutig mittels seiner niemals vergehenden Worte wissen: ***... niemand kann zwei Herren dienen, denn entweder wird er den einen hassen und den anderen lieben, oder er wird den einen anhängen und den anderen verachten. Ihr könnt nicht Gott dienen und dem Mammon!*** (Matthäus, Kapitel 6, Vers 24).

Auch der Apostel Paulus will es der Gemeinde der Epheser noch ein weiteres Mal genauestens verdeutlichen, *wie unachtsam und wie töricht es sich herauskristallisiert, wenn der Mensch von dem zum Heil führenden Weg Gottes abkehrt – und sich in den raffinierten Fängen des Satans aus Eigenverschulden verwickelt.* Denn mit diesen *von ganzer Schande aus Eigenregie erdachten Maßnahmen des Heils folgen diese einstigen Nachfolger des allmächtigen Gottes n i c h t weiterhin in den zur vollkommenen Herrlichkeit Gottes führenden Fußstapfen des Herrn Jesus Christus auf dem Weg der unnachahmlichen Wahrheit des himmlischen Vaters – s o n d e r n diese Personen folgen fortan den listigen, zum Verderben freigegebenen Schlingen des Satans, welche sie mit den stets wachsenden, zum ewigen Verderben freigegebenen* ***... Wurzeln des Bösen*** *in den allseits verruchten Fängen der Lasterhaftigkeit konstant gefangen halten.*

Daraufhin lässt Paulus die Epheser Folgendes in Erfahrung bringen, *damit die Gemeindemitglieder alle zusammen in gemeinschaftlicher Stärke weiterhin dem Willen Gottes in dem Herrn Jesus Christus mittels eines unverzagten, kontinuierlich gestärkten, gewissenhaften Glaubens ohne jegliche Störungen im Geist der unabdingbaren Wahrheit Gottes nachfolgen:* ***… ihr könnt nicht den Kelch des Herrn trinken und den Kelch der Dämonen; ihr könnt nicht am Tisch des Herrn teilhaben und am Tisch der Dämonen! Ob ihr nun esst oder trinkt oder sonst etwas tut – tut alles zur Ehre Gottes! So kennt auch niemand die (Gedanken) Gottes*** (das was des Menschen ist … das was Gottes ist = Quelle: Schlachter-Bibel 2000!) ***… als nur der Geist Gottes*** (1.Korinther, Kapitel 10, Verse 21 + 31 + 1.Korinther, Kapitel 2, Vers 11b).

Ja – *diese von ganzer Schwachheit umgebenen Maßnahmen der Reichen füllen ihre habgierigen Ausschweifungen mit rundum frevlerischer Schande – sie verfallen in den immerdar von Gott und dem Herrn Jesus Christus abgekapselten Tod – denn das Reich der Herrlichkeit Gottes bleibt diesen Personen auf Ewigkeit versagt. Aus diesen zum Verderben freigegebenen Maßnahmen wächst nur die sich allseits von Gott und dem Herrn Jesus Christus entfernte Schwachheit empor, welche diese von Habsucht verfallen Menschen zu dem* ***… Gott dieser Weltzeit*** (Teufel / Satan!) *führen, der* ***… ihre Sinne verblendet hat, sodass ihnen das helle Licht des Evangeliums von der Herrlichkeit des Christus nicht aufleuchtet, welcher Gottes Ebenbild ist*** – lässt uns der Apostel Paulus anhand seines 2.Briefes an die Korinther in Kapitel 4 im 4.Vers unmissverständlich in Erfahrung bringen.

Verse 11 – 16

Ermahnung an Timotheus, den geistlichen Gütern nachzujagen und das Wort Gottes treu zu bewahren

[11]Du aber, o Mensch Gottes, fliehe diese Dinge, jage aber nach Gerechtigkeit, Gottesfurcht, Glauben, Liebe, Geduld, Sanftmut! [12]Kämpfe den guten Kampf des Glaubens; ergreife das ewige Leben, zu dem du auch berufen bist und worüber du das gute Bekenntnis vor vielen Zeugen abgelegt hast. [13]Ich gebiete dir vor Gott, der alles lebendig macht, und vor Christus Jesus, der vor Pontius Pilatus das gute Bekenntnis bezeugt hat, [14]dass du das Gebot unbefleckt und untadelig bewahrst bis zur Erscheinung unseres Herrn Jesus Christus, [15]welche zu seiner Zeit zeigen wird der Glückselige und allein Gewaltige, der König der Könige und der Herr der Herrschenden, [16]der allein Unsterblichkeit hat, der in einem unzugänglichen Licht wohnt, den kein Mensch gesehen hat noch sehen kann; ihm sei Ehre und ewige Macht! Amen.

Auslegung:

Vers 11: Anhand der zuletzt ausgelegten Verse 3 – 10 des 6.Kapitels in diesem 1.Timotheusbrief (siehe Auslegung!) hat der Apostel Paulus den Timotheus genauestens wissen lassen, *wie gefährlich als auch frevlerisch sich Irrlehren und Habgier im irdischen Dasein präsentieren; denn diese Vergehen weisen die rundum sündhaften Charaktere auf, welche sich stets mehr und mehr von der Herrlichkeit Gottes in dem Herrn Jesus Christus entfernen.* Das des

Apostels Paulus` Glaubensbruder – sein geliebtes Kind im Glauben, Timotheus – *sich unter allen Umständen von diesen sündhaften Lastern immerdar fern halten soll,* betont der Apostel *mit eindeutig klaren, an den Gemeindeleiter der Epheser gerichteten Worte,* die da lauten: ***... du aber, o Mensch Gottes, fliehe diese Dinge*** (1.Timotheus, Kapitel 6, Vers 11a). Diese sehr deutlichen an Timotheus gerichteten Worte aber drücken zugleich aus, *wie sehr Paulus den Timotheus von ganzem Herzen liebt.* Ja – *es sind jene durch und durch herzergreifende, von seelsorgerischer Nächstenliebe umgebene Anweisungen des Apostels,* welche *prägnant erwähnen, dass Timotheus aufgrund des in seinem Herzen wohnenden Heiligen Geistes die beständige* „Abwehrkraft" *in Form seines allseits inständigen, zu Gott und Christus bezogenen Glaubens aufweisen kann, mit dem er unentwegt mittels dieses ihm allseits zur Verfügung stehenden* ***... Schildes des Glaubens*** *in Form des Heiligen Geistes* ***... die feurigen Pfeile des Bösen auslöschen kann*** (Epheser, Kapitel 6, Vers 16).

Wahrhaft – Timotheus *ist ein geliebtes Kind des allmächtigen Gottes;* ja – *er ist das Eigentum des wunderbaren, himmlischen Vaters – und folglich ist er frei von den Lastern der gottwidrigen Geldgier.* An dieser *unmissverständlichen Feststellung* lässt der Apostel *keinerlei Zweifel; denn Paulus betitelt ihn als* ***... Mensch Gottes*** (1.Timotheus, Kapitel 6, Vers 11a). Gleich, *wie ein jedes andere fest im Glauben stehende Kind Gottes – so kann auch Timotheus mittels seines in seinem Herzen ruhenden Heiligen Geistes Folgendes unzweifelhaft feststellen:* ***... der Geist*** (der Heilige Geist Gottes) ***... selbst gibt Zeugnis zusammen mit unserem Geist, dass wir Gottes Kinder sind. Wenn wir aber Kinder sind, so sind wir auch Erben, nämlich Erben Gottes und Miterben des Christus; wenn wir wirklich mit ihm leiden, damit wir auch mit ihm verherrlicht werden,*** so der Apostel Paulus in seinem Brief an die Römer in Kapitel 8 in den Versen 16 +

17. Eben weil Timotheus *bei seiner Weihe zum Leiter der Gemeinde der Epheser berufen wurde,* (siehe hierzu erneut Auslegung zu 1.Timotheus, Kapitel 4, Vers 14!) *soll er sich mittels dieser an ihm vollbrachten Ehrerbietung Gottes stets bewusst sein, mit vorbildlichen Tugenden dieses Amt des Gemeindeleiters anhand wahrhaftiger, stets zu Gott und dem Herrn Jesus Christus bezogener Charaktereigenschaften als ein Paradebeispiel eines wahren, fest im Glauben stehenden Gottesmannes innerhalb der Gemeinde voranzugehen,* (siehe Auslegung zu 1.Timotheus, Kapitel 4, Verse 6 – 16!) *um die anderen Gemeindemitglieder mittels dieser seiner unverzagten Glaubenseinstellung zu der selbigen, vom Geist Gottes im Herrn Jesus Christus betuchten, vollkommenen Wahrheit zu bewegen, sodass diese unverzichtbaren Glaubenseinstellungen auch sie zu Kindern des Höchsten formt,* ***... denn Gott will, das alle Menschen gerettet werden*** (1.Timotheus, Kapitel 2, Vers 4).

Ja – exakt aus *diesen eindeutigen Gründen* soll Timotheus *unentwegt* ***... diesen*** *verderblichen, irdisch-sündhaften* ***... Dingen*** *der Habgier* ***... fliehen*** (1.Timotheus, Kapitel 6, Vers 11a). In der Tat – *es ist jene dem Gemeindeleiter Timotheus von dem allmächtigen Gott in dem Herrn Jesus Christus geoffenbarte, im Heiligen Geist sich ausweisende Kraft und Berufung, die er aufgrund seines gewichtigen Amtes ausführen soll als auch muss. Denn sein Leben gehört dem unantastbaren Willen des himmlischen Vaters,* so der Apostel. Es ist jene *Gerechtigkeit, welche sich unentwegt auf den Willen des allmächtigen Gottes bezieht. Mit dieser vor allem stehenden, konstanten Glaubenseinstellung beginnt das christliche Dasein und endet unter folgsamer Einhaltung dieser überaus gewichtigen Kriterien im Reich der Himmel mit dem Ewigen Leben.*

Aufgrund dieser dem Timotheus von Gottes barmherziger Gnade geoffenbarter Amtsvollmacht *soll er immerdar nach* ***… Gerechtigkeit, Gottesfrucht, Glauben, Liebe, Geduld*** (standhaftes Ausharren, „darunterbleiben" = Quelle: Schlachter-Bibel 2000!) und … ***Sanftmut nachjagen;*** (1.Timotheus, Kapitel 6, Vers 11b) ja – *sich den niemals vergehenden Früchten des Heils widmen;* denn des Timotheus` Devise lautet unmissverständlich, *mittels dieser seiner unverzagten Gewissheit im Glauben eine ewige Gemeinschaft im Reich der Herrlichkeit Gottes zu erlangen,* so Paulus. So können wir anhand der Sprüche Salomos Folgendes erkennen; denn dort heißt es: ***… erwirb Weisheit, erwirb Einsicht; vergiss sie nicht und weiche nicht von der Rede meines Mundes; verlass sie nicht, so wird sie dich bewahren; liebe sie, so wird sie dich behüten. Denn der Weisheit Anfang ist: Erwirb Weisheit und erwirb Einsicht mit allem, was du hast*** (die Sprüche Salomos, Kapitel 4, Verse 5 – 7 / Lutherbibel 2017).

Wenn wir nun diese von dem Apostel Paulus aufgezählten, stets Gott wohlgefälligen Tugenden definieren, so können wir Folgendes von ihnen in Erfahrung bringen:

Gerechtigkeit: *Objektivität, Aufrichtigkeit, Rechtschaffenheit, Ehrenhaftigkeit und Neutralität –*

Gottesfurcht: *Frömmigkeit, die zu Gott und dem Herrn Jesus Christus bezogene Stärke im Bewahren des Glaubens, welche letztlich die Seligkeit des Glaubenden hervorruft –*

Glauben: *in der unverzagten Gewissheit zu stehen, die Worte Gottes in Christus Jesus zu hören, denen zu vertrauen als auch diesen unentwegt zu gehorchen –*

Liebe: *in seelsorgerischer Pflichtausübung nach dem Willen Gottes in Christus die Nächstenliebe gegenüber anderen Menschen auszuüben, die Verbundenheit als auch die Vertrautheit mittels der Kraft des Heiligen Geistes zu begehen –*

Geduld: *eine ausdauernde, nicht verzagende Beharrlichkeit aufweisen, mit von Bedacht geprägter Besonnenheit den Glaubensweg in den Fußstapfen des Heilands zu begehen, ein von Langmut und Umsicht geführtes Dasein dem über allen stehenden Willen Gottes in Christus gemäß zu vollführen –*

Sanftmut: *mit aufgeschlossener, mildtätiger Güte und Freundlichkeit die wunderbare Herzlichkeit Christi nachzuahmen, mittels barmherzig-charakterisierter, Gott gewollter Tugenden warmherzige Milde gegenüber seinem Nächsten in den zum Heil führenden Zeichen des Mitgefühls zu spenden.*

Wahrhaft – es ist jenes von dem Apostel Paulus an den Timotheus weitergegebene, stets von dem Gemeindeleiter der Epheser *einzuhaltende und zugleich z w i n g e n d nachzujagende Ziel im wahrhaftigen Glauben, dessen gewichtige Eigenschaften nun folgende, zum Heil der Herrlichkeit Gottes führende Wirkung erzielt – als auch dazu beiträgt, andere Mitmenschen mittels Gott und dem Herrn Jesus Christus wohlgefälliger Maßnahmen in den Heilsbereich Ihrer unnachahmlichen Herrlichkeit miteinzubeziehen:* ***… jagt nach*** (oder trachtet ernstlich nach = Quelle: Schlachter-Bibel 2000!) ***… dem Frieden mit jedermann und der Heiligung, ohne die niemand den Herrn sehen wird! Und achtet darauf, dass nicht jemand die Gnade Gottes versäumt, dass nicht etwa eine bittere Wurzel aufwächst und Unheil anrichtet und viele durch diese befleckt werden, dass nicht jemand ein Unzüchtiger oder ein gottloser Mensch sei wie Esau,***

der um einer Speise willen sein Erstgeburtsrecht verkaufte (Hebräer, Kapitel 12, Verse 14 – 16).

Diese konstant zu betrachtende, allseits fruchtbringende, allein von der barmherzigen Gnade des allmächtigen Gottes ausgehende und zugleich entsprießende Kraftquelle im Heiligen Geist trägt in dem von Glauben erfüllten Herzen des Gemeindeleiters dafür Sorge, dass Timotheus ohne jeglichen Zweifel als ein **… Mensch Gottes** (1.Timotheus, Kapitel 6, Vers 11a) von dem Apostel Paulus benannt werden kann. *Denn es ist jene Gerechtigkeit, die in und durch den Glauben entsteht.* Ja – *diese immerdar makellose Dienstbereitschaft im willigen Kampf des wahrhaftigen Glaubens vertilgt die Werke des Bösen und richtet ihr vollkommenes Vertrauen auf das zum ewigen Heil führende, unvergleichbare Werk Gottes in dem Herrn und Erlöser Jesus Christus, den alleinigen Wegbereiter für das Reich der unantastbaren Herrlichkeit des uns liebenden, himmlischen Vaters.*

Vers 12: Daher fordert Paulus nunmehr den Timotheus dazu auf: ***… kämpfe den guten Kampf des Glaubens; ergreife das ewige Leben, zu dem du auch berufen bist und worüber du das gute Bekenntnis vor vielen Zeugen abgelegt hast.*** Ja – *Timotheus soll sich den gleichen zum Ewigen Leben leitenden, stets sich im Herzen befindenden Wortlaut in seinem voll Glauben erfüllten Herzen bewahren,* den der Apostel Paulus in 2.Timotheus, Kapitel 4, Vers 7 (Auslegung folgt!) im Heiligen Geist wie folgt an den Leiter der Gemeinde in Ephesus verfasst hat: ***… ich habe den guten Kampf gekämpft, den Lauf vollendet, den Glauben bewahrt.*** Denn: ***… jeder aber, der sich am Wettkampf beteiligt, ist enthaltsam*** (oder selbstbeherrscht = Quelle: Schlachter-Bibel: 2000!) ***… in allem – jene, um einen vergänglichen Siegeskranz zu empfangen, wir aber einen unvergängli-***

chen – betont Paulus daher in seinem 1. Brief an die Korinther in Kapitel 9 im 25.Vers – und vollendet diesen gewichtigen Satz mittels seines Briefes an die Philipper in Kapitel 3 in Vers 14***: … und jage auf das Ziel zu, den Kampfpreis der himmlischen Berufung Gottes in Christus Jesus.***

Wahrhaft – es ist jener vom Heiligen Geist beseelte, tiefgründige und zugleich beständig sich weiterentwickelnde Glaube in dem Hier und Jetzt dieses weltlichen Zeitalters, *in welchen wir uns befinden*, den Judas in seinem Brief in Vers 3b wie folgt definiert, *denn dieser Glaube muss sich somit wie folgt erkenntlich und zugleich ersichtlich zeigen* – nämlich : … ***dass ihr für den Glauben kämpft*** (das griechische Wort bezeichnet ein ernstliches, entschlossenes Kämpfen; „Glauben" meint hier, vor allem die Inhalte des Glaubens, d.h. das Glaubensgut der apostolischen Offenbarung = Quelle: Schlachter-Bibel 2000!) ***… der den Heiligen ein für alle Mal überliefert worden ist.*** Denn mittels dieses wahren, zu Gott und dem Herrn Jesus Christus bezogenen Glaubens – geschieht Folgendes – so betont es der Heiland – der Herr Jesus Christus: ***… ich sage euch aber: Jeder, der sich zu mir bekennen wird vor den Menschen, zu dem wird sich auch der Sohn des Menschen bekennen vor den Engeln Gottes*** (Lukas, Kapitel 12, Vers 8).

In der Tat – es ist jener von dem Apostel Paulus beschriebene *Wettkampf des Glaubens,* der eindeutig aufweist, zu *welchen* rundum gesegneten *Gaben* ein unentwegt zu Gott und dem Herrn Jesus Christus inständig bezogener, sich im Herzen eines Auserwählten Gottes stets präsenter Glaube *auf-* als auch *aus*weist. *Denn mittels dieser unverzagten Glaubensgewissheit zeigen wir mit konstanter Loyalität, das wir dem himmlischen Vater und dem Heiland Jesus Christus unser vollstes Vertrauen schenken.* Diese überaus bedeutende Stabilität *weist uns im Geist der Wahrheit Gottes unentwegt darauf hin, dass wir in den Händen des allmächtigen Gottes geborgen sind – und zugleich im Herrn Jesus Christus mittels dieser gegenseitigen Verbundenheit zu den Kindern des Heils von dem Schöpfer der Welt berufen worden sind. Jener überaus bedeutende Wettkampf ist von einer solch immensen, in den glaubenden Herzen sich ausweisenden Zuversichtlichkeit im Heiligen Geist geprägt, sodass wir anhand unseres Glaubens stets daran festhalten, am Tag der Wiederkunft Christi als erfolgreiche Anwärter für das Reich der Herrlichkeit Gottes das* „Jawort“ *zu erhalten.* Folglich ist das Ewige Leben *nur ergreifbar, weil Gott es uns Dank seiner barmherzigen Gnade in Christus Jesus darlegt hat, mit welchen uns der himmlische, immerdar liebende Vater auch den Timotheus in und durch den Heiland, den Herrn Jesus Christus* ***... berufen hat*** (1.Timotheus, Kapitel 6, Vers 12b / siehe hierzu abermals die Auslegung zu 1.Timotheus, Kapitel 4, Verse 14 + 15!).

Ja – der Gemeindeleiter Timotheus *hat diesen vor allem stehenden, gewichtigen Schritt im tiefgründigen Glauben an Gott und den Herrn Jesus Christus begangen – und somit b e k a n n t, dass er gewillt ist, diesen Wettkampf des Glaubens in der Kraft des Heiligen Geistes a n z u n e h m e n als auch mittels pflichterfüllender Maßnahmen des Glaubens z u b e s t e h e n.* Dazu ruft ihn Paulus schließlich auch mit *mahnenden, jedoch allseits anhand seelsorgerischer Züge der Nächstenliebe Kraft seiner apostolischen Vollmacht auf, denn ausschließlich n u r im erfolgreichen Bestehen dieser Tugend wird der Gemeindeleiter n i c h t n u r als ein Vorbild der Gemeinde in Ephesus betrachtet werden,* ***... worüber*** Timotheus ***... das Bekenntnis vor vielen Zeugen abgelegt hat,*** (1.Timotheus, Kapitel 6, Vers 12c) *s o n d e r n v o r a l l e m erreicht er mittels dieses erfolgreichen Absolvierens jenes* „Glaubenskampfes“ *das über allem ste-*

hende *J a w o r t* *zum Eintritt in das Reich der Himmel,* so Paulus. Ja – es ist jene von dem Apostel Paulus gegenüber dem Timotheus benannte, sich *bei der Parusie Christi* (der Tag der Wiederkunft Christi am Tag des Jüngsten Gerichts!) *sich herauskristallisierende* „Kontinuitätsstreben“ *des wahren, Gott wohlgefälligen Glaubens, welcher mit beständiger Wirksamkeit die Früchte des Heils aufweist, ein auserwähltes Kind Gottes im Herrn Jesus Christus zu sein.* Denn so heißt es daraufhin in dem wunderbaren Brief an die Hebräer: ***... da wir nun einen großen Hohenpriester haben, der die Himmel durchschritten hat, Jesus, den Sohn Gottes, so lasst uns festhalten an d e m Bekenntnis!*** (Hebräer, Kapitel 4, Vers 14).

Verse 13 + 14: Da der Apostel Paulus *sich über die Tragweite* dieses von *Timotheus zu bestehenden Disziplinverfahrens im Glauben* aufgrund seiner apostolischer Vollmacht in der Kraft des Heiligen Geistes als auch in der vor allem stehenden Gegenwart Gottes und der des Herrn und Heilands, des Herrn Jesus Christus – *überaus bewusst ist,* betont der Apostel nunmehr gegenüber seinem Kind im Glauben *mittels anordnender, jedoch gegenüber dem Gemeindeleiter unentwegt wohlwollender Worte:* ***... ich gebiete dir vor Gott, der alles lebendig macht, und vor Christus Jesus, der vor Pontius Pilatus das gute Bekenntnis bezeugt hat, dass du das Gebot*** (*hier ist wohl das geoffenbarte Wort Gottes der Heiligen Schrift gemeint / vgl. Auslegung zu 1.Timotheus, Kapitel 1, Vers 5 = *Quelle: Schlachter-Bibel 2000!) ***... unbefleckt und untadelig bewahrst bis zur Erscheinung unsers Herrn Jesus Christus.***

Es ist eben *n i c h t* *n u r* *dieses gewichte* „Selbsterrettungsprinzip des Glaubens“, *welches allein dem Timotheus zu Gute kommen soll,* *s o n d e r n* *zugleich prägen diese von dem Leiter der Gemeinde zu vollführenden Tugenden, das die anderen Gemeindemitglieder der Epheser dem Timotheus im wahren, Gott wohlgefälligen Glauben im Herrn Jesus Christus unentwegt n a c h f o l g e n* (siehe hierzu abermals Auslegung zu 1.Timotheus, Kapitel 5, Vers 21!). Ja – es ist wiederum jenes an den Timotheus gerichtete, von dem Apostel Paulus aufgeforderte, allein im Geist der Wahrheit Gottes *zu realisierende Wirken im wahrhaftigen Glauben,* welches Paulus wie folgt umschreibt und zugleich im Geist der Wahrheit des allmächtigen Gottes in dem Herrn Jesus Christus bekennt: ***... denn gleichwie in Adam alle sterben, so werden auch in Christus alle lebendig gemacht werden. Ein jeder aber in seiner Ordnung: als Erstling Christus; danach die, welche Christus angehören, bei seiner Wiederkunft*** (oder Ankunft / seinem Kommen = Quelle: Schlachter-Bibel 2000! / 1.Korinther, Kapitel 15, Verse 22 + 23) – ... also: ***wie nun durch die Übertretung des einen*** (der *erste* Adam!) ***... die Verurteilung für alle Menschen kam, so kommt auch durch die Gerechtigkeit*** (oder durch die gerechte Tat = Quelle: Schlachter-Bibel 2000!) ***... des Einen*** (des *letzten* Adam = der Herr und Erlöser Jesus Christus!) ***... für alle Menschen die Rechtfertigung, die Leben gibt*** (*[1]die Rechtfertigung des Lebens = *[1]Quelle: Schlachter Bibel 2000! / durch das heilende, vergossene Blut aufgrund des Herrn Jesus Christus` Kreuzigung am Holz von Golgatha / Römer, Kapitel 5, Vers 18) – denn: ... ***„in ihm*** (dem Herrn Jesus Christus!) ***... weben*** (bewegen wir uns = Quelle: Schlachter-Bibel 2000!) ***... und sind wir“*** (die Apostelgeschichte des Lukas, Kapitel 17, Vers 28a). Ja – unser Herr Jesus Christus lässt uns eindeutig wissen: ***... denn getrennt von mir*** (ohne mich / außerhalb von mir = Quelle: Schlachter-Bibel 2000!) ***könnt ihr nichts tun*** (Johannes, Kapitel 15, Vers 5c). Wahrhaft – es ist jenes gegenüber dem Statthalter Pontius Pilatus von unserem Herrn und Erlöser Jesus Christus ***... bezeugte, gute Bekenntnis*** (1.Timotheus, Kapitel 6, Vers 13) welches da lautet: ***... Jesus ant-***

wortete: (dem Pontius Pilatus!) ***… mein Reich*** (d.h. „Mein Königreich / Meine Königherrschaft“ = Quelle: Schlachter-Bibel 2000!) … ***ist nicht von dieser Welt; wäre mein Reich von dieser Welt, so hätten meine Diener gekämpft, damit ich den Juden nicht ausgeliefert würde; nun aber ist mein Reich nicht von hier*** (Johannes, Kapitel 18, Vers 36 / in Bezug auf 1.Timotheus, Kapitel 6, Vers 14b).

Wahrhaft – es ist abermals jenes *Ewige,* von *einem jeden fest im Glauben stehenden Menschen* (hier auf den Timotheus bezogen!) *zu erreichende Leben,* welches Paulus *mit dem Schöpfungsbeginn Gottes als auch mit der Auferstehung Jesu Christi miteinander zu e i n e r a l l e r r e t t e n d – w i r k e n d e n E i n h e i t miteinander verbindet.* Somit ruft der Apostel den Gemeindeleiter *Timotheus dazu mahnend auf, dieses errettende, von Gott in Jesus Christus geoffenbarte Leben zu ergreifen, um ein erfolgreicher Anwärter für das Himmelreich zu werden.*

Es ist wiederum *der vor allem stehende, gewichtige Wille Gottes, der hier in einem überaus bedeutungsvollen Vordergrund steht.* Der himmlische Vater nämlich *i s t der barmherzige Geber,* ***… der alles lebendig macht,*** (1.Timotheus, Kapitel 6, Vers 13a) – ja – *der alles in allem offenbart* – so auch *das sich an alle Glaubenden von dem allmächtigen Gott in dem Herrn Jesus Christus realisierende, ihnen stets zugedachte Ewige Leben.* Darum ist es von *alleräußerster Wichtigkeit, dass Timotheus* ***… das Gebot unbefleckt und untadelig bewahrt*** (1.Timotheus, Kapitel 6, Vers 14a) – ja – *im stets beabsichtigten Sinnes Gottes in dem Herrn Jesus Christus aufgrund des wahren, vom Heiligen Geist unterstützten Glaubens in ganzer Reinheit gemäß den Richtlinien Gottes in Christus Jesus aufrecht erhält* – ***… bis zur Erscheinung unseres Herrn Jesus Christus,*** (1.Timotheus, Kapitel 6, Vers 14b) so Paulus.

Allein *in und durch* diese rundum gewichtigen Einhaltungen dieser von Paulus gegenüber dem Timotheus stets aufgeforderten „Gebots-Einhaltungen" Gottes *erreicht der Gemeindeleiter die Errettung und zugleich die erfolgreiche Bekämpfung aller an ihm sich annähernden Versuchungen in Form der rundweg schandvoll* zu *er-* und *be*trachtende *Anfechtungen der Irrlehrer.* Daher ruft ihn Paulus nochmals dazu auf: ***... fliehe diese Dinge!*** (1.Timotheus, Kapitel 6, Vers 11 a / siehe Auslegung!). Es sind abermals *jene sich stets an den Richtlinien des himmlischen Vaters zu haltende, Ihm wohlgefallenden Tugenden,* welche den Timotheus *k o n s t a n t davor bewahren,* ja – *ihn k e i n e s f a l l s dazu veranlassen sollen, sich in den listigen Fängen des Teufel zu verfangen.* Aufgrund jenes von dem Timotheus zu vollbringendem *W e r k i m H e r r n* – dessen ist sich der Apostel Paulus sicher – *wird es dem Leiter der Gemeinde durch die barmherzige Gnade des Höchsten in Christus Jesus gelingen, aufgrund des Timotheus` Beständigkeit im Geist der Wahrheit Gottes umrahmten Glaubens den zum Heil leitenden* „Glaubensstand" *aller Gemeindemitglieder der Epheser zum Licht der Herrlichkeit Gottes in Christus zu bewegen,* ja – *dieser im Herzen wohnende, stets ansässige Glaubensstand dieses Gottesmannes wird sie alle in nachahmender, zuversichtlich geprägter Gemeinsamkeit zu erfolgreichen Anwärtern für das Reich der Himmel formen.*

Verse 15 + 16: Nun aber weist Paulus den Timotheus unmissverständlich darauf hin, dass dieses anmutige Wirken unentwegt von dem allmächtigen Gott ausgeht. *Dieses immerdar wunderbar zu erachtende, voller barmherziger Gnade einzigartig-umhüllte Brillieren des himmlischen Vaters beschreibt der Apostel mit folgenden, allein dem Höchsten gebührenden, unnachahmlichen Worten,* die da lauten: ***... welche zu seiner Zeit zeigen wird der Glückselige und allein***

Gewaltige, der König der Könige und der Herr der Herrschenden, der allein Unsterblichkeit hat, der in einem unzugänglichen Licht wohnt, den kein Mensch gesehen hat noch sehen kann; ihm sei Ehre und ewige Macht! Amen. Ja – ***... Gott hat von alters her durch den Mund seiner heiligen Propheten geredet*** – heißt es daraufhin in der Apostelgeschichte des Lukas in Kapitel 3, Vers 21b.

Noch ein weiteres Mal bezieht sich Paulus auf *die unvergleichliche, immerdar konstante, stets hoch zu preisende Wesensart des allmächtigen Gottes in dem Herrn Jesus Christus* (siehe Auslegung zu 1.Timotheus, Kapitel 1, Verse 11 + 17!). Wahrhaft – *es ist jene fest im Herzen verankerte, von der Kraftwirkung des Heiligen Geistes umfasste, stets wachsende, in ganzer Beständigkeit wirkende, immerdar unverzagte Glaubensgewissheit, die den Glauben an den himmlischen Vater und den Sohn Jesus Christus in einem stets sich entwickelnden Ausmaß präsentiert, welche die leidenschaftliche Wertschätzung der Gottesbekenntnis nochmals unterstreichend hervorhebt.* Diese rein zu dem allmächtigen Gott und dem Herrn Jesus Christus bezogenen *Glaubenstugenden* belegen somit, *dass man zwar nicht weiß, wann die Wiederankunft Jesu Christi von dem allerhöchsten Gott eingeleitet wird, jedoch kann man unentwegt aufgrund in den des gläubigen Herzens` ruhenden Geistes Gottes als auch der im Glauben sich auswirkenden Gewissheit jeden neuen Tag die unvergleichliche Herrlichkeit des himmlischen Vaters aufrichtig wahrnehmen.* Ja – diese unverkennbaren, vom Heiligen Geist Gottes genährten, in ganzer Glaubensgewissheit entschlossenen Feststellungen *sind jene gewichtigen Glaubensindizien, welche einen unerschütterlichen, immerdar überzeugten Glauben rundum prägen,* so der Apostel.

Es ist jenes Deuten auf die unnachahmliche Herrlichkeit Gottes, welches sich mittels des irdischen Vokabulars wie folgt ersichtlich zeigt – und dennoch – trotz aller Mühen über die hochzupreisenden Wesenszügen des Allmächtigen Wesensart preiszugeben – jedoch *niemals in ihrer ganzen, über allen stehenden, mustergültigen Vollkommenheit preisgegeben werden können:*

der Glückselige: *es ist jener himmlische, wonnevolle, paradiesisch-anmutende, glückselig zu preisende und hochgelobte Gott –*

allein Gewaltige: *Er ist der alleinige Herrscher allen Seins, der Schöpfer der Welt, des Himmels und der Erde, der Pflanzen, der Tiere, des Wassers, der Himmelskörper und der Menschen. Diese Seine in Ihm ruhende Wesensart ist allmächtig, allwissend, allgegenwärtig und zugleich allen anderen Dingen unentwegt überlegen –*

der König der Könige / der Herr der Herrschenden: *Er ist der Herr allein Seins, der Herrscher aller Herrschenden, welcher über alle „Könige" und „Herren" regiert. Seine über allem stehende Machtausübung ist auf alle Ewigkeit grenzenlos und zugleich immerdar konstant makellos –*

der allein Unsterblichkeit hat: *Er allein inkludiert die aus eigener Kraft in Ihm ruhende Unvergänglichkeit; ja – Er ist* ***… das A und das O, der Anfang und das Ende, der ist und der war und der kommt, der Allmächtige*** (die Offenbarung des Johannes, Kapitel 1, Vers 8). Denn der allmächtige Gott spricht: ***… so wahr ich lebe!*** (5.Mose, Kapitel 32, Vers 40b). Auch in Psalm 90 in Vers 2 lässt uns das Gebet des Mose, des Mannes Gottes (Lutherbibel 2017) Folgendes in bleibende Erfahrung bringen: ***… ehe denn die Berge wurden und die Erde und die Welt geschaffen wurden, bist du, Gott, von Ewigkeit zu Ewigkeit*** –

der in einem unzugänglichen Licht wohnt / den kein Mensch gesehen hat noch sehen kann: *dieses für uns Menschen nicht sichtbare Licht kann den bestehenden Wohnort Seiner Herrlichkeit nicht erkennen; es sind jene* von dem Apostel Paulus in seinem Brief an die Epheser in Kapitel 1, Vers 3b *angesprochenen* ***... (himmlischen) Regionen,*** *welche sich nach der Meinung des Autors auf die sich für die Menschheit unsichtbare Welt der göttlichen Wirklichkeit beziehen. Es dürfte sich daher um einen kosmischen, für den Menschen nur sehr unpräzis zu beschreibenden Aufenthaltsort himmlischer, unter der Regie Gottes stattfindender Führungen handeln.* So heißt es fernerhin in der Offenbarung des Johannes in Kapitel 21 in den Versen 23 + 24: ***... und die Stadt bedarf nicht der Sonne, noch des Mondes, dass sie in ihr scheinen; denn die Herrlichkeit Gottes erleuchtet sie, und ihre Leuchte ist das Lamm*** (der Herr und Heiland Jesus Christus!). Weiterhin können wir anhand des 104.Psalmes, in den Versen 1 + 2, (Lutherbibel 2017) der den Lob des Schöpfers bekundet, folgende Worte in Erfahrung bringen; denn dort heißt es: ***... lobe den HERRN, meine Seele! HERR, mein Gott, du bist sehr groß; in Hoheit und Pracht bist du gekleidet. Licht ist dein Kleid, das du anhast. Du breitest den Himmel aus wie ein Zelt*** –

Ihm sei die Ehre und ewige Macht: *Er ist der einzige Hoffnungsträger, weil Seine Güte den Glaubenden die unentwegt guten Gaben mittels des Heiligen Geistes reicht, welche der allmächtige Gott in Christus Jesus allen an Ihn Glaubenden Dank Seiner gnadenreichen Barmherzigkeit voller Liebe zu ihnen unentwegt preisgibt.* So verfasst der Halbbruder unseres Herrn und Heilands Jesus Christus – Judas – folgende zum Herrn der Welt gerichteten Worte mittels seines Briefes in Vers 25: ***... dem allein weisen Gott, unserem Retter, gebührt Herrlichkeit und Majestät, Macht und Herrschaft jetzt und in alle Ewigkeit! Amen.*** Und die Offenbarung des Johannes bekennt uns in

Kapitel 5 in Vers 12b weiterhin folgende auf den Herrn Jesus Christus bezogene Macht- und Ehrwürdigungen, die da lauten: ***… würdig ist das Lamm,*** (der Herr und Heiland Jesus Christus!) ***… das geschlachtet worden ist, zu empfangen Kraft und Reichtum und Weisheit und Stärke und Ehre und Ruhm und Lob!***

Eben *weil* der allmächtige Gott *diese rundum erfüllenden, den Glaubenden zu Gute dienenden* „Herrlichkeits-Reinheits-Indizien“ *in sich trägt, ist Er der rundum wirkend-faszinierende Herr allein Seins, welcher der niemals verzagenden Hoffnung aller Gläubigen diese in ihren Herzen sich befindenden, unverzagten Glaubensgewissheiten hinterlegt, dass Gott t a t s ä c h l i c h i s t –* und sie somit *in dem himmlischen Vater ihre Hoffnungen erkennen und diese zugleich vollends auf Ihn hin in der Kraftausübung des Ihnen vom Höchsten geoffenbarten Heiligen Geist vollends bestätigen.* So ist Er weiterhin der *glückselige und zugleich alleinige Herrscher allen Seins, welcher aufgrund Seines eigenen Herrlichkeitsruhmes mittels Seiner barmherzigen Gnadengüte die gläubige Menschheit zu sich zieht.* Ja – *Er thront über alle anderen Machtausübungen und ist diesen in jeden nur erdenklichen Situationen immerdar grenzenlos überlegen.* Daher ist Gott auch *der ewig bestimmende, kreative Kern,* ja – *die prägend-wahrhaftige Etikette der Weltläufigkeit anhand Seiner in Ihm ruhenden, vollkommenen Allwissenheit.* Diese unnachahmliche Feststellung bestimmt *I h n a l l e i n* zum ***… König der Könige*** und zum ***… Herrn der Herrschenden*** (1.Timotheus, Kapitel 6, Vers 15b).

In der Tat – die Gläubigen erwarten mit dieser sich stets in ihren Herzen auffindbaren, zum Herrn der Herren führenden Glaubenseinstellungen Folgendes: ***… wir erwarten aber nach seiner Verheißung neue Himmel und eine neue Erde, in denen Gerechtigkeit wohnt*** – heißt es daher in dem 2.Brief des Apostels Petrus in Kapitel 3 im

13.Vers – ***... und das Lamm*** (der Herr Jesus Christus!) ***... wird sie*** (die Feinde Gottes – und die, des Herrn Jesus Christus!) ***... besiegen – denn es ist der Herr der Herren und der König der Könige – und mit ihm sind die Berufenen, Auserwählten und Gläubigen*** (oder die Treuen = Quelle: Schlachter-Bibel 2000! / die Offenbarung des Johannes, Kapitel 17, Vers 14b).

Wahrhaft – *Gott trägt die Unvergänglichkeit in sich selbst, weil das wahre, rein zu Ihm bezogene Leben n u r als ein Gnadengeschenk Seiner selbst angesehen als auch von den Gläubigen in Empfang genommen werden kann. Auch thront der Allmächtige in einer für die glaubende Menschheit nicht sichtbaren,* ***... (himmlischen) Region*** (Epheser, Kapitel 1, Vers 3b), *welche* ***... kein Mensch gesehen hat – noch sehen kann*** (1.Timotheus, Kapitel 6, Vers 16b). Ja – weil es *k e i n Sehen und Erkennen Gottes gibt, kann man Ihn n i c h t erblicken – aus diesem Grund erwartet die Glaubensgemeinde des himmlischen Vaters die Erscheinung Jesu Christi bei Seiner allein von dem allmächtigen Gott festgelegten Parusie* (die Wiederankunft des Herrn Jesus Christus am Tag des Jüngsten Gerichts!). Ja – *eben weil die gläubige Menschheit n u r i n Christus Jesus die Vergegenwärtigung des Höchsten als auch das Ewige Leben durch den Heiland Jesus Christus selbst mittels des Gnadenerweises des Allerhöchsten auf alle Ewigkeit in bleibenden Empfang nehmen kann. Mit diesen allen Glaubenden zu Gute dienenden, vollkommenen Maßnahmen des allmächtigen Gottes in dem Herrn und Erlöser Jesus Christus wird allein I h m – dem wunderbaren, uns liebenden, himmlischen Vater* ***... Ehre und ewige Macht*** *zuteil* (1.Timotheus, Kapitel 6, Vers 16d), so Paulus.

Verse 17 – 19

Ermahnung für wohlhabende Gläubige

[17]Den Reichen in der jetzigen Weltzeit gebiete, nicht hochmütig zu sein, auch nicht ihre Hoffnung auf die Unbeständigkeit des Reichtuns zu setzen, sondern auf den lebendigen Gott, der uns alles reichlich zum Genuss darreicht. [18]Sie sollen Gutes tun, reich werden an guten Werken, freigiebig sein, bereit, mit anderen zu teilen, [19]damit sie das ewige Leben ergreifen und so für sich selbst eine gute Grundlage für die Zukunft sammeln.

Auslegung:

Vers 17: Noch ein weiteres Mal lenkt Paulus seine an Timotheus gerichtete Aufmerksamkeit den Wohlhabenden zu, welche auch in der Gemeinde der Epheser anzutreffen sind. Wie „gefährlich" es ist, irdische Macht und Reichtum an sich zu reißen, konnten wir bereits anhand dieser Auslegung in Erfahrung bringen (siehe hierzu erneut Auslegung zu 1.Timotheus, Kapitel 6, Verse 5 – 10!). Dass nun der Gemeindeleiter Timotheus die wohlhabenden Epheser auf diese *weltlichen Bedrohungen* aufmerksam macht, gebietet ihm Paulus daraufhin mittels folgender Ermahnungen, die mit diesem 17.Vers beginnen; denn dort schreibt der Apostel, dass ***... die Reichen in der jetzigen Weltzeit nicht hochmütig*** *sein sollen und* ***... auch nicht ihre Hoffnung auf die Unbeständigkeit des Reichtums setzen sollen, sondern*** *vielmehr sollen sie ihre ganze zum ewigen Heil führende Aufmerksamkeit* ***... auf dem lebendigen Gott*** *richten,* ***... der uns alles reichlich zum Genuss darreicht.***

Daher mahnt auch der Halbbruder unseres Herrn Jesus Christus – Jakobus – *über die listigen Fänge des Reichtuns, mit welchen sich diese* „erhabenen Personen" *mittels ihrer* „Erhöhung rühmen" *mit folgenden Worten* – nämlich, *dass* ***... der Reiche*** *sich ausschließlich* ***... seiner Niedrigkeit*** „rühmen kann"*;* ***... denn wie ein Blume des Grases*** (d.h. eine Wiesen- oder Steppenblume, welche in dem heißen Klima Israels schnell verdorren = Quelle: Schlachter-Bibel 2000!) ***... wird er vergehen*** (Jakobus, Kapitel 1, Vers 10). So heißt es auch weiterhin in den Sprüchen Salomos in Kapitel 23 in den Versen 4 + 5: ***... bemühe dich nicht, Reichtum zu erwerben; Aus eigener Einsicht lass davon!*** Wahrhaft – *wie gefährlich und in jeder Hinsicht fahrlässig sich die Ausbeutungen von begehrlichen Besitztümern auswirken,* konnten wir bereits anhand des Herrn Jesus Christus mahnenden Worten in dieser Auslegung in bleibende Erfahrung bringen; denn der Heiland betont ausdrücklich: ***... niemand kann zwei Herren dienen, denn entweder wird er den einen hassen und den anderen lieben, oder er wird den einen anhängen und den anderen verachten. Ihr könnt nicht Gott dienen und dem Mammon!*** (Matthäus, Kapitel 6, Vers 24). Diese Seine Mahnung *bezieht der Messias insbesondere auf folgende Feststellung in Bezug auf Sein Gespräch mit dem reichen Jüngling,* als der Herr Jesus nach Seiner Unterhaltung mit ihm Seinen Jüngern unzweifelhaft mitteilte: ***... es ist leichter, dass ein Kamel durch ein Nadelöhr geht, als dass ein Reicher in das Reich Gottes hineinkommt!*** (Matthäus, Kapitel 19, Vers 24).

Aus diesen beschämenden Gründen will es Paulus dem Timotheus noch einmal *genauesten darlegen,* dass der Leiter der Gemeinde dafür Sorge tragen soll, *dass die Wohlhabenden in der Gemeinde u n b e d i n g t darauf hingewiesen werden, dass diese Reichtums-Begierden a l l e i n in dieser vergänglichen Weltzeit* – sprich – *im Hier und Jetzt sich mittels einer selbsterachtenden, jedoch s i e* *s e l b s t immerdar spärlich zu be- als auch zu er*achtenden Hocherhabenheit in Eigenregie *erfreuen, n i c h t a b e r in der zukünftigen, auf Ewigkeit bleibenden Welt, welches fortan das Reich der Himmel Gottes umschließt.* Wenn man jedoch *an diesen zeitweiligen Besitztümern festhält, welche sich mit irdisch-erhabener Würde küren, so stellt man diese unzweifelhaft anhand ihrer vergänglichen Entscheidungen v o r das Wort Gottes, welches jedoch unentwegt dafür Sorge trägt, dass ein jeder mittels dieser zum Heil der Herrlichkeit in Christus Jesus führenden Maßnahmen bereits in dieser einst vergehenden Weltzeit* ***... alles reichlich*** *von dem himmlischen Vater in dem Herrn Jesus Christus* ***... zum Genuss dargereicht bekommt*** (1.Timotheus, Kapitel 6, Vers 17b). *Trotz allem aber sind die Wohlhabenden von der zum Heil der Herrlichkeit führenden Evangeliums-Botschaft Jesu Christi n i c h t verbannt worden.* Denn unwillkürlich hat sich in der Gemeinde der Epheser *der Unterschied in Form von größeren als auch erhabeneren Besitztümern ausgebreitet, welche fortan die Wohlhabenden nun einmal unerwartet prägen.*

Ja – Paulus will es dem Timotheus *verdeutlichen, dass die Wohlhabenden* ***... diesen Dingen*** *d e s H o c h m u t s* ***... fliehen sollen*** (1.Timotheus, Kapitel 6, Vers 11a / siehe Auslegung!)***;*** *denn sie tragen n i c h t zur Seligkeit bei.* In der Tat – *Hochmut kommt vor dem Fall! Vor diesen schandhaften Vergehen* soll sie der Gemeindeleiter Timotheus *stets warnen, denn der uns liebende, allmächtige Gott hat uns in und durch den Herrn und Heiland Jesus Christus einen Erretter in die Welt gesandt, ...* ***der sich selbst für unsere Sünden gegeben hat, damit er uns herausrettet aus dem gegenwärtigen bösen Weltlauf,*** (oder der Weltzeit = Quelle: Schlachter-Bibel 2000!) ***... nach dem Willen unseres Gottes und Vaters, dem die Ehre gebührt von Ewigkeit zu Ewigkeit.*** (in die Ewigkeiten der Ewigkeiten = Quelle: Schlachter-Bibel 2000! / Galater, Kapitel 1, Verse 4 + 5).

Timotheus soll diesen Wohlhabenden *jene aus ihren eigenen Besitz- und Reichtum entstehenden Selbstüberhebungen als auch Selbstüberschätzungen ersichtlich werden lassen,* denn: ***... gesegnet ist der Mann, der auf den HERRN vertraut und dessen Zuversicht der HERR geworden ist!*** (Jeremia, Kapitel 17, Vers 7). Aber der uns liebende, himmlische Vater ist wiederum auch ein Gott der Wohlhabenden, *w e i l Er* ***... uns alles reichlich zum Genuss darreicht*** (1.Timotheus, Kapitel 6, Vers 17c). Ja – der allmächtige Gott ***... hat uns Gutes getan, uns vom Himmel Regen und fruchtbare Zeiten gegeben und unsere Herzen erfüllt mit Speise und Freude*** – heißt es weiterhin in der Apostelgeschichte des Lukas in Kapitel 14 in Vers 17b. Wenn Gott uns Menschen *diesen Reichtums-Segen n i c h t Dank seiner barmherzigen Gnade mittels Seiner Liebe geoffenbart hätte, so wäre unmissverständlich auch k e i n dem Allerhöchsten wohlgefälliger Reichtum entstanden,* so Paulus.

Auch liegt der hoffnungsvolle, stets vertrauensselige Glaube der Wohlhabenden darin begründet, *dass sie unentwegt in dem Wohlgefallen des himmlischen Vaters ihre irdische Vergütung verrichten können, e b e n w e i l der sie liebende Gott a u c h s i e* (wie alle anderen Menschen auch!) *mit all diesen Dingen verköstigt und zugleich mittels Seiner väterlichen Güte umsorgt.* Wahrhaft – *es ist jener auch auf die Reichen zukommende Segen des himmlischen Vaters.* Erneut wird es allzu deutlich ersichtlich, *dass die Ehre des allmächtigen Gottes in dem Herrn und Heiland Jesus Christus vor allen anderen irdischen Dingen mit lobpreisenden Würdigungen von einem jeden von Glauben erfüllten Menschen in dem gewichtigen Mittelgrund allen Seins stehen muss, um zur Seligkeit gelangen zu können; denn a l l e i n der himmlische Vater ist der wohlwollende Geber a l l e n S e i n s in Christus Jesus selbst.*

Vers 18: Folglich ist es *nicht* (nur) der zum Genuss führende Reichtum, *sondern die Werke des Guten, welche rundum bewirken,* dass die Reichen ***… Gutes tun, reich*** *zu* ***… werden an guten Werken, freigiebig*** *zu* ***… sein, bereit, mit anderen zu teilen*** – *denn d a s ist der Wille Gottes in dem Herrn und Heiland Jesus Christus.* Es ist jene vom dem Apostel Paulus *erwähnte und zugleich ermahnte Feststellung* ***… nicht müde*** *zu* ***… werden, Gutes zu tun, denn zu seiner Zeit werden wir auch ernten, wenn wir nicht ermatten*** – betont er eindrucksvoll in seinem Brief an die Galater in Kapitel 6 im 9.Vers. Ja – *diese Gott stets wohlgefälligen Tugenden prägen den im Herrn Jesus Christus l e b e n d e n als auch a u s ü b e n d e n Sinn der christlichen Botschaft, andere Hilfebedürftige mittels des eigenen Reichtums helfend z u u n t e r s t ü t z e n – und diese von Reinheit betuchten, gewollten Maßnahmen des himmlischen Vaters beweisen zugleich, i n der Liebe Gottes durch die Nachahmung Jesu Christi vollends a n g e l a n g t zu sein, denn anhand der Reichen* ***… überfließenden Freude haben sie die Schätze ihrer Freigebigkeit zu Tage gefördert*** (2.Korinther, Kapitel 8, Vers 2b), so Paulus. Daher betont der Preis der Gottesfurcht in Psalm 112 im 9.Vers (Lutherbibel 2017): ***… er streut aus und gibt den Armen; seine Gerechtigkeit bleibt ewiglich. Sein Horn wird erhöht mit Ehren.***

Wahrhaft – *es ist jenes Verbleiben in der Liebe Christi, die unentwegt gibt, fördert und zugleich immerdar bereit ist, irdischen Besitztum mit von dem Heiligen Geist Gottes gegebenen Richtlinien d a z u z u b e w e g e n, diese zum Guten dienenden Maßnahmen mit Freude und Großzügigkeit anderen Hilfebedürftigen preiszugeben.* In der unnachahmlichen Liebe Gottes zu leben, bedeutet somit, *unter Anteilnahme der Rücksicht auf andere das Leben in den wohlgefälligen Zügen in der freiwilligen Bereitschaft des Teilens zu begehen, die uns der Herr Jesus Christus stets* (im geistlichen Sinne = bezogen auf die immerdar wohlwollenden Handhabungen des Herrn Jesus Christus gegenüber anderen Personen – denn der Heiland besaß *k e i n e* irdischen Reichtümer!) *vorgelebt hat, um mit diesen nachahmenden, allseits segensreichen Handhabungen unmissverständlich in den Fußstapfen des Heiland zu wandeln,* so Paulus.

Vers 19: Ja – dieses Nachfolgen in den Fußstapfen des Heilands Jesus Christus *bewirkt zugleich, dass die Wohlhabenden mittels exakt dieser Gott wohlgefälligen Maßnahmen durch den nun in ihren aller Herzen ruhenden Geistes der Wahrheit Gottes in Christus Jesus* ***... das ewige Leben ergreifen und so für sich selbst eine gute Grundlage*** (Schlachter übersetzte: *ein schönes Kapital* = Quelle: Schlachter-Bibel 2000!) ***... für die Zukunft sammeln.*** Erneut bezieht sich Paulus auf seine bereits verfassten Worte aus 1.Timotheus, Kapitel 6, Vers 14, (siehe Auslegung!) die da lauten: ***... dass*** *die Glaubenden* ***... das Gebot unbefleckt und untadelig bewahren*** *sollen* ***... bis zur Erscheinung unseres Herrn Jesus Christus.*** Auch der Heiland – der Herr Jesus Christus – lässt uns Folgendes in bleibende Erfahrung bringen: ***... verkauft eure Habe und gebt Almosen!*** (d.h. Gaben der Barmherzigkeit = Quelle: Schlachter-Bibel 2000!) ***... macht euch Beutel, die nicht veralten, einen Schatz, der nicht vergeht, im Himmel, wo kein Dieb hinkommt und keine Motte ihr Zerstörungswerk treibt. Denn wo euer Schatz ist, da wird auch euer Herz sein*** (Lukas, Kapitel 12, Verse 33 + 34).

Gleich, *wie man sein Haus auf einen festen Grund baut, damit es dem Platzregen und den stürmenden Winden widersteht,* (siehe das von dem Herrn Jesus Christus erzählte Gleichnis von dem Klugen und törichten Baumeister im Evangelium des Matthäus in Kapitel 7 in den Versen 24 – 27) so soll auch der Wohlhabende als auch ein jeder andere von Glauben erfüllte Mensch *das grundsolide, nimmer vergehende Wort Gottes in dem Herrn Jesus Christus wahrnehmen und mittels seines eigenen Glaubens in der Kraft des Heiligen Geistes versiegeln, um mit dieser stets zu Gott und dem Herrn Jesus Christus bezogenen Maßnahme* ***… das ewige Leben ergreifen, und so für sich selbst eine gute Grundlage für die Zukunft*** *im Reich der Himmel* ***… zu sammeln*** (1.Timotheus, Kapitel 6, Vers 19).

Ja – dieses von dem Apostel Paulus als auch von dem Herrn Jesus Christus betonte *Streben nach der Wahrheit Gottes* besagt, *dass der von Glauben erfüllte Mensch das rundum vertrauenswürdige, zuverlässige und immerdar bleibende, niemals vergehende Leben im Geist der Wahrheit Gottes in Christus als ein für die Ewigkeit festgegründetes Fundament im unverzagten Glauben auffassen und zugleich begehen soll als auch muss, welches auf Ewigkeit hin nicht wanken wird. Es ist jenes gewichtige, über allem stehende Erfassen* – ja – *dieses fest entschlossene E r g r e i f e n des wahrhaftigen Lebens, welches unmissverständlich aussagt, dass dieser fest im Geist der Wahrheit Gottes handelnde Mensch die unübertreffliche Liebe des himmlischen Vaters im Herrn und Heiland Jesus Christus e r k a n n t h a t, damit auch ihn diese rundum beschützende als auch in das Reich der Herrlichkeit Gottes führende Liebe unentwegt begleitet und stets in seinem Herzen aufzufinden ist.* Nun hat der einst fehlende Mensch *aufgrund seines Glaubens in der fortan ihm zu Gute kommenden Kraftwirkung des Heiligen Geistes durchschaut, dass der Lichtglanz Gottes in dem Herrn Jesus Christus alle seine irdischen Besitztümer übertrumpft* – ja – *v o l l k o m m e n ü b e r t r i f f t.*

Wahrhaft – *die einst in diesem Menschen nach irdischem Reichtum strebende Gewinnsucht lässt ihn mittels des nun durch seinen Glauben einkehrenden Heiligen Geistes genauestens erkennen, wie vergänglich, erbärmlich und zugleich unbedeutend sich der irdische Mammon im Gegensatz zum himmlischen, niemals vergehenden Dasein in der immerdar beschützenden Obhut des himmlischen Vaters in Christus Jesus im Hier und Jetzt als auch in Ewigkeit herauskristallisiert und zugleich den vergänglich-weltlichen Reichtum in ein lichtleeres, rundweg desolates Abseits katapultiert. Denn das weltliche Streben ist nur* ***… ein Haschen nach dem Wind*** (der Prediger Salomo, Kapitel 1, Vers 14b) – *das Ewige Leben aber hat ihn Folgendes aufgrund seines inständigen Glaubens in als auch durch den Geist der Wahrheit eindeutig zu erkennen gegeben:* ***… ist jemand in Christus, so ist er eine neue Schöpfung; das Alte ist vergangen; siehe, es ist alle neu geworden! Das alles aber (kommt) von Gott, der uns mit sich selbst versöhnt hat durch Jesus Christus und uns den Dienst der Versöhnung gegeben hat; weil nämlich Gott in Christus war und die Welt mit sich selbst versöhnte, indem er ihnen ihre Sünden nicht anrechnete und das Wort der Versöhnung in uns legte*** (2.Korinther, Kapitel 5, Verse 17 – 19). Denn: ***… der natürliche*** (oder seelische = Quelle: Schlachter-Bibel 2000!) ***… Mensch aber nimmt nicht an, was vom Geist Gottes ist; denn es ist ihm eine Torheit, und er kann es nicht erkennen, weil es geistlich beurteilt werden muss*** (1.Korinther, Kapitel 2, Vers 14), so Paulus.

Verse 20 + 21

Abschließende Warnung vor den Irrlehren der „Gnosis“

[20]O Timotheus, bewahre das anvertraute Gut, meide das Unheilige, nichtige Geschwätz und die Widersprüche der fälschlich sogenannten „Erkenntnis“! [21]Zu dieser haben sich etliche bekannt und haben darüber das Glaubensziel verfehlt. Die Gnade sei mir dir! Amen.

Auslegung:

Vers 20: Diese an den Leiter der Gemeinde, Timotheus, gerichteten, tief im Glauben stehenden, vom Heiligen Geist Gottes betuchten Worte des Apostels Paulus *zeugen von einer solch ziehväterlichen im gemeinsamen Glauben vertrauten Liebe im Heiligen Geist, welche konstant in des Apostels` Herzen gegenüber seinem Kind im Glauben mittels unentwegt seelsorgerisch-auffindbaren Zügen der Nächstenliebe dem Willen Gottes in Christus gemäß allseits anzutreffen sind.* Der sehnliche Wunsch des Paulus liegt darin begründet, dass sich Timotheus *jene in das Ewige Leben leitenden Worten des Apostels immerzu annimmt, um mit der Ausübung als auch Ausführung dieser in Christus Jesus zum Heil leitenden Evangeliums-Botschaft in das Reich der Herrlichkeit Gottes einkehren zu können.* Somit erweist sich des Apostels Paulus` flehentlicher, an den Gemeindeleiter Timotheus gerichtete Wunsch wie folgt: ***… o Timotheus, bewahre das anvertraute Gut, meide das unheilige, nichtige Geschwätz und die Widersprüche der fälschlich so genannten *„Erkenntnis“!***

(*Gnosis – hiermit ist eine Irrlehre heidnischen Ursprungs gemeint = Quelle: Schlachter-Bibel 2000!). Diese sehnliche, sich letztlich in das Herz des Timotheus einprägende, rundum zuversichtliche von Gott und dem Herrn Jesus Christus dem Apostel Paulus im Heiligen Geist geoffenbarte Glaubensgewissheit leitet zugleich das Ende des 1.Timotheusbriefes ein.

Jene sich tief im Herzen des Timotheus befindende, vom Heiligen Geist Gottes beseelte Glaubensgewissheit *lässt auch ihn unmissverständlich wissen, dass der ihn liebende, himmlische Vater in dem Herrn Jesus Christus* ***... mächtig*** *macht, ...* ***das*** *dem Timotheus* ***... anvertraute Gut*** (die anvertraute Botschaft, das Wort Gottes = Quelle: Schlachter-Bibel 2000!) ***... bis zu jenem Tag*** *der Parusie Jesu Christi* ***... zu bewahren*** (die Wiederankunft Jesu Christi am Tag des Jüngsten Gerichts! / 2.Timotheus, Kapitel 1, Vers 12b – siehe noch kommende Auslegung!). Darum schenkt der Apostel Paulus dem Gemeindeleiter Timotheus folgende, *sich stets zum Heil der Herrlichkeit Gottes betraute Glaubensbotschaft – welche unentwegt in des Gemeindeleiters Herzen ruht* – die nunmehr lautet: ***... dieses edle anvertraute Gut bewahre durch den Heiligen Geist, der in uns wohnt!*** (2.Timotheus, Kapitel 1, Vers 14 / siehe noch nachfolgende Auslegung!). Daher *gilt für Timotheus* – so Paulus – *dass er* ***... die unheiligen, nichtigen Schwätzereien*** *s t e t s* ***... meidet, denn sie fördern nur noch mehr die Gottlosigkeit*** – betont der Apostel Paulus in seinem 2.Brief an Timotheus in Kapitel 2, Vers 16 (Auslegung folgt!).

Wahrhaft – wenn die zum Heil der himmlischen Herrlichkeit Gottes führende zuverlässige Gewissheit in einem von ganzen Glauben erfüllten Herzen eines vom Heiligen Geist beschenkten Menschen ruht, *dann bewahrt dieser Gesegnete Gottes das ihm geoffenbarte himmli-*

sche Gut als eine vor allem stehenden, alles andere übertrumpfende Gabe, welche ihn letztlich in die himmlischen Sphären des allmächtigen Gottes leitet. Ja – *es ist jener himmlische, von dem allmächtigen Gott in Christus Jesus beschütze Schatz der Unvergänglichkeit, welcher dem Timotheus in der unentwegt vollkommen zu betrachtenden, barmherzigen, ihn liebenden Gnade Gottes in Christus aufgrund seines inständigen Glaubens im Geist der Wahrheit anvertraut wurde.* In der Tat – *es ist abermals dieser bereitwillige Kampf des Glaubens, welcher n u r mittels einer unerschütterlichen Glaubensgewissheit b e s t a n d e n werden kann* – dies weiß Timotheus allzu genau. *N u r ein sich n i c h t in die I r r e l e i t e n d e r G l a u b e kann das Gut des Höchsten nach Seinen weisen Absichten in dem Herrn Jesus Christus mittels des beständig in dem Beschenkten ruhenden Geistes Gottes vor den listigen Fängen der Falschprediger r u n d w e g b e w a h r e n.*

Denn: ***... der Geist*** (der Heilige Geist!) ***... selbst gibt Zeugnis zusammen mit unserem Geist, dass wir Gottes Kinder sind*** – betont Paulus anhand seines Briefes an die Römer in Kapitel 8 im 16.Vers. *Darum soll sich Timotheus s t e t s d a v o r h ü t e n, dass das* ***... unheilige, nichtige Geschwätz und die Widersprüche der fälschlich sogenannten „Erkenntnis“*** (1.Timotheus, Kapitel 6, Vers 20b) *n i c h t an seinen tiefgründigen Glauben herantreten.* Mittels einer *exakt s o l c h e n von Gott in Jesus Christus geförderten Abwehrmaßnahme in der Kraft des Heiligen Geistes kann Timotheus aufgrund seines konstant geprägten, unverzagten Glaubens i m m e r d a r auf* ***... den Schild des Glaubens*** *zurückgreifen, mit welchem er j e d e r z e i t* ***... die feurigen Pfeile des Bösen auslöschen kann*** (Epheser, Kapitel 6, Vers 16), so Paulus.

Vers 21: Eben *w e i l ein solch ausgeglichener, vom Geist Gottes genährter Glaube im Herzen des Timotheus ruht, kann er die nun folgenden Worte des Paulus vollends bestätigen,* die da lauten: ***… zu dieser*** *Irrlehre heidnischen Ursprungs* ***… haben sich etliche bekannt und haben darüber das Glaubensziel verfehlt.*** Wahrhaft – *diese von Gott und Christus im Glauben abfallenden Personen haben den wahren, allein zum Heil der Herrlichkeit Gottes führenden Glauben rundum missachtet* – ja – ***… von sich gestoßen und darum im Glauben Schiffbruch erlitten,*** so der Apostel Paulus in 1.Timotheus, Kapitel 1, Vers 19b (siehe Auslegung!). ***Darum sollen wir desto mehr auf d a s achten, was wir gehört haben, damit wir nicht etwa*** (vom Glauben!) ***… abgleiten*** – mahnt der Verfasser des Briefes an die Hebräer in Kapitel 2 in Vers 1. Paulus betont an dieser Stelle *die immerdar n i c h t i g zu betrachtenden,* ja – *jene sich arrangierenden, irdisch-vergänglichen Versuche, welche sich mittels gottwidriger Falschaussagen in den Vordergrund heben wollen.*

Dass diese jedoch *voll und ganz mit rundweg ordinären und zugleich vergänglichen Wesenszügen der rundum irdischen Gottlosigkeit bestückt sind,* erklärt der Apostel anhand seiner nun folgenden Worte: ***… er*** (Gott!) ***… hat uns ja errettet und berufen mit einem heiligen Ruf, nicht aufgrund unserer Werke, sondern aufgrund seines eigenen Vorsatzes und der Gnade, die uns in Christus Jesus vor ewigen Zeiten gegeben wurde*** (2.Timotheus, Kapitel 1, Vers 9 / Auslegung folgt!). Weiterhin kann man *aus diesen rundweg vergänglichen Worten der von Gott und dem Herrn Jesus Christus abfallenden Personen deutlich wahrnehmen, dass sie ihre* „hervorgehobenen Weisheiten" *mittels ihrer eigenen Unwissenheit prägen. Diese würfeln sich zusammen aus Unstimmigkeiten, welche von Anfang an Misstrauen in den Herzen der Glaubenden erwecken, weil diese unentwegt g e g e n die unantastbaren Richtlinien des himmlischen*

Vaters in Christus Jesus gerichtet sind. Ihr von Gott und dem Herrn Jesus Christus abkehrender Glaube *stellt sie in eine immerdar von Gott und Christus abgekapselte Leere heidnischer Vergehen. Ihr aus Eigenregie erdachtes und zugleich verfallenes Denken leitet diese von Gott abfallenden Personen in eine eigenverursachte, lichtleere Fremde, die weder sie selbst befriedigt, geschweige denn ihnen die Annahme der göttlich-barmherzigen Gnade zukommen lässt,* so Paulus. Diesen rundum nichtig-irdischen Wesenszügen *kann der Apostel gegenüber dem Timotheus n u r mit folgenden Worten der w a h r e n E r k e n n t n i s G o t t e s i n d e m H e r r n J e s u s C h r i s t u s belegen:* ***.... du aber, o Mensch Gottes, fliehe diese Dinge,*** *d a m i t* ***... die Gnade*** (Gottes in Christus Jesus!) ***... mit dir sei! Amen*** (1.Timotheus, Kapitel 6, Vers 11a + 1.Timotheus, Kapitel 6, Vers 21b).

Folglich ist dieser 1.Brief des Apostels Paulus an Timotheus genährt von erforderlichen als auch stets einzuhaltenden Hilfsmaßnahmen mittels der von Gott durch Jesus Christus dem Apostel Paulus geoffenbarten apostolischen Vollmacht in einer wirksamen Ausgeglichenheit, *welche die Auserwählten Gottes in dem Herrn und Heiland Jesus Christus zu erfolgreichen Anwärtern für das Reich der Herrlichkeit Gottes in den himmlischen Regionen fördert.* Diese unentwegt im Geist der Wahrheit stehenden ***... Kinder des Lichtes und Kinder des Tages sind nicht von der Nacht noch von der Finsternis,*** (2.Thessalonicher, Kapitel 5, Vers 5 / Lutherbibel 2017) *w e i l s i e die Ehre Gottes aufgrund ihres vom Heiligen Geist beseelten Glaubens dem himmlischen Vater allein durch Gottes barmherzige Gnade in Christus Jesus unentwegt in ganzer Ehrerbietung darreichen.*

Allen aber, die ihn aufnahmen, denen gab er das Anrecht, Kinder Gottes zu werden, denen, die an seinen Namen glauben

Johannes, Kapitel 1, Vers 12

Vorwort zu dem 2.Brief des Paulus an Timotheus

Die vor allem stehende Relevanz des menschlichen Daseins besteht in einem von Glauben erfüllten menschlichen Herzen durch eine von ganzer Harmonie versiegelten Beziehung mit Gott und dem Herrn Jesus Christus in und mittels der bedeutenden Kraftwirkung des Heiligen Geistes. Diese gewichtige Erkenntnis belegt, dass der Mensch eine vom Heiligen Geist Gottes getragene Struktur des Glaubens in seinem Herzen trägt, welche ihm bekennt, vollends in der Wahrheit Gottes angekommen zu sein, die in Christus Jesus zur Vollendung gelangt. So formt das von Glauben erfüllte Herz den einstigen Sünder zu einem Kind des Höchsten, der durch den Heiligen Geist den Lichtglanz Gottes in dem Herrn Jesus Christus von nun an wahrnehmen und tagtäglich genießen kann. Es ist jenes *geistbetuchte Bejahen,* welches unentwegt aufzeigt, die Selbstverwirklichung des himmlischen Vaters in Christus Jesus auf das Wort zu beziehen, das aufgrund der Menschwerdung des Wortes Gottes reelle Wirklichkeit wurde. In und aus dieser vom Geist Gottes betuchten Teilnahme anhand des unverzagten Glaubens lebt nun der Glaubende in einer konstanten Beziehung der göttlichen, voller Barmherzigkeit an ihm erfüllten Gnade, welche dem Glaubenden die Ermächtigung darreicht, allein durch den Glauben an Jesus Christus durch die Wiedergeburt zur Seligkeit gelangen zu können – im Hier und Jetzt – als auch in dem noch vor uns liegenden Zeitalter der Wiederankunft Jesu Christi. Denn, so der Apostel Paulus: ***... wir sehen jetzt mittels eines Spiegels wie im Rätsel, dann aber von Angesicht zu Angesicht; jetzt***

erkenne ich stückweise, dann aber werde ich erkennen, gleichwie ich erkannt bin (1.Korinther, Kapitel 13, Vers 12).

Folglich ist allein dieses in das Reich der Herrlichkeit Gottes führende Glaubensbekenntnis das unmissverständliche Anzeichen für die Heilswahrheit Gottes in Christus Jesus mit all den Namen, welche den Herrn, Heiland und Erlöser Jesus Christus zum Herrn der Herrlichkeit Gottes küren. Diese im Herzen des Beschenkten stets unverzagt aufzufindende Glaubensgewissheit belegt eindeutig, in dem niemals wankenden Fundament der Kindschaft des uns liebenden, allmächtigen Gottes in und durch den Herrn Jesus Christus angelangt zu sein.

Dass auch Timotheus diese über allem stehende Glaubensgewissheit in seinem Herzen bewahrt, um anhand dieses von Gott in Christus geprägten, immerdar feststehenden Fundaments in einer kontinuierlichen Gemeinsamkeit mit Ihnen zu verbleiben, davon zeugt dieser 2.Timotheusbrief des Apostels Paulus. So ist es für den Leiter der Gemeinde in Ephesus von bedeutender Wichtigkeit, stets an dem Glauben festzuhalten, der ihn zu dem berufen hat, was er letztlich ist – ein geliebtes Kind Gottes in und durch den Glauben – welches aufgrund des ihm geoffenbarten Heiligen Geistes die verschlossenen, rundum mutlosen und zugleich ins Verderben stürzenden Schwächen der Gottesgegner erkennen lässt, um diese von Anfang an mittels der Kraftwirkung des Geistes Gottes zu besiegen. Es ist ein dem Timotheus aus der seelsorgerischen Nächstenliebe des Apostels Paulus` Herzen verfasstes Schriftstück in der Kraftwirkung des in seinem Herzen ruhenden Heiligen Geistes, welches mit Mut machenden, stets zu Gott und dem Herrn Jesus Christus bezogenen Argumenten aufweist, dass ein beständig zum himmlischen Vater in Christus Jesus gerichtetes Herz sämtliche störenden Faktoren von sich weisen als auch überwinden kann. Dieses unentwegt freudvolle Wirken des Timotheus in der Gott wohlgefälligen Ausübung seines Amtes soll der Gemeindeleiter mit der ihm geoffenbarten geisterwirkten Stärke erfüllen, welche nicht nur mittels einer beflissenen Intensität behaftet ist, sondern zugleich wird Timotheus von Paulus dazu aufgerufen, auch anhand von ausgeglichener, mildtätiger Güte und beharrlicher Ausdauer den noch nicht im Geist der Wahrheit Gottes stehenden Menschen in den Zeichen der Nächstenliebe entgegenzukommen.

Diese in dem Herzen des Timotheus stets auffindbare sanfte, jedoch willentlich ausgeprägte Glaubensstruktur im Geist Gottes weist ihn nicht nur darauf hin, ein Auserwählter des Höchsten in Christus zu sein, sondern zugleich gibt ihm diese zuversichtliche Gewissheit Auskunft, inwiefern ein Kind des Höchsten in den Fußstapfen Jesu Christi zu wandeln hat; nämlich in derselben untertänig zu betrachtenden Art und Weise, wie der Heiland Seine willige Dienstbereitschaft ersichtlich gezeigt hat. Mit dieser seiner Handlung – so Paulus – erweist Timotheus der ganzen Gemeinde in Ephesus einen Gott in Christus geprägten, stets ambitionierten Dienst, welcher den wahren Glauben in sich einschließt – und zugleich die Gemeinde als Ganze dazu auffordert, diese Gott wohlgefälligen Züge der seelsorgerischen Nächstenliebe auch in ihren Herzen mit bleibender Wirkung zu vereinnahmen, um erfolgreiche Anwärter für das Reich der Himmel zu werden.

Aber auch die Worte des Apostels Paulus zeugen von einem immerdar auf den Willen Gottes in dem Herrn Jesus Christus gerichteten Standpunkt mittels dieses 2.Timotheusbriefes, der von ihm kurz vor dem Ende seines irdischen Lebens verfasst wurde; denn Paulus wusste allzu genau, dass er in naher Zukunft den Märtyrertod erleiden musste. Dies hielt ihn jedoch keinesfalls davon ab, seinem geliebten Glaubensbruder Timotheus seinen Glauben vorzuleben, der in jeder Hinsicht als überwältigend und zugleich beispiellos in Betracht gezogen werden kann als auch muss.

Wahrhaft – *der Apostel Paulus s e l b s t ist d a s nachzuahmende Glaubenszertifikat Gottes in dem Herrn Jesus Christus* für Timotheus, der mit unentwegt innerer, rein auf Gott und dem Herrn Jesus Christus blickender Ausgeglichenheit Dank seines immerdar inständigen Glaubens im Heiligen Geist seine auf Ewigkeit bleibende Ankunft im Reich der Himmel erwartet. In der Tat – für Paulus ***... gilt: Leben heißt Christus und Sterben ist für ihn Gewinn*** (Philipper, Kapitel 1, Vers 21 / Zürcher Bibel).

Ja – allein durch die an alle Glaubenden offenbarte Gnade Gottes in dem Herrn und Erlöser Jesus Christus ist die Verheißung des Ewigen Lebens versiegelt worden, *weil der Heiland selbst die Hoffnung der Herrlichkeit in Sich trägt.* Wer diese zuversichtliche Glaubensgewissheit in seinem Herzen aufgrund des inständigen Glaubens vereinnahmt hat, der ist wahrhaft ein Auserwählter des himmlischen Vaters in dem Herrn Jesus Christus, so der Apostel Paulus ...

Der zweite Brief des Apostels Paulus an Timotheus

Einleitung zum 2. Timotheusbrief

Dieser Brief wurde von dem Apostel Paulus am Ende seines Lebens, etwa 66 n. Chr., aus der zweiten römischen Gefangenschaft an seinen Gehilfen Timotheus geschrieben. Er enthält in gewissem Sinn das geistliche Vermächtnis des Apostels an die nachfolgenden Generationen von Gläubigen, die angesichts der Verführung und des Abfalls in der Christenheit den guten Kampf des Glaubens zu kämpfen haben. Daher betont Paulus seinen apostolischen Auftrag, das Wort Gottes zu verkündigen, und ermahnt Timotheus, dieses Wort Gottes, das „edle anvertraute Gut", mit aller Kraft zu verteidigen, zu lehren und zu verkündigen. Der Geist Gottes gibt durch den letzten Brief des Paulus prophetische Ausblicke auf die endzeitliche Verderbnis in der Christenheit und warnt vor der Verführung in der Gemeinde. Für alle, die ihrem Herrn treu bleiben wollen, gibt der 2. Timotheusbrief wichtige Anweisungen für geistlich fruchtbaren Dienst.

Kapitel 1

Verse 1 + 2

Zuschrift und Gruß

[1]Paulus, Apostel Jesu Christi durch Gottes Willen, gemäß der Verheißung des Lebens in Christus Jesus, [2]an Timotheus, (mein) geliebtes Kind: Gnade, Barmherzigkeit, Friede (sei mit dir) von Gott, dem Vater, und von Christus Jesus, unserem Herrn!

Auslegung:

Vers 1: Zunächst stellt sich der Apostel Paulus wie in allen anderen von ihm verfassten Briefen auch – *mit seinem persönlichen Namen vor.* Einerseits, um *nicht* mit einer Namensgleichheit verwechselt zu werden, andererseits betont der Gesandte Gottes *seine ihm durch den Willen Gottes in Jesus Christus* (siehe abermals die Apostelgeschichte des Lukas, Kapitel 9!) *vollbrachte, apostolische Vollmacht* mittels der nun folgenden Worte: ***… Paulus, Apostel Jesu Christi durch Gottes Willen, gemäß der Verheißung des Lebens in Christus Jesus.*** Es ist jene ***… Verheißung des Lebens in Christus Jesus,*** (andere übersetzen: beauftragt mit (der Verkündigung) der Verheißung des ewigen Lebens in Christus Jesus = Quelle: Schlachter-Bibel 2000! / bezogen auf 2.Timotheus, Kapitel 1, Vers 1b) die der Apostel Paulus wie folgt in seinem Brief an die Epheser definiert: ***… dass nämlich***

die Heiden Miterben und mit zum Leib Gehörige und Mitteilhaber seiner (Gottes!) ***... Verheißung sind in Christus durch das Evangelium, dessen Diener ich geworden bin gemäß der Gabe der Gnade Gottes, die mir gegeben ist nach der Wirkung seiner Kraft. Mir, dem allergeringsten unter allen Heiligen, ist diese Gnade gegeben worden, unter den Heiden den unausforschlichen Reichtum des Christus zu verkündigen*** (Epheser, Kapitel 3, Verse 6 – 8). Wahrhaft – diese Verheißung zeigt sich weiterhin wie folgt in konstanter Art und Weise gegenüber den Kindern des Heils im Herrn Jesus Christus aufgrund ihres tiefgründigen Glaubens erkenntlich: ***... durch welche er uns die überaus großen und kostbaren Verheißungen gegeben hat, damit ihr durch dieselben göttlicher Natur teilhaftig werdet, nachdem ihr dem Verderben entflohen seid, das durch die Begierde in der Welt herrscht*** (2.Petrus, Kapitel 1, Vers 4).

So muss nun auch an dieser Stelle bemerkt werden, dass Paulus sich *nicht mit seinem persönlichen Namen hervorheben oder gar* „in den Mittelpunkt des Geschehens“ *stellen will;* denn sein Name *erhält die gewichtige, apostolische Vollmacht einzig und allein aufgrund der ihm von dem himmlischen Vater in Christus Jesus geoffenbarten, gnadenreichen Barmherzigkeit, die ihm auf seiner Durchreise nach Damaskus durch den Heiland Jesus Christus widerfahren ist* (siehe erneut die Apostelgeschichte des Lukas, Kapitel 9!). Diesbezüglich betont der Apostel *nicht seinen eigenen Namen, sondern Paulus kürt die Ehre Gottes in dem Herrn Jesus Christus,* welche ihm aus lauter gnadenreicher Barmherzigkeit ***... durch den Willen Gottes gemäß der Verheißung des Lebens in Christus Jesus*** (2.Timotheus, Kapitel 1, Vers 1) *zuteil geworden ist.* Folglich ist *der Wille des allmächtigen Gottes darin begründet,* dass der Apostel Paulus mittels seiner ihm allein von Gott in Christus dargereichten apostolischen Vollmacht als ***... ein auserwähltes Werkzeug*** *Gottes im Herrn Jesus Christus dient, um* ***... meinen Namen*** (des Herrn Jesus Christus` Namen!) ***... vor Heiden und Könige und vor die Kinder Israels zu tragen*** (die Apostelgeschichte des Lukas, Kapitel 9, Vers 15b).

In der Tat – Gott hat den Glaubenden aufgrund Seiner immerdar konstanten, unnachahmlichen Liebe zu ihnen *das Ewige Leben gewährleistet, welches in Seinem Sohn Jesus Christus für alle Ewigkeit sicht- als auch erreichbar wird, wenn man von ganzem Herzen an den Heiland glaubt –* ***... denn es wird darin geoffenbart die Gerechtigkeit Gottes aus Glauben zum Glauben,*** (d.h. die von Gott gewirkte Gerechtigkeit aufgrund des Glaubens wird geoffenbart, damit sie im Glauben angenommen wird. *Glauben* bedeutet im Neuen Testament ein bewusstes Vertrauen auf Gott und sein Wort, insbesondere auf Gottes Offenbarung über Jesus Christus und sein vollkommenes Erlösungswerk = Quelle: Schlachter-Bibel 2000!) ***... wie geschrieben steht: *„Der Gerechte wird aus Glauben leben“*** (Römer, Kapitel 1, Vers 17 / * in Bezug auf die alttestamentlich Schrift aus dem Buch Habakuk, Kapitel 2, Vers 4).

Der Apostel Paulus schenkt uns hierzu folgende zum Heil der Herrlichkeit Gottes leitende Botschaft: ***... denn das Gesetz des Geistes des Lebens in Christus Jesus hat mich frei gemacht von dem Gesetz der Sünde und des Todes*** (Römer, Kapitel 8, Vers 2). Ja – das Ewige Leben ist *einzig und allein in der Selbstverwirklichung Gottes in dem Herrn und Erlöser Jesus Christus auffindbar, weil des Heilands Wirken aufgrund Seiner Auferstehung gänzlich offenbar wurde.* Daher sind auch die an Gott und den Herrn Jesus Christus glaubenden Personen *in diesen* „Heilsprozess Gottes in Christus Jesus“ *miteinbegriffen – und erlangen allein durch den Glauben an den Herrn Jesus Christus das Ewige Leben, weil sie der Heiland mit sich selbst zu einer Einheit des ewigen, gemeinsamen, stets mit Ihm verbundenen Seins im Hier und Jetzt als auch in dem Reich der Himmel verbindet.*

Vers 2: Abermals weisen uns die nun folgenden Worte des Paulus darauf hin, dass auch dieser 2.Timotheusbrief ebenfalls ***... an Timotheus*** *gerichtet ist, den der Apostel Paulus als* ***... sein geliebtes Kind*** *betitelt.* In der Tat – diese Ehrerbietung, ja, jene aus dem von Glauben erfüllten Herzen des Paulus ausgehende und zugleich würdigende Solidarität, welche allein die wunderbare Liebe des himmlischen Vaters im Herrn Jesus Christus gegenüber dem Apostel Paulus und dem Timotheus bewirkt als auch unterstreichend hervorhebt, sagt unmissverständlich aus, *dass Paulus den Leiter der Gemeinde als* „ein übermittelnder Diener des Heilands Jesus Christus im Auftrag des allmächtigen Gottes“ *in Ephesus mit* „ziehväterlicher, seelsorgerischer Nächstenliebe“ *als seinen geliebten Glaubensbruder im Geist der Wahrheit Gottes betitelt.* So ist auch Timotheus *von und durch die barmherzige Gnade des allmächtigen* ***... Gottes in dem Herrn Jesus Christus, unserem Herrn*** – so Paulus – *mit dem Heiligen Geist versiegelt worden, welcher dem Gemeindeleiter in seiner voll Glauben erfüllten Amtsausführung* ***... Gnade, Barmherzigkeit*** *und* ***... Frieden*** *zukommen lässt, um das Timotheus diese bedeutende Position dem Willen Gottes gemäß ausüben als auch verwirklichen kann.*

Wenn wir die Worte: ***Gnade, Barmherzigkeit*** *und* ***… Frieden*** definieren, so können wir aus diesen Worten des Heils Folgendes wahrnehmen:

Gnade: *es ist jene erlesene, von ganzer Güte beseelte Aufmerksamkeit Gottes, die dem Timotheus aufgrund seines tiefgründig-beständigen Glaubens den Segen –* ja *– die Gunst des himmlischen Vaters in dem Herrn Jesus Christus widmet, welche ihn in seiner Amtsausführung unterstützend beisteht –*

Barmherzigkeit: *diese unentwegt hilfsbereite Nächstenliebe Gottes bewirkt, dass Timotheus in der Liebe des Höchsten in Christus Jesus angelangt ist, um als deren Diener das Amt als Gemeindeleiter der Epheser nach den weisen Richtlinien Gottes ausüben als auch rundweg bestehen zu können –*

Friede: *diese von Gott in dem Herrn Jesus Christus ausgehende Harmoniestruktur der friedvollen Seelenruhe verschafft dem Timotheus aufgrund seines inständigen Glaubens die benötigte Ausgeglichenheit, welche letztlich ein Kind Gottes zu dem erschafft, was dem unnachahmlichen Willen des Allmächtigen entspricht; denn der Friede ist ein rundum gewichtiges Zeichen, die Worte Gottes in seinem Herzen verwirklicht zu haben, indem man Gott und den Herrn Jesus Christus stets in den gewichtigen Mittelpunkt seines Daseins wahrnimmt, um sie zu bitten, von nun an das eigene Leben gemäß Ihres niemals fehlenden Willens zu übernehmen.* Ja – *von nun an haben der allmächtige Gott und der Heiland Jesus Christus die Lebensführung des Timotheus übernommen, um mittels Ihrer immerdar* *weisen Entscheidungen in der Kraftwirkung des Heiligen Geistes dieses Dasein zu lenken als auch zu leiten.*

Wahrhaft – *weil* sich Timotheus dieser vom Heiligen Geist umwobenen Worten der Evangeliums-Botschaft des Herrn und Erlösers Jesus Christus *angenommen hat* – welche dem Leiter der Gemeinde von Paulus mittels der von ganzem Herzen aufgrund des Apostels` konstanten und zugleich inständig-geprägten, unverzagten Glaubensgewissheit übermittelt wurden – *auch in des Timotheus` Herzen mit ganzer Dankbarkeit Gott und dem Herrn Jesus Christus gegenüber im wahrhaftigen Glauben gewidmet hat – wurden folglich dem Timotheus die immerdar anwesenden Heilsworte Gottes in Form der den Gemeindeleiter nun begleitenden als auch beschützenden* ***… Gnade, Barmherzigkeit*** *und* ***… Friede*** *zuteil, weil Timotheus als ein Auserwählter Gottes in Christus Jesus in der Kraft des Heiligen Geistes sein würdevolles Amt stets nach den unwiderruflichen Anforderungen des himmlischen Vaters ausübt, um anhand dieser vom Geist Gottes gesegneten Worte der Wahrheit als ein Auserwählter Gottes zu einem Botschafter des Höchsten zu werden, der* ***… auf alle Weise etliche*** (Menschen in der Gemeinde in Ephesus!) ... ***rettet,*** (1.Korinther, Kapitel 9, Vers 22c) *damit auch diese noch fern von der Wahrheit Gottes einzuordnenden Personen nunmehr die allein zur Seligkeit führende Heilsbotschaft Gottes in dem Herrn Jesus Christus in ihren Herzen anhand eines tiefgründig-bezogenen Glaubens im Geist der Wahrheit annehmen, um als erfolgreiche Anwärter –* ja – *als die Gesegneten Gottes in das Reich der Himmel nach dem Willen des Allmächtigen einkehren zu können, weil sie das vor allem stehende J a w o r t am Tag der Wiederkunft Jesu Christi von dem sie liebenden, himmlischen Vater erhalten haben.*

Erneut wird es allzu deutlich erkennbar, dass *die über allem stehende Ehre Gottes in Christus Jesus* in dem gewichtigen *Vordergrund eines christlichen Daseins stehen muss, um den unwiderruflichen Willen des Höchsten ausführen zu können.* Eben *weil nur der himmlische Vater* diese geistliche Kraftwirkung in diesem gesegneten Menschen *bewirken kann, beschenkt Er diesen Menschen folglich mit Seinem nährreichen, vom Geist der Wahrheit betuchten Segen Christi, der die Herrlichkeit Gottes in Christus Jesus als solche wahrnimmt – und stets dafür Sorge trägt, an exakt dieser Wahrheit Gottes mittels eines unverzagten Glaubens festzuhalten.*

Verse 3 – 11
Ermahnung zum furchtlosen Zeugnis für den Herrn

[3]Ich danke Gott, dem ich von den Vorfahren her mit reinem Gewissen diene, wenn ich unablässig an dich gedenke in meinen Gebeten Tag und Nacht, [4]und ich bin voll Verlangen, dich zu sehen, da ich mich an deine Tränen erinnere, damit ich mit Freude erfüllt werde. [5]Dabei halte ich die Erinnerung an deinen ungeheuchelten Glauben fest, der zuvor in deiner Großmutter Lois und deiner Mutter Eunike gewohnt hat, ich bin aber überzeugt, auch in dir. [6]Aus diesem Grund erinnere ich dich daran, die Gnadengabe Gottes wieder anzufachen, die durch Auflegung meiner Hände in dir ist; [7]denn Gott hat uns nicht einen Geist der Furchtsamkeit gegeben, sondern der Kraft und der Liebe und der Zucht. [8]So schäme dich nun nicht des Zeugnisses von unserem Herrn, auch nicht meinetwegen, der

ich sein Gefangener bin; sondern leide mit (uns) für das Evangelium in der Kraft Gottes. [9]Er hat uns ja errettet und berufen mit einem heiligen Ruf, nicht aufgrund unserer Werke, sondern aufgrund seines eigenen Vorsatzes und der Gnade, die uns in Christus Jesus vor ewigen Zeiten gegeben wurde, [10]die jetzt aber offenbar geworden ist durch die Erscheinung unseres Retters Jesus Christus, der dem Tod die Macht genommen hat und Leben und Unvergänglichkeit ans Licht gebracht hat durch das Evangelium, [11]für das ich als Verkündiger und Apostel und Lehrer der Heiden eingesetzt worden bin.

Auslegung:

Vers 3: Mit allein zu dem allmächtigen Gott gerichteten als auch mittels den himmlischen Vater verherrlichten Lobeshymnen lässt Paulus nunmehr den Timotheus unmissverständlich wissen, *dass des Gesandten Gottes in dem Herrn Jesus Christus gebührender* ***... Dank*** *einzig und allein an* ***... Gott*** *gerichtet ist, dem Paulus* ***... von den Vorfahren her*** (nach dem Vorbild der Stammväter / Vorfahren = Quelle: Schlachter-Bibel 2000!) ***... mit reinem Gewissen diente,*** *wenn der Apostel Paulus* ***... unablässig an*** *Timotheus* ***... in seinen Gebeten Tag und Nacht gedenkt.*** Ja – es ist jene von Gott erwirkte Gnade, die sich im Herzen des Timotheus Dank des sich in ihm verwirklichten, *demutsvollen Glaubens im Heiligen Geist ausgebreitet hat,* ***... die*** *dem Leiter der Gemeinde in Ephesus* ***... in Christus Jesus gegeben ist*** (1.Korinther, Kapitel 1, Vers 4b).

Ebenfalls bezieht der Apostel Paulus seine an Timotheus gerichtete Dankbarkeit *in als auch aus der E h r e G o t t e s, welche ihn allein dafür auserkoren hat, mittels einer einzig und allein vom himmlischen Vater ausgehenden, sich mehr und mehr in des Gesandten Gottes Herzen entwickelnden und zugleich immer deutlicher sich ausbreitenden, nunmehr verwirklichten Glaubensstruktur, die unmissverständlich aussagt, dass Paulus diesen barmherzigen Gnadenerweis des Höchsten bereits von seinen* ***... *Vorfahren her mit reinem Gewissen*** *erfahren konnte. Diese abermals allein von Gott erwirkte Erfahrung hat ihn bereits anhand der barmherzigen Gnade des Höchsten dazu ermächtigt,* ***... *am Dienst*** *des Allmächtigen teilzunehmen*n (2.Timotheus, Kapitel 1, Vers 3a).

So lässt Paulus uns nun Folgendes in Erfahrung bringen, wenn er betont, dass er: ***... *am achten Tag beschnitten wurde, aus dem Geschlecht Israels vom Stamm Benjamin*** *abstammte*, ***... im Hinblick auf das Gesetz ein Pharisäer*** *war;* ***... im Hinblick auf den Eifer ein Verfolger der Gemeinde,*** (der Christen! – und somit den Herrn Jesus Christus selbst verfolgte!) ***... *im Hinblick auf die Gerechtigkeit im Gesetz untadelig gewesen*** (Philipper, Kapitel 3, Verse 5 + 6). Jedoch akzentuiert er zugleich *seine abermals allein von Gott in dem Herrn Jesus Christus eingeleitete Wende zum wahrhaftigen Glauben an den Herrn Jesus Christus* (aufgrund seiner Begegnung mit dem Herrn Jesus Christus auf seiner Durchreise nach Damaskus / siehe erneut die Apostelgeschichte des Lukas, Kapitel 9!) *wie folgt:* ***... *aber was mir Gewinn war, das habe ich um des Christus willen für Schaden geachtet; ja, wahrlich, ich achte alles für Schaden gegenüber der alles übertreffenden Erkenntnis Christi Jesu, meines Herrn, um dessentwillen ich alles eingebüßt habe; und ich achte es***

für Dreck, damit ich Christus gewinne und in ihm erfunden werde, indem ich nicht meine eigene Gerechtigkeit habe, die aus dem Gesetz kommt, sondern die durch den Glauben an Christus, die Gerechtigkeit aus Gott aufgrund des Glaubens (Philipper, Kapitel 3, Verse 7 – 9). Weiterhin können wir anhand des Apostels Paulus Worten Folgendes vernehmen: ***...*ich bin ein jüdischer Mann, geboren in Tarsus in Cilicien, aber erzogen in dieser Stadt, zu den Füßen Gamaliels,*** (ein Pharisäer / ein beim ganzen (israelitischen) Volk angesehener Gesetzeslehrer / siehe die Apostelgeschichte des Lukas, Kapitel 5, Vers 34a) ***... *unterwiesen in der gewissenhaften Einhaltung des Gesetzes der Väter, und ich war ein Eiferer für Gott*** (die Apostelgeschichte des Lukas, Kapitel 22, Vers 3a) – ***... *daher übe ich mich darin, allezeit ein unverletztes Gewissen zu haben gegenüber Gott und den Menschen*** (die Apostelgeschichte des Lukas, Kapitel 24, Vers 16).

Wenn wir uns dem weiterführenden Satz des Paulus aus 2.Timotheus, Kapitel 1, Vers 3b widmen, so können wir folgende, von dem Apostel verfassten Worte vernehmen: ***... wenn ich unablässig an dich*** (Timotheus!) ***... gedenke in meinen Gebeten Tag und Nacht.*** Diese von ganzer Sehnsucht aus dem Herzen des Paulus ergriffene, an den Gemeindeleiter *gerichtete, tiefsinnige,* ja – *voll von seelsorgerischer Nächstenliebe geprägte Treuebotschaft anhand seiner Gebete gegenüber dem Timotheus aber ist mittels eines tiefbewegenden Sinnes als auch eines tiefdeckenden Grundes entstanden, den wir mittels der darauffolgenden Verse aus diesem gleichnamigen Kapitel wie folgt näher definieren können, um diesen flehentlichen Sehnsuchtsfaktor des Apostels Paulus gegenüber dem Timotheus näher durchleuchten zu können:*

Wie wir es anhand der Einleitung zum 2.Timotheusbrief erfahren konnten, (siehe Auslegung!) schrieb der Apostel Paulus diesen Brief ca. 66 n. Chr. aus der zweiten römischen Gefangenschaft an seinen Gehilfen Timotheus. Diese Bemerkung bestätigt uns des Paulus Aussage in 2. Timotheus, Kapitel 1, Vers 8b: ***... der ich sein*** (des Herrn Jesus Christus`!) ***... Gefangener bin.*** Weiterhin hat eine bereits in 1.Timotheus, Kapitel 3, Vers 14 und in 1.Timotheus, Kapitel 4, Vers 13 (siehe die jeweils dazugehörenden Worte des Paulus als auch die auf diese Verse bezogene Auslegung im 1.Timotheusbrief!) *von dem Apostel Paulus angekündigte Begegnung mit Timotheus stattgefunden,* welche von dem Apostel Paulus mittels des 4.Verses in 2.Timotheus, Kapitel 1 (siehe noch kommende Auslegung!) *aufgrund herzergreifender Bedürfnisse benannt wurden, wie sehr es sich Paulus wünscht, den Timotheus noch ein weiteres Mal persönlich wiederzusehen.*

Nun wird es allzu deutlich ersichtlich, *w a r u m Paulus diese rundweg herzergreifenden Sehnsuchtsworte gegenüber dem Timotheus in seinen Gebeten erwähnt; denn er ist s i c h s e l b s t d a r ü b e r b e w u s s t, dass diese seine Sehnsucht aufgrund seiner Gefangenschaft seinen Märtyrertod bedeuten wird, erwähnt diesen seinen Gedanken jedoch n o c h n i c h t, um mittels seiner an Timotheus gerichteten Worte die niemals vergehende Hoffnung aufrecht zu erhalten, dass ein beiderseitiges Treffen zwischen diesen beiden Gottesmännern trotz aller gegebenen, den Paulus betreffenden Umständen dennoch stattfinden wird, um die noch vor dem Timotheus liegende auch als zu erfüllende Aufgabe, welche mannigfaltige Beschwernisse in sich tragen,* (siehe noch kommende Auslegung!) *nicht zusätzlich zu erschweren, indem fortan auch der Gemeindeleiter*

Timotheus zusammen mit dem Apostel Paulus mittels dieser gegenseitigen Gedenken mitleidet.

Wahrhaft – des Apostels Paulus tiefgründige Gedanken *e r a h n e n zwar des Timotheus` Sehnsuchtsgedanken ihm gegenüber,* weil sein Kind im Glauben dem Paulus (auf den beiderseitigen, tiefbewegten Glauben bezogen!) – *nahezu ähnelt – e r w ä h n e n diese jedoch g a n z b e w u s s t n i c h t – und erweisen sich somit als gegenüber dem Timotheus als jene von Paulus ausgedrückten hilfreich-förderlichen Worte der immerdar im Herzen des Apostels Paulus auffindbaren Nächstenliebe dem Leiter der Gemeinde Timotheus gegenüber, dessen alleiniger, stets hoch zu lobender, wunderbarer Geber Gott in dem Herrn Jesus Christus ist.* Ja – in der Tat *– diese von ganzer Nächstenliebe zwar n o c h verhüllte Botschaft aber kennzeichnet den ganzen Glauben des Paulus – denn dieser ist e i n z i g u n d a l l e i n r e i n a u f d a s W o h l d e s T i m o t h e u s mittels seiner ziehväterlichen Seelsorgemaßnahmen bestückt, die eindeutig darauf hinzielen, in den stets nachzuahmenden Fußstapfen des Herrn Jesus Christus zu wandeln, um den Heiland mit der gebührenden Ehrerbietung zu lobpreisen.* Denn Paulus nimmt seine Last auf sich und hält diese somit von seinem Glaubensbruder *f e r n.* Dies ist in der Tat *göttliche Gnade!*

Ja – diese Worte des Paulus bezeugen voll und ganz die im Geist der Wahrheit Gottes in Christus Jesus feststehende Bilanz anhand des Glaubens mittels seiner unentwegten Gebete, *dass die Sehnsucht beider Gottesmänner nur dann vollends gestillt werden kann, wenn sie beide konstant nach den weisen Richtlinien des Höchsten im Herrn Jesus Christus ihr zu erfüllendes Werk ausüben, weil sie* **...**

das ergänzen dürfen, was an eurem Glauben noch mangelt (1.Thessalonicher, Kapitel 3, Vers 10b). Folglich steht dieses zu erfüllende Werk Gottes in Christus stets in dem gewichtigen Mittelpunkt des Geschehens, *damit die über allem stehende Evangeliums-Botschaft Gottes in Seinem Sohn Jesus Christus in allseits Gott wohlgefälligen Zügen der Ausübung alle Mitglieder der Gemeinde in Ephesus zu Kindern des Höchsten formt. Exakt aus diesem bewegenden Grund sind die von Paulus gegenüber dem Timotheus gewählten Worte mit diesen seinen sehnsuchtsvoll-seelsorgerischen Faktoren der unwiderruflichen Nächstenliebe gemäß dem unantastbaren Willen Gottes bestückt.* Denn so betont der Apostel Paulus in seinem Brief an die Epheser: ***… jetzt aber, in Christus Jesus, seid ihr, die ihr einst fern wart, nahe gebracht worden durch das Blut des Christus. Denn Er ist unser Friede, der aus beiden*** (aus Juden und den Heiden = Quelle: Schlachter-Bibel 2000!) ***… eins gemacht und die Scheidewand des Zaunes*** (oder die trennende Mauer = Quelle: Schlachter-Bibel 2000!) ***… abgebrochen hat., indem er in seinem Fleisch die Feindschaft, das Gesetz der Gebote in Satzungen, hinwegtat, um die zwei in sich selbst zu e i n e m neuen Menschen zu schaffen und Frieden zu stiften, und um in beiden in e i n e m Leib mit Gott zu versöhnen durch das Kreuz, nachdem er durch dasselbe die Feindschaft getötet hatte*** (Epheser, Kapitel 2, Verse 13 – 16).

Vers 4: Diese aus dem soeben ausgelegten 3.Vers dieses gleichnamigen 1.Kapitels von Paulus an Gott gerichteten Lobeshymnen des Dankes prägen des Apostels` begehrende Sehnsucht aus seinem tiefbewegten Herzen insofern gegenüber seinem innigen Glaubensbruder

Timotheus, *sodass er ihm weiterhin bekennt, dass er* ***... voll Verlangen*** *ist, den Gemeindeleiter der Epheser* – Timotheus – ***... zu sehen,*** *da sich der Apostel noch ganz genau* ***... an die Tränen*** *des Timotheus bei seinem letzten Abschied mit ihm* ***erinnert,*** *um selbst* ***... mit Freude erfüllt*** *zu werden.* Ja – es ist jene vom Herzen des Paulus ausgehende, seelsorgerische Begierde der Nächstenliebe, dem Leiter der Gemeinde, Timotheus ***... etwas geistliche Gnadengabe mitzuteilen, damit*** *er* ***... gestärkt wird*** (oder gefestigt wird = Quelle: Schlachter-Bibel 2000! / Römer, Kapitel 1, Vers 11b). Daher betont Paulus auch in dem weiteren Briefverlauf des 2.Timotheusbriefes in Kapitel 4 in den Versen *9 + *121a: (siehe noch folgende Auslegung!) ***... *beeile dich bald zu mir zu kommen!*** – bzw.: ***... *1beeile dich vor dem Winter zu mir zu kommen!*** (Dies betont der Apostel in einer solch gegenüber dem Timotheus ausgerichteten, ja – rundweg beharrlichen Art und Weise der Barmherzigkeit, weil er es genau weiß, dass sein Märtyrertod bald bevorstehen wird).

Wahrhaft – dieses voller Sehnsucht geprägte, in Bälde erhoffte Wiedersehen *liegt nicht nur dem Apostel Paulus am Herzen, sondern bewegt auch zutiefst das zu Tränen gerührte Herz des Gemeindeleiters Timotheus.* Denn diese beiden Gottesmänner *bekennen zueinander ihre bereits* innig zusammengewachsene, *vom Geist der Wahrheit Gottes gekennzeichnete Glaubensbeziehung in dem Herrn Jesus Christus.* Ja – *sie streben danach, sich mittels gegenseitiger Ermutigungen zu inspirieren,* denn diese *rundweg ziehväterlich zu erachtende, spirituelle Vater-Sohn Beziehung in der Kraftwirkung des Heiligen Geistes bedarf mehr als nur trostspendender, schriftlicher Worte; sondern einer gegenseitigen Aussprache, welche anhand von voller Glaubensfülle getränkten Besänftigungsakzentuierungen im gegensei-*

tigen Vertrauen zueinander mittels seelentröstenden Heilsmaßnahmen bestückt sind. Darauf aufbauend *vertrauen sie* aufgrund ihrer stets in ihren Herzen verankerten, zuversichtlichen Glaubensgewissheit *unentwegt auf die baldige Hilfe des sie liebenden himmlischen Vaters in dem Herrn Jesus Christus*, der sie doch *beide dazu berufen hat,* ***... die Einheit des Geistes mit eifriger Bemühung durch das Band des Friedens zu bewahren*** (Epheser, Kapitel 4, Vers 3) – ***... damit die Auferbauung seiner*** (Jesu Christi!) ***... selbst in Liebe*** (Epheser, Kapitel 4, Vers 16b) *mittels persönlicher, Auge in Auge sich gegenseitig aufrichtender Zusprachen in Erfüllung geht.* In der Tat – *allein in und durch* die stets sich diesen beiden voll Glauben erfüllten Männern sich zuneigende Gewissheit *belegt ihren Grund in der niemals verzagenden Hilfe Gottes in Christus Jesus.*

Trotz allem *wissen diese beiden Gottesmänner allzu genau, dass die von dem allmächtigen Gott in dem Herrn Jesus Christus* „noch offen stehende Entscheidung" – *wie auch immer diese letztlich ausgehen mag – für sie stets maßgebend ist.* Denn ihre beiderseitige, innige von ihren Herzen kommende Glaubensgewissheit bekennt ihnen im Heiligen Geist: ***... vertraue auf den HERRN mit deinem ganzen Herzen, und verlass dich nicht auf deinen eigenen Verstand. Erkenne ihn auf allen deinen Wegen, dann wird er deine Pfade gerade machen. Sei nicht weise in deinen eigenen Augen, fürchte den HERRN und meide das Böse. Das wird heilsam sein für deinen Leib und eine Erfrischung für deine Glieder*** (die Sprüche Salomos, Kapitel 3, Verse 5 – 8 / Zürcher Bibel).

Vers 5: Der Apostel Paulus geht nun von der damalig-letzten Begegnung mit dem Timotheus aus, sodass der Gesandte Gottes seine Erinnerungen gegenüber Timotheus wie folgt dem Leiter der Gemeinde in Ephesus offen darlegt: ***… dabei halte ich die Erinnerung an deinen ungeheuchelten Glauben fest, der zuvor in deiner Großmutter Lois und deiner Mutter Eunike gewohnt hat, ich bin aber überzeugt, auch in dir.***

Wahrhaft – das von seiner ***Großmutter Lois*** und ***seiner Mutter Eunike*** abstammende, alttestamentliche „Glaubensleben" *hat überaus bedeutende,* ja – *beginnende Spuren in der Grundbasis des Heils in dem Herzen des Timotheus hinterlassen,* welche der Apostel Paulus *mittels seiner wiederum nur von Gott durch Christus im Herzen des Timotheus fortan verwirklichten Evangeliums-Botschaft Jesu Christi anhand des ihn abermals einzig und allein von Gott in Christus geoffenbarten Heiligen Geistes vertiefen konnte, um aus dem Timotheus wahrlich einen erfolgreichen Anwärter für das Himmelreich Gottes gemäß dem über allem stehenden Willen des Allmächtigen zu erschaffen, der bei der Parusie Jesu Christi* (der Wiederankunft des Herrn Jesus Christus am Tag des Jüngsten Gerichts!) *ein Jawort des ihn liebenden himmlischen Vaters erhalten wird* – dessen ist sich der Apostel Paulus *a b s o l u t g e w i s s. Denn die niemals vergehenden Worte des Heilands Jesus Christus lauten an Seine Apostel wie folgt* in dem Evangelium des Matthäus in Kapitel 18, Vers 18: ***… wahrlich ich sage euch: Was ihr auf Erden binden werdet, das wird im Himmel gebunden sein, und was ihr auf Erden lösen werdet, das wird im Himmel gelöst sein.*** (Siehe hierzu abermals die bereits zu diesem 5.Vers bezogene, rundum gewichtige als auch detaillierte Auslegung unter 1.Timotheus, Kapitel 1, Vers 2!).

In der Tat – Paulus weiß allzu genau, dass die rundum bedeutende Zukunft der Kirche und das damit verbundene Heil *aller an Gott und Christus zukünftig Glaubenden fortan maßgeblich von der weiterführenden als auch geistbetuchten, von Glauben erfüllten Lehre des Timotheus* (als des Apostels Paulus` Nachfolger!) *geprägt wird – und w i e immens wichtig es ist, dass Timotheus dieses innige Vertrauen, welches Paulus ihm an dieser Stelle zukommen lässt, voller vom Heiligen Geist in ihm ruhenden Gewissheit in seinem von Glauben erfüllten Herzen mit ganzer Dankbarkeit nicht nur Paulus gegenüber – s o n d e r n v o r a l l e m G o t t i n d e m H e r r n J e s u s C h r i s t u s g e g e n ü b e r in voller lobpreisender Dankbarkeit zukommen lässt.* Ja – *a l l e i n G o t t u n d d e m H e r r n u n d E r l ö s e r , d e m H e r r n J e s u s C h r i s t u s hat es Timotheus a l l e z e i t z u v e r d a n k e n , dass er aufgrund Ihrer an dem Gemeindeleiter geoffenbarten, barmherzigen Gnade dafür Sorge getragen hat,* dass *der Gemeindeleiter Timotheus zu dieser gewichtigen Aufgabe rundum mittels Ihres geistlich-ziehväterlichen Werkzeugs Paulus dazu bevollmächtigt wurde, diesen allein zum Heil der Herrlichkeit Gottes durch den Herrn Jesus Christus leitenden Dienst ausüben zu können.* Wahrhaft – der Apostel Paulus *ist v o l l k o m m e n d a v o n* ***… überzeugt, dass der Geist des Christus wirklich im Herzen*** (Römer, Kapitel 8, Vers 9b*) des Timotheus ruht;* denn: *des Timotheus* ***… Geist selbst gibt*** *wiederum dem Timotheus* ***… Zeugnis zusammen mit seinem Geist, dass er Gottes Kind ist*** (Römer, Kapitel 8, Vers 16).

Daher bekennt der Apostel Paulus auch in seinem Brief an die Philipper gegenüber dem Timotheus folgende, seinen Ziehsohn im Glauben betreffenden Worte, die da unmissverständlich vollkommen wahrheitsgemäß lauten: ***... denn ich habe sonst niemand von gleicher Gesinnung, der so redlich für euer Anliegen sorgen wird – ... dass er*** (Timotheus!) ***... nämlich wie ein Kind dem Vater mit mir*** (dem Apostel Paulus!) ***... gedient hat am Evangelium*** (Philipper, Kapitel 2, Verse 20 + 22b). Und *n i c h t o h n e Grund* bekennt Paulus seinem geliebten Kind im Glauben – dem Timotheus – diese wahrhaftigen Worte des seelenumwobenen Heils: ***... wenn du dies*** (bezogen auf die – Verführung und den Abfall vom Glauben in der letzten Zeit – siehe den zusammenhängenden Kapitelabschnitt in dieser Auslegung unter 1.Timotheus, Kapitel 4 in den Versen 1 – 5!) ***... den Brüdern vor Augen stellst, so wirst du ein guter Diener Jesu Christi sein, der sich nährt mit den Worten des Glaubens und der guten Lehre, der du nachgefolgt bist*** (1.Timotheus, Kapitel 4, Vers 6 / siehe Auslegung!).

Vers 6: Daraufhin lässt Paulus den Timotheus fernerhin Folgendes wissen – nämlich – dass er den Timotheus ***... aus diesem Grund daran erinnert, die Gnadengabe Gottes wieder anzufachen,*** *welche* ***... durch die Auflegung*** *der Hände des Paulus im Innern des Gemeindeleiters Timotheus ruhen.* Erneut bezieht sich der Apostel mit dieser seiner Aussage auf die bereits von ihm verfassten, an Timotheus gerichteten Worte im Geist der Wahrheit Gottes mittels des 1.Timotheusbriefes in Kapitel 4, Verse 14 + 15 (siehe Auslegung!) die da lauten: ***... vernachlässige nicht die Gnadengabe in dir, die dir verliehen wurde durch Weissagung unter Handauflegung der Ältestenschaft! Dies soll deine Sorge sein, darin sollst du leben, damit deine Fortschritte in allen Dingen offenbar seien!***

Ja – es ist jene in dem Herzen des Timotheus seit seiner von Gott ihm geoffenbarten Wiedergeburt auffindbare, *a l l e i n von Gott und dem Herrn Jesus Christus dem Leiter der Gemeinde dargereichte Gnadengabe in der barmherzigen Kraftwirkung des Heiligen Geistes;* ja – *jene aus dem Herzen des Timotheus sich entfachende Handeln mittels dieser ihm von Gott bestimmten Kraft, welche den Apostel Paulus wiederum aufgrund seiner eigenen zuversichtlichen, allein auf Gott aufbauenden Gewissheit als auch mittels seiner im Dienst Gottes anvertrauten Handauflegung gegenüber dem Timotheus davon* **... überzeugen, dass der, welcher in** *dem Gemeindeleiter Timotheus* **... ein gutes Werk angefangen hat, es auch vollenden wird bis auf den Tag Jesu Christi** (bis zu der Ankunft des Herrn Jesus Christus am Tag Seiner Wiederkunft am Tag des Jüngsten Gerichts! / Philipper, Kapitel 1, Vers 6).

Diese dem Timotheus von Gott in Christus gegebene Gnadengabe und die darin verbundene, von ganzer Bedeutung involvierte Botschaft, ja – *jene dem Timotheus a l l e i n von Gott ihm geoffenbarte Vollmacht zur Dienstbereitschaft in der Gemeinde in Ephesus in der Kraft des Glaubens sagt unmissverständlich aus, dass der Gemeindeleiter sich von diesen bereits in seinem Herzen angefachten* – ja – *jene sich längst befindenden und zugleich aktivierten Wesenszügen des Glaubens leiten als auch führen lassen soll, damit dieses gewichte Amt nach den weisen Richtlinien des Höchsten in Christus gemäß von Timotheus mittels des ihm stets beistehenden Heiligen Geistes ausgeübt wird.* Denn der Geist Gottes *formt und bestimmt zugleich* wiederum die Gnadengabe Gottes, *welche unentwegt dafür Sorge trägt, dass das von Timotheus zu vollbringende Amt gemäß dem Willen des Höchsten in Christus entsprechend vollendet wird;* denn so schreibt der Apostel Paulus in seinem 1.Brief an die Korinther in Kapitel 12 in Vers 7 Folgendes: ***... jedem wird aber das offensichtliche Wirken des Geistes zum (allgemeinen) Nutzen verliehen ...*** In der Tat – dort, *w o der Geist Gottes Seine allumfassende, pulsierende Intensität in Form von wegweisenden Maßnahmen der Geltungsstärke, zuneigender als auch liebevoller Leidenschaft und zugleich beharrlicher Ausdauer entfacht hat, besteht fortan ein i m m e r d a r e r m u t i g e n d e r A n s p o r n ,* der diese von Gott *gewollte Emsigkeit im ausführenden Dienst des Timotheus bewirkt und zugleich vollends gewährleistet.* Daher *s c h e n k t* der Geist Gottes dem Gemeindeleiter diese *unentwegt wahrzunehmende als auch zu erfüllende Dienstbereitschaft i n u n d a u s der Kraft des tief im Herzen des Timotheus anzutreffenden Glaubens* – ganz gemäß dem unwiderruflichen Willen des allmächtigen Gottes in dem Herrn Jesus Christus entsprechend.

Exakt diese von dem Apostel Paulus gegenüber dem Timotheus erwähnte, von ganzer Bedeutung gekennzeichnete Bedachtsamkeit – *genau d i e s e im Herzen des Gemeindeleiters bereits von dem allmächtigen Gott in Christus Jesus verwirklichte, b e h a r r l i c h e A u s d a u e r i m G l a u b e n sagt eindeutig aus,* dass *a l l e i n* der himmlische Vater *i n* dem Herrn Jesus Christus *den Timotheus* ***... aufgrund seiner großen Barmherzigkeit wiedergeboren hat zu einer lebendigen Hoffnung,*** (1.Petrus, Kapitel 1, Vers 3b) *sodass dem Leiter der Gemeinde in Ephesus* ***... standhaftes Ausharren Not tut, damit*** *Timotheus* ***... nachdem*** *er* ***... den Willen Gottes getan hat, die Verheißung erlangt*** (Hebräer, Kapitel 10, Vers 36) – nämlich: *Ein festes, unerschütterliches Fundament des unverzagten Glaubens in die Herzen der Gemeindemitglieder der Epheser mittels seiner* *eigenen, rundweg fest entschlossenen Glaubensstärke im Geist der Wahrheit Gottes zu hinterlegen, sodass das damalige Anfangsstadium der Kirche auf nährreichen und zugleich fruchtbringen Boden fällt, damit sich fortan die fest an Gott und Christus Glaubenden zu folgender Wahrheit bekennen, die Gott ihnen e i n z i g u n d a l l e i n in Christus Jesus vollends bekräftigt als auch verwirklicht hat;* denn der Herr und Erlöser – der Herr Jesus Christus lässt uns folgende, *n i e m a l s v e r g e h e n d e Botschaft* in Erfahrung bringen: ***… bleibt in mir und ich (bleibe) in euch! Gleichwie die Rebe nicht von sich selbst aus Frucht bringen kann, wenn sie nicht am Weinstock bleibt, so auch ihr nicht, wenn ihr nicht in mir bleibt. Ich bin der Weinstock, ihr seid die Reben. Wer in mir bleibt und ich in ihm, der bringt viel Frucht; denn getrennt von mir könnt ihr nichts tun*** (Johannes, Kapitel 15, Verse 4 + 5).

Wahrhaft – nun können die fest im Glauben stehenden Kinder des Heils von ganzem Herzen zu dem sie liebenden, himmlischen Vater im Geist der Wahrheit voller Ihn lobpreisender Dankbarkeit sprechen: ***… *kommt her und sehet an die Werke Gottes, der so wunderbar ist in seinem Tun an den Menschenkindern. *1Ich will Gottes Wort rühmen; auf Gott will ich hoffen und mich nicht fürchten. Was können mir Menschen tun?*** (*Psalm 66 – ein Psalmlied, Vers 5 / Lutherbibel 2017 + *1Psalm 56 – ein güldenes Kleinod Davids, Vers 5 / Lutherbibel 2017).

Vers 7: Weiterhin begründet Paulus diese seine gegenüber dem Timotheus betonten Worte wie folgt mit einer weiteren, ausschließlich vom Höchsten geoffenbarten Detaillierung: ***… denn Gott hat***

uns nicht einen Geist der Furchtsamkeit gegeben, sondern der Kraft und der Liebe und der Zucht (der Selbstbeherrschung / Züchtigkeit = Quelle: Schlachter-Bibel 2000!). In der Tat – *aufgrund des kontinuierlich geprägten Beistandes des Heiligen Geistes kennt der von Gott in Christus Jesus berufene Christ k e i n e* ***... Furchtsamkeit*** *in Form von beklemmender Mutlosigkeit, s o n d e r n der Geist der Wahrheit Gottes zeigt sich mittels stets Gott wohlgefälliger Tugenden in Form* ***... der Kraft, der Liebe und der Zucht*** *erkenntlich und übt diese schließlich auch mittels der im Herzen des Beschenkten zuversichtlichen Gewissheit im Glauben aus.* Somit schreibt der Apostel Paulus in seinem Brief an die Römer in Kapitel 8 in Vers 15: ***... denn ihr habt nicht einen Geist der Knechtschaft empfangen, dass ihr euch wiederum fürchten müsstet, sondern ihr habt den Geist der Sohnschaft*** (d.h. den Geist Gottes, der die Sohnesstellung bzw. Annahme an Sohnes statt bewirkt = Quelle: Schlachter-Bibel 2000!) ***... empfangen, in dem wir rufen: Abba, Vater!***

Es ist *daher jene vom Heiligen Geist erwirkte Gewissheit der niemals vergehenden Hoffnung in und durch den inständigen Glauben, welche den Glaubenden mehr und mehr in die von Lichtglanz erfüllte Herrlichkeit Gottes als auch die, des Herrn Jesus Christus lenkt.* Denn – so der Halbbruder unseres Herrn Jesus Christus – Jakobus: ***... jede gute Gabe und jedes vollkommenen Geschenk kommt von oben herab, von dem Vater der Lichter, bei dem keine Veränderung ist, noch ein Schatten infolge von Wechsel*** (Jakobus, Kapitel 1, Vers 17). *Exakt d i e s e unentwegt gewichtig zu erachtende Glaubenszuversicht b e k e n n t dem Gläubigen, dass* ***... Furcht nicht in der Liebe ist, sondern die vollkommene Liebe treibt die Furcht aus, denn dir Furcht hat mit Strafe zu tun; wer sich nun fürchtet, ist***

nicht vollkommen geworden in der Liebe (1.Johannes, Kapitel 4, Vers 18).

Wenn wir nun die von dem Apostel Paulus gegenüber dem Gemeindeleiter Timotheus erwähnten, vom Heiligen Geist Gottes sich auswirkenden Tugenden im Herzen der Gläubigen näher definieren, so können und werden wir Folgendes unmissverständlich feststellen:

Kraft: *es ist diese einzig und allein vom Geist Gottes den Glaubenden geoffenbarte Ergriffenheit der unabänderlichen Wahrheit des Allmächtigen in dem Herrn Jesus Christus, die mittels dem himmlischen Vater gebührenden als auch immerdar Ihn lobpreisenden Wertschätzungen bekennt, dass* ***… ich erfüllt bin mit Kraft, mit dem Geist des HERRN, mit Recht und Stärke*** (Micha, Kapitel 3, Vers 8a) *– und daraufhin die vom Geist Betuchten eindeutig wissen lässt, dass d i e s e von Gott Auserwählten in dem Herrn und Erlöser Jesus Christus* ***… Zeugen sein werden in Jerusalem und in ganz Jüdäa und Samaria und bis an das Ende der Erde!*** – betont der Heiland Jesus Christus in der Apostelgeschichte des Lukas in Kapitel 1 in Vers 8b.

Liebe: *es ist diese von ganzer leidenschaftlichen Zuneigung sich auswirkende Hingabe, welche sich in Form der an uns vollbrachten Liebe Gottes i n u n d d u r c h die Kraftwirkung des Heiligen Geist erkenntlich zeigt.* Ja *– jene von Gott geoffenbarte Liebe, welche unsere von Glauben erfüllten Herzen wiederum mit der Liebe des Höchsten in Christus Jesus versiegelt, sodass wir* ***… die Liebe anziehen, die das Band der Vollkommenheit ist*** – betont der Apostel Paulus folglich anhand seines Briefes an die Kolosser in Kapitel 3 in Vers 14.

Zucht: *diese allein von Gottes Geist gelenkte und ins Dasein der Beschenkten gerufene, immerdar Gott wohlgefällige Lebensform der rundum nüchternen Besonnenheit sagt unmissverständlich aus, dass der zu Gott und dem Herrn Jesus Christus führende Lebensstil nunmehr aufgrund des in diesen von Glauben erfüllten Menschen mit vom Geist gelenkter Gewissheit zwischen Gut und Böse unterscheiden kann.* Ja – *es ist jene von Gott in Christus sich dem Herzen erkenntlich zeigende, unwiderrufliche Korrektheit, welche den Willen des Höchsten nachstrebt, um mit diesen vollkommenen Wahrheitsrichtlinien in den Fußstapfen Jesu Christi zu wandeln. Diese von ganzer Gerechtigkeit und Wahrheit ummantelte Tugend sagt weiterhin aus, dass der Glaubende das an ihm vollbrachte Werk Gottes im Geist der Wahrheit festhält, um sich folglich* ***... von der Bosheit abzukehren*** (Hiob, Kapitel 36, Vers 10b). *Fortan erkennen die Auserwählten des Höchsten folgende sich in ihren gläubigen Herzen ersichtlich zeigende, rundum bedeutende, allein von Gott in und durch den Geist erwirkte Eigenschaften* ***... den Unverständigen*** (oder Einfältigen / Arglosen = Quelle: Schlachter-Bibel 2000!) ***... wurde Klugheit verliehen, den jungen Männern Erkenntnis und Besonnenheit. Wer Weise ist, der hört darauf und vermehrt seine Kenntnisse, und wer verständig ist, eignet sich weise Lebensführung an, Damit er den Spruch und die bildliche Rede*** (oder das Gleichnis = Quelle: Schlachter-Bibel 2000!) ***... verstehe, Die Worte der Weisen und ihre Rätsel. Die Furcht des HERRN*** (d.h. die Ehrfurcht vor dem HERRN, die Scheu davor, Gott durch Sünde herauszufordern = Quelle: Schlachter-Bibel 2000!) ***...***

ist der Anfang der Erkenntnis; nur Toren (der Tor / der Törichte oder Narr / ist im Alten Testament ein frecher, uneinsichtiger Mensch, der in Auflehnung und Widerspruch zu den Geboten Gottes lebt = Quelle: Schlachter-Bibel 2000!) ***… verachten Weisheit und Zucht!*** (die Sprüche Salomos, Kapitel 1, Verse 4 – 7).

Wahrhaft – *diese ausschließlich von dem Heiligen Geist der Herrlichkeit Gottes gelenkten Tugenden der unwiderruflichen Wahrheit prägen aufgrund der Maßnahmen* ***… der Kraft und der Liebe und der Zucht*** (2.Timotheus, Kapitel 1, Vers 7b) *die Herzen der Gläubigen zu dem Licht der Welt* – dem Herrn Jesus Christus – *und vollführen somit die stets wohlgesinnten als auch unentwegt beabsichtigten Liebesbewiese des himmlischen Vaters für d i e j e n i g e n M e n s c h e n , welche sich zu dem Retter der Menschheit* – dem Messias Jesus Christus – *von ganzem Herzen mittels ihres unverzagten Glaubens* ***… bis zur Erscheinung unseres Herrn Jesus Christus*** *bekennen* – so Paulus in 1.Timotheus, Kapitel 6, Vers 13b (siehe Auslegung!). *Diese voll und ganz wunderbare, allein von dem Geist der Wahrheit getragene und zugleich verwirklichte Erkenntnis macht es nunmehr den Glaubenden allzu deutlich erkenntlich* – so der Apostel Paulus – dass ***… *das Kreuz*** *für diejenigen von Gott auserwählten Menschen,* ***… *die gerettet werden eine Gotteskraft ist*** – denn: ***… *1der Geist hat sich mit der Kraft unseres Herrn Jesus Christus vereinigt – … *2das alles aber kommt von Gott, der uns mit sich selbst versöhnt hat durch Jesus Christus und uns den Dienst der Versöhnung gegeben hat; weil nämlich Gott in Christus war und die Welt mit sich selbst versöhnte, indem er ihnen ihre Sünden nicht anrechnete und das Wort der Versöhnung in uns*** (in unsere voller Glauben erfüllten Herzen!) ***… legte*** (*1.Korinther, Kapitel 1,

Vers 18b + *[1] 1.Korinther, Kapitel 5, Vers 4b + *[2] 2.Korinther, Kapitel 5, Verse 18 + 19).

Vers 8: Nun wird es allzu deutlich ersichtlich, dass der Apostel Paulus dem Timotheus diese seine nun folgenden Worte, welche sich nochmals auf die soeben ausgelegten Verse, insbesondere die Verse 5 – 7 dieses gleichnamigen 1.Kapitels des 2.Timotheusbriefes beziehen, (siehe Auslegung!) *unterbreitet, um zugleich diese anhand seiner eigenen, unverzagten Glaubensgewissheit in das von Glauben erfüllte Herz des Gemeindeleiters zu hinterlegen, damit auch die* „Glaubenszentrale des Timotheus“ *immerdar zu der gleichen unmissverständlichen Überzeugung gelangt, wie die, des Apostel Paulus.* Daher lässt der Gesandte Gottes den Leiter der Gemeinde in Ephesus anhand seiner unverblümten Worte wissen: ***... so schäme dich nun nicht des Zeugnisses von unserem Herrn, auch nicht meinetwegen, der ich sein Gefangener bin; sondern leide mit (uns) für das Evangelium in der Kraft Gottes.*** So spricht nun der Herr Jesus Christus in dem Evangelium des Markus in Kapitel 8 in Vers 38: ***... denn wer sich meiner und meiner Worte schämt unter diesem ehebrecherischen und sündigen Geschlecht, dessen wird sich auch der Sohn des Menschen schämen, wenn er kommen wird in der Herrlichkeit seines Vaters mit den heiligen Engeln.*** Daraufhin lässt Paulus nun auch nochmals den Timotheus fernerhin erfahren, *w a r u m sich n i e m a n d vor dem Zeugnis des Herrn Jesus Christus z u s c h ä m e n braucht* – und betont in seinem Brief an die Römer in Kapitel 1 in den Versen 16 + 17: ***... denn ich schäme mich des Evangeliums von Christus nicht; denn es ist Gottes Kraft zur Errettung für jeden, der glaubt, zuerst für den Juden, dann auch für den***

Griechen; denn es wird darin geoffenbart die Gerechtigkeit Gottes aus Glauben zum Glauben, (d.h. die von Gott gewirkte Gerechtigkeit aufgrund des Glaubens wird geoffenbart, damit sie im Wort, insbesondere auf Gottes Offenbarung über Jesus Christus und sein vollkommenes Erlösungswerk = Quelle: Schlachter-Bibel 2000!) ***… wie geschrieben steht: „*Der Gerechte wird aus Glauben leben“*** (*in Bezug auf Habakuk, Kapitel 2, Vers 4).

Vielmehr soll Timotheus folgende Botschaft aus seinem vom Heiligen Geist beseelten Herzen voller Freude im Glauben der Gemeinde der Epheser bekannt geben – so Paulus: ***…*** [*1]***„ich will meinen Brüdern deinen Namen verkündigen; inmitten der Gemeinde will ich dir lobsingen!“*** (Hebräer, Kapitel 2, Vers 12 / [*1]in Bezug auf Psalm 22 – ein Psalm Davids, Vers 23). In der Tat – Paulus ruft Timotheus erneut *aufgrund s e i n e s e i g e n e n inständigen Glaubens im Geist der Wahrheit Gottes dazu auf,* ***… nach einem besseren zu trachten, nämlich einem himmlischen*** (Dasein!) ***… darum schämt sich Gott ihrer*** (den an den himmlischen Vater Gläubigen!) ***… nicht, ihr Gott genannt zu werden; denn er hat ihnen eine Stadt*** ([*2]eine Heimat, ein Gemeinwesen, wo sie Bürgerrecht haben = [*2]Quelle: Schlachter-Bibel: 2000! / gemeint ist das himmlische Jerusalem!) ***… bereitet*** (Hebräer, Kapitel 11, Vers 16).

Wahrhaft – abermals will der Apostel Paulus den Timotheus *seine bereits an den Gemeindeleiter gerichteten Worte aus* 1.Timotheus, Kapitel 2, Vers 6 – als auch die aus 1.Timotheus, Kapitel 6, Vers 11 (siehe Auslegung!) *in sein Gedächtnis zurückrufen, damit er an diesen s t e t s f e s t h ä l t – und folglich Paulus als sein nachzuahmendes Vorbild im Glauben in Betracht zieht.* Denn wenn sich

Timotheus von ganzem Herzen mittels seines tiefgründigen und beständig wirkenden Glaubens in der ihm zuteilgewordenen Kraftwirkung des Heiligen Geistes *zu dem Herrn Jesus Christus bekennt – so vertraut sich nun auch der Leiter der Gemeinde den vom Heiligen Geist gelenkten Worten des Apostels Paulus an,* ***... der ich sein*** (des Herrn Jesus Christus Gefangener im Glauben an den Heiland!) ***... Gefangener bin,*** so Paulus (2.Timotheus, Kapitel 1, Vers 8b / in Bezug auf die Einleitung zum 2.Timotheusbrief / siehe Auslegung!).

In der Tat – diese demütig fest entschlossene Beziehung mit dem Apostel Paulus in dem inständig geprägten Glauben an den Herrn Jesus Christus *braucht eifernden Ansporn und die von ganzer Wichtigkeit umrahmte Stärke der Ausübung im wahrhaftigen Glauben, damit der heilige, dem Timotheus von Paulus übergebene Dienst dem Willen Gottes in Christus gemäß nach Ihrem über allen stehenden Willen von dem Leiter der Gemeinde in Ephesus im Geist der Wahrheit Gottes ausgeführt wird.* So bedeuten die Fesseln des Paulus gegenüber dem Timotheus *k e i n e s f a l l s , dass der Gemeindeleiter i n A b n e i g u n g zu dem Apostel steht, sondern vielmehr trägt Paulus diese seine Fesseln* ***... als ein Gefangener Jesu Christi*** (Philemon, Vers 9b) – *trotz allem dem Willen Christus gemäß* – ja – *diese Fesseln h e b e n die Gemeinschaft beider Gottesmänner n i c h t a u f , sondern diese fügen sie n o c h i n t e n s i v e r und zugleich n o c h s t a b i l i s i e r t e r zusammen.*

Paulus jedoch sieht diese seine Gefangenschaft in der irdischen Betrachtungsweise als eine zwar für ihn hemmende Zeitperiode seines apostolischen Vollmacht-Dienstes an, *welche ihn daran hindert, sein gewichtiges Apostelamt weiterhin auszuüben – jedoch weiß er* *allzu genau,* dass die *geistlich-himmlische Betrachtung Gottes im Herrn Jesus Christus ihn zu einem Gefangenen des Heilands deklariert hat, sodass Paulus auch in und trotz dieses Umstandes mit beeindruckendem Brillieren wirken kann.* Wahrhaft – *der Heiland Jesus Christus i s t b e i Paulus – und wirkt zugleich i n d i e s e r Gefangenschafts-Periode des Apostels Paulus d u r c h Seinen treuen Diener Timotheus, der nunmehr den vom Geist betuchten Worten des Paulus nachfolgt, um diese in die Tat umzusetzen.* Ja – dieses wunderbare von Gott in Christus Jesus geschaffene Wirken wiederum *verleiht dem Apostel Paulus die stets erforderlichen Mut- und Kraftfaktoren, diese Gefangenschaft dem Willen Christi gemäß auszuharren* – und zeigt zugleich auf, *dass* [*3]*d e r h i m m l i s c h e W i l l e stets dem irdischen Willen i n a l l e n B e l a n g e n ü b e r l e g e n i s t.* Mittels *d i e s e r* zuversichtlichen Gewissheit im Glauben ruft Paulus fortan den Timotheus dazu auf: ***… leide mit (uns) für das Evangelium in der Kraft Gottes*** (2.Timotheus, Kapitel 1, Vers 8c).

Wahrhaft – *diese immerdar unantastbaren, himmlischen* „Prioritätsmaßnahmen" *Gottes in dem Herrn Jesus Christus lassen nun auch des Timotheus vom Heiligen Geist erfüllte Herz erkennen, dass der Wille Gottes in Christus Jesus s t e t s d e n g e w i c h t i g e n V o r d e r g r u n d e i n e s c h r i s t l i c h e n D a s e i n s b e s t i m m t – auch wenn dieser als solcher in der immerdar fehlenden irdischen Betrachtungsweise mancherlei Beschwernisse erahnen kann.* So wird nun der vom Heiligen Geist erfüllte Glaubende – so auch Timotheus – *unmissverständlich wahrnehmen und zugleich erkennen,* dass dieses aufgerufene *Mitleiden des Paulus* zwar *den Menschen mit in Anspruch nehmende Belastungen beschwert, aber trotz allem die vor und über allen stehenden Aufrufe der göttlichen Mitteilung bewirkt, welche auszuüben s i n d, um das Werk Gottes in dem Herrn Jesus Christus als ein konstant gehorsamer Diener des Höchsten vollenden zu können.*

In der Tat – *vor dem Angriff fremdeinwirkender Mächte in Form der Falschprediger warnt Paulus den Timotheus mittels dieser göttlichen Botschaft.* Ja – es ist wiederum *ein Vorstoß auf die stets aufrecht zu erhaltende Evangeliums-Verkündigung.* Wahrhaft – *aufgrund des an der Person des Paulus noch bevorstehenden Evangeliums-Prozesses liegt der Apostel in Ketten, eben weil ein Angriff fremdwirkender Mächte auf das Evangelium Jesu Christi stattfand.* Insofern ist auch die fortan gefangene Berufung des Apostel Paulus *als eine zum Leiden verurteile Grundbasis in Betracht zu ziehen, in welcher Paulus trotz allem in der Kraft Gottes in Christus Jesus gefangen genommen wurde.* Einzig und allein *das immerdar im Herzen des Apostels ruhende, vom Geist Gottes beständig ernährte Gewissen bezeugt ihm als auch dem Timotheus exakt, dass* ***... das Evangelium von Christus eine Gottes Kraft ist, für jeden der glaubt*** (Römer, Kapitel 1, Vers 16a). Ja – *Gott in Jesus Christus ist es* – fährt Paulus anhand seines wunderbaren Briefes an die Epheser in Kapitel 3 in Vers 20 fort – ***...*** [*3]***der weit über die Maßen mehr zu tun vermag, als wir bitten oder verstehen, gemäß der Kraft,*** (des Heiligen Geistes!) ***... die in uns wirkt.***

Vers 9: Nun fährt Paulus gegenüber dem Timotheus mit dieser seiner nun folgenden Erklärung fort, welche die Maßnahmen der Herrlichkeit Gottes in Jesus Christus wie folgt dem Gemeindeleiter definierend darlegt: ***… er hat uns ja errettet und berufen mit einem heiligen Ruf, nicht aufgrund unserer Werke, sondern aufgrund seines eigenen Vorsatzes und der Gnade, die uns in Christus Jesus vor ewigen Zeiten gegeben wurde.*** So betont der Apostel Paulus nochmals in seinem Brief an die Epheser in Kapitel 2 in den Versen 8 + 9: ***… denn aus Gnade seid ihr errettet durch den Glauben, und das nicht aus euch – Gottes Gabe ist es; nicht aus Werken, damit niemand sich rühme.***

Paulus macht es dem Timotheus noch ein weiteres Mal allzu deutlich bewusst, *dass allein die ungezwungene und zugleich befreiende Liebe des allmächtigen Gottes in dem Herrn Jesus Christus die an Ihn Glaubenden zu Kindern des Heils berufen hat. Unsere Werke,* so Paulus, können dem himmlischen Vater *niemals vollends entsprechen.* Der Apostel ruft den Gemeindeleiter Timotheus aus diesem Grund zum Leiden auf, *weil weder humanitäre Bedingungen noch Standhalten an weltlichem Leid den Apostel Paulus noch den Timotheus an der Vollführung der Frohen Botschaft hindern können.* Jedoch ist sich Paulus darüber *eindeutig bewusst,* dass der Leiter der Gemeinde in Ephesus – Timotheus – *im Leiden aufgrund der ihm zuteilgewordenen Liebe Gottes in Christus mittels des in ihm von Gott verwirklichten Heiligen Geistes das ihm übertragene Amt nach den weisen Richtlinien des Höchsten ausführen kann als auch wird, damit der christliche Glaube in dieser frühkirchlichen Zeit weiterhin aufgrund des Timotheus stets zuversichtlicher Glaubensgewissheit den guten Kampf des Glaubens bestehen wird* (siehe hierzu abermals die Auslegung zu 1.Timotheus, Kapitel 6, Verse 13 + 14!).

Dieser vor allem stehende, überaus relevante Stellenwert aber sagt zugleich aus, dass diese durch den Geist Gottes geprägte, *unentwegt zuversichtliche Gewissensstruktur im Glauben dafür Sorge trägt, dass die immerdar weltlich-vergängliche Konsistenz vor den über allen stehenden himmlischen Richtlinien Gottes in dem Herrn und Erlöser Jesus Christus gnadenlos scheitern werden.* Diese bedeutsame Aussagekraft aber beruht auf der *a l l e i n von Gott in Christus verwirklichten Gnadengabe mit der Selbstverwirklichung des Höchsten in Seinem Sohn Jesus Christus und mit dem damit verbundenen, allen Gläubigen zu Gute dienenden und errettenden Kreuzestod des Herrn Jesus Christus aufgrund des Heilands Auferstehung.* Denn so heißt es abermals in Evangelium des Johannes: ***... das wahre Licht, welches jeden Menschen erleuchtet, sollte in die Welt kommen. Er*** (der Herr Jesus Christus!) ***... war in der Welt, und die Welt ist durch ihn geworden. Allen aber, die ihn aufnahmen, denen gab er das Anrecht, Kinder Gottes zu werden, denen, die an seinen Namen glauben. Und das Wort wurde Fleisch und wohnte unter uns; und wir sahen seine Herrlichkeit, eine Herrlichkeit als des Eingeborenen vom Vater, voller Gnade und Wahrheit. Denn so (sehr) hat Gott die Welt geliebt, dass er seinen eingeborenen Sohn gab, damit jeder, der an ihn glaubt, nicht verloren geht, sondern ewiges Leben hat*** (Johannes, Kapitel 1, Verse 9, 10a, 12 + 14 + Johannes, Kapitel 3, Vers 16).

Wahrhaft – Gott hat uns *durch Jesus Christus mittels Seines heiligen Rufes auserkoren, an Seiner Herrlichkeit aufgrund unseres Glaubens an Ihn und den Heiland Jesus Christus teilzunehmen; indem der Herr Jesus Christus Seinen seit der Ewigkeit Ihm gebührenden Platz im Reich der Himmel Gottes verließ, um den an Ihn glaubenden Sündern Ewiges Leben mittels Seines Kreuzestodes zu ge-*

währleisten. Dieser von Gott in Christus Jesus vollbrachte, den Glaubenden zu Gute dienende, heilige Ruf *aber ist von Seiner allumfassenden Herrlichkeit in Christus vereinnahmt, der kein Ungehorsam duldet, sondern striktes Gehorsam im Glauben an Ihn und den Herrn Jesus Christus gegenüber, weil Ihre unantastbare Herrlichkeit rundweg v o l l k o m m e n i s t. Folglich ist der Wille Gottes jener gewichtige als auch maßgebliche* ***… heilige Ruf seines eigenen Vorsatzes und der Gnade in Christus Jesus,*** (2.Timotheus, Kapitel 1, Vers 9a) *der diesen Seinen Willen in die Herzen der Auserwählten anhand des Heiligen Geistes schon vor ewigen Zeiten mittels der Person Jesus Christus legte, um diesen bedeutungsvollen Aufruf aufgrund der von Christus erwirkten Sündenbefreiung letztlich verwirklichen zu können.*

Vers 10: Nun aber ist der heilige Ruf Gottes Realität – ja – ***… offenbar geworden durch die Erscheinung unseres Retters Jesus Christus, der dem Tod die Macht genommen hat und Leben und Unvergänglichkeit ans Licht gebracht hat durch das Evangelium*** – so Paulus. Es ist jene von Gott verwirklichte, den Glaubenden zu Gute dienende Gnadentat bei des Allmächtigen Selbstverwirklichung in den Herrn Jesus Christus, ***… das in früheren Generationen den Menschenkindern nicht bekannt gemacht wurde, wie es jetzt seinen heiligen Aposteln und Propheten durch den Geist*** (den Heiligen Geist!) ***… geoffenbart worden ist, dass nämlich die Heiden Miterben und mit zum Leib Gehörige und Mitteilhaber seiner Verheißung sind in Christus durch das Evangelium*** – lässt uns der Apostel Paulus anhand seines Briefes an die Epheser in Kapitel 3 in den Versen 5 + 6 weiterhin in Erfahrung bringen. Ja – wir – die an Gott und den Herrn Jesus Christus Glaubenden – sind ***... errettet durch das Bad der Wiedergeburt und*** der ***... Erneuerung des Heiligen Geistes*** – betont Paulus fernerhin mittels seines Briefes an Titus in Kapitel 3 in Vers 5b. Nun hat der uns liebende, himmlische Vater *den bereits vor Beginn des Zeitalters von Ihm bestimmten Zeitpunkt auserkoren, als der Herr Jesus Christus die himmlische Gemeinschaft bei Seinem himmlischen Vater im Reich der Herrlichkeit Gottes verlassen sollte, um uns mit Seiner persönlichen, sichtbaren Gegenwart das zur Errettung dienende Evangelium Seiner eigenen Herrlichkeit zu offenbaren, damit die an Ihn Glaubenden Ewiges Leben in dem Himmelreich Gottes erlangen können, weil der Heiland im Auftrag des himmlischen Vaters* ***... dem Tod die Macht genommen hat und Leben und Unvergänglichkeit ans Licht gebracht hat durch das Evangelium*** (2.Timotheus, Kapitel 1, Vers 10b).

Fortan hat ***... der Gott dieser Weltzeit*** (der Satan / der Teufel! / 2.Korinther, Kapitel 4, Vers 4a) *seine Macht verspielt; denn der Herr Jesus Christus hat* ***... den Tod in Sieg verschlungen*** (1.Korinther, Kapitel 15, Vers 54b in Bezug auf Jesaja, Kapitel 25, Vers 8 + Hosea, Kapitel 13, Vers 14) – ***... und er*** (der Herr und Heiland Jesus Christus!) ***... hat die gegen uns gerichtete Schuldschrift ausgelöscht, die durch Satzungen uns entgegenstand, und hat sie aus dem Weg geschafft, indem er sie ans Kreuz heftete. Als er so die Herrschaften und Gewalten entwaffnet hatte, stellte er sie öffentlich an den Pranger und triumphierte über sie an demselben*** (Kolosser, Kapitel 2, Verse 14 + 15). Wahrhaft – *Gott hat den Glaubenden in Christus Jesus das wahre Leben mittels Seiner vollkommenen Liebe zu ihnen in ganzer Freiheit gänzlich offenbar gemacht, indem der himmlische Vater Seine Auserwählten durch Christus Ewiges Leben in Ihrer*

Beider Gemeinsamkeit im Reich der himmlischen Herrlichkeit schenkte.

Vers 11: Weil fortan das wahre Leben *durch den immerdar gnadenreich-barmherzigen Willen Gottes in Christus Jesus von dem himmlischen Vater verwirklicht wurde, bekam die sichtbare Wahrnehmbarkeit Gottes in Christus menschliche Gestalt – und dennoch ist des Heilands Gestalt ganz Mensch und ganz Gott –* und verwirklicht sich folglich mit diesen uns liebenden Wesenszügen *in uns aus dem Willen des Höchsten zu den Kindern Seiner selbst.* In der Tat – die alleinige zum Heil der Herrlichkeit führende Evangeliums-Botschaft Gottes in Christus Jesus ***... hat uns frei gemacht von dem Gesetz der Sünde und des Todes*** (Römer, Kapitel 8, Vers 2b).

Diese rundum wohlwollende Gnadentat des allmächtigen Gottes schenkt nunmehr *a l l e n* an Ihn und an den Herrn Jesus Christus Glaubenden die zuversichtliche Gewissheit in der Kraftwirkung des Heiligen Geistes, *dass das fortan bestehende Wirken aller Auserwählten mit den unnachahmlichen Herrlichkeitsfaktoren Seiner selbst in Christus inkludiert ist* – so auch selbstverständlich die durch den Geist Gottes auffindbaren, stets Gott und Christus wohlgefälligen Wesenszüge *des Apostel Paulus in der Kraft des Evangeliums Jesu Christi aufgrund seines konstant geprägten, inständigen Glaubens im Geist des wunderbaren, niemals fehlenden Gottes.* Dies lässt den Apostel Paulus somit gegenüber dem Gemeindeleiter Timotheus mit beharrlicher, vom Geist Gottes beseelter Gewissheit behaupten: ***... für das ich als Verkündiger und Apostel und Lehrer der Heiden*** (der Völker außerhalb von Israel = Quelle: Schlachter 2000!) ***... ein-gesetzt worden bin*** (2.Timotheus, Kapitel 1, Vers 11).

Wahrhaft – es ist jene von Gott durch Christus *erwirkte Berufung des Apostels Paulus, welche des Paulus apostolische Vollmacht begründet* (siehe erneut die Apostelgeschichte des Lukas, Kapitel 9!). Folglich ist der Apostel Paulus ***... der Verkündiger, der Apostel und der Lehrer der Heiden,*** (2.Timotheus, Kapitel 1, Vers 11) *welcher diesen von Gott ihm zuteilgewordenen Menschengruppierungen die zum Heil der Herrlichkeit führende Evangeliums-Botschaft des Herrn und Erlösers Jesus Christus in ihre Herzen legen w i l l – und auch im Auftrag Gottes in dem Herrn Jesus Christus legen s o l l,* ***... denn Gott will, dass alle Menschen gerettet werden und zur Erkenntnis der Wahrheit kommen*** (1.Timotheus, Kapitel 2, Vers 4 – siehe Auslegung!).

Verse 12 – 18

Ermahnung zur Bewahrung des Wortes Gottes angesichts der Untreue mancher Christen

[12]Aus diesem Grund erleide ich dies auch; aber ich schäme mich nicht. Denn ich weiß, an wen ich glaube, und ich bin überzeugt, dass er mächtig ist, das mir anvertraute Gut zu bewahren bis zu jenem Tag. [13]Halte dich an das Muster der gesunden Worte, die du von mir gehört hast, im Glauben und in der Liebe, die in Christus Jesus ist! [14]Dieses edle anvertraute Gut bewahre durch den Heili-

gen Geist, der in uns wohnt! [15]Du weißt ja, dass sich von mir alle abgewandt haben, die in (der Provinz) Asia sind, unter ihnen auch Phygellus und Hermogenes. [16]Der Herr erweise dem Hause des Onesiphorus Barmherzigkeit, weil er mich oft erquickt und sich meiner Ketten nicht geschämt hat; 17sondern als er in Rom war, suchte er mich umso eifriger und fand mich auch. [18]Der Herr gebe ihm, dass er Barmherzigkeit erlange vom Herrn an jenem Tag! Und wie viel er mir in Ephesus gedient hat, weißt du am besten.

Auslegung:

Vers 12: Bezugnehmend auf die bereits ausgelegten Verse 3 – 11 dieses gleichnamigen 1.Kapitels dieses 2.Timotheusbriefes (siehe Auslegung!) bekennt Paulus nun dem Gemeindeleiter Timotheus, *dass er* ***... dies auch alles erleidet,*** *sich selbst* ***... aber nicht*** *darüber* ***... schämt. Denn*** Paulus ***... weiß, an w e n*** *er* ***... glaubt.*** So betont der Apostel fernerhin, *dass er davon* ***... überzeugt ist,*** *dass Gott in Christus Jesus* ***... mächtig ist,*** *Sein dem Apostel Paulus* ***... anvertrautes Gut*** (d.h. die Paulus anvertraute Botschaft, das Wort Gottes = Quelle: Schlachter-Bibel 2000!) ***... zu bewahren bis zu jenem Tag.*** Wahrhaft – *die von dem Herrn Jesus Christus gesprochenen Worte zu* ***... Ananias*** (die Apostelgeschichte des Lukas, Kapitel 9, Vers 10a) *erfüllten sich in des Apostels Paulus irdischer Amtszeit – denn der Heiland ließ den* ***... Ananias*** *unzweifelhaft wissen:* ***... denn ich*** (der Herr Jesus Christus!) ***... werde ihm*** (dem Saulus / dem Apostel Paulus!) ***... zeigen, wie viel er leiden muss um meines Namens willen*** (die Apostelgeschichte des Lukas, Kapitel 9, Vers 16).

In der Tat – in der dem Apostel Paulus *immerdar von Gott in Christus geoffenbarten, gesamten irdisch-apostolischen Vollmachtamtszeit haben der ihn liebende, wunderbare Gott als auch der allein zum Heil der Herrlichkeit Gottes führende Herr Jesus Christus dem Paulus schon o f t m a l s Ihre barmherzige Gnade erwiesen, dies weiß der Apostel Paulus nun – nah am Ende seiner irdischen Laufbahn – allzu genau* (siehe diesbezüglich insbesondere 2.Korinther, Kapitel 11, Verse 23b – 28 / siehe hierzu Auslegung zu 1.Timotheus, Kapitel 4, Vers 10!). Ja – *d a r u m* ***... glaubt*** Paulus – *und ist* ***... davon überzeugt,*** *dass Gott in Christus Jesus das dem Apostel vom Höchsten* ***... anvertraute Gut bewahren*** *wird* ***... bis*** *zur Wiederkunft Christi* ***... an jenem Tag*** (2.Timotheus, Kapitel 1, Vers 12b). *Es ist jenes rundum beharrliche Wissen in des Apostels Herzen, welches es dem Paulus beständig im Geist der Wahrheit Gottes mittels seines unentwegt unerschütterlichen Glaubens aufweist, dass –* ***... wenn er schwach ist*** *– a u f g r u n d d e r i h m s t e t s z u t e i l w e r d e n d e n , b a r m h e r z i g e n G n a d e d e s a l l m ä c h t i g e n G o t t e s i m H e r r n J e s u s C h r i s t u s* ***... stark ist*** (2.Korinther, Kapitel 12, Vers 10b).

Ja – diese dem Paulus *oftmals widerfahrenen, aus menschlicher Betrachtungsweise erdrückenden Lebenssituationen* lassen den Apostel nah am Ende seiner irdischen Tage *eindeutig erkennen, dass sein immenses Vertrauen auf den himmlischen Vater und den Herrn Jesus Christus konstant mit Kraft, Stärke und Ausdauer ihm gegenüber mittels der immerdar einzig und allein von Ihnen ausgehenden Gnadengabe des Heiligen Geistes bestückt war.* Wahrhaft – *aufgrund dieser vom Heiligen Geist getragenen Glaubensgewissheit* kann Paulus somit die von dem allmächtigen Gott zu Josua gesprochenen Worte *jederzeit in seinem von ganzem Glauben erfüllten Herzen wahrnehmen.* Diese lauten unmissverständlich: ***... ich will dich nicht aufgeben und dich nicht verlassen*** (Josua, Kapitel 1, Vers 5c). Denn der Herr Jesus Christus spricht: ***... wahrlich, wahrlich, ich sage euch: Wer an mich glaubt, der hat ewiges Leben*** (Johannes, Kapitel 6, Vers 47). So heißt es weiterhin in Psalm 125, Vers 1 (Lutherbibel 2017): ***... die auf den HERRN hoffen, werden nicht fallen, sondern ewig bleiben wie der Berg Zion*** – denn so gilt: ***... wer aber auf den HERRN hofft, den wird die Güte empfangen*** (Psalm 32 – eine Unterweisung Davids, Vers 10b / Lutherbibel 2017).

Ja – eben *w e i l* Paulus ein Gefangener des Christus ist, *leidet der Apostel an der weiterführenden, nun ihm fern in der praktischen Ausübung bleibenden Evangeliums-Botschaft Jesu Christi, weil ein Angriff fremdeinwirkender Mächte auf das Evangelium Jesu Christi stattfand.* Paulus fällt es somit *u n s a g b a r s c h w e r, von dieser stets befreienden Botschaft im Herrn abzulassen.* Jedoch ist sein tiefbewegender, vom Heiligen Geist getragener Glaube *stets auf Gott und den Herrn Jesus Christus gerichtet* – dies ist auch der maßgeblich Grund – *w a r u m* sich Paulus *seiner Ketten niemals zu schämen braucht.* Es wirken diese unentwegt dem Apostel von Gott in Christus geoffenbarten Glaubensstärkefaktoren im Herzen des Paulus, *weil seine beständige Standhaftigkeit, seine ganze Zuneigung als auch des Apostels vollzogene Loyalität stets auf Gott und Christus gerichtet sind. Denn sein Herz ist erfüllt von einer vom Geist Gottes erwirkten zuversichtlichen Gewissheit, die nahezu beispiellos ist.* Weil der Apostel *Paulus in dem ihm zuteilgewordenen, beschützenden Schutzschild Gottes in Jesus Christus steht – a l l e i n d a h e r ist er dazu im Stande, das ihm Geoffenbarte im Geist der Wahrheit aufrecht zu erhalten und zugleich an dieser niemals fehlenden, unverblümten Wahrheit Gottes festzuhalten. Einzig und allein* der dem Paulus geoffenbarte, *von ganzer Herrlichkeit umgebene Lichtglanz Gottes in dem Herrn Jesus Christus verleiht dem Herzen dieses Gesandten Gottes die stets benötigte Willensstruktur, nach den immerdar weisen Richtlinien des Höchsten sein irdisches Dasein rundweg bestehen zu können.* In der Tat – *obwohl irdische Zwänge das Leben des Paulus erschweren, b e z w i n g t t r o t z a l l e m die von Licht erfüllte, unnachahmliche Aura der Herrlichkeit Jesu Christi a l l e vergänglichen Schattenseiten dieser allseits trostlosen Weltzeit, um in Ewigkeit – im Reich der Herrlichkeit Gottes – das Licht der Welt – den Herrn Jesus Christus – erblicken zu können.*

Folglich liegt es dem Apostel Paulus am Herzen, die nun folgende zum Reich der Herrlichkeit Gottes leitende Botschaft mittels seiner seelsorgerischen Nächstenliebe in das Herz des Timotheus zu hinterlegen, *damit auch der Leiter der Gemeinde in Ephesus diese seine Worte mit identisch-beständiger Wirksamkeit in seinem vom Geist Gottes erfüllten Herzen aufnimmt und bewahrt, wie es sein Ziehvater im uneingeschränkten Glauben ihm allezeit vorgelebt hat – denn allein d i e s e r Glaube begründet das vollendete Dasein in Jesus Christus, dessen alleiniger, gnadenreiche Geber wiederum der himmlische Vater ist:* ***… sorgt euch um nichts; sondern in allem lasst durch Gebet und Flehen mit Danksagung eure Anliegen vor Gott kundwerden. Und der Friede Gottes, der allen Verstand übersteigt, wird eure Herzen und eure Gedanken bewahren in Christus Jesus!*** (Philipper, Kapitel 4, Verse 6 + 7).

Vers 13: Dass die vor und über allem stehende Ehre als auch die dazugehörenden Lobpreisungen Gottes in Christus Jesus *stets in dem gewichtigen Mittelpunkt eines christlichen Lebens stehen müssen,* dazu ruft Paulus nunmehr den Timotheus wie folgt auf: ***… halte dich an das Muster der gesunden Worte, die du von mir gehört hast, im Glauben und in der Liebe, die in Christus Jesus ist!*** Diese ***… gesunden Worte*** haben folgenden *gewichtigen Bestand:* Timotheus soll *immerdar* ***… in dem bleiben, was er gelernt hat und was ihm zur Gewissheit geworden ist*** (2.Timotheus, Kapitel 3, Vers 14a / siehe noch folgende Auslegung!) – so Paulus – nämlich: ***… was von Anfang an war, was wir gehört haben, was wir mit unseren Augen gesehen haben, was wir angeschaut und was unsere Hände betastet haben vom Wort des Lebens*** (1.Johannes, Kapitel 1, Vers 1).

Ja – dies alles beruht auf dem vom Heiligen Geist erwirkten, zuversichtlichen als auch dem gnadenreichen Gewissen im wahrhaftigen Glauben – fügt der Apostel Paulus zu seinen an Timotheus gerichteten Worten hinzu ***… dass der Gott unseres Herrn Jesus Christus, der Vater der Herrlichkeit, euch (den) Geist der Weisheit und Offenbarung*** (geisterwirkte Weisheit = Quelle: Schlachter-Bibel 2000!) ***… gebe in der Erkenntnis*** (d.h. richtige, genaue, vollständige Erkenntnis = Quelle: Schlachter-Bibel 2000!) ***… seiner selbst, erleuchtete Augen eures Verständnisses*** (oder eures Geistes / eures Denkens = Quelle: Schlachter-Bibel 2000!) ***… damit ihr wisst, was die Hoffnung seiner Berufung und was der Reichtum der Herrlichkeit seines Erbes in den Heiligen ist, was auch die überwältigende Größe seiner Kraftwirkung an uns*** (oder *in* uns = Quelle: Schlachter-Bibel 2000!) ***… ist, die wir glauben, gemäß der Wirksamkeit der Macht seiner Stärke. Die hat er wirksam werden lassen in dem Christus,***

als er ihn aus den Toten auferweckte und ihn zu seiner Rechten setzte in den himmlischen (Regionen) – so Paulus in seinem Brief an die Epheser in Kapitel 1 in den Versen 17 – 20.

In der Tat – *diese a l l e i n von Gott in Christus Jesus sich mehr und mehr entwickelnde als auch die nunmehr fest in unseren Herzen bestehende Gnadengabe der immerdar fortwirkenden Heilsbotschaft Gottes in dem Herrn Jesus Christus ist das an uns Glaubende vollführte und zugleich vollbrachte Werk des allmächtigen Gottes unausforschlicher Liebe aufgrund unseres zuversichtlichen Glaubens, der nun* ***... in Christus Jesus über die Maßen groß ist*** (1.Timotheus, Kapitel 1, Vers 14b / siehe Auslegung!). Exakt diese rundweg ***... gesunden Worte unseres Herrn Jesus Christus*** (1.Timotheus, Kapitel 6, Vers 3a / siehe Auslegung!) *tragen unentwegt dafür Sorge,* dass das Muster des Glaubens und der Liebe *das Herz des Timotheus aufgrund der von Paulus an den Gemeindeleiter verfassten Worte einen bleibenden Ertrag erhält.* Denn in dem Herzen des Timotheus *ist das Wort Gottes in Christus* ***... auf das gute Erdreich*** *gesät worden ...* ***und brachte Frucht*** *in Form seines inständigen, allseits zu Gott und dem Herrn Jesus Christus bezogenen Glaubens, weil es* ***... aufwuchs und*** *im Herzen des Timotheus stets* ***... zunahm*** (Markus, Kapitel 4, Vers 8a). Diese dem Leiter der Gemeinde der Epheser von dem Apostel Paulus vorgelebte und zugleich vollbrachte Evangeliums-Lehre im wahrhaftigen Glauben *bewirkt und begründet zugleich das gewichtige, vor und über allem stehende Wort Gottes,* durch welches sich ***... das Muster der gesunden Worte*** (2.Timotheus, Kapitel 1, Vers 13a) begründet; eben *w e i l* der himmlische Vater Seinem Kind im Glauben – dem Timotheus – ***... ein fleischernes Herz*** (Hesekiel, Kapitel 36, Vers 26b) *geoffenbart hat, welches fortan immer-*

dar dafür Sorge trägt, dass die unantastbaren Worte des allmächtigen Gottes ***... nicht leer*** *zum himmlischen Vater* ***.... zurückkehren, sondern das ausrichten, was*** *dem Höchsten* ***... gefällt*** (Jesaja, Kapitel 55, Vers 11b).

Es ist wiederum jenes von Paulus an den Timotheus geforderte, sich im Glauben auswirkende, *stets Gott wohlgefällige Verhalten, welches die Gemeinde der Epheser unter der Leitung des Timotheus zu Gott und dem Herrn Jesus Christus bewegt, weil die Früchte des Heils im Herzen des Gemeindeleiters die immerdar zu benötigte Glaubenskonsistenz aufweisen, i n Christus Jesus dieses bedeutungsvolle Amt zu bestehen, w e i l der wunderbare, fürsorgliche himmlische Vater Seinen vom Geist betuchten Segen in das Herz des Timotheus ausgegossen hat – und somit das von dem Apostel Paulus im Geist der Wahrheit begonnene Werk fortan durch seinen Nachfolger Timotheus fortsetzt – damit die zum Ewigen Leben führende Evangeliums-Botschaft Jesu Christi die Gemeinde der Epheser zu erfolgreichen Anwärtern für das Reich der Himmel formt.* Dass Paulus *sich gewiss ist, dass Timotheus dieses überaus bedeutende Amt nach den unwiderruflichen Richtlinien des Höchsten in dem Herrn Jesus Christus ausüben wird,* bezeugt uns der nun folgende 14.Vers, *denn dort bekennt der Apostel dem Gemeindeleiter unmissverständlich ...*

Vers 14: ***... dieses edle anvertraute Gut bewahre durch den Heiligen Geist, der in uns wohnt!*** Ja – *w e i l* Paulus an die unverblümte, zum Heil der Herrlichkeit Gottes leitende Wahrheit von ganzem Herzen in der an ihm vollbrachten Segnung des Heiligen Geistes glaubt, die *i n u n d d u r c h d e n H e r r n J e s u s C h r i s t u s* *von dem Allmächtigen er-* als auch *be*gründet wurde, ruft er den Leiter der Gemeinde der Epheser nochmals dazu auf, *in exakt diesem einzig wahren Glauben zu (ver)bleiben.* Wahrhaft – ***... und in keinem anderen ist das Heil; denn uns Menschen ist kein anderer Name unter dem Himmel gegeben, durch den wir gerettet werden sollen*** (die Apostelgeschichte des Lukas, Kapitel 4, Vers 12 / Zürcher Bibel) – *als allein durch unseren Herrn und Erlöser Jesus Christus.*

Dieses *allen Glaubenden* von Gott ***... anvertraute Gut*** ist in der Tat ***... edel,*** (2.Timotheus, Kapitel 1, Vers 14a) *weil die vor und über allem stehende, beispiellose Herrlichkeit Gottes in dem Herrn Jesus Christus stets die solidarischen, hingebungsvollen als auch immerdar fürsorglichen aller Ihrer vom Geist der Wahrheit geprägten, rundweg perfekten Charaktere der Wahrhaftigkeit miteinander vereint.* Diese unmissverständliche, vom Heiligen Geist beseelte, rundum zuversichtliche Gewissheitsstruktur im wahrhaftigen Glauben sagt fernerhin aus – so Paulus – dass *genau dieser* zum Heil in das Reich Gottes führende *Glaube* es ersichtlich werden lässt, dass ***... das Zeugnis*** des Paulus und das des Timotheus *allen Gläubigen den notwendigen Glaubensanstoß in der Kraftausgießung des Heiligen Geistes Gottes gegeben hat, dass der Herr und Erlöser – der Herr Jesus Christus – nunmehr von diesen Glaubenden* ***... verherrlicht*** *als auch ...* ***bewundert*** *wird –* ***... an jenem Tag, wenn Er*** (der Herr Jesus Christus!) ***... kommen wird, um verherrlicht zu werden*** (2.Thessalonicher, Kapitel 1, Vers 10).

Wahrhaft – Timotheus wird von Paulus dazu aufgerufen, dass das in des Gemeindeleiters Herzen von Gott in Jesus Christus verwirklichte Glaubensgut dieses Wirken des himmlischen Vaters *als einen* ***... Schatz*** *betrachtet, der in* ***... irdenen Gefäßen*** *aufbewahrt wurde, welcher es d u r c h den Heiligen Geist bekennt, dass diese gnadenreiche Barmherzigkeit a l l e i n* ***... von Gott ist*** (2.Korinther, Kapitel 4, Vers 7). Ein von Gott in Christus Jesus entstandenes Bündnis hat sich im Herzen der Beschenkten erkenntlich gezeigt – nämlich – *dass das vom Höchsten erwirkte Geben wiederum anhand des vom Heiligen Geist ergriffenen Menschen mittels seines eigenen Glaubens bewahrt wird, um somit aufgrund dieser in dem Herzen des Beschenkten aufkommenden Nächstenliebe andere Mitmenschen von diesem Herrlichkeitsgeschehen der Evangeliums-Botschaft zu predigen, dass auch diese noch Unwissenden letztlich den Willen des Höchsten erfüllen können,* ***... denn Gott will, dass alle Menschen gerettet werden und zur Erkenntnis der Wahrheit kommen*** (1.Timotheus, Kapitel 2, Vers 4 / siehe Auslegung!). Denn exakt *d a s* ist die von Paulus an den Timotheus gerichtete Botschaft – nämlich – *das wahrhaftige A n n e h m e n der Gnade Gottes durch den unverzagten Glauben an den Herrn und Erlöser Jesus Christus –* ***... weil nämlich Gott in Christus war und die Welt mit sich selbst versöhnte, indem er ihnen ihre Sünden nicht anrechnete und das Wort der Versöhnung in uns legte*** (2.Korinther, Kapitel 5, Vers 19). *Mit diesen a l l e i n von Gott an ihm vollbrachten Gnadengaben im Heiligen Geist w i r d Timotheus allen Anforderungen Gottes gerecht werden,* so Paulus.

Vers 15: Anhand dieses 15.Verses kann man nun ersehen, *warum* Paulus dem Timotheus diese seine an den Gemeindeleiter gerichteten, nochmaligen Ermahnungen zukommen ließ. Denn mittels dieses

15.Verses bekennt der Apostel dem Leiter der Gemeinde in Ephesus folgende Botschaft: ***… du weißt ja, dass sich von mir alle abgewandt haben, die in (der Provinz) Asia*** (d.h. der römischen Provinz im Westen der heutigen Türkei = Quelle: Schlachter-Bibel 2000!) ***… sind, unter ihnen auch Phygellus und Hermogenes.*** Anhand der Fortsetzung dieses 2.Timotheusbriefes in Kapitel 4 aber benennt Paulus dem Timotheus noch weitere Namen von Personen, welche sich von dem Apostel als auch von der Evangeliums-Botschaft *absetzten* (siehe insbesondere 2.Timotheus, Kapitel 4, Vers 10 + bezugnehmend Vers 16 / Auslegung folgt!).

Paulus aber lässt den Timotheus diese seine Worte wissen, *damit der Gemeindeleiter stets an den Worten Gottes von ganzem Herzen mittels seines unverzagten Glaubens festhält, um das die Frohe Botschaft immerdar im Herzen des Timotheus bewahrt wird.* Die von dem Apostel benannten beiden Männer mit den Namen ***… Phygellus und Hermogenes*** (2.Timotheus, Kapitel 1, Vers 15b) *haben sich nicht nur dem Paulus entzogen, sondern vor allem dem Wort Gottes haben diese beiden Männer den Rücken gekehrt.* Darum liegt die Vermutung nahe, *dass sie,* weil Paulus diese seine Worte aus seiner zweiten römischen Gefangenschaft verfasste, *aus Angst um ihre eigene Verfolgung willen den Apostel als auch die zum Heil führende Evangeliums-Verkündigung verließen.*

Das von unserem Herrn Jesus Christus ausgesprochene Gleichnis vom Sämann (siehe Matthäus, Kapitel 13, Verse 10 – 17) – insbesondere die darauffolgende *Deutung dieses Gleichnisses vom Heiland weist uns unmissverständlich auf die Gefahren hin, w a s geschieht, wenn man die zum Heil der Herrlichkeit führenden Worte Gottes aufgrund verschiedenartiger Bedrängnisse oder Verfolgungen verlässt* – nämlich – *weil diese Herrlichkeitsoffenbarungen des Höchsten in Christus – nach Meinung der unentschlossenen Menschen – von ihnen lieber verlassen werden, damit sie ihr Dasein – die jedoch ihre eigene Gefangenschaft in dieser vergänglichen Weltzeit im Hier und Jetzt als auch in der noch vor ihnen liegenden, zukünftigen Weltzeit bekundet – ihr Dasein ohne eventuell auftretende Verfolgungen um des Evangeliums willen* „in Freiheit genießen können“, *die sich jedoch unmissverständlich als eine von Gott und dem Herrn Jesus Christus abgekapselte, völlig lichtleere Gefangenschaft in den listigen Fängen des Satans herauskristallisiert.* So lässt uns der Herr Jesus Christus folgende unverblümte Wahrheit in bleibende Erfahrung bringen: ***... sooft jemand das Wort vom Reich hört und nicht versteht, kommt der Böse und raubt das, was in sein Herz gesät ist. Das ist der, bei dem es an den Weg gestreut war. Auf den felsigen Boden gestreut aber ist es bei dem, der das Wort hört und sogleich mit Freuden aufnimmt; er hat aber keine Wurzel in sich, sondern ist wetterwendisch*** (oder unbeständig / nur für eine gewisse Zeit = Quelle: Schlachter-Bibel 2000!). ***Wenn nun Bedrängnis oder Verfolgung entsteht um des Wortes willen, so nimmt er zugleich Anstoß. Unter die Dornen gesät aber ist es bei dem, der das Wort hört, aber die Sorge dieser Weltzeit und der Betrug des Reichtums ersticken das Wort, und es wird unfruchtbar*** (Matthäus, Kapitel 13, Verse 19 – 22).

Der Apostel Paulus jedoch *will – und ist sich dessen gewiss* (siehe hierzu erneut die Auslegung zu 2.Timotheus, Kapitel 1, Vers 5!) – *dass der unentwegt unverzagte Glaube des Gemeindeleiters sich wie folgt präsentierend in dem vom Höchsten dem Timotheus geoffenbar-*

ten Heiligen Geist darlegt: ***... auf das gute Erdreich gesät ist es bei dem,*** (in Bezug auf das Wort Gottes!) ***... der das Wort hört und versteht; der bringt dann auch Frucht, und der eine trägt hundertfältig, ein anderer sechzigfältig, ein dritter dreißigfältig*** (Matthäus, Kapitel 13, Vers 23). Timotheus soll *k e i n e s f a l l s von seinem tiefgründigen Glauben abweichen*, wie es die beiden vom Geist der Wahrheit Gottes abtrünnigen Männer ***... in der Provinz Asia Phygellus und Hermogenes*** (2.Timotheus, Kapitel 1, Vers 15b) vollbrachten.

In der Tat – *diese beiden Männer haben sich von dem Apostel und von der zum Heil führenden Freiheit* – ja – *der zum Ewigen Leben führenden Evangeliums-Botschaft Gottes im Herrn und Erlöser Jesus Christus abgewandt,* welche Paulus jedoch Kraft seiner apostolischen Amtsvollmacht von diesen beiden Männern *verlangen musste, da sie bislang mit ihm verbunden und zugleich* – davon ist nach Meinung des Autors auszugehen – *bei der Leitung der Gemeinde mit dem Apostel integriert waren.* Ihnen wollte der Apostel Paulus den Weg zur Freiheit Gottes *in und durch die von ihm gepredigte Evangeliums-Botschaft Jesu Christi ebnen – jedoch nahmen* **... Phygellus und Hermogenes** *diese Heilsbotschaft des allmächtigen Gottes nicht an – und v e r w e h r t e n dem Paulus aufgrund seiner Gefangenschaft und vor allem d e r F r o h e n B o t s c h a f t i h r e T r e u e,* welche in dem vom Glauben erfüllten, rundum vom Geist Gottes versiegelten Herzen des Apostels Paulus *mehr als nur berechtigte als auch verständliche Kummer und Sorgen hinterließen.*

Vers 16: Jedoch kann Paulus dem Timotheus noch eine weitere, rundweg freudvolle Botschaft hinterlassen, die er wie folgt gegenüber dem Leiter der Gemeinde in Ephesus betont: ***... der Herr erweise dem Haus des Onesiphorus Barmherzigkeit, weil er mich oft erquickt und sich meiner Ketten nicht geschämt hat.***

Ja – ***... dem Haus des Onesiphorus*** spricht der Apostel *seine Dankbarkeit ihm gegenüber und den Mitbewohnern – als auch vor allem seiner stetigen Treue in Bezug auf das zur Herrlichkeit Gottes leitende Evangelium Jesu Christi aus.* ***Onesiphorus*** hat sich *weder der Ketten des Paulus – noch der von Paulus gepredigten Frohen Botschaft im Namen des Herrn Jesus geschämt – und hat seinen Glauben mittels seiner eigenen, unverzagten Glaubensgewissheit im Geist der Wahrheit unverblümt preisgegeben, indem* ***Onesiphorus*** *den in Ketten liegenden Paulus anhand seiner stetigen an den Apostel gerichteten Worte animierte.* Diese aus dem Herzen des ***Onesiphorus*** kommenden Wesenszüge sind Gott wohlgefällig, so Paulus – ***... darum*** *soll sich auch Timotheus* ***... solchen*** (Personen!) ***... anerkennen*** (1.Korinther, Kapitel 16, Vers 18b) – und aus diesem Grund erbittet Paulus weiterhin den Herrn Jesus Christus, *dass der Heiland gegenüber der Person des* ***Onesiphorus*** *Seine* ***... Barmherzigkeit*** *erweist, welche aufgrund des Erlösers Nächstenliebe wiederum das Herz des* ***Onesiphorus*** *in den Heilbereich Seiner selbst lenkte.*

Vers 17: Wie sehr ***Onesiphorus*** dem Apostel Paulus und der Evangeliums-Botschaft Jesu Christi *rundum treu ergeben war,* zeigt der nun folgende 17.Vers auf – denn dort lässt Paulus den Timotheus fortan wissen: ***... sondern als er in Rom war, suchte er mich umso***

eifriger und fand mich auch. Wahrhaft – als Paulus in Rom in Ketten lag, hat ihn der ***Onesiphorus*** *mit ambitionierter Willigkeit aufgesucht, um dem Apostel mit seinen den Paulus instruktiv geprägten Hilfsmaßnahmen in Form der seelsorgerischer Nächstenliebe zu unterstützen.* Denn als Paulus in Gefangenschaft war, hat ihn ***Onesiphorus*** *aufgrund seiner dem Paulus gebührenden Treue aufgesucht* – ja – *er hat des Herrn Jesus Christus Worten sein Gehör und seinen Glauben geschenkt* – *und ist somit in den Fußstapfen des Heilands gewandelt* – indem ***Onesiphorus*** Folgendes verwirklichte: ***... ihr habt mich besucht; ich bin gefangen gewesen, und ihr seid zu mir gekommen*** (Matthäus, Kapitel 25, Vers 36b). Somit wird es genauestens ersichtlich, dass die Worte des Halbbruders unseres Herrn Jesus Christus zutreffen, wenn Jakobus unmissverständlich behauptet: ***... so ist es auch mit dem Glauben: Wenn er keine Werke hat, so ist er an und für sich tot*** (Jakobus, Kapitel 2, Vers 17).

Ja – ***Onesiphorus*** hat den Apostel mit *vertrauenswürdiger, williger Konstanz aufgesucht, weil er genau wusste, dass einzig und allein der allmächtige Gott und der Heiland Jesus Christus* ihn aufgrund Ihres treuen Dieners Paulus *im Heiligen Geist dazu animiert haben, dass auch er anhand seiner inständigen als auch zuversichtlichen Glaubensgewissheit ein Kind Gottes geworden ist* – in jener Zeitperiode, *als der Apostel Paulus die Evangeliums-Botschaft Jesu Christi in der Gemeinde in Ephesus predigte.* Dies war – nach Meinung des Autors – auch der *ausschlaggebende Grund, w a r u m* ***Onesiphorus*** *den in Ketten liegenden Paulus mit einem vom Geist Gottes gesegneten, herzergreifenden Eifer aufsuchte – und folglich v o r a l l e m dem allmächtigen Gott in dem Herrn Jesus Christus die unentwegt benötigte E h r e mittels seines eigenen Glaubens erwies.*

Es ist jene den allmächtigen Gott und dem Herrn Jesus Christus gebührende Dankbarkeit, die sich anhand von folgendem Beispiel erkenntlich zeigt – als der Herr Jesus Christus nach Jerusalem reiste und Ihm dort *in einem Dorf z e h n Aussätzige von ferne begegneten – stehen blieben – und den Heiland inständig baten:* ***… Jesus, Meister, erbarme dich über uns! Und als er sie sah, sprach er zu ihnen: Geht hin und zeigt euch den Priestern! Und es geschah, während sie hingingen, wurden sie rein. E i n e r aber von ihnen kehre wieder um, als er sah, dass er geheilt worden war, und pries Gott mit lauter Stimme, warf sich auf sein Angesicht zu (Jesu) Füßen und dankte ihm; und das war ein Samariter. Da antwortete Jesus und sprach: Sind nicht z e h n rein geworden? Wo sind aber die n e u n? Hat sich sonst k e i n e r gefunden, der umgekehrt wäre, um Gott die Ehre zu geben, als nur d i e s e r Fremdling? Und er sprach zu ihm: Steh auf und geh hin; d e i n Glaube hat d i c h g e r e t t e t!*** (Lukas, Kapitel 17, Verse 13b – 19).

In der Tat – den ***Onesiphorus*** hat *der Geist der Wahrheit Gottes dazu veranlasst, dem Paulus mit unterstützendem Beistand einen guten, Gott wohlgefälligen und zugleich seelsorgerischen Dienst der Nächstenliebe zu erweisen – als auch und vor allem dem allmächtigen Gott die Ehre im Herrn Jesus Christus zu offenbaren – damit auch er aufgrund seines vom Geist Gottes erfüllten Herzens zum Höchsten voller Dankbarkeit mittels seines demutsvollen Glaubens sprechen kann:* ***… bei Gott ist mein Heil und meine Ehre, der Fels meiner Stärke, meine Zuversicht ist bei Gott*** (Psalm 62 – ein Psalm Davids, Vers 8 / Lutherbibel 2017). Ja – *w e i l* ***Onesiphorus*** die vom Heiligen Geist betuchten Worte des Apostels Paulus *in seinem Herzen rundweg verwirklicht hat,* die nunmehr lauten: ***… und was***

immer ihr tut in Wort oder Werk, das tut alles im Namen des Herrn Jesus und dankt Gott, dem Vater, durch ihn (Kolosser, Kapitel 3, Vers 17).

Vers 18: Daraufhin bekennt Paulus dem Timotheus weiterhin: ***... der Herr gebe ihm,*** (dem ***Onesiphorus***!) ***... dass er Barmherzigkeit erlange vom Herrn an jenem Tag!*** (am Tag der Parusie / Wiederkunft Jesu Christi – am Tag des Jüngsten Gerichts!) ***... und wie viel er mir in Ephesus gedient hat, weißt du am besten.*** Wahrhaft – der Apostel dankt mit *von Christus einwirkendem, zu Gott dem* ***Onesiphorus*** *gebührenden Eifer, dass der himmlische Vater diesen treuen Diener i n u n d a l l e i n d u r c h den Herrn Jesus Christus mit* ***... Barmherzigkeit*** *in Form von ihm gebührender als auch hilfsbereiter, wohltätiger Nächstenliebe am Tag der Wiederkunft Jesu Christi segnet, sodass auch dieser treugesinnte Diener des himmlischen Vaters, des Herrn Jesus Christus als auch des Apostels Paulus das Reich der Herrlichkeit Gottes erbklicken kann.* Denn ***Onesiphorus*** hat *v o r a l l e m mit stets Gott wohlgefälligen Wesenszügen der Nächstenliebe sich aufgrund seiner eigenen Barmherzigkeit unentwegt mittels seines tiefgründigen Glaubens zum Herrn Jesus Christus bekannt – und ist zugleich den Fußstapfen des Heilands in der Kraftwirkung des Heiligen Geistes nachgefolgt, indem er seinen ihm geoffenbarten, unverzagten Glauben mit ehrerbietender Würdigung dem himmlischen Vater unter Beweis stellte.*

Ja – eben *w e i l* der Herr Jesus Christus allen an Gott und Ihn Glaubenden bekennt: ***... glückselig sind die Barmherzigen, denn sie werden Barmherzigkeit erlangen!*** (Matthäus, Kapitel 5, Vers 7) – so kann auch der Apostel Paulus für die *an **Onesiphorus** zuteilwerdende* ***... Barmherzigkeit*** *bitten, die ihm der Heiland in der Gnade Gottes zukommen lassen kann – als auch wird –* dessen ist sich der Apostel *absolut gewiss –* ***... denn des HERRN Wort ist wahrhaftig, und was er zusagt, das hält er gewiss*** (Psalm 33 – ein Loblied auf Gottes Macht und Hilfe, Vers 4 / Lutherbibel 2017) – denn *E r* ist es ***... der dein Leben vom Verderben erlöst, der dich krönet mit Gnade und Barmherzigkeit*** (Psalm 103 – das Hohelied der Barmherzigkeit Gottes – von David, Vers 4 / Lutherbibel 2017). So kann nun auch Paulus allzu genau folgende Worte mittels seines eigenen Glaubens unentwegt behaupten – weil sie abermals auf die vom Höchsten in Christus geprägten, immerdar charakterlichen, vom Geist der Wahrheit beseelten Wesenszüge des ***Onesiphorus*** zutreffen – die da lauten: ***... denn Gott ist nicht ungerecht, dass er euer Werk und die Bemühung in der Liebe vergäße, die ihr für seinen Namen bewiesen habt, indem ihr den Heiligen*** (*hier auf den Apostel Paulus – *[1]als auch auf Gott und den Herrn Jesus Christus selbst bezogen!) ***... *dientet und *[1]noch dient*** (Hebräer, Kapitel 6, Vers 10).

In der Tat – *es sind jene vom Geist umrahmten, makellosen Gewissheitsstrukturen des uns liebenden Gottes in Christus Jesus* – so Paulus – *welche Glaubende wie den **Onesiphorus** zu Kindern Ihrer selbst formen und prägen* – ja – *d i e s e a l l e i n v o n G o t t i n C h r i s t u s J e s u s erwirkte Struktur im Glauben lässt den **Onesiphorus** zum* ***... Erben Gottes und Miterben des Christus werden, damit wir auch mit ihm*** (dem Herrn Jesus Christus!) ***... verherrlicht werden*** – bekennt der Apostel Paulus anhand seines Briefes an die Römer in Kapitel 8 in Vers 17b.

Dass Timotheus die von ***Onesiphorus*** an dem Apostel Paulus vollbrachten Hilfsmaßnahmen der seelsorgerischen Nächstenliebe *genauestens kannte, liegt auf der Hand, denn Timotheus diente in dieser Zeit bereits mit dem Apostel Paulus zusammen an dem Evangelium des Herrn Jesus Christus* in Ephesus – und konnte demzufolge die vom Heiligen Geist ersichtlich werdenden Wesenszüge des ***Onesiphorus*** wahrnehmen – *v i e l l e i c h t* konnte auch Timotheus *selbst* die zukommende Hilfsbereitschaft dieses Gottesdieners *in seinem eigenen Herzen verspüren, als* ***Onesiphorus*** *dem Timotheus seine persönlichen Hilfsmaßnahmen der Nächstenliebe zukommen ließ...*

Gleichzeitig aber weist uns der letzte Satz dieses 1.Kapitels des 2.Timotheusbriefes darauf hin, dass Paulus *dem Timotheus* mittels des Beispiels der Person des ***Onesiphorus*** *gedanklich* darauf aufmerksam macht, dass auch *er* – der Gemeindeleiter der Epheser – *den Apostel mit stetigem, Gott in Christus gebührendem Dank in des Apostels` noch übrig bleibender, irdischer Lebenszeit in seinem Herzen begleitet – sodass auch Timotheus konstant an seinem vom Geist Gottes geoffenbarten Glauben in a l l e n noch auf ihn zukommenden Lebenssituationen f e s t h ä l t,* der ihm *durch Jesus Christus den zum Heil der Herrlichkeit führenden Lichtglanz – am Tag der Wiederkunft des Heilands – gänzlich zukommen lässt* – und somit auch *für Timotheus* ***... die Krone der Gerechtigkeit*** *von Christus* ***... bereit*** (2.Timotheus, Kapitel 4, Vers 8a) *gehalten wird, weil er mit immerdar konstanten, stets Gott wohlgefälligen Wesenszügen im Glauben gegenüber allen Gemeindemitgliedern der Epheser an der unantastbaren Wahrheit festgehalten hat, die i n Christus Jesus aufgrund der allen Gläubigen gebührenden Liebe des himmlischen Vaters zur wahrhaftigen, rundum wirksamen Vollendung gelangte.*

Dies ist der vollends effektive, von dem Apostel Paulus an Timotheus gerichtete und zugleich gebührende Herzenswunsch, dass dem Leiter der Gemeinde in Ephesus diese von dem Gesandten Gottes erwünschte Anerkennung – *welche einzig und allein aufgrund der barmherzigen Gnadengabe des ewigen Gottes im Herrn Jesus Christus verwirklicht werden kann – im Reich der himmlischen Herrlichkeit – in dem neuen himmlischen Jerusalem – w i d e r f ä h r t.*

Kapitel 2

Verse 1 – 13

Ermunterung zum Kampf und Erdulden
von Widrigkeiten im Dienst

[1]Du nun, mein Kind, sei stark in der Gnade, die in Christus Jesus ist. [2]Und was du von mir gehört hast vor vielen Zeugen, das vertraue treuen Menschen an, die fähig sein werden, auch andere zu lehren. [3]Du nun erdulde die Widrigkeiten als ein guter Streiter Jesu Christi! [4]Wer Kriegsdienst tut, verstrickt sich nicht in Geschäfte des Lebensunterhalts, damit er dem gefällt, der ihn in Dienst gestellt hat. [5]Und wenn sich auch jemand an Wettkämpfen beteiligt, so empfängt er doch nicht den Siegeskranz, wenn er nicht nach den Regeln kämpft. [6]Der Ackersmann, der sich mit der Arbeit müht, hat den ersten Anspruch auf die Früchte. [7]Bedenke die Dinge, die ich sage; und der Herr gebe dir in allem Verständnis! [8]Halte im Gedächtnis Jesus Christus, aus dem Samen Davids, der aus den Toten auferstanden ist nach meinem Evangelium, [9]in dessen Dienst ich Leiden erdulde, sogar Ketten wie ein Übeltäter – aber das Wort Gottes ist nicht gekettet! [10]Darum ertrage ich alles standhaft um der Auserwählten willen, damit auch sie die Errettung erlangen, die in Christus Jesus ist, mit ewiger Herrlichkeit. [11]Glaubwürdig ist das Wort: Wenn wir mitgestorben sind, so werden wir auch mitleben; [12]wenn wir standhaft ausharren, so werden wir mitherrschen; wenn wir verleugnen, so wird er uns auch verleugnen; [13]wenn wir untreu sind, so bleibt er doch treu; er kann sich selbst nicht verleugnen.

Auslegung:

Vers 1: Paulus verweist den Timotheus nunmehr *nicht nur gedanklich, sondern mittels des Apostels zu dem Gemeindeleiter bezogenen Worte darauf hin,* dass der Leiter der Gemeinde in Ephesus *unentwegt die noch auf ihn zukommenden, ihn beschwerenden Unstimmigkeiten innerhalb der Gemeinde aufgrund der noch auftretenden Irrlehrer anhand der in seinem Herzen ruhenden Gnade Jesu Christi zur Ehre Gottes vollends meistern soll.* Dass diese von Paulus an ***... sein Kind*** im wahrhaftigen Glauben gerichtete Aufgabe *a u s s c h l i e ß l i c h n u r mit inständiger Standhaftigkeit in einem vom Heiligen Geist versiegelten Glauben überwunden werden kann, die dem Timotheus durch die Gnade Gottes in dem Herrn Jesus Christus geoffenbart wurde,* darüber ist sich auch Timotheus genauestens bewusst – und dies weiß Paulus allzu genau. Es sind jene bereits dem Timotheus von Paulus dargereichten, von seelsorgerischer Nächstenliebe umwobenen Worte, *die aufgrund der Barmherzigkeit Gottes in Christus Jesus sich im Herzen des Timotheus ersichtlich gezeigt haben,* welche der Apostel dem Timotheus bereits in 1.Timotheus, Kapitel 1 in den Versen 2 + 18 (siehe Auslegung!) in das von Glauben erfüllte Herz des Gemeindeleiters hinterlegte.

Da – wie bereits bekannt – Paulus der Ziehvater des Timotheus war, so hatte auch der Apostel die Evangeliums-Botschaft Jesu Christi vollends in das Herz des Gemeindeleiters ***... eingepflanzt, Gott aber hat*** im Herzen des Timotheus ***... das Gedeihen gegeben*** (1.Korinther, Kapitel 3, Vers 6). Wahrhaft – ***... der Herr*** und Heiland Jesus Christus ***... hat des*** Timotheus ... ***Herz zu der Liebe Gottes***

gelenkt und zum standhaften Ausharren des Christus bewegt (2.Thessalonicher, Kapitel 3, Vers 5). Ja – es ist wiederum jene *davon profitierende als auch ausgehende* ***... Gnade, die in Christus Jesus ist,*** (2.Timotheus, Kapitel 2, Vers 1) *welche* ***... diesen Schatz in irdenen Gefäßen aufweist, damit die überragende Kraft von Gott sei und nicht von uns,*** so der Apostel Paulus weiterhin in seinem 2.Korintherbrief in Kapitel 4, Vers 7. Diese zuversichtliche Gewissheitsstruktur in dem vom Heiligen Geist versiegelten Glauben *lässt den Timotheus unentwegt erkennen, dass* ***... Gott dem Licht gebot, aus der Finsternis hervorzuleuchten,*** *sodass auch Timotheus* ***... von der Erkenntnis der Herrlichkeit Gottes im Angesicht Jesu Christi erleuchtet wurde*** (2.Korinther, Kapitel 4, Vers 6).

Des Apostels Paulus von ganzem Herzen kommender Wunsch ist es, *dem Timotheus auch in seiner Gefangenschaft mittels seiner voller Nächstenliebe umgebenen Worte beizustehen, sodass das Evangelium durch den Gemeindeleiter Timotheus in die von Gott stets beabsichtigten Bahnen des Heils gelenkt werden,* ja – sodass Paulus sich aufgrund seines ihm von Gott durch Christus gegebenen apostolischen Vollmacht-Auftrages *sicher sein kann, dass sein Kind im Glauben als ein Vorbild innerhalb der Gemeinde in Ephesus in stetigen Betracht gezogen werden kann – und folglich das Anfangsstadium der Kirche auf einen immerdar nähr- und ertragreichen, soliden Boden fällt, damit die Liebe des himmlischen Vaters in Christus Jesus für a l l e darauffolgenden Generationen dem Willen Gottes gemäß im Glauben bewahrt und ausgelebt wird.* Daher lässt der Apostel dem Leiter der Gemeinde noch folgende zusätzliche, rundum dem Timotheus bekräftigende und zugleich beistehenden Worte zukommen, die da lauten:

… wache, steh fest im Glauben, sei mannhaft, sei stark! (1.Korinther, Kapitel 16, Vers 13).

Daraufhin werden in der Tat die Kinder des Heils aus ihren von Glauben erfüllten Herzen zum himmlischen Vater voller Dankbarkeit im rundweg geisterfüllten Gebet sprechen können: ***… ich glaube aber doch, dass ich sehen werde die Güte des HERRN im Lande der Lebendigen. Harre des HERRN! Sei getrost und unverzagt und harre des HERRN!*** (Psalm 27 – Gemeinschaft mit Gott – ein Psalm Davids, Verse 13 + 14 / Lutherbibel 2017).

Wahrhaft – es ist jener von Paulus dem Timotheus in Auftrag gegebene Aufruf, der aufsagt, *dass Timotheus sich einzig und allein mittels seiner unentwegt vom Heiligen Geist versiegelter Glaubensstärke dem Evangelium Jesu Christi widmen soll.* Dies ist zugleich auch die in des Gemeindeleiters Herzen ausströmende Kraftquelle, die ihm wiederum belegt, *dass er als des Paulus Kind im Glauben angesprochen als auch von allen anderen Gemeindemitgliedern betrachtet werden kann – als auch soll.* Ja – diese *von Gott in Christus getragene, in seinem Herzen ausgegossene Gewissheit weist dem Timotheus immerdar darauf hin,* dass diese ihm von Paulus übertragene, *überaus bedeutende A m t s v o l l m a c h t e i n d e u t i g a u s s a g t, dass er den eifrigen Mut bewahrt, stets sein Dasein auf das Evangelium Jesu Christi auszurichten,* damit der nun folgende Missionsbefehl des Herrn und Heilands Jesus Christus: ***… so geht nun hin und macht zu Jüngern alle Völker, und tauft sie auf den Namen des Vaters und des Sohnes und des Heiligen Geistes und lehrt sie alles halten, was ich euch befohlen habe*** (Matthäus, Kapitel 28, Verse 19

+ 20a) – *für alle anderen nach ihm folgenden Generationen dem Willen Gottes in Christus gemäß stets bewahrt bleibt.*

Vers 2: Daraufhin lässt Paulus den Timotheus weiterhin wissen: ***... und was du von mir gehört hast vor vielen Zeugen, das vertraue treuen Menschen an die fähig sein werden, auch andere zu lehren.*** Ja – es ist diese dem Timotheus von Paulus geoffenbarte, *vor allem stehende gewichtige Weitervermittlung des Evangeliums Jesu Christi,* welches vom himmlischen Vater wie folgt in den von Gott stets beabsichtigten Umlauf hineinintegriert wurde, *damit der Wille des allmächtigen Gottes in dem Herrn Jesus Christus rundum verwirklicht wird.* Daher können wir mittels des von dem Apostel Paulus verfassten Epheserbriefes Folgendes in Kapitel 4 in den Versen 11 + 12 in Erfahrung bringen – denn dort schreibt er: ***... und Er hat etliche als Apostel gegeben, etliche als Propheten, etliche als Evangelisten, etliche als Hirten und Lehrer, zur Zurüstung der Heiligen, für das Werk des Dienstes,*** (d.h. der Dienst soll die Gläubigen voll ausrüsten und ganz zubereiten = Quelle: Schlachter-Bibel 2000!) ***... für die Erbauung des Leibes des Christus.*** Wahrhaft – eben *w e i l der Leib des Christus zur Erbauung d e r g e s a m t e n G e m e i n d e d i e n t,* sind *diese Gläubigen* wiederum ***... der Leib des Christus, und jeder ist ein Glied (daran) nach seinem Teil*** – schreibt Paulus fernerhin in seinem 1.Brief an die Korinther in Kapitel 12 in Vers 27.

So stammt die von dem Timotheus empfangene, in seinem Herzen durch den Heiligen Geist verwirklichte Evangeliums-Botschaft von seinem Ziehvater im Glauben – dem Apostel Paulus – ***... vor vielen Zeugen*** (2.Timotheus, Kapitel 1, Vers 2b) – *dessen edle Spender* *wiederum einzig und allein der allmächtige Gott und der Herr Jesus Christus in der Vergabe des Heiligen Geistes sind.* Ja – *w e i l d i e s e von Paulus gepredigte Evangeliums-Botschaft* ***... vor vielen Zeugen*** *w a h r g e n o m m e n – als auch in deren Herzen v e r w i r k l i c h t w u r d e,* so soll auch Timotheus *d i e s e vom Heiligen Geist beseelten Worte des Paulus beständig dazu nutzen,* dass diese Frohe Botschaft der vollkommenen Wahrheit Gottes im Herrn Jesus Christus *v o r a l l e m in die Herzen der* ***... treuen Menschen*** (2.Timotheus, Kapitel 1, Vers 2b) *eingepflanzt wird, weil diese treugesinnten, rundum gewissenhaften und zugleich glaubwürdigen Menschen weiterhin dafür Sorge tragen werden, dass das Evangelium Jesu Christi seinem stets vom Höchsten beabsichtigten Willen entspricht* – nämlich – *das die Frohe Botschaft des Herrn und Erlösers Jesus Christus weiterhin mittels r u n d u m v o l l s t ä n d i g e r u n d z u g l e i c h u n v e r ä n d e r t e r W o r t e e r h a l t e n b l e i b t – sodass das Evangelium stets den Richtlinien des himmlischen Vaters in Christus Jesus g e t r e u b l e i b t.* Somit lässt der Apostel Paulus weiterhin den Timotheus anhand seines Briefes an Titus folgende gewichtige Botschaft in bleibende Erfahrung bringen: ***... einer, der sich an das zuverlässige Wort hält, wie es der Lehre entspricht, damit er imstande ist, sowohl mit der gesunden Lehre zu ermahnen als auch die Widersprechenden zu überführen*** (Titus, Kapitel 1, Vers 9).

Dass diese sich *i m m e r d a r f o r t s e t z e n d e,* der vollkommenen Wahrheit Gottes in Christus geoffenbarte Frohe Botschaft in *b e s t ä n d i g e r W i r k u n g* – selbst *n a c h* des Timotheus Amtes *r u n d w e g e r h a l t e n b l e i b t – d a f ü r setzt Paulus seine ihm vom Allmächtigen in Christus geoffenbarte apostolische*

Amtsvollmacht mit Hilfe seines ihm gegebenen Heiligen Geistes v o l l e n d s ein.

Diese an Timotheus *gerichtete* als auch von dem Leiter der Gemeinde in Ephesus *rundum zu erfüllende Botschaft* sagt weiterhin aus, *dass diese konstant fortwährenden, niemals vergehenden Worte der vollkommenen Wahrheit durch den beständig wirkenden Heiland Jesus Christus aufgrund des Heiligen Geistes in den Herzen der Auserwählten Gottes wirken – in Form von der kontinuierlichen Erbauung und Erweiterung der Kirche – als auch der vom Heiligen Geist Gottes ausgehenden – sich beständig weiterentwickelnden Glaubensstrukturen in den Herzen der Beschenkten anhand ihres sich mehr und mehr entwickelnden, beständig fortsetzenden, gewissenhaften Glaubens.* Diese immerdar bleibenden Grundstrukturen des wahrhaftigen Glaubens im Geist der Wahrheit Gottes wiederum weisen unmissverständlich darauf hin, *dass die vom Geist Gottes beseelten als auch bekräftigten, immerdar zunehmenden Machtstrukturen in der über allen stehenden Wirksamkeit Jesu Christi die irdischen Boten des von Gott gewollten Heils darstellen – um mittels dieses göttlichen, barmherzigen Gnadengeschenks der fruchtbaren Lehre des Herrn und Heilands Jesus Christus Folgendes zu erfüllen* – nämlich – ***… andere** mit gründlicher, rundum solider, Gott gewollter Sorgfalt* ***… zu lehren*** (2.Timotheus, Kapitel 1, Vers 2c), so Paulus.

Vers 3: Nun wird es allzu deutlich ersichtlich, dass der für das Evangelium Jesu Christi leidende, in Ketten liegende Apostel Paulus Kraft seines ihm von Christus übertragenen apostolischen Amtes *fernerhin dafür Sorge tragen musste, dass auch die nach seinem* *irdischen Dasein nachfolgenden Generationen ebenfalls ein rundum gediegenes und zugleich grundsolides Glaubensziel in ihren Herzen aufweisen mussten, damit diese Glaubenden die unverblümte Evangeliums-Botschaft mittels einer rundweg beständigen, fruchtwirkenden und zugleich geisterwirkten Stärke im Glauben in den Fußstapfen des Heiland Jesus Christus begehen konnten.* Das diese nun an Timotheus gerichtete Ausübung *mit mannigfaltigen Erschwernissen behaftet war – und trotz dieser Umstände in aller Gott wohlgefälliger Sorgfalt bewältig werden mussten, um den Missionsbefehl des Heilands vollends zu erfüllen – dies kannte und wusste Paulus aufgrund seiner von ihm persönlich missionierten Gemeinden allzu genau.*

Daraufhin bekennt der Apostel dem Gemeindeleiter Timotheus mittels der nun folgenden, unverblümten Worte, welche nunmehr lauten: ***... du nun erdulde die Widrigkeiten als ein guter Streiter Jesu Christi!*** – und ihm weiterhin unmissverständlich auferlegt, dass Timotheus sich *als ein von dem allmächtigen Gott in Christus Jesus eingesetzter, irdischer Soldat betrachten kann, der fortan vom Heiligen Geist Gottes im Glauben dazu aufgefordert worden ist,* ***... ein guter Streiter Jesu Christi*** *zu sein!* (siehe hierzu ebenfalls Auslegung zu 1.Timotheus, Kapitel 1, Vers 18!). Wahrhaft – Timotheus ist *d a z u v o n G o t t b e f ä h i g t w o r d e n, als ein für das Evangelium Jesu Christi streitender, geistlicher Kämpfer die Frohe Botschaft in die Herzen der Gemeindemitglieder der Epheser mit allen auf ihn zukommenden Unstimmigkeiten zu hinterlegen – und gleichfalls dafür Sorge zu tragen, dass dieses vor und über allem stehende Werk Gottes in die Herzen der nachfolgenden Generationen gelangt, sodass auch die nach seinem irdischen Dasein vom Geist beseelten*

Glaubenden erfolgreiche Anwärter für das Reich der Herrlichkeit Gottes werden.

Ja – *es ist jenes von Generation zu Generation unverzichtbare, stets weiter zu vererbende, barmherzige – allseits von Gott geoffenbarte Gnadengut in der unnachahmlichen Liebe des Herrn und Retters Jesus Christus, welches von nun an ungeahnte Fähigkeiten in der von Gott und Christus ausgehenden Kraftquelle des Heiligen Geistes ausüben kann – als auch rundum verwirklichen wird. Darüber soll und muss* sich Timotheus *eindeutig bewusst werden* – so Paulus.

Denn mittels des in seinem Herzen ruhenden, unverzagten Glaubens in der den Timotheus beschützenden Kraft des Heiligen Geistes ist er – *trotz* aller auf ihn zukommenden Widrigkeiten – *immerdar dazu imstande* ***… *die ganze Waffenrüstung Gottes anzuziehen, damit*** *Timotheus – als auch die* ***… *1treuen,*** *ihm im Geist der Wahrheit durch ihre inständige Glaubensstärke nachfolgenden* ***… *1Menschen … *standhalten können gegenüber den listigen Kunstgriffen des Teufels*** (*Epheser, Kapitel 6, Vers 11 + *1 2.Timotheus, Kapitel 1, Vers 2b).

Diese *a l l e i n von Gott in Christus bewirkte Handlung* ist in der Tat *als ein vom Heiligen Geist Gottes umrahmtes, immerdar geltendes Willens- als auch Wahrheitsprinzip in Augenschein zu nehmen – denn dieses von dem himmlischen Vater geoffenbarte Gnadengeschenk weist die Kindern Seiner selbst unverblümt darauf hin, die Euphorie der zum Heil dienenden Lehre Jesu Christi und die daraufhin aufbauende Botschaft zur Herrlichkeit Gottes im irdischen Dasein rundum als das fortwirkende über allem stehende, oberste Ziel des*

Lebens im Hier und Jetzt bewältigen zu können – ganz gemäß dem seit Ewigkeit zu erfüllenden Willen Gottes in dem Herrn Jesus Christus entsprechend.

Vers 4: Mit nachfolgenden, den Timotheus zusätzlich ermutigenden Worten bekennt der Apostel Paulus nun seinem geliebten Kind im Glauben anhand eines weiteren Beispiels: ***... wer Kriegsdienst tut, verstrickt sich nicht in Geschäfte des Lebensunterhalts, damit er dem gefällt, der ihn in den Dienst gestellt hat.*** Paulus will es dem Gemeindeleiter der Epheser anhand dieses Beispiels eindeutig ersichtlich werden lassen, *dass das für und zum Evangelium bezogene Kämpfen im Auftrag des Höchsten keinerlei Rücksicht auf irdisch bezogene Handlungen in Form von Arbeiten* ***... des Lebensunterhaltes*** *nimmt, sondern d a s auszurichten hat, zu dem es berufen worden ist* – nämlich *sich an d a s zu halten, was des Allmächtigen Willen im Herrn Jesus Christus entspricht, sodass der Ausübende* ***... dem gefällt, der ihn in den*** (Evangeliums-)***Dienst gestellt hat.***

Daher spricht auch der Herr Jesus Christus mit folgenden Worten: ***... niemand, der seine Hand an den Pflug legt und zurückblickt, ist tauglich für das Reich Gottes!*** (Lukas, Kapitel 9, Vers 62b). Ja – der Evangeliums-Kämpfer im Auftrag Gottes *ist n i c h t w i l l i g, einen irdisch-gesinnten,* ***... vergänglichen Siegeskranz*** (1.Korinther, Kapitel 9, Vers 25b) *zu erhalten, sondern vielmehr ist er s t e t s d a r a u f b e d a c h t, einen vom Höchsten in Christus Jesus überreichten, durch seine beständige, Gott und Christus wohlgefällige Auftragsausübung einen i m m e r d a r* ***... unvergänglichen*** (1.Korinther, Kapitel 9, Vers 25b) *Siegeskranz zu erhalten, den er* *vom Heiland am Tag Seiner Wiederkunft in Form der* ***... Krone der Gerechtigkeit*** (2.Timotheus, Kapitel 4, Vers 8a / Auslegung folgt!) *überreicht bekommt,* so Paulus. Um genau *d i e s e s von Gott und dem Herrn Jesus Christus ausgehende Lob handelt es sich letztlich – denn wenn Timotheus immerzu nach den weisen Richtlinien des himmlischen Vaters handelt – und folglich* ***... in Christus bleibt – so bleibt*** *auch der Heiland ...* ***in ihm*** (Johannes, Kapitel 15, Vers 4).

Wahrhaft – Paulus beschreibt mit diesem seinem Beispiel *jenes unentwegt r e i n z u G o t t b e z o g e n e H a n d e l n, welches mit vom Heiligen Geist beseelter, rundum vom Höchsten ausgehender Kraftwirkung beharrlich* ***... allezeit das tut, was Gott wohlgefällt ist*** (Johannes, Kapitel 8, Vers 29b). Daher bekennt sich der Apostel Paulus zu folgender, *immerdar zu dem allmächtigen Gott und dem Herrn Jesus Christus bezogener,* ja – *jener konstant vom Heiligen Geist beseelter Aussage,* die nunmehr unmissverständlich lautet: ***... daher übe ich mich darin, allezeit ein unverletztes Gewissen zu haben gegenüber Gott und den Menschen*** (die Apostelgeschichte des Lukas, Kapitel 24, Vers 16). *E x a k t d i e s e Handlungsweisen im Auftrag Gottes umrahmen die gewichtige, immerdar einzuhaltende Botschaft des Apostels – nach welcher Timotheus s t e t s s e i n W e r k i m H e r r n ausrichten muss:* ***... darum suchen wir auch unsere Ehre darin, dass wir ihm wohlgefallen*** (2.Korinther, Kapitel 5, Vers 9a). Wiederum ist *das Dienen zur Ehre Gottes der vor allem stehende, gewichtige, stets zu erstrebende Mittelpunkt im Dasein eines vom Höchsten in Christus Berufenen.*

Vers 5: Noch weitere Tatsachen folgen. Nun gibt der Apostel dem Timotheus mittels dieses 5.Verses zu verstehen: ***… und wenn sich auch jemand an Wettkämpfen beteiligt, so empfängt er doch nicht den Siegeskranz, wenn er nicht nach den Regeln kämpft.*** Paulus will es dem Timotheus anhand dieses Beispiels erneut deutlich ersichtlich werden lassen, *dass selbst der Wettkampf n u r d a n n mit belohnender Anteilnahme geehrt wird, wenn dieser nach d e n R e g e l n v o l l b r a c h t w u r d e,* ja – *i n w i e f e r n der Kampf nach den rundum vorgegebenen Richtlinien des Höchsten ausgeübt wurde.* Aus Eigenregie erdachte, irdische Vorgehensweisen *jedoch zerstören die Regeln und folglich auch die zum Heil leitende Evangeliums-Botschaft Gottes in dem Herrn Jesus Christus.*

Aus diesem Grund *s o l l* Timotheus *sämtliche irdischen Störfaktoren aus seinem Leben beseitigen – und sich voll und ganz auf das Wort Gottes konzentrieren,* ja – *seine ganze vom Geist Gottes erwirkte Kraft Dank seines tiefgründigen Glaubens auf die über allen stehenden Regeln des himmlischen Vaters im Herrn Jesus Christus beziehen, um als ein Gott wohlgefälliger Diener das benötigte Ansehen von Christus zu erhalten. Allein mit d i e s e n zu Gott und dem Herrn Jesus Christus bezogenen Handhabungen,* nämlich *nach* ***… der Richtschnur*** (Philipper, Kapitel 3, Vers 16b) *Gottes das irdische Dasein vollends auszurichten – einzig und allein d u r c h d i e s e überaus bedeutende Verhaltensregel w i r d die zur Seligkeit leitende Ehre Gottes in Christus Jesus in ihrer ganzen Wichtigkeit emporgehoben als auch rundum g e e h r t,* so Paulus.

Genau auf *d i e s e* gewichtige Verhaltensregel muss der Gemeindeleiter Timotheus *stets bedacht sein, um als ein vom Geist des*

Höchsten gesegneter Wettkämpfer dazustehen, der sich vollends in die zum Heil führenden Sphären Gottes einweiht, weil er genauestens weiß, dass die Beschenkten des himmlischen Vaters im Herrn und Heiland Jesus Christus ***... n i c h t auf das Sichtbare sehen, sondern auf das Unsichtbare; denn was sichtbar ist, das ist zeitlich;*** (vergänglich / währt nur eine kurze Zeit = Quelle: Schlachter-Bibel 2000!) ***...was aber unsichtbar ist, das ist ewig*** (2.Korinther, Kapitel 4, Vers 18).

Vers 6: Die von dem Apostel an Timotheus gerichtete, weitere Erklärung richtet sich mittels eines weiteren Beispiels auf den ***... Ackermann.*** *D i e s e r ist es, der sich mit beständigem Ausharren a u f d a s b e s i n n t und mittels seiner* ***... Arbeit*** *d a r a u f* ***... abmüht,*** *dass er ...* ***den ersten Anspruch auf die Früchte hat.***

Wahrhaft – dieser bildliche, von dem Apostel Paulus beschriebene, rundum unverkennbare, weitere Beweis *soll sich unentwegt in den von Timotheus zu Gott gerichteten Handlungen allseits w i d e r s p i e g e l n.* Denn anhand eines *s t e t s* auf Gott und den Herrn Jesus Christus bezogenen Handelns weist der Glaubende exakt auf, *dass er in den Fußstapfen des Heilands wandelt, weil er die ihm geoffenbarte Pflichtausübung mittels seines inständigen Glaubens mit allen den auf ihn zukommenden, irdischen Widrigkeiten nach dem Willen des Höchsten in Christus besiegt und somit gemäß den niemals fehlenden Richtlinien Gottes ausgeübt und zugleich verwirklicht hat.* Somit ist auch dieser vom Heiligen Geist Beschenkte *der erste, der die von ihm selbst gesäten Früchte des Heils genießen darf – sowohl im Hier und Jetzt als auch in der noch vor ihm liegenden*

Zeitperiode – dann, *wenn die Zeit der Wiederankunft Jesu Christi von dem allmächtigen Gott beschlossen wurde.*

Abermals wird es allzu deutlich erkennbar, dass Paulus diese nun zur Erfüllung schreitenden Worte des Heils in das voller Glauben erfüllte Herz des Gemeindeleiters Timotheus *zwar eingepflanzt hat, jedoch der edle Spender* – ja – *der auf Ewigkeit zu lobpreisende, himmlische Vater hat dafür Sorge getragen, dass sich die barmherzig-gnadenreiche Fülle Seiner eigenen Herrlichkeit in Christus Jesus dem standhaft-ausharrenden Herzen des Timotheus fortan mit den zum Ewigen Leben führenden Früchten des Heils angenommen hat, die nunmehr den Leiter der Gemeinde in Ephesus mit beständiger Wirksamkeit erkennen lassen, dass auch e r als ein erfolgreicher Anwärter für das Himmelreich Dank seines inständigen, immerdar zu Gott und Christus bezogenen Glaubensdienstes aufgrund der in ihm ruhenden, geisterwirkten Stärke Gottes hineinberufen wurde.*

Von nun an hat auch das vom Geist der Herrlichkeit Gottes besänftige Herz des Timotheus mit präziser Wirkung erkannt, dass Gott in Christus wie folgt zu ihm spricht: ***… ich*** (Gott!) ***… will dich unterweisen und dir den Weg zeigen, den du gehen sollst; ich will dich mit meinen Augen leiten*** (Psalm 32 – eine Unterweisung Davids, Vers 8 / Lutherbibel 2017). Dies ist zugleich des Apostels Paulus sehnlicher, nun zur Erfüllung gegenüber dem Gemeindeleiter Timotheus schreitende Wunsch, der abermals seine seelsorgerische Nächstenliebe genauestens erkennen lässt, *w i e s e h r das Wohl der anderen dem Apostel am Herzen liegt, damit die Kirche in ihrem Anfangsstadium ein rundweg solides Fundament erhält.*

Vers 7: Noch ein weiteres Mal ruft Paulus den Timotheus in aller der dem Gemeindeleiter der Epheser gebührenden Liebe dazu auf: ***... bedenke die Dinge, dich ich sage; und der Herr gebe dir in allem Verständnis!*** Ja – der Apostel ist sich darüber bewusst, *dass sein Glaubensbruder Timotheus diese seine an ihn gerichteten Worte in seinem vom Geist Gottes in Christus erleuchteten Herzen rundum verwirklichen wird – und mittels dieser Worte die irdisch-vergänglichen Ratschläge der Irrlehrer im Keim erstickt werden.* Es ist jenes durch den inständigen Glauben des Gemeindeleiters *von dem Herrn Jesus Christus im Auftrag Gottes verwirklichte, von ganzem Nachhall ummantelte Verständnis, welches den Heiland aufgrund des Gemeindeleiters tiefgründigen Glaubens dazu veranlasste, das voller Inbrunst erfüllte Herz des Timotheus mit dem* ***... Verständnis*** *des Heiligen Geistes zu beschenken, sodass dieser Gottesmann* ***... die Schrift verstand*** (Lukas, Kapitel 23, Vers 45) – *und folglich die Botschaft der Heiligen Schrift in seinem bedeutungsvollen Amt umsetzen und zugleich gegenüber der Gemeinde der Epheser nach dem Willen des himmlischen Vaters gemäß verwirklichen konnte.*

Wahrhaft – diese barmherzige Gnadengabe des Heilands hat sich in dem Herzen des Gemeindeleiters der Epheser *verwirklicht,* damit Timotheus fortan genauestens ***... weiß, was die Hoffnung seiner Berufung*** (die Berufung Jesu Christi!) ***... und was der Reichtum der Herrlichkeit seines Erbes in den Heiligen ist*** (Epheser, Kapitel 1, Vers 18b). Es ist in der Tat diese dem Timotheus von Gott in Christus geoffenbarte, stets vom Heiligen Geist getragene und zugleich versorgende Pflichtausübung, *die dem Leiter der Gemeinde die benötigte Kraft und Stärke in seinem Glauben verleiht, um das von Paulus an ihn übertragene Amt nach den Richtlinien Gottes zu verwirklichen,* *sodass das Evangelium mittels einer grundsoliden, sprudelnden Quelle in die Herzen der Menschen ausgegossen wird* – und folglich somit *die Frohe Botschaft stets in eine gediegene als auch bleibende Substanz des Glaubens gelangt, sodass der Wille des himmlischen Vaters in Christus Jesus – auch von den Nachfolgern des Timotheus – rundum umgesetzt wird, der eindeutig aussagt, dass* ***... Gott*** *es* ***... will, dass alle Menschen gerettet werden und zur Erkenntnis der Wahrheit kommen*** (1.Timotheus, Kapitel 2, Vers 4 / siehe Auslegung!). Ja – *Paulus nimmt alle diese dem Timotheus gebührenden Anweisungen auf sich, weil er von dem Herrn Jesus Christus im Auftrag Gottes Kraft seiner apostolischen Vollmacht dazu* ***... verpflichtet*** *wurde, ...* ***das Evangelium*** *zu* ***... verkündigen,*** (1.Korinther, Kapitel 9, Vers 16a) *damit der Wille des himmlischen Vaters in Christus rundum zur Erfüllung gelangt.*

Vers 8: Aus diesem Grund soll Timotheus auch *immerdar* den Herrn ***... Jesus Christus im Gedächtnis*** *be****halten****, der* ***... aus dem Samen Davids*** *nach dem weisen Ratschluss Gottes in die Welt gesandt wurde, nämlich:* ***... der hervorgegangen ist aus dem Samen Davids nach dem Fleisch*** (Römer, Kapitel 1, Vers 3b) – ja – ***... der aus den Toten auferstanden ist nach dem Evangelium*** *des Paulus.* Wahrhaft – Paulus bezeugt *seine Evangeliums-Botschaft gegenüber dem Timotheus aufgrund der ihm zuteilgewordenen* ***... Gnade Gottes*** *im Heiligen Geist* – so der Apostel – ***... weil es Gott, der ihn vom Mutterleib an ausgesondert hat, wohlgefiel, seinen Sohn in ihm zu offenbaren, damit er ihn durch das Evangelium unter den Heiden verkündige*** (Galater, Kapitel 1, Verse 15 + 16a). Exakt mittels *d i e s e r* von Paulus an Timotheus gerichteten, zum Heil der

Herrlichkeit führenden Botschaft Gottes im Herrn Jesus Christus **…** ***steht*** *der Gemeindeleiter der Epheser auch* **…** ***fest*** *im Glauben* (1.Korinther, Kapitel 15, Vers 1b).

Wahrhaft – *in Christus Jesus ist der Glaube zur Vollendung gelangt, weil der Heiland denjenigen von Glauben erfüllten Menschen* – so auch dem Timotheus – *Seine Gewissheit in Form Seiner Forderungen und Seinen unwiderruflichen Überlegungen im Geist der Wahrheit Gottes nahe legt, damit diese unnachahmlichen, unabänderlichen als auch stets einzuhaltenden Wahrheitsprinzipien des himmlischen Vaters die über allen stehende Grundsubstanz des wahrhaftigen Glaubens bilden – um das somit der Missionsbefehl des Herrn Jesus Christus – der da lautet –* ***… geht hin in alle Welt und verkündigt das Evangelium der ganzen Schöpfung!*** (Markus, Kapitel 16, Vers 15b) – *in bleibende Erfüllung gelangt* – ganz gemäß dem noch vor dem Beginn des Zeitalters beschlossenen Willen des allmächtigen Gottes in dem Herrn Jesus Christus entsprechend.

In der Tat – es ist wiederum jener von der Auferstehung Jesu Christi genährte Glaube in der unentwegt spendenden Kraft des Geistes Gottes, der unmissverständlich darauf hinweist, *dass die von ganzem Herzen an den Heiland Glaubenden mit Christus zusammen in Ewigkeit das Ewige Leben im Reich der Herrlichkeit des himmlischen Vaters vollbringen werden.* Denn so schreibt der Apostel Paulus in seinem Brief an die Römer in Kapitel 6 in Vers 8 Folgendes: ***… wenn wir aber mit Christus gestorben sind, so glauben wir, dass wir auch mit ihm leben werden.*** Ja – *i n u n d a u s* der Auferstehung des Heilands *fängt der Glaube zu wirken an,* denn mittels *d i e s e r T a t s a c h e* erhält der fortan geistbetuchte Wille des Glaubenden *bleibende Bedeutung* – nämlich: *die Unterscheidung von Gutem und Bösen,* ja – *jene vom Heiligen Geist beseelten Erkenntnisse, die fortan das Verlassen der sündenumwobenen, irdisch-vergänglichen Begierden anordnen* – ja – *diese zu Gott und dem Herrn Jesus Christus bezogenen Tugenden der vollkommenen Freiheit sind es letztlich, welche die gänzliche Befreiung des Glaubenden ausmachen, die nunmehr wiederum den Gläubigen in die Sphären Gottes und folglich die Auserwählten des Höchsten in alle Ewigkeit zu dem Herrn Jesus Christus leiten,* so der Apostel Paulus.

Vers 9: Paulus bezieht die nun folgenden, ihn persönlich betreffenden Worte aus den bisher von dem Apostel verfassten, dem Timotheus zuteilwerdenden, nun gleichfalls auch von dem Gemeindeleiter Timotheus auszuübenden als auch zu vollbringenden Ermutigungen, (siehe bisherige Auslegung zu 2.Timotheus, Kapitel 2, Verse 1 – 8!) welche mit einem inständigen, zum Heil Gottes gerichtetem Kampfgeist und dem dazugehörenden Erdulden der Unzuträglichkeiten im Dienst des Höchsten mit mannigfaltigen Widrigkeiten bestückt sind – und betont daher aufgrund *seiner eigenen, für das Evangelium – und vor allem die für den Herrn Jesus Christus den in Ketten liegenden Paulus betreffende, persönlich zu erleidende Gefangenschaft im Kampf des Glaubens:* ***… in dessen Dienst ich Leiden erdulde, sogar Ketten wir ein Übeltäter – aber das Wort Gottes ist nicht gekettet!***

Ja – Paulus will es dem Timotheus begreiflich machen, *dass er zwar für das Evangelium Jesu Christi* – als im Grunde genommen – und zugleich der Wahrheit entsprechend – *vollkommen Schuldloser* –

in Form seiner in Ketten liegenden Gefangenschaft Leiden erdulden muss – jedoch ist trotz aller den Apostel betreffenden Festungshaft ***... das Wort Gottes nicht gekettet.***

Wahrhaft – das Wort Gottes wird durch seine den glaubenden Menschen im Heiligen Geist geoffenbarte Kraft *lebendig,* ja – *vollkommen f r e i von jeglicher gefangener Einschließung – und vollbringt daraufhin seine rundweg zum Heil der Herrlichkeit Gottes im Herrn Jesus Christus leitenden Handlungsmaßnahmen in selbstbestimmenden, von dem Allmächtigen in Christus Jesus behaftenden Zügen der bedingungslosen Unabhängigkeit, welche rundum f r e i s i n d v o n j e g l i c h e n i r d i s c h - b e h a f t e n d e n Z w a n g s m a ß n a h m e n. Daher* ist es nunmehr auch dem Apostel Paulus *möglich, trotz seiner in Ketten liegenden Gefangenschaft als ein B o t s c h a f t e r Gottes in dem Herrn Jesus Christus seine Briefe an die Gemeinden – als auch die Briefe an seine engsten Vertrauten zu senden – damit das Wort Gottes seine vom Höchsten gegebenen Richtlinien der vollkommen Wahrheit in ganzer Freiheit a u s ü b t – und zugleich in den Herzen der Beschenkten mittels der im und vom Heiligen Geist versehenen Worte des Apostels r u n d u m w i r k e n k a n n.* Ja – Paulus schreibt daraufhin in seinem Brief an die Epheser in Kapitel 6 im 20.Vers zu dieser ihm von Gott in Christus geoffenbarten Maßnahme folgende Worte: ***... für das ich ein Botschafter in Ketten bin, damit ich darin freimütig rede, wie ich reden soll.*** Wahrhaft – die den Paulus in Gefangenschaft inhaftierten Ketten *halten den Apostel n i c h t d a v o n a b, seine Evangeliums-Verkündigung mittels seiner Briefe in die Herzen der Menschen zu hinterlegen.* Denn trotz der Ketten des Paulus *s p r i c h t die Macht Gottes in Christus Jesus in aller Ungebunden-*

heit; denn des Apostels Paulus Botschaft *i s t* *das Wort Gottes.* In der Tat – es ist wiederum jener *i n g a n z e r F r e i h e i t* von Gott dem Paulus *gegebene Anhaltspunkt der Evangeliums-Verbreitung des Herrn Jesus Christus, der den unabänderlichen Willen Gottes nach des Höchsten Richtlinien ohne jeglichen Störfaktoren vollbringt* – denn nunmehr bekennt der Apostel unmissverständlich: ***... ich will aber, Brüder*** (des Apostels Paulus´ Glaubensgeschwister!) ***... dass ihr erkennt, w i e d a s, w a s mit mir geschehen ist, sich vielmehr z u r F ö r d e r u n g d e s E v a n g e l i u m s ausgewirkt hat*** (Philipper, Kapitel 1, Vers 12).

Exakt *d i e s e B o t s c h a f t* ist Paulus *g e w i l l t, auch in das von Gott in Christus Jesus erleuchtete Herz des Gemeindeleiters Timotheus in ganzer bleibender Sanftmut zu hinterlegen,* eben *w e i l* er es auch *seinem Kind im Glauben eindeutig ersichtlich machen will, dass die Evangeliums-Botschaft Jesu Christi im Auftrag Gottes v o l l e n d s f r e i von jeglichen der eigenen Person betreffenden Gefangenschafts-Umständen ist.* Ja – die vor und über allem stehenden Worte Gottes *richten a u c h d a n n das vom Höchsten Gewollte immerdar aus, was dem Willen des himmlischen Vater im Herrn Jesus Christus entspricht, w e i l der vom Geist Gottes ergriffene Mensch Dank seines inständigen Glaubens in der immerdar zuversichtlichen Gewissheit mittels der ihn stets begleitenden Kraftwirkung des Heiligen Geistes dazu aufgerufen wird:* ***... wache, stehe fest im Glauben, sei mannhaft, sei stark!*** (1.Korinther, Kapitel 16, Vers 13).

Diese vom Geist Gottes umwobene, stärkende Unterbauung des menschlichen Herzens ist es letztlich, *welche die Freiheit ausdrückt, die trotz einer den Menschen persönlich betreffenden Gefangenschaft mit der i m m e r d a r zuneigenden Liebe Gottes in Christus umgibt, prägt und zugleich versorgt, weil uns der k o n s t a n t liebende, himmlische Vater in Christus mit einer a l l e n S i t u a t i o n e n beschenkten U n g e b u n d e n h e i t umgibt, welche uns a u c h d a n n F r e i h e i t offenbart, wenn aus menschlicher Betrachtungsweise heraus a l l e U m s t ä n d e g e g e n u n s s p r e c h e n – s e l b s t d a n n, wenn diese zu ertragenen Widrigkeiten auch den irdischen Tod dieses Menschen bedeuten würden* (wie im Falle des Apostels Paulus!). So kann sich *d e n n o c h der Betreffende s t e t s darüber bewusst sein, dass sein Name* ***... im Buch des Lebens*** (die Offenbarung des Johannes, Kapitel 17, Vers 8b) *steht – sodass er mittels dieser unerschütterlichen, zuversichtlichen Gewissheit –* genau wie der Apostel Paulus im Geist der Wahrheit des ihn liebenden Gottes rundweg behaupten kann: ***... von nun an liegt für mich die Krone*** (oder der Siegeskranz = Quelle: Schlachter-Bibel 2000!) ***... der Gerechtigkeit bereit, die mir der Herr, der gerechte Richter, an jenem Tag*** (der Parusie / Wiederkunft Jesu Christi am Tag des Jüngsten Gerichts!) ***... z u e r k e n n e n w i r d, nicht aber mir allein, sondern auch a l l e n, die seine Erscheinung*** (des Herrn Jesus Christus` Erscheinung!) ***lieb gewonnen haben*** (2.Timotheus, Kapitel 4, Vers 8 / Auslegung folgt!).

In der Tat – *von Gott getragene Situationen sind n i e m a l s a u s s i c h t s l o s, sondern kristallisieren sich s t e t s i n u n d d u r c h Gottes Selbstverwirklichung in die Person des Herrn und Retters Jesus Christus aufgrund Seiner den Glaubenden zuteilgewordenen Liebe i m m e r d a r als allerrettend heraus!*

Vers 10: Wie immens wichtig es ist, *mit standhaftem Ausharren jegliche Widrigkeiten der irdischen Bedrängnisse in der immerdar anwesenden Hilfe Gottes durch den Beistand des Heiligen Geistes in beständiger zum Herrn Jesus Christus bezogener Wirksamkeit zu überstehen* – daraufhin weist uns nunmehr dieser 10.Vers mittels der von Paulus verfassten, zum Heil der unnachahmlichen Herrlichkeit Gottes in Christus fördernden Worte wie folgt: ***... darum ertrage ich alles standhaft um der Auserwählten willen, damit auch sie die Errettung erlangen, die in Christus Jeus ist, mit ewiger Herrlichkeit.*** *Es ist jene vom Heiligen Geist getragene, beständig im Herzen ruhende Begierde des Apostels, welche voll und ganz darauf bedacht ist,* dass des Paulus tiefgreifender Glaube ***... nicht seinen Nutzen sucht, sondern der vielen, damit sie gerettet werden*** (1.Korinther, Kapitel 10, Vers 33b).

Ja – wiederum sind es die von dem Apostel zu überstehenden Leiden, *welche ihn trotz aller Folgewidrigkeiten beständig dazu veranlassen, die ihm zuteilgewordenen, rundum gewichtigen Hilfsmaßnahmen des allmächtigen Gottes im Herrn Jesus Christus in der ihn beschützenden Maßnahme des Heiligen Geistes niemals außer Acht zu lassen.* Er ist unentwegt *gewillt,* das ihm von dem Herrn Jesus Christus übertragene apostolische Vollmachtsamt *zur vollkommenen Zufriedenheit des himmlischen Vaters auszuführen, sodass seine an die Gemeinde gerichtete Botschaft in Form seiner Briefe die zum Heil leitenden Worte beinhalten, damit diese dafür Sorge tragen,* ***... auf alle Weise etliche zu retten*** (1.Korinther, Kapitel 9, Vers 22b). Es ist abermals jene ***... Erkenntnis der Wahrheit, die der Gottesfurcht entspricht***, so Paulus in seinem Brief an Titus in Kapitel 1, Vers 1b.

Wahrhaft – *es ist immerdar diese unermessliche, allein von Gott in dem Herrn Jesus Christus getragene, voll und ganz von Ihnen ausgehende, rundum liebende und zugleich die dem Glaubenden gewidmete, fortan in ihm wirkende Tragkraft, welche in dem von ganzem Lichtglanz Christi erfüllten Herzen des Paulus die wirksamen Gene eines Gottesdieners in der Kraftschenkung des Heiligen Geistes Gottes rundweg ausmachen, sodass der Apostel a u f g r u n d der in seinem Innern ruhenden Liebe des allmächtigen Gottes in Christus Jesus:* ***... alles erträgt, alles glaubt, alles hofft, alles erduldet*** (1.Korinther, Kapitel 13, Vers 7).

Eben *weil* Paulus *aufgrund des Durchschauens der Wahrheit Gottes* anhand seines inständigen Glaubens *ein konstant zu Gott und dem Herrn Jesus Christus bezogenes, irdisches Dasein führt, weiß er allzu genau, dass diese von ihm zu überwältigenden Widrigkeiten allein mit dem Beistand Gottes bezwungen werden können.* Ja – eben *w e i l* diese Erkenntnis in seinem Herzen ruht – *d a r u m erträgt er die auf ihn zugekommenen Leiden mit standhaftem Ausharren, damit die Rettung mittels seiner geistbeseelten Briefinhalte umrahmten Worte die glaubenden Empfängern folglich zu Kindern des Heils formt und diese willigen Gläubigen auf Ewigkeit zum Herrn und Heiland Jesus Christus leiten, damit auch sie das Reich der Herrlichkeit Gottes in ganzer Fülle erblicken können.*

Vers 11: Daher betont Paulus mittels eindeutiger, rundweg beständig sich auswirkender Gewissheit aus seinem tiefgläubigen, vom Geist Gottes beseelten Herzen heraus: ***... glaubwürdig ist das Wort. Wenn wir mitgestorben sind, so werden wir auch mitleben.*** Wahrhaft – das Wort Gottes ist *treu, zuverlässig, rundum aufrichtig als auch immerdar völlig korrekt.* Denn der Herr und Heiland Jesus Christus lässt die Auserwählten Seiner selbst als auch die des himmlischen Vaters unverblümt wissen: ***... wer sein Leben findet, der wird es verlieren; und wer sein Leben verliert um meinetwillen, der wird es finden!*** (Matthäus, Kapitel 10, Vers 39). Daraufhin bekennt der Apostel Paulus diese seine Worte anhand seines Briefes an die Römer in Kapitel 6 in den Versen 5 + 8: ***... denn wenn wir mit ihm*** (dem Herrn Jesus Christus!) ***... einsgemacht und ihm gleich geworden sind in seinem Tod, so werden wir ihm auch in der Auferstehung gleich sein. Wenn wir aber mit Christus gestorben sind, so glauben wir, dass wir auch mit ihm leben werden.*** Daher kann Paulus mit seiner geisterwirkten Stärke im unverzagten Glauben weiterhin behaupten: ***... glaubwürdig ist das Wort und aller Annahme wert, dass Christus Jesus in die Welt gekommen ist, um Sünder zu retten*** (1.Timotheus, Kapitel 1, Vers 15a / siehe Auslegung!). In der Tat – der von Gott und dem Herrn Jesus Christus ausgehende Geist der Wahrheit *sorgt in den Herzen der Beschenkten für eine rundweg zu dem himmlischen Vater und zum Heiland bezogene Achtsamkeit der Aufmerksamkeit, sodass diese Auserwählten stets* ***... darauf bedacht sind, eifrig gute Werke zu tun. Dies ist gut und nützlich für die Menschen*** – betont der Gesandte Gottes Paulus fernerhin in seinem Brief an Titus in Kapitel 3 in Vers 8b – *und hebt somit das an a l l e g l a u b e n d e n M e n s c h e n von Gott erdachte Wohl lobpreisend empor.*

Ja – *es ist diese den glaubenden Menschen von der vollkommenen Reinheit und Wahrheit Gottes geoffenbarte Kraftwirkung des Heiligen Geistes, der mit beständig wirkenden und zugleich tröstenden*

Maßnahmen unentwegt dafür Sorge trägt, dass diese Auserwählten Böses vom Guten d i f f e r e n z i e r e n k ö n n e n. Dieser rundweg bedeutungsvolle W e g w e i s e r G o t t e s weist die Beschenkten auf die unabänderlichen Richtlinien Gottes in dem Herrn und Erlöser Jesus Christus hin, damit sie den Willen des himmlischen Vaters g e w i s s e n h a f t n a c h f o l g e n und sie folglich vom Höchsten – ganz Seinem ewigen Willen gemäß als ***... Kinder des Lichtes und Kinder des Tages*** (1.Thessalonicher, Kapitel 5, Vers 5b / Lutherbibel 2017) benannt werden können. Dieses Nachfolgen im Geist Gottes bewirkt zugleich, *dass die Glaubenden mittels ihrer von Gott zuteilgewordenen, geisterfüllten Stärke in den Fußstapfen des Herrn Jesus Christus wandeln – und somit in die Herrlichkeit Seiner selbst von dem himmlischen Vater hineinberufen werden.*

Vers 12: In der Tat, so Paulus – der Geist Gottes veranlasst *a u c h d a n n* im Leben der Beschenkten die benötigten Hilfsfaktoren, *selbst wenn Nöte, Sorgen und daraus entstehende Ängste sich anhand mannigfaltiger Gegebenheiten anbahnen – um mittels dieser kontinuierlichen Vorsorgemaßnahmen im Heiligen Geist ein Gott wohlgefälliges Dasein auszuleben –* ***... denn wir, die wir leben, werden beständig dem Tod preisgegeben um Jesu willen, damit auch das Leben Jesu offenbar wird an unserem sterblichen Fleisch*** (2.Korinther, Kapitel 4, Vers 11). Diese vom Heiligen Geist unterstützten, sich auswirkenden Ausdauerprüfungen des Allmächtigen *prägen zugleich das Miteinbeziehen in die Leiden des Heilands – aus denen jedoch jubelnde Freuden mittels des Erlösers majestätischer Siegesgewissheit folgen.* Der Apostel Paulus *s e l b s t ist wiederum d a s* von jedem Gläubigen nachzuahmende Paradebeispiel – wenn er nunmehr betont: ***… wenn wir standhaft ausharren,*** (oder standhaft / geduldig ertragen / darunterbleiben = Quelle: Schlachter-Bibel 2000!) ***… so werden wir mitherrschen.*** (2.Timotheus, Kapitel 2, Vers 12a). Er weist den Timotheus als auch alle anderen vom Geist Gottes erfüllte Menschen wohlwollend darauf hin, *dass der Heilige Geist sowohl das Leid als auch die daraus folgende Etablierung des Heils in eine Zielrichtung des inständigen, unverzagten Glaubens miteinander i n e i n e zu Gott und dem Herrn Jesus Christus bezogene Gewissheit verknüpft.* Wahrhaft – ***… wenn wir aber Kinder*** (Gottes!) ***… sind, so sind wir auch Erben, nämlich Erben Gottes und Miterben des Christus; wenn wir wirklich mit ihm leiden, damit wir auch mit ihm verherrlicht werden*** – betont Paulus daraufhin in seinem Brief an die Römer in Kapitel 8 im 17.Vers.

Ja – *i n Christus Jesus ist der Glaubende der bereits m i t u n d i m H e i l a n d G e s t o r b e n e, weil das ausharrende Erdulden in der unnachahmlichen Kraft des Geistes Gottes uns zu Teilnehmern des Heilands geformt hat, damit wir aus dem bereits vom Höchsten Vollendeten,* ja – *dem bereits vom himmlischen Vater in Christus Vollbrachten Anteil am Ewigen Leben haben – weil wir der Wahrhaftigkeit Gottes unentwegt durch unseren Glauben – o h n e w e n n und a b e r nachgefolgt sind –* und *weil es uns der Heilige Geist mittels der von Glauben erfüllten Gewissheit aus unserem Herzen heraus i m m e r d a r b e z e u g t h a t:* ***… dein*** (Gottes!) ***… Wort ist Wahrheit*** (Johannes, Kapitel 17, Vers 17b) – in der Tat - ***… Gott hat uns in*** (und aus!) ***… seiner Wahrheit*** (durch Seine Gnade i n Christus Jesus – dem Vollender des wahrhaftigen Glaubens!) ***… geheiligt*** (Johannes, Kapitel 17, Vers 17a).

Wahrhaft – *i n u n d d u r c h d e n H e r r n J e s u s C h r i s t u s* hat uns der allmächtige Gott aufgrund seiner unentwegt konstanten Liebe zu a l l e n G l ä u b i g e n aus der irdisch-vergänglichen Welt *herausgenommen, um uns – die an Ihn und Christus Glaubenden in die Sphären Seiner eigenen Herrlichkeit zu leiten –* ***… denn so (sehr) hat Gott die Welt geliebt, dass er seinen eingeborenen Sohn gab, d a m i t j e d e r, d e r a n i h n g l a u b t, n i c h t v e r l o r e n g e h t, s o n d e r n e w i g e s L e b e n h a t*** (Johannes, Kapitel 3, Vers 16). Somit sind *a l l e G l a u b e n d e n die von Gott in Christus Auserwählten, welche allein durch des Heilands Ewiges Leben in Ihrer beider Gemeinschaft im Himmelreich erhalten werden*, so der Apostel Paulus.

Ja – man leidet *nicht* ohne Grund, *sondern* mittels des Leidens haben die Gläubigen *den zum Heil der Herrlichkeit Gottes führenden Anteil am Kreuz von Golgatha, a l l e i n d u r c h* den Erlöser Jesus Christus *aufgrund Seines allen Glaubenden zuteilwerdenden, heiligenden Blutes zur Vergebung ihrer Sünden – eben w e i l diese mit Christus verbundenen Leiden jenes von Gott stets beabsichtigte Heil verschafft, welches in das Ewige Leben übergeht.* So betont der Messias Jesus Christus: ***… wer überwindet, dem will ich geben, mit mir auf meinem Thron zu sitzen, so wie auch ich überwunden habe und mich mit meinem Vater auf seinen Thron gesetzt habe*** (die Offenbarung des Johannes, Kapitel 3, Vers 21). Dies prägt ebenfalls die stets nachzuahmende Zuversicht des Apostels Paulus, *zu welchen er einen jeden anderen Mitchristen trotz aller auf ihn einwirkenden, jedoch allseits von ihm mittels seines unverzagten Glaubens anhand der ihm zuteilgewordenen Willensstärke des Heiligen Geistes ü b e r w u n d e n e n L e i d e n mahnend dazu aufruft:* ***… seid***

meine Nachahmer, gleichwie auch ich Nachahmer des Christus bin! (1.Korinther, Kapitel 11, Vers 1).

Ja – *der Gesandte Gottes hat die auf ihn einwirkenden Mächte des Bösen r u n d u m ü b e r w u n d e n – und die fortan in ihm lebenden Tugenden des Trösters – des Heiligen Geistes – leiten ihn daraufhin zum Lichtglanz der Herrlichkeit Gottes, der in Christus Jesus vollends dem Willen des allmächtigen Gottes entspricht – die nunmehr mit der ganzen Vollendung Seiner selbst rundum versiegelt wurde. So werden wir dort – im Reich der Himmel Gottes nicht nur mit Christus l e b e n* – so der Apostel Paulus – *sondern zugleich auch mit dem Heiland h e r r s c h e n – weil die Auserwählten des himmlischen Vaters in dem Herrn Jesus Christus aufgrund ihres immerzu inständig geprägten Glaubens A n t e i l an des Heilands Macht erhalten werden.* Ja – *in Christus Jesus wird das Werk ihres Handelns sicht- als auch rundweg erkennbar.*

Genau so eindeutig und unverblümt lässt Paulus somit den Timotheus als auch alle anderen Glaubenden *u n z w e i f e l h a f t wissen, dass w e n n man aufgrund eines i n s t a b i l e n Glaubens die zum Heil führenden Prüfungen Gottes missachtet, auch der Heiland unseren a b t r ü n n i g e n G l a u b e n als solchen beurteilt* – denn: ***… wenn wir verleugnen, so wird er*** (der Herr Jesus Christus!) ***… uns auch verleugnen*** (2.Timotheus, Kapitel 2, Vers 12b). So bekennt der Heiland Jesus Christus mittels Seiner niemals vergehenden Worte folgende unmissverständliche Wahrheit: ***… wer mich aber verleugnet vor den Menschen, den werde auch ich verleugnen vor meinem Vater im Himmel*** (Matthäus, Kapitel 10, Vers 33).

Es ist exakt dieses a b w e i s e n d e V e r k e n n e n der unwiderruflichen Wahrheit Gottes in der v ö l l i g e n A b s t i n e n z d e s H e i l i g e n G e i s t e s, welche sich in den rundum verfinsternden Herzen der abtrünnigen Menschheit wie folgt widerspiegelt – bei ***... d e n Ungläubigen, denen der Gott dieser Weltzeit die Sinne verblendet hat, sodass ihnen das helle Licht des Evangeliums von der Herrlichkeit des Christus nicht aufleuchtet, welcher Gottes Ebenbild ist*** (2.Korinther, Kapitel 4, Vers 4). In der Tat – *diese gottwidrigen Verleumder (ver-)zweifeln an den ihn zuteilwerdenden Prüfungen des Höchsten – und ihr rundweg zerbröckelnder, instabil-brüchiger vergehender Glaube, welcher in von Gott und Christus entzweite, vollkommen lichtleere Dekadenz entschwindet* ***... gleicht einer Meereswoge, die vom Wind getrieben und hin und her geworfen wird. Ein solcher Mensch denke nicht, dass er etwas von dem Herrn empfangen wird, ein Mann mit geteiltem Herzen, unbeständig in allen seinen Wegen*** – betont der Halbbruder unseres Herrn Jesus Christus – Jakobus – in seinem Brief in Kapitel 1 in den Versen 6b – 8 – mit mahnender Schärfe.

Paulus ruft daher *a l l e G l a u b e n d e n zur Besonnenheit in der gewichtigen Inständigkeit ihres vom Heiligen Geist umrahmten Glaubens mittels ihrer aller zuversichtlichen Gewissheit auf – und will ihnen nochmals eindeutig zu verstehen geben:* ***... wacht, steht fest im Glauben, seid mannhaft, seid stark!*** (1.Korinther, Kapitel 16, Vers 13). Denn – ***... wer aber dem Herrn anhängt, ist ein Geist mit ihm*** (1.Korinther, Kapitel 6, Vers 17). Ja – ***... wohl dem, der n i c h t wandelt im Rat der Gottlosen noch tritt auf den Weg der Sünder noch sitzt, wo die Spötter sitzen, s o n d e r n hat Lust am Gesetz des HERRN und sinnt über seinem Gesetz Tag und Nacht! Der ist***

wie ein Baum, gepflanzt an den Wasserbächen, der seine Frucht bringt zu seiner Zeit, und seine Blätter verwelken nicht. Und was er macht, das gerät wohl. Aber so sind die Gottlosen nicht, sondern wie Spreu, die der Wind verstreut. D a r u m bestehen die Gottlosen n i c h t im Gericht n o c h die Sünder in der Gemeinde der Gerechten. Denn der HERR k e n n t den Weg der Gerechten, aber d e r G o t t l o s e n W e g v e r g e h t (Psalm 1 – der Weg des Frommen, der Weg des Frevlers, Verse 1 – 6 / Lutherbibel 2017).

Vers 13: Daher gilt auch fernerhin stets folgende, sich niemals ändernde Loyalität, *welche in dem allmächtigen Gott und in dem Herrn Jesus Christus auf Ewigkeit – im Gegensatz zu den Menschen auffindbar ist* – so Paulus: ***… wenn wir untreu sind, so bleibt er doch treu; er kann sich selbst nicht verleugnen.***

So heißt es weiterhin in den alttestamentlichen Schriften: ***… Gott ist nicht ein Mensch, dass er lüge, noch ein Menschenkind, dass ihn etwas gereuen würde. Was er gesagt hat, sollte er es nicht tun? Was er geredet hat, sollte er es nicht ausführen?*** (4.Mose, Kapitel 23, Vers 19) – und im Buch des Propheten Jeremia in Kapitel 33 in Vers 6 steht geschrieben: ***… siehe, ich verschaffe ihr*** (hier bezogen auf die Stadt, bzw. die Häuser / die Paläste der Könige von Juda!) ***… Linderung und Heilung, und ich will sie heilen und ihnen eine Fülle von Frieden und Treue offenbaren*** – und weiterhin heißt es im Buch des Propheten Maleachi in Kapitel 3 im 6.Vers: ***… denn ich, der HERR, verändere mich nicht; deshalb seid ihr, die Kinder Jakobs, nicht zugrunde gegangen.***

Mit unmissverständlicher Klarheit macht es Paulus dem Timotheus als auch allen anderen Glaubenden allzu deutlich bewusst, dass selbst *der tief im Glauben zu Gott und dem Herrn Jesus Christus stehende Mensch ein Sünder ist und auch bleibt; denn die der ganzen Menschheit betreffende, weitervererbte Sünde des ersten Adams ist in einem jeden Menschen auffindbar.* Doch diese uns Menschen anhängende Schwäche der Sünde *überträgt sich n i c h t auf die vollkommene Wahrheit und unnachahmliche Reinheit des allmächtigen Gottes und die Seines Ebenbildes – des Herrn und Erlösers Jesus Christus.* Denn in des Menschen Herz *herrscht ein widerwilliges Bestreben aufgrund der ihm anhängenden Sünde, dass jedoch der absolut vollzogenen Reinheit Gottes in dem Herrn Jesus Christus v o l l k o m m e n w i d e r s p r i c h t. Denn Ihre immerdar konsistent vorhandene, stets wahrheitsgemäße Makellosigkeit ist v o l l e n d s f r e i u n d s o m i t a l l e z e i t u n f e h l b a r.* Denn die uns von dem himmlischen Vater unentwegt geoffenbarte, barmherzige Gnade *wird durch Seine niemals sich ändernde Liebe zu den Gläubigen vollends in der Person des Herrn und Erlösers Jesus Christus sicht- und erkennbar.*

Ja – unsere widersterbende Verhaltensart der Sünde – sei diese auch noch so gering – *kann sich n i e m a l s auf die immerdar konstant geprägte Gnade übertragen, die Gott in Christus Jesus in der Kraftwirkung des Heiligen Geistes hat sicht- und erkennbar werden lassen. Eben w e i l der Herr Jesus Christus das vollkommene Ebenbild des allmächtigen Gottes r u n d u m w i d e r s p i e g e l t, kann Er Seine unantastbare, rundweg perfekte Heiligkeit n i e m a l s l e u g n e n.* Jedoch *t r e n n t* diese dem Herrn Jesus Christus von Gott Ihm übertragene, permanent anhängende, sich immerdar widerspiegelnde Reinheit *das vollkommen reine Wesen Seiner selbst von denen der*

Menschheit. Aufgrund d i e s e r unabdinglichen Feststellung wird die Sünde im Herzen der Menschheit offenbar. So können und sollen die an Gott und Christus Glaubenden *mit unverzagter Willensstärke in der ihnen allen geoffenbarten Kraft des Heiligen Geistes Gottes dem Wort Gottes in Christus Jesus ihr rundweg vollstes Vertrauen aufgrund ihres von ganzem Herzen kommenden Glaubens schenken.* Daher ist das von Sünde umrahmte Widerstreben gegen die unantastbare Heiligkeit und die dazugehörende, unverblümte Wahrheit Gottes in Christus *eine e i n d e u t i g e Z u w i d e r h a n d l u n g der göttlichen, niemals vergehenden Evangeliums-Botschaft des Heilands Jesus Christus.* Folglich ist die Sünde der Menschheit *mittels dieses Beweises unmissverständlich e n t l a r v t worden.*

So schreibt nun der Apostel Paulus *folgende unwiderrufliche Feststellung* anhand seines Briefes an die Römer in Kapitel 3 in den Versen 3 + 4 in Bezug auf die Reinheit Gottes – im Vergleich zu der Sünde der Menschheit: ***… wie denn? Wenn auch etliche untreu*** (ungläubig / Unglaube = Quelle: Schlachter-Bibel 2000!) ***… waren, hebt etwa ihre Untreue die Treue Gottes auf? Das sei ferne! Vielmehr erweist sich G o t t a l s w a h r h a f t i g, j e d e r M e n s c h a b e r a l s L ü g n e r, wie geschrieben steht: *„Damit du recht behältst*** (oder der Mensch d u r c h Gott gerechtfertigt wird = Quelle: Schlachter-Bibel 2000!) ***… in deinen Worten und siegreich hervorgehst, wenn man mit dir rechtet*** (*in Bezug auf Psalm 51 – ein Psalm Davids, Vers 6b).

Der Apostel Paulus will es dem Timotheus als auch allen anderen von Glauben erfüllten Menschen sicht- und erkennbar werden lassen, *dass einzig und allein aufgrund der barmherzigen Gnade Gottes in dem Herrn Jesus Christus ein rundum gewichtiger, von ganzer Bedeutung geprägter und zugleich allerrettender Zielpunkt in das Dasein der glaubenden Menschen vom himmlischen Vater voller Wohlwollen hinterlegt wurde, der die unverblümte, zum Ewigen Leben führende Wahrheit Seiner Selbst in Christus Jesus preisgibt.* Diese rundweg zuversichtliche Gewissheit *fördert unentwegt den von Herzen kommenden Glauben der Kinder Gottes,* sodass der Apostel Paulus ihnen nunmehr folgende Unmissverständlichkeit in ihre Herzen mit bleibender Wirkung hinterlegen will: ***… darum: Ist jemand in Christus, so ist er eine neue Schöpfung; das Alte ist vergangen; siehe, es ist alles neu geworden! Das alles aber (kommt) von Gott, der uns mit sich selbst versöhnt hat durch Jesus Christus und uns den Dienst der Versöhnung gegeben hat; weil nämlich Gott in Christus war und die Welt mit sich selbst versöhnte, indem er ihnen ihre Sünden nicht anrechnete und das Wort der Versöhnung in uns legte. So sind wir nun Botschafter für Christus, und zwar so, dass Gott selbst durch uns ermahnt; so bitten wir nun stellvertretend für Christus: Lasst euch versöhnen mit Gott!*** (2.Korinther, Kapitel 5, Verse 17 – 20).

Wahrhaft – *e x a k t d i e s e gewissenhafte Zielstruktur des Glaubens formt die Menschen zu erfolgreichen Anwärtern für das Reich der Herrlichkeit Gottes, indem die Sünden von dem reinigenden und heilsamen Blut Jesu Christi am Holz von Golgatha r e i n gewaschen worden sind. Diese rundweg wunderbare Erkenntnis der unwiderruflichen Wahrheit Gottes lässt nun die Herzen der Beschenkten aufatmen, sodass nun folgende, tiefgreifende Verbundenheit zu dem allmächtigen Gott in dem Herrn Jesus Christus b e s t ä n d i g in den Herzen der Auserwählten Gottes verankert sind,* die nunmehr lauten, so der Apostel Paulus: ***… dass der Christus durch den Glauben in euren Herzen wohne, damit ihr, in Liebe gewurzelt und begründet, dazu fähig seid, mit allen Heiligen zu bergreifen, was die Breite, die Länge, die Tiefe und die Höhe sei, und die Liebe des Christus zu erkennen, die doch alle Erkenntnis übersteigt, damit ihr erfüllt werdet bis zur ganzen Fülle Gottes*** (Epheser, Kapitel 3, Verse 17 – 19).

Verse 14 – 18
Der Dienst am Wort der Wahrheit
und der Kampf gegen Irrlehren

[14]Bringe dies in Erinnerung und bezeuge ernstlich vor dem Herrn, dass man nicht um Worte streiten soll, was zu nichts nütze ist als zur Verstörung der Zuhörer. [15]Strebe eifrig danach, dich Gott als bewährt zu erweisen, als einen Arbeiter, der sich nicht zu schämen braucht, der das Wort der Wahrheit recht teilt. [16]Die unheiligen, nichtigen Schwätzereien aber meide; denn sie fördern nur noch mehr die Gottlosigkeit, [17]und ihr Wort frisst um sich wie ein Krebsgeschwür. Zu ihnen gehören Hymenäus und Philetus, [18]die von der Wahrheit abgeirrt sind, indem sie behaupten, die Auferstehung sei schon geschehen, und so den Glauben etlicher Leute umstürzen.

Auslegung:

Vers 14: Dass die von dem Apostel Paulus an Timotheus gerichteten Worte des bisher ausgelegten 2.Kapitels *nicht nur in des Gemeindeleiters Herz einen immerdar bleibenden, zu Gott und dem Herrn Jesus Christus bezogenen Einklang im wahrhaftigen Glauben finden, sondern zugleich auch in allen Herzen der Gemeindemitglieder der Epheser die ewigen Früchte des Heils hervorbringen,* dazu ruft Paulus nun den Timotheus wie folgt auf: ***... bringe dies in Erinnerung und bezeuge ernstlich vor dem Herrn, dass man nicht um Worte streiten soll, was zu nichts nütze ist als zur Verstörung der Zuhörer.***

Aus diesen Worten fühlt man förmlich *nicht nur die beunruhigenden Gedanken des Apostels gegenüber dem Timotheus, sondern zugleich werfen diese einen zusätzlich besorgniserregenden Schatten auf die Zukunft der Kirche innerhalb der anderen Gemeinden.* Doch Paulus setzt mittels seiner an den Gemeindeleiter gerichteten und zugleich besänftigenden Worte Kraft seiner apostolischen Vollmacht *eine niemals vergehende Hoffnung auf den Leistungsträger Timotheus, auf welchen er sich letztlich vollends verlassen kann.* Denn sein Kind im Glauben *wird* – dessen ist sich der Apostel gewiss – ***... das Gebot*** (Gottes in Christus Jesus!) ***...unbefleckt und untadelig bewahren bis zur Erscheinung unseres Herrn Jesus Christus*** (1.Timotheus, Kapitel 6, Vers 14 / siehe Auslegung!). *Eine unmissverständliche Abspaltung des Gemeindeleiters Timotheus gegenüber böswilliger Absichten mancher Irrlehrer ist daher von forscher und zugleich erforderlicher Dringlichkeit, sodass alle Gemeinden und die daraus resultierende Zukunft der Kirche auf fruchtbaren, zu Gott und Christus bezogenen Böden fällt, der sie letztlich allesamt aufgrund des wahren Glaubens zur Seligkeit Gottes leitet – dem Zielhafen* *christlicher Zusammenkunft,* ganz gemäß dem Willen des allmächtigen Gottes in den Herrn Jesus Christus entsprechend.

Es ist jene von Timotheus der Gemeinde der Epheser mitzuteilende Erinnerungsbotschaft, *welche auch der Herr und Retter Jesus Christus Seinen Jüngern unzweifelhaft zu verstehen gab.* Diese lautet: ***... der Beistand aber, der Heilige Geist, den der Vater senden wird in meinem Namen, der wird euch alles lehren und euch an alles erinnern, was ich euch gesagt habe*** (Johannes, Kapitel 14, Vers 26). Ja – *die über allem stehende Botschaft des Evangeliums enthält die rundum gewichtigen Worte Gottes, in welchen das Heil vollends auffindbar ist – an denen sich wiederum sämtliche Mitglieder der Gemeinde s t r i k t h a l t e n s o l l e n. Denn diese Frohe Botschaft ist das u n a b ä n d e r l i c h e W o r t G o t t e s, welches den letzten und ewigen Bund i n C h r i s t u s J e s u s v o l l e n d s u m s c h l i e ß t, um dass die Gläubigen mit der ihnen allen geoffenbarten Kraftwirkung des Heiligen Geistes d u r c h ihren Glauben K i n d e r G o t t e s w e r d e n – und folglich das Reich der Herrlichkeit des himmlischen Vaters auf Ewigkeit erblicken können. Genau d o r t hat der Allmächtige ihnen allen eine immerdar bleibende Wohnung durch Seine Selbstverwirklichung in Seinen Sohn Jesus Christus geschaffen – im himmlischen,* ***... neuen Jerusalem, zubereitet wie eine für ihren Mann geschmückte Braut*** (die Offenbarung des Johannes, Kapitel 21, Vers 2b).

Diese keinesfalls einfach zu vollbringende Tätigkeit *der konstant zu Gott und dem Herrn Jesus Christus bezogenen Belehrung aller Gemeindemitglieder der Epheser anhand der gnadenreichen Botschaft des Evangeliums Jesu Christi aber bedarf von dem Leiter der Ge-*

meinde, Timotheus, keine Streitsucht, sondern mit mildtätiger Güte der seelsorgerischen Nächstenliebe soll der Gemeindeleiter ***... fähig sein zu lehren*** *– und gleichzeitig muss er die auf in zukommenden* ***... Bosheiten*** *der Irrlehrer mit* ***... geduldigem Ertragen*** (2.Timotheus, Kapitel 2, Vers 24b / siehe noch nachfolgende Auslegung!) *in dem ihm betrauten Amt bewältigen als auch gewissenhaft ausüben,* so der Apostel Paulus. Dass des Gesandten Gottes Glaubensbruder Timotheus diese ihm übertragene Aufgabe nach dem Willen Gottes in Christus Jesus *vollends ausführen wird* – dessen ist sich Paulus absolut gewiss – *denn in des Gemeindeleiters Herzen ruht ein beständiger zum Herrn bezogener Glaube, dessen kontinuierliche Kraftströme vom Heiligen Geist Gottes umwoben sind – daher kämpft Timotheus den guten Kampf des Glaubens auch* ***... nicht nach der Art des Fleisches*** (2.Korinther, Kapitel 10, Vers 3b) *– sondern mittels der ausdauernd vortrefflich geprägten, g e i s t l i c h e n S t ä r k e G o t t e s i n C h r i s t u s J e s u s.*

Wahrhaft – diese *beständig wirkende, heilende Medizin Gottes* in Form des Trösters – *des Heiligen Geistes – ist das Individuum für die Bewältigung sämtlicher auf den Timotheus einströmenden als auch widerstrebenden Bosheiten der Irrlehrer.* Ja – *der Tröster ist es letztlich, der die Richtlinien der Wahrheit des Höchsten ausspricht. Denn die Botschaft Gottes ist folglich immun gegen* ***... streitsüchtige,*** *nicht zur Herrlichkeit Seiner Selbst beitragenden* ***... Worte*** *und folglich ist die Evangeliums-Botschaft Jesu Christi rundweg frei von unaufrichtigen, fehlenden und zugleich widersprüchlichen Indizien, die doch einzig und allein nur* ***... zur Verwirrung der Zuhörer*** (2.Timotheus, Kapitel 2, Vers 14b) *beitragen,* so Paulus.

Vers 15: Daraufhin lässt Paulus den Timotheus eindeutig wissen, dass er **_.... eifrig danach streben soll, sich_** *gegenüber* **_... Gott als bewährt zu erweisen, als einen Arbeiter, der sich nicht zu schämen braucht, der das Wort der Wahrheit recht teilt_** (bzw. richtig unterscheidet / austeilt / gerade schneidet = Quelle: Schlachter-Bibel 2000!). Ja – der Gemeindeleiter Timotheus *soll die ihm von Paulus in sein von Glauben erfülltes Herz übertragene Lehre der Frohen Botschaft Jesu Christi als auch jene von seiner* **_... Mutter Eunike und seiner Großmutter Lois_** (2.Timotheus, Kapitel 1, Vers 5b / siehe Auslegung!) *übernommene, alttestamentliche Lehre der Gemeinde in Ephesus mit stets Gott wohlgefälligen Tugenden in der Kraft des Heiligen Geistes ganz nach Seinem Willen in Christus gemäß predigen.* Ja – *diese Worte der Wahrheit Gottes entfalten und lehren zugleich* **_... die Pfeiler und die Grundfeste der Gemeinde des lebendigen Gottes_** (1.Timotheus, Kapitel 3, Vers 15b / siehe Auslegung!).

Mittels exakt *d i e s e r Gott wohlgefälligen Missionsausübung hat fortan der Leiter der Gemeinde der Epheser allen Gemeindemitgliedern* **_... nichts verschwiegen, sondern_** *ihnen* **_... den ganzen Ratschluss Gottes verkündigt_** (die Apostelgeschichte des Lukas, Kapitel 20, Vers 27), so Paulus – *denn ihm sind von nun an* **_... die Aussprüche Gottes anvertraut worden_** (Römer, Kapitel 3, Vers 2b).*Wenn Timotheus diese Vorgehensweise im wahrhaftigen Glauben als auch im Gewissen des Geistes Gottes tätigt* – dessen ist Paulus sich absolut gewiss – so ist er in der Tat **_... ein Arbeiter,_** (Gottes!) **_... der sich nicht zu schämen braucht_** *und* **_... das Wort der Wahrheit recht teilt_** (2.Timotheus, Kapitel 2, Vers 15b).

Wiederum kann man an dieser Stelle die stets in des Apostels Herz ruhende, unerschütterliche Gewissheit seines tiefgründigen Glaubens im Heiligen Geist wahrnehmen, *welche dem Timotheus immerdar die unentwegt zu erfüllenden Richtlinien des himmlischen Vaters in dem Herrn Jesus Christus auferlegen wollen. Es ist jener allerrettende, vom Geist Gottes getragene Anspruch auf die k o n s t a n t e Durchführung der wahrhaftigen Evangeliums-Botschaft Jesu Christi,* die der Gemeindeleiter Timotheus *mit folgsamer Willigkeit tätigen m u s s, u m dass das Werk Gottes zur völligen Erfüllung und der damit inkludierten Zufriedenheit des himmlischen Vaters mit bleibender Wirkung in die Herzen a l l e r Gemeindemitglieder der Epheser gelangt.*

Wenn diese zu Gott und Christus führenden Maßnahmen *ausbleiben, so werden die Ziele des Höchsten rundum lichtleer und entarten folglich in von Gott und Christus abgekapselte, trostlos-verdunkelte Dekadenz* – mahnt der Apostel. Der kampfbereit gerüstete, voll von willigem Glaubenseifer strotzende Soldat Gottes – Timotheus – *soll daher diese falschpredigenden Irrlehrer mittels seines ihm vom Höchsten geoffenbarten Geist in die Schranken weisen, damit die zum Ewigen Leben führende Frohe Botschaft Jesu Christi in den Herzen aller Gemeindemitglieder einen b l e i b e n d e n, vom Lichtglanz des Heilands voranschreitenden als auch erfüllten Einzug hält, der ihnen die niemals verzagende, zuversichtliche Gewissheit auferlegt, Anwärter für das Reich der Himmel zu sein – dem alles übertreffenden Zielhafen der himmlischen Herrlichkeit aller an den allmächtigen Gott und den Herrn und Retter Jesus Christus von ganzem Herzen Glaubenden.*

Vers 16: Um weiterhin *u n g e s t ö r t und in damit verbundener, Gott offenbarter F r e i h e i t die von ganzer Lichtfülle umgebene Herrlichkeit des allmächtigen Gottes in dem Herrn Jesus Christus v o l l e n d s g e n i e ß e n a l s a u c h l o b p r e i s e n z u k ö n n e n,* betont der Apostel Paulus nun gegenüber dem Timotheus, *dass er s t e t s* ***... die unheiligen, nichtigen Schwätzereien meiden soll; denn sie fördern nur noch mehr die Gottlosigkeit,*** so der Apostel (siehe hierzu ebenfalls Auslegung zu 1.Timotheus, Kapitel 4 in Vers 7!).

Wahrhaft – *die sich vom Höchsten in Christus a l l s e i t s abwendenden Äußerungen der Irrlehrer sind daher k o n s t a n t mit gottwidrigen und folglich u n n ü t z e n und zugleich die Gemeinde betreffenden, verwirrten Daherreden bestückt, welche aus den r e s t l o s b r ü s k i e r t e n H e r z e n der* ***... bösen Menschen und Betrügern*** *hervorkommen, die es nunmehr* ***... immer schlimmer treiben, indem sie verführen und sich verführen lassen*** – betont Paulus daraufhin in 2.Timotheus, Kapitel 3 in Vers 15 (Auslegung folgt!) – und fügt zu diesen seinen Worten folgende Feststellung hinzu, *die zugleich den Gemeindeleiter i m m e r d a r a n i n i e r e n s o l l, sich mittels der nun folgenden Aussage des Apostels v o l l s t ä n d i g von diese Falschpredigern zu l ö s e n:* ... ***denn es wird eine Zeit kommen, da werden sie*** (die Irrlehrer!) ***... die gesunde Lehre nicht ertragen, sondern sich selbst nach ihren eigenen Lüsten Lehrer beschaffen, weil sie empfindliche Ohren haben;*** (oder sich die Ohren kitzeln zu lassen = Quelle: Schlachter-Bibel 2000!) ***... und sie werden ihre Ohren von der Wahrheit abwenden und sich den Legenden zuwenden*** (2.Timotheus, Kapitel 4, Verse 3 + 4 / Auslegung folgt!).

In der Tat – *diese rundum weltlich-irdischen, voller Sünde behafteten Vergehen der Falschprediger sind nur lasterhafte, gegen den allmächtigen Gott und den Heiland Jesus Christus gerichtete, zu nichts führende, rundweg verschleierte Artikulierungen, welche sich immerdar in trostloser, von Gott und Christus weit entfernter, abgekapselter Dekadenz verlieren* – so Paulus – *diese m e i d e s t e t s , um n i c h t mit diesen gottwidrigen* ***… Schwätzereien*** *konfrontiert zu werden.* Ja – *diese von* ***… Gottlosigkeit*** *verfallenen Äußerungen der Falschprediger sind ein eindeutiges Indiz, dass diese Individuen* ***… ein Trachten des Fleisches*** *in ihren Herzen tragen, welches unmissverständlich aussagt, dass diese rundum verlorenen Verhaltensmuster den* ***… Tod*** *bedeuten* (Römer, Kapitel 8, Vers 6a). Wahrhaft – *exakt d i e s e Vergehen sind es letztlich* – so der Apostel – *welche diese Missetäter mit folgender unverkennbarer Wahrheit konfrontieren;* diese lautet: ***… wer aber den Geist des Christus nicht hat, der ist nicht sein*** (oder der gehört ihm nicht an = Quelle: Schlachter-Bibel 2000! / Römer, Kapitel 8, Vers 9b).

Ja – *Timotheus soll sich mit seinen gegen diese Falschaussagen gerichteten, rundweg ignorierenden, den Irrlehrern gebührenden Verhaltensmaßnahmen als ein der Gemeinde dienendes M u s t e r b e i s p i e l eines vom Heiligen Geist Gottes beseelten Menschen präsentieren. Mit dieser seiner Handlung weist er n i c h t n u r die Irrlehrer in ihre schon ohnehin trostlos-isolierten Schranken – z u g l e i c h zeigt er auch der gesamten Gemeinde der Epheser, dass diese leeren* ***… Schwätzereien*** *keinerlei Beachtung bedürfen, weil sie r e s t l o s n i c h t i g s i n d. Diese weltlich-vergänglichen, irdischen Wesenszüge der Sünde zeigen diesen von Gott und Christus abkehrenden Personen o h n e j e d e n*

Z w e i f e l   a u f, dass ***... der Gott dieser Weltzeit*** *ihre* ***... Sinne verblendet hat, sodass ihnen das helle Licht des Evangeliums von der Herrlichkeit des Christus nicht aufleuchtet, welcher Gottes Ebenbild ist*** – betont der Apostel daraufhin in seinem 2.Brief an die Korinther in Kapitel 4 in Vers 4b.

Aber ein Wandel in der Liebe Jesu Christi bedeutet *i m m e r d a r, a l l e s   B ö s e   z u   m e i d e n, und somit den w a h r e n   G l a u b e n   z u   b e w a h r e n* – so Paulus. Daher gilt für alle von Gott in dem Herrn Jesus Christus im Heiligen Geist Berufenen: ***... behüte deine Zunge vor Bösem und deine Lippen, dass sie nicht Trug reden. Lass ab vom Bösen und tue Gutes; suche Frieden und jage ihm nach! Die Augen des HERRN merken auf die Gerechten und seine Ohren auf ihr Schreien*** (Psalm 34 – Unter Gottes Schutz – ein Psalm Davids, Verse 14 – 16 / Lutherbibel 2017). Dies ist in der Tat *eine s t e t s Gott wohlgefällige, von dem Timotheus zu begehende Handhabung zum Weg des wahren Lebens in von Christus Jesus geschenkter Freiheit, die deutlich aufweist, dass das Wort der Wahrheit Gottes in diesem Herzen die Früchte des Heils hervorgebracht hat* – ja: ***... die Gerechtigkeit des Schuldkosen macht seinen Weg gerade*** (die Sprüche Salomos, Kapitel 11, Vers 5a / Zürcher Bibel).

Wenn der Gemeindeleiter der Epheser diese von Glauben erfüllten Wesenszüge gegenüber *allen Gemeindemitgliedern aufweist, so stellt er in Ephesus ein wahres Vorbild des unverzagten Glaubens dar – und ruft somit alle Glaubenden dazu auf, unentwegt in den zum Heil der Herrlichkeit leitenden Fußstapfen Jesu Christi zu wandeln.*

Vers 17: Mit unzweifelhafter Stärke bekennt der Gesandte Gottes daher dem Timotheus weiterhin, dass das *vergängliche Wort der Sünde* ***... um sich frisst wie ein Krebsgeschwür.*** Bezugnehmend auf diese sündige Botschaft benennt der Apostel dem Gemeindeleiter *zwei weitere Personen mit ihren Namen* ***... Hymenäus*** (siehe Auslegung unter 1.Timotheus, Kapitel 1, Vers 20!) ***... und Philetus;*** *denn auch sie haben sich den listigen Fängen des Teufels hingegeben, indem sie den Irrlehrern ihr Gehör als auch ihren Glauben schenkten und sind somit von dem Evangelium der Wahrheit Gottes gänzlich abgeirrt – denn:* ***... schlechter Umgang verdirbt gute Sitten*** – so der Apostel Paulus in seinem 1.Brief an die Korinther in Kapitel 15, Vers 33b. Daher will Paulus seinen geliebten Glaubensbruder mittels der ihm vom Geist Gottes geoffenbarten, seelsorgerischen Hilfsmaßnahme der Nächstenliebe *noch ein weiteres Mal wie folgt warnen und ihn zugleich vor den durchtriebenen Fängen der Falschprediger beschützen:* ***... o, Timotheus, bewahre das anvertraute Gut, meide das unheilige, nichtige Geschwätz und die Widersprüche der fälschlich sogenannten „Erkenntnis"*** (1.Timotheus, Kapitel 6, Vers 20 / siehe Auslegung!).

Ja – es ist jene von dem Apostel Paulus beschriebene, ***... bittere Wurzel, die aufwächst und Unheil anrichtet,*** *wovon* ***... viele befleckt werden*** (Hebräer, Kapitel 12, Vers 15b). So ist auch folglich eine Widerlegung in Form der von dem Timotheus zu begehenden Hilfe der Errettung, ja – jener zu Gott in Christus bezogenen Wahrheit *nur ein vergeblicher Versuch, die bereits verfallenen Seelen erretten zu können; denn diese Widersacher Gottes bauen ihre gegen den Höchsten im Heiland gerichtete, eigenwillige Widerspenstigkeit nur noch auf – anstelle zur Wahrheit Gottes in Christus umzukehren, um die in* *ihren verfinsterten Herzen wohnende Starrsinnigkeit restlos zu widerlegen.* Daher soll Timotheus sich *mittels ihnen gebührender, ignorierender Abgrenzung schonungslos von ihnen abwenden,* so Paulus.

Der Apostel begründet diese seine unmissverständliche, von ganzer Wahrheit umrahmte Behauptung gegenüber dem Gemeindeleiter Timotheus *in Bezug auf die in Eigenregie behaftete Sturheit dieser beiden von ihm erwähnten, von Gott und Christus abkehrenden Individuen n i c h t o h n e e i n e n s p e z i f i s c h e n, d e n* ***... Hymenäus*** *und* ***Philetus*** *b e t r e f f e n d e n G r u n d,* denn ...

Vers 18: *... sie sind von der Wahrheit abgeirrt, indem sie behaupteten, die Auferstehung sei schon geschehen, und so den Glauben etlicher Leute umstürzen.* Ja – ***... Hymenäus*** *u n d* ***... Philetus*** *sind g ä n z l i c h v o n d e r W a h r h e i t G o t t e s i n C h r i s t u s J e s u s a b g e k o m m e n.* Der Apostel Paulus spricht diese den ***... Hymenäus*** und ***... Philetus*** gebührenden Worte in ganzer Deutlichkeit aus, da er bereits den ***... Hymenäus dem Satan übergeben hat, damit er gezüchtigt wird und nicht mehr lästert*** (siehe hierzu erneut die genaue Auslegung unter 1.Timotheus, Kapitel 1, Vers 20!).

Da jedoch trotz aller von Paulus angestrebten Maßnahmen im Geist der Wahrheit bei ***... Hymenäus*** *k e i n e r l e i E r f o l g z u r E v a n g e l i u m s – U m k e h r J e s u C h r i s t i in dem Herzen des* ***... Hymenäus*** *zu verzeichnen war – d a h e r* wird es – nach Meinung des Autors allzu verständlich – *dass die wohlgemeinten Versuche des Paulus nicht nur im Herzen des* ***... Hymenäus*** *v o l l e n d s s c h e i t e r t e n, sondern a u c h im Herzen des* ***...***

Philetus *k e i n e r l e i F r ü c h t e d e s H e i l s h e r v o r b r a c h t e n.*

Aber trotz aller apostolischen Bemühungen *s c h e i t e r t e n die vom Heiligen Geist beseelten Versuche des Apostels Paulus gegenüber dem* ***... Hymenäus*** *g ä n z l i c h, ihn zu der vollkommenen Wahrheit Gottes in dem Herrn Jesus Christus z u f ü h r e n* (siehe Auslegung zu 1.Timotheus, Kapitel 1, Vers 20 – in Bezug auf 2.Timotheus, Kapitel 2, Verse 16 – 18!). *H ä t t e jedoch des* ***... Hymenäus*** *H e r z seine steinerne, undurchlässige Struktur v e r l a s s e n – und sich zum Wort der Wahrheit Gottes in Christus b e k e h r t – so h ä t t e* ***... Hymenäus*** *z w e i f e l s o h n e* – so die Meinung des Autors – *a u c h d e n* ***... Philetus*** *v o n d e r v o l l k o m m e n W a h r h e i t G o t t e s i n C h r i s t u s J e s u s ü b e r z e u g t – d i e s b l e i b t j e d o c h v o l l k o m m e n a u s.* Somit wird es allzu verständlich, *dass Paulus a u c h d e n* ***... Philetus*** *z u s a m m e n m i t d e m* ***... Hymenäus*** *mit solch harten Worten der ihnen gebührenden Strafe verurteilt – denn b e i d e v o m w a h r e n G l a u b e n abgeirrten Individuen behaupten nunmehr mit in den Fängen des Teufels hineinkatapultierten und zugleich mittels dieser ihnen nun anhängenden, belastenden Lügen – d a s s* ***... die Auferstehung*** (die Parusie Jesu Christi / die Wiederankunft Jesu Christi am Tag des Jüngsten Gerichts!) ***schon geschehen sei*** (2. Timotheus, Kapitel 2, Vers 18b). *Dabei haben diese beiden Gottesgegner mit ihren g o t t e s l ä s t e r l i c h e n L ü g e n zudem noch* ***... etliche Leute von dem wahren Glauben*** *a b g e d r ä n g t* (2.Timotheus, Kapitel 2, Vers 18b), so der Apostel Paulus.

Außerdem erhalten nunmehr die von Paulus an den Gemeindeleiter Timotheus bezugnehmend der beiden Gotteslästerer errichteten Worte, *welche sich innerhalb der gesamten Gemeinde der Epheser mehr und mehr mit aufbrausender, jedoch immerdar fehlender, gottwidriger als auch in Eigenregie erdachter Maßnahmen der Irrlehrer in den Vordergrund heben wollen – die an Timotheus und allen anderen fest im wahren Glauben stehenden Menschen die unmissverständliche, seelsorgerische Aussage des Apostels im Geist der konstant unwiderlegbaren Wahrheit Gottes in dem Herrn und Heiland Jesus Christus:* ***... die unheiligen, nichtigen Schwätzereien aber meide; denn sie fördern nur noch mehr die Gottlosigkeit*** (2.Timotheus, Kapitel 2, Vers 16 / siehe Auslegung!). Daher will Paulus Kraft seiner ihm von dem Herrn Jesus Christus geoffenbarten apostolischen Vollmacht *dem Timotheus zudem folgende, niemals anzuzweifelnde Worte in des Gemeindeleiters von ganzem Glauben erfüllten Herzen mit ganzer Gewissheit hinterlegen – denn eine ganz und gar von weltlich–menschlicher Fehlbarkeit behaftete, mutwillige Demütigung der Frohen Botschaft kann, darf und will der Apostel keinesfalls erdulden – diesbezüglich betont der Gesandte Gottes Kraft seiner ihm vom Heiland im Geist der Wahrheit gegebenen apostolischen Befugnis vehement:* ***... aber selbst wenn wir oder ein Engel vom Himmel euch etwas anderes als Evangelium verkündigen würden als das, was wir euch verkündigt haben, der sei verflucht!*** (Galater, Kapitel 1, Vers 8).

Verse 19 – 22

Aufforderung zur persönlichen Treue und Heiligung inmitten des Abfalls

[19]Aber der feste Grund Gottes bleibt bestehen und trägt dieses Siegel: Der Herr kennt die Seinen!, und: Jeder, der den Namen des Christus nennt, wende sich ab von der Ungerechtigkeit! [20]In einem großem Haus gibt es aber nicht nur goldene und silberne Gefäße, sondern auch hölzerne und irdene, und zwar die einen zur Ehre, die anderen aber zur Unehre. [21]Wenn nun jemand sich von solchen reinigt, wird er ein Gefäß zur Ehre sein, geheiligt und dem Hausherrn nützlich, zu jedem guten Werk zubereitet. [22]So fliehe nun die jugendlichen Lüste, jage aber der Gerechtigkeit, dem Glauben, der Liebe, dem Frieden nach, zusammen mit denen, die den Herrn aus reinem Herzen anrufen!

Auslegung:

Vers 19: Mit weiteren, stets tief im Herzen des Apostels Paulus auffindbaren, ja – einzig wahren zu Gott und dem Herrn Jesus Christus bezogenen und zugleich verwurzelten Glaubensindizien Ihrer von ganzem Lichtglanz versehenen, unnachahmlichen Herrlichkeit – betont nunmehr der Gesandte Gottes gegenüber seinem ebenso tief im Geist der Wahrheit Gottes stehenden Glaubensbruder Timotheus, dass ***… der feste Grund Gottes*** (das von Gott gelegte, feste Fundament = Quelle: Schlachter-Bibel 2000!) ***… bestehen bleibt*** und folgendes ***... Siegel trägt*** – nämlich, dass ***... der Herr die Seinen kennt*** – als auch dass ***... jeder, der den Namen des Christus nennt,*** sich ***... von der Ungerechtigkeit abwenden soll.***

Diese des Paulus Aussage beruht auf der alttestamentlichen Botschaft – ja – *aus jener vom himmlischen Vater geoffenbarten, nun sich verwirklichten Gewissheit* aus dem Buch des Propheten Jesaja, in Kapitel 28 in Vers 16, *die der Person des Retters und Erlösers – des Herrn Jesus Christus wie folgt gilt* – denn diese lautet unmissverständlich: ***... denn so spricht GOTT, der HERR: Siehe, ich lege in Zion einen Stein, einen bewährten Stein,*** (einen Stein der Bewährung; das kann auch heißen: an dem sich das Volk bewähren muss, der offenbar macht, wie die Haltung des Volkes ist = Quelle: Schlachter-Bibel 2000!) ***... einen kostbaren Eckstein, der aufs Festeste*** (oder ein überaus festes Fundament = Quelle: Schlachter-Bibel 2000!) ***... gegründet ist: Wer glaubt, der fliehe nicht!*** Charakterfest als auch unmissverständlich legt jener *von dem allmächtigen Gott erschaffene Grund Seiner unnachahmlichen, niemals anzuzweifelnden Wahrheit in Seiner eigenen Selbstverwirklichung in Seinen Sohn* – ***... dem, der gelegt ist, welcher Jesus Christus ist*** – betont Paulus daraufhin in seinem 1.Brief an die Korinther in Kapitel 3 in Vers 11b – ***... der auf der Grundlage der Apostel und Propheten auferbaut wurde***, fährt Paulus in seinem Brief an die Epheser, in Kapitel 2 in Vers 20a fort – ***... und wer an ihn glaubt, soll nicht zuschanden werden*** – schreibt fernerhin der Apostel Petrus in seinem 1.Brief in Kapitel 2 in Vers 6b – ja – ***... deren Baumeister und Schöpfer Gott ist*** – komplettiert der Verfasser des Hebräerbriefes in Kapitel 11 in Vers 10b.

Wiederum ist es jene *vom Heiland Jesus Christus p e r s ö n l i c h b e s t ä t i g t e, n i e m a l s v e r g e h e n d e H o f f n u n g i m G l a u b e n a l l e r a n I h n G l ä u b i g e n, die der Messias wie folgt gegenüber allen Seinen Nachfolgern im Geist der Wahrheit bekennt* – so Paulus – *denn Christus offenbart ihnen a l l e n mittels Seiner niemals vergehenden Worte:* ***... freut euch alle lieber darüber, dass eure Namen im Himmel geschrieben sind*** (Lukas, Kapitel 10, Vers 20b). Ja – *es ist g e n a u d i e s e u n v e r z a g t e, s t e t s a u f f i n d b a r e G e w i s s h e i t in der den Glaubenden vom himmlischen Vater g e o f f e n b a r t e n K r a f t q u e l l e d e s H e i l i g e n G e i s t e s* – so Paulus – *denn:* ***... der Geist selbst*** (der Heilige Geist!) ***... gibt Zeugnis zusammen mit unserem Geist, dass wir Gottes Kinder sind*** (Römer, Kapitel 8, Vers 16). *Denn Gott bestätigt den Glaubenden Seine konstante Anwesenheit als auch Seine vollkommene Wahrheit in Christus Jesus d u r c h den Tröster – den Geist der Wahrheit Seiner Selbst – der u n a u f h ö r l i c h i n unseren Herzen Seine uns gegebene, stets ungebundene Wahrheit v o l l e n d s w i d e r s p i e g e l t.* So heißt es weiterhin im Buch des Propheten Nahum in Kapitel 1 im 7.Vers: ***... gütig ist der HERR, eine Zuflucht am Tag der Not;*** (oder der Drangsal = Quelle: Schlachter-Bibel 2000!) ***... und er kennt d i e, welche auf ihn vertrauen.***

In der Tat – die nun von Christus Jesus gesprochenen, *sich fortan verwirklichten als auch realisierten Worte bekennen den geistbeschenkten Auserwählten Gottes:* ***... und die Schafe hören auf seine Stimme,*** (des Herrn Jesus Christus Stimme!) ***... und er ruft seine eigenen Schafe beim Namen*** (Johannes, Kapitel 10, Vers 3b) – ja –

der Heiland ***… ist der gute Hirte und kennt die Seinen und er ist ihnen bekannt*** (Johannes, Kapitel 10, Vers 14).

Diese vom Geist betuchte, immerdar vorhandene, unverzagte Gewissheitsstruktur der barmherzigen Gnade Gottes in Christus, ja – *dieser fest im Herzen der Glaubenden verankerte Glaube ist es letztlich, der unmissverständlich aussagt, dass diese* ***… Verheißungen*** *uns bekennen* – so Paulus – *dass die Auserwählten des Höchsten in Christus Jesus …* ***sich von aller Befleckung des Fleisches und des Geistes*** (des Menschen lasterhaften Sündencharaktere!) ***… reinigen, zur Vollendung der Heiligkeit in Gottesfurcht!*** (2.Korinther, Kapitel 7, Vers 1).

Genau d i e s e rundum von ganzer Bedeutung geprägte W i c h t i g k e i t will der Apostel seinem Glaubensbruder Timotheus mit zu Gott und Christus bekennenden Worten der Wahrheit in sein Herz hineinlegen. Wahrhaft – *v o n d i e s e r z u m H e i l d e r l i c h t g l a n z e r f ü l l t e n H e r r l i c h k e i t g e p r ä g t e n B o t s c h a f t h ä n g t d i e v o r a l l e m s t e h e n d e Z u k u n f t d e r K i r c h e a b !* Daher gilt unentwegt: ***… die ihr den HERRN liebet, hasset das Arge! Der HERR bewahrt die Seelen seiner Heiligen; aus der Hand der Frevler wird er sie erretten. Dem Gerechten muss das Licht immer wieder aufgehen und Freude den aufrichtigen Herzen. Ihr Gerechten, freut euch des HERRN und danket ihm und preiset seinen heiligen Namen!*** (Psalm 97 – Freude am Königtum Gottes, Verse 10 – 12 / Lutherbibel 2017).

Denn e i n z i g u n d a l l e i n mit den zu Gott und dem Herrn Jesus Christus führenden Maßnahmen – dies soll Timotheus als Leiter der Gemeinde in Ephesus *i m m e r d a r* in seinem Herzen verwirklichen – *wird der Glaube zu einem unverkennbaren Indiz der wahren vom Heiligen Geist umrahmten Gottesfurcht und folglich zum Vorbild der sich mehr und mehr ausbreitenden, zukünftigen, stets von Gott in Christus gewollten Kirche.* Ja – *der himmlische Vater hat somit in alle Ewigkeit dafür Sorge getragen,* ***… dass Güte und Treue einander begegnen, Gerechtigkeit und Friede sich küssen*** (Psalm 85 – Bitte um neuen Segen – ein Psalm der Korachiter, Vers 11 / Lutherbibel 2017).

Wahrhaft – mit diesen stets zu Gott und dem Herrn Jesus Christus bezogenen, fortan in den voller Glauben erfüllten Herzen gelegten Glaubensfundamenten ist der vom Geist des Höchsten beseelte Glaube *auf einen gefestigten, rundweg soliden als auch stabilen, unerschütterlichen Grund gelegt worden, der selbst den schwersten Stürmen jederzeit widerstehen kann.* Ja – *dieser von vollkommener Stabilität gegründete, zusammenhaltende Eckstein und allseits tragende Grundpfeiler ist d e r H e r r u n d R e t t e r , d e r H e r r J e s u s C h r i s t u s s e l b s t, der die Gemeinden durch Seine niemals vergehende Liebe in Seinen irdischen Tod als auch in Seiner Auferstehung vereinnahmet hat, die uns Glaubenden der himmlischer Vater a l l e i n in Christus Jesus – Dank Seiner niemals verzagenden, barmherzigen, allen Glaubenden gebührenden Gnade bis an das Ende der Welt geoffenbart hat – und die zugleich im Reich der himmlischen Herrlichkeit des allmächtigen Gottes für alle Ewigkeit einen bleibenden Bestand besitzt* – so der Apostel Paulus.

Vers 20: Ja – dieser von dem Apostel Paulus aus dem 19.Vers dieses gleichnamigen 2.Kapitels (siehe Auslegung!) benannte ***… feste Grund der bestehen bleibt*** *geht nun* ***… in einem großen Haus nicht nur in goldene und silberne Gefäße*** *über,* ***… sondern*** *in diesem* ***… großen Haus*** *– welches die Gemeinde Gottes darstellt – befinden sich* ***… auch hölzerne und irdene*** *Gefäße – in Bezug auf den ausübenden, sich ausbreitenden Glauben der Gemeindemitglieder –* ***… und zwar die einen zur Ehre*** *– in Bezug auf den inständigen, stets zu dem allmächtigen Gott und den Herrn und Heiland Jesus Christus gerichteten, vom Heiligen Geist umrahmten Glauben, der den gewichtigen Mittelpunkt ihres Daseins betrifft, weil diese Glaubenden Gott und Christus ihr ganzes Leben übergaben, damit Gott und der Heiland es fortan leiten –* dies sind die ***… goldenen und silbernen*** von dem Apostel Paulus benannten ***… Gefäße – … die anderen aber zur Unehre*** *– denn diese* „(Un-)Gläubigen" *besitzen einen ganz und gar instabilen Glauben in der rundum zerbrechlichen als auch verfallenden* ***… hölzernen und irdenen Hülle,*** *der sich gern verführen lässt – und zudem andere, sich vom Höchsten in Christus nicht zum Heil der Herrlichkeit führenden, abwendenden Worten hört, der ihren eigenen restlosen Verfall preisgibt, weil sie ihren (Un)-Glauben den Fängen des Satans – in Form der gottwidrigen Zugehörigkeit der Irrlehrer schonungslos übergeben haben –* so Paulus.

Der Apostel schenkt dem Gemeindeleiter Timotheus erneut *die i m m e r d a r u n v e r z i c h t b a r e, a l l e i n z u m H e i l d e r H e r r l i c h k e i t G o t t e s i n C h r i s t u s J e s u s f ü h r e n d e E i n s i c h t , dass a l l e i n n u r das zu Gott und Christus bezogene* ***... wandeln im Haus Gottes die Gemeinde*** *des himmlischen Vaters prägt.* Ja – *d i e s e rein zum Heil der Herrlichkeit Gottes in Christus leitenden Handhabungen b e i n h a l t e n* ***... die Pfeiler und die Grundfeste der Wahrheit*** (1.Timotheus, Kapitel 3, Vers 15b / siehe Auslegung). *Denn wie unachtsam und rundum fahrlässig es sich darstellt, wenn man den Worten Gottes k e i n e r l e i G e h ö r u n d G l a u b e n s c h e n k t – auf dieses Vergehen weist uns der Herr Jesus Christus mittels Seines der vollkommenen Wahrheit entsprechenden Gleichnisses* im Evangelium des Matthäus in Kapitel 13 in den Versen 47 – 50 wie folgt hin – denn dort spricht der Heiland Folgendes ***... wiederum gleicht das Reich der Himmel einem Netz, das ins Meer geworfen wurde und alle Arten (von Fischen) zusammenbrachte. Als es voll war, zogen sie es ans Ufer, setzten sich und sammelten die guten in Gefäße, die faulen aber warfen sie weg. So wird es am Ende der Weltzeit sein: Die Engel werden ausgehen u n d d i e B ö s e n a u s d e r M i t t e d e r G e r e c h t e n a u s s o n d e r n u n d s i e i n d e n F e u e r o f e n w e r f e n. D o r t wird das Heulen und das Zähneknirschen sein.***

Wenn sich jedoch der Leiter der Gemeinde in Ephesus *s t r i k t an d a s befreiende Glaubensmuster der unnachahmlichen Wahrheit Gottes im Herrn Jesus Christus h ä l t a l s a u c h b e r u f t* – dessen ist sich der Gesandte Gottes in der Kraft des Heiligen Geistes gegenüber seinem geliebten Glaubensbruder Timotheus absolut gewiss – *und er folglich die g a n z e G e m e i n d e i n e x a k t d i e s e r E v a n g e l i u m s - L e h r e i n s t r u i e r t – so entsteht wahrhaft eine vorbildliche, stets Gott wohlgefällige Kirche, die mit beständiger Wirksamkeit in den Fußstapfen des Herrn und Retters Jesus Christus wandelt – und zugleich mittels dieser Paradebeispiele des wahrhaftigen Glaubens in zukünftigen Zeiten unentwegt erhalten bleibt* – ganz im stets beabsichtigten Sinne des allmächtigen Gottes in dem Herrn Jesus Christus entsprechend.

Folglich m u s s Timotheus mit beständiger Wirksamkeit in der ihm vom Höchsten geoffenbarten Kraftquelle des Heiligen Geistes dafür Sorge tragen, dass a l l e Gemeindemitglieder zur Wachsamkeit aufgerufen werden, ***… denn d a s ist der Wille Gottes, eure Heiligung*** – betont der Apostel Paulus daher mittels seiner konstant nachzuahmenden, eifrigen Worte in seinem 1.Brief an die Thessalonicher in Kapitel 4, Vers 3a – *damit a l l e Mitglieder der Gemeinde in Ephesus den wunderbaren Lichtglanz Gottes in Christus Jesus in ihren Herzen rundweg verspüren können, um vom Heiligen Geist ergriffene Kinder des Höchsten zu werden* - ***… denn Gott will, dass alle Menschen gerettet werden, und zur Erkenntnis der Wahrheit kommen*** (1.Timotheus, Kapitel 2, Vers 4 / siehe Auslegung!).

Vers 21: Daraufhin betont Paulus gegenüber dem Gemeindeleiter Timotheus mittels folgender, unmissverständlicher Botschaft: ***… wenn nun jemand sich von solchen reinigt,*** (d.h. sich gründlich reinigt durch Abgrenzung und Distanzierung von solchen Gefäßen zur Unehre = Quelle: Schlachter-Bibel 2000!) ***… wird er ein Gefäß***

zur Ehre sein, geheiligt und dem Hausherrn nützlich, zu jedem guten Werk zubereitet.

Ja – *es ist jenes sich strikte Abwenden vom Bösen,* ***... damit der Mensch Gottes ganz zubereitet sei, zu jedem guten Werk völlig ausgerüstet*** – so Paulus in 2.Timotheus, Kapitel 3, Vers 17 (Auslegung folgt!). Dieses willige Erkennen der Wahrheit Gottes und die damit verbundene, zum Heil leitende *U m k e h r* zum himmlischen Vater spricht nun zu dem einst Abtrünnigen: ***... d a r u m, so spricht der HERR: W e n n du umkehrst, so will ich dich wieder vor mein Angesicht treten lassen; und w e n n du das Edle vom Unedlen s c h e i d e s t, sollst du sein wie mein Mund. Jene sollen sich zu d i r wenden, du aber sollst dich n i c h t zu ihnen wenden!*** (Jeremia, Kapitel 15, Vers 19).

In der Tat – Paulus macht es dem Leiter der Gemeinde der Epheser – Timotheus – *noch ein weiteres Mal allzu deutlich b e w u s s t, wie i m m e n s w i c h t i g a l s a u c h a l l e r r e t t e n d s i c h d a s A m t d e s T i m o t h e u s i n d e n H e r z e n a l l e r G e m e i n d e m i t g l i e d e r ersichtlich zeigen k a n n, w e n n der Gemeindeleiter u n e n t w e g t an den niemals vergehenden Worten der Wahrheit Gottes in dem Herrn Jesus Christus f e s t h ä l t.* Dieses von Paulus und der Ältestenschaft dem Leiter der Gemeinde übertragene, *r u n d w e g v o n g a n z e r b e d e u t e n d e r W i c h t i g k e i t g e k ü r t e A m t i m G e i s t d e r W a h r h e i t G o t t e s ist somit n i e m a l s v e r g e b l i c h o d e r g a r f r u c h t l o s, sondern es besteht i m m e r d a r die niemals versiegende Hoffnung der noch n i c h t vom Geist Gottes Beseelten, dass diese zu der vollkommenen Wahr-*

heit Gottes u m k e h r e n, die ihnen Timotheus im kraftvollen Segen des himmlischen Vaters im Herrn und Erlöser Jesus Christus u n e n t w e g t a n h a n d d e r a l l e i n z u m H e i l d e r H e r r l i c h k e i t G o t t e s f ü h r e n d e n E v a n g e l i u m s – B o t s c h a f t J e s u C h r i s t i p r e i s g i b t u n d p r e d i g t.

Diese allein in das Reich Gottes führende Verpflichtung *ist daher a b s o l u t z w i n g e n d, u m a l s e i n K i n d d e s H ö c h s t e n b e n a n n t a l s a u c h a n e r k a n n t z u w e r d e n,* so Paulus. Es ist wiederum jene voll und ganz seelsorgerische, von ganzer Nächstenliebe umschlossene Heilsbotschaft des Apostels Paulus *gegenüber seinem geliebten Kind im Glauben* – denn Paulus weiß aus eigener Erfahrung *ganz genau, mit w e l c h e r k o n s t a n t i m m e n s e n, a l l e i n v o m S e g e n G o t t e s a u s g e h e n d e n G l a u b e n s i n t e n s i t ä t dieser Aufgabenbereich des Timotheus vollbracht werden m u s s, um dass der Missionsbefehl des Heilands* – der da lautet: ***… so geht nun hin und macht zu Jüngern alle Völker, und tauft sie auf den Namen des Vaters und des Sohnes und des Heiligen Geistes und lehrt sie alles halten, was ich euch befohlen habe*** (Matthäus, Kapitel 28, Vers 19 + 20a) – *einen a l l s e i t s b e s t ä n d i g b l e i b e n d e n Eingang als auch Einklang in den Herzen a l l e r Gemeindemitglieder der Epheser erhält – und sie somit zu erfolgreichen, vom Geist Gottes gesegneten Anwärtern für das Reich der Herrlichkeit nach den ihnen allen zu Gute dienenden, rundweg weisen Absichten des himmlischen Vaters in Christus Jesus geformt werden.*

Darum – Timotheus – *m u s s der Dienst am Evangelium Jesu Christi i m m e r d a r mit einer konstant zu lobpreisende Ehre Gottes bestückt sein – wenn selbst die für uns sündigen Menschen zu erachtende, aus eigener Kraft nicht zu vollbringenden Aufgaben mit der allseits gewichtigen Hilfe Gotts in Christus Jesus in der Kraftwirkung des Heiligen Geistes sich d e n n o c h r u n d u m v e r w i r k l i c h e n* – ***... denn bei Gott ist kein Ding unmöglich*** (Lukas, Kapitel 1, Vers 37) – so Paulus.

Vers 22: Daher will der Gesandte des Allerhöchsten nunmehr dem Timotheus folgende, stets einzuhaltende Botschaft in sein vom Heiligen Geist erfülltes Herz mittels des Apostels ihn beständig zukommenden, besänftigenden Hilfsmaßnahmen offenbaren, die da lauten: ***... so fliehe nun die jugendlichen Lüste,*** (oder die Begierden der Jugend = Quelle: Schlachter-Bibel 2000!) ***... jage aber der Gerechtigkeit nach, dem Glauben, der Liebe, dem Frieden zusammen mit denen, die den Herrn aus reinen Herzen anrufen!*** Ein weiteres Mal gibt Paulus dem Gemeindeleiter Timotheus *unzweifelhaft zu wissen, dass ihn niemand aufgrund* ***... seiner Jugend verachten soll*** – *vielmehr soll er nunmehr den Gläubigen* ***... ein Vorbild*** (1.Timotheus, Kapitel 4, Vers 12a / siehe Auslegung!) *mittels seines tief im Herzen auffindbaren, vom Heiligen Geist ergriffenen Glaubens darstellen.*

Daher zählt für Gott (und folglich auch nicht für die Gemeindemitglieder der Epheser!) *n i c h t das Alter Seines Dieners im Herrn Jesus Christus, sondern vielmehr achtet der himmlische Vater stets darauf, dass das Herz der ausführenden, Ihm dienenden Person mit dem Lichtglanz Seiner selbst und dem des Herrn Jesus Christus – und folglich mit dem Heiligen Geist erfüllt ist –* ***… denn (der HERR) sieht nicht auf das, worauf der Mensch sieht; denn der Mensch sieht auf das, was vor Augen ist,*** (nach den Augen = Quelle: Schlachter-Bibel 2000!) ***… der HERR aber sieht das Herz an!*** (1.Samuel, Kapitel 16, Vers 7b). Weiterhin spricht der allmächtige Gott zu dem noch jungen, von Ihm berufenen Jeremia folgende Worte: ***… sage nicht: „Ich bin zu jung"; sondern du sollst zu allem hingehen, zu denen ich dich sende, und du sollst alles reden, was ich dir gebiete!*** (Jeremia, Kapitel 1, Vers 7).

Timotheus aber soll *vielmehr und v o r a l l e m a n d e r e n auf d a s achten, w o f ü r und w o z u er berufen worden ist – nämlich als der Leiter der Gemeinde in Ephesus* **… der Gerechtigkeit, dem Glauben, der Liebe, dem Frieden nachzujagen, zusammen mit denen, die den Herrn** (Jesus Christus!) ***… aus reinem Herzen anrufen*** – so Paulus. Wahrhaft – *diese stets Gott wohlgefälligen Tugenden sind in v o l l k o m m e n e r P e r f e k t i o n u n d W i r k u n g i n I h m s e l b s t a l s a u c h i n d e m H e r r n J e s u s C h r i s t u s i m m e r d a r a u f f i n d b a r.*

Wenn wir nun die rundum bedeutenden Grundzüge der unverblümten Wahrheit eines vom Heiligen Geist erfüllten Herzens genauer definieren, so werden wir Folgendes feststellen, denn das Herz ist wie folgt mit Gott gewollten Tugenden versehen:

Gerechtigkeit: *Aufrichtigkeit, Neutralität, Vorurteillosigkeit, Objektivität als auch die unverblümte Rechtschaffenheit –*

Glauben: *es ist die unentwegt überzeugende, zuversichtliche Gewissheit, durch den Glauben im Geist der Wahrheit von Gott und dem Herrn Jesus Christus in beständiger, von Ihnen allein ausgehender Obhut das Ihnen geoffenbarte eigene Leben mittels Ihrer weisen Richtlinien der vollkommenen Wahrheit zu begehen und es zugleich an andere Menschen weiterzuleiten.* Ja *– es ist g e n a u d i e s e sich im Herzen des Beschenkten v e r w i r k l i c h t e F e s t s t e l l u n g v o n d e s s e n,* ***… auf das, was man hofft, eine Überzeugung von Tatsachen, die man nicht sieht*** (Hebräer, Kapitel 11, Vers 1b*) – weil der in dem glaubenden Herzen wohnende Heilige Geist diesen Glauben b e l e b t, l e i t e t, l e n k t* ***… und Zeugnis davon gibt*** *– sodass man es e i n d e u t i g a u f f a s s t, dass wiederum der menschliche Geist dem Glaubenden im Heiligen Geist Gottes davon* ***… Zeugnis gibt, dass man ein Kind Gottes ist*** (Römer, Kapitel 8, Vers 16) –

Liebe: *es ist diese von Gott in Christus Jesus ausgelebte Liebe, welche mit hingebender Leidenschaft und der dazugehörenden Verbundenheit zu Ihnen – allen von Glauben erfüllten Menschen aufzeigen will – mit welcher inständigen, n i e m a l s v e r z a g e n d e n K r a f t der himmlische Vater diejenigen Menschen liebt, welche sich der vollauf konsistenten Wahrheit Seiner selbst in Christus durch ihren Glauben annehmen. Diese allein von Gott in Christus abstammenden, rundum perfekten Tugenden prägen Ihre vollkommenen, von ganzer Reinheit und Sanftmut beseelten Etiketten Ihrer rundweg abgeschlossenen Vollkommenheit. So zeigt sich die von dem himmlischen Vater in Christus Jesus übertragene Liebe in den vom Heiligen Geist erfüllten Herzen der Gläubigen wie folgt erkenntlich – denn* ***… die Liebe ist langmütig und gütig, die Liebe beneidet nicht, die Lie-***

be prahlt nicht, sie bläht sich nicht auf; sie ist nicht unanständig, sie sucht nicht das Ihre, sie lässt sich nicht erbittern, sie rechnet das Böse nicht zu; sie freut sich nicht an der Ungerechtigkeit, sie freut sich aber an der Wahrheit; sie erträgt alles, sie glaubt alles, (was mit den Worten Gottes in Verbindung steht!) ***… sie hofft alles, sie erduldet alles*** (1.Korinther, Kapitel 13, Verse 4 – 7).

Frieden: *es ist diese unentwegt von dem Herrn Jesus Christus in ganzer Vollkommenheit ausgelebte und weitergegebene Frohe Botschaft des himmlischen Vaters, welche in nachahmender Weise von den Beschenkten Gottes begangen werden muss, sodass der Friede sein stets von Gott erdachtes Ziel erhält. Diese von ganzer Sanftmut geprägten Tugenden weisen eindeutig auf, dass die immerdar nachzuahmenden, friedvollen als auch sanftmütigen Wesenszüge des Herrn Jesus Christus mit einer selbstgenügsamen, charaktervollen und zugleich unabänderlichen Stärke der Seelenruhe von den Kindern Gottes ausgeübt werden, welche unmissverständlich aufweisen, dass diese Beschenkten in den Fußstapfen Christi wandeln und zugleich andere Menschen aufgrund ihres friedvollen,* ja – *rundweg behaglichen, immerdar zu Gott und Christus bezogenen Handelns eine ihnen allen von Gott unterbreitete, nunmehr ergreifbare zu Ihm hinziehende Hoffnung im Glauben an Gott und den Herrn Jesus Christus an sich nehmen, sodass auch die noch einst Fernen fortan zu den Auserwählten Gottes gezählt werden können – ganz gemäß nach dem seit Ewigkeit gewollten Absichten des allmächtigen Gottes in dem Herrn Jesus Christus entsprechend.*

In der Tat – es sind *d i e s e* von dem Apostel Paulus dem Timotheus ans Herz gelegte, Gott wohlgefälligen Tugenden, welche einen wahren Christen rundweg auszeichnen. Ja – mit allein *d i e s e n* christlichen Handlungen tritt die vom Heiligen Geist geoffenbarte Reinheit des Herzens in den Vordergrund – und sorgt somit für ein dem Timotheus gebührenden Amtsauftritt innerhalb als auch außerhalb der Gemeinde in Ephesus, *der den unabdingbaren Willen Gottes im Herrn Jesus Christus rundum u n t e r s t r e i c h t als auch w i d e r s p i e g e l t. Es ist jenes f e s t e n t s c h l o s s e n e – im Geist der Wahrheit Gottes beflissene***... Nachjagen,** *mit allen anderen,* ***... die den Herrn aus reinem Herzen anrufen*** – (2.Timotheus, Kapitel 2, Vers 22b) *welche die verpflichtenden Ausübungsmaßnahmen dieses gewichtigen Amtes prägt als auch fördert, d a m i t die zur Herrlichkeit schreitende Gemeinschaft Gottes dem Willen des Höchsten gemäß in Christus Jesus nach bestem Wissen und Gewissen von der auszuübenden Person vollbracht wird. D a s ist in der Tat die rundweg zu e r f ü l l e n d e A u f g a b e des Gemeindeleiters Timotheus* – so Paulus – nämlich: *dass er sich u n e n t w e g t* ***... an d a s Muster der gesunden Lehre hält,*** *die er von seinem Ziehvater im Glauben – dem Apostel Paulus –* ***... gehört hat, im Glauben und in der Liebe, die in Christus Jesus ist!*** (2.Timotheus, Kapitel 1, Vers 13 / siehe Auslegung!).

Verse 23 - 26

Die richtige Haltung eines Knechtes des Herrn gegenüber Irrenden

[23]Die törichten und unverständigen Streitfragen aber weise zurück, da du weißt, dass sie nur Streit erzeugen. [24]Ein Knecht des Herrn

aber soll nicht streiten, sondern milde sein gegen jedermann, fähig zu lehren, geduldig im von Ertragen von Bosheiten; [25]***er soll mit Sanftmut die Widerspenstigen zurechtweisen, ob ihnen Gott nicht noch Buße geben möchte zur Erkenntnis der Wahrheit*** [26]***und sie wieder nüchtern werden aus dem Fallstrick des Teufels heraus, von dem sie lebendig gefangen worden sind für seinen Willen.***

Auslegung:

Vers 23: Aufgrund der dem Apostel Paulus *von dem allmächtigen Gott in dem Herrn Jesus Christus übertragenen apostolischen Vollmacht hat der Gesandte Gottes die V e r p f l i c h t u n g vom Höchsten erhalten, das ihm geoffenbarte Amt nach bestem Wissen und Gewissen auszuführen – was ihm auch rundum bravourös gelang.* Dass *d i e s e von ganzer Bedeutung gekürte Tatsache es stets aufweist, d e m h i m m l i s c h e n V a t e r d i e v o l l k o m m e n e E h r e S e i n er s e l b s t i n C h r i s t u s J e s u s zu erweisen, liegt unwillkürlich auf der Hand.* Daher ist es dem Paulus *so immens wichtig, dass auch der Gemeindeleiter Timotheus nach den weisen Richtlinien Gottes sein gewichtiges Amt nach denselben Kriterien ausübt, gleich – wie es sein Ziehvater Paulus im Glauben stets vollbrachte.* Somit lässt nun der Apostel Paulus dem Leiter der Gemeinde der Epheser unmissverständlich folgende Anweisung zukommen: ***… die törichten und unverständigen Streitfragen aber weise zurück, da du weißt, dass sie nur Streit erzeugen.***

Noch ein weiteres Mal will Paulus seinem geliebten Kind im Glauben – dem Timotheus – folgende weitere Worte in sein vom Geist der Wahrheit Gottes beseeltes Herz hinterlegen: ***… du aber bleibe in dem, was du gelernt hat und was dir zur Gewissheit geworden ist, da du weißt, von wem du es gelernt hast.*** Denn: ***… alle Schrift ist von Gott eingegeben und nützlich zur Belehrung, zur Überführung, zur Zurechtweisung, zur Erziehung in der Gerechtigkeit*** (2.Timotheus, Kapitel 3, Verse 14 + 16 / siehe nachfolgende Auslegung!).

In er Tat – Timotheus *soll die rundweg nutzlosen, als auch unbelehrbaren und zugleich uneinsichtigen, mit Ärgernis behafteten Streitfragen der Falschprediger r e s t l o s a b w e i s e n.* Diese bringen in die Gemeinde Gottes *nur von ganzer Zwiespältigkeit zerstreute,* ja *– von den Irrlehrern aufgrund ihrer eigenen aus Eigenregie geprägten Unwissenheit hineinkatapultierte Auseinandersetzungen, welche die unabänderlichen, von ganzer Reinheit und Wahrheit umrahmten Worte Gottes r u n d u m b e f l e c k e n u n d f o l g l i c h i n F r a g e s t e l l e n,* so Paulus. Denn diese üblen Verleumder ***… treten den Sohn Gottes mit*** ihren ***… Füßen*** (Hebräer, Kapitel 10, Vers 29b). *Zwar weiß Timotheus allzu genau, dass solche gottwidrigen Streitfragen der Falschprediger zurückgewiesen werden m ü s s e n – um dass das Wort der Wahrheit Gottes in Christus die Früchte des Heils innerhalb der Gemeinde in Ephesus hervorsprießen lässt –* jedoch liegt es dem Apostel am Herzen, seinen Glaubensbruder *nochmals darauf aufmerksam zu machen, dass einzig und allein n u r ein gut genährter, ertragreicher Boden auch Gott wohlgefällige Früchte des Heils hervorbringt.*

Denn eine vom Geist Gottes in die Herzen der Glaubenden hineingepflanzte, voller Zuversicht umwobene Gewissheit bekennt diesen Auserwählten des himmlischen Vaters in dem Herrn Jesus Christus immerdar: ***… der Gerechte wird grünen wie ein Palmbaum, und er wird wachsen wie eine Zeder auf dem Libanon. Die gepflanzt sind im Hause des HERRN, werden in den Vorhöfen unseres Gottes grünen. Und wenn sie auch alt werden, werden sie dennoch blühen, fruchtbar und frisch sein, dass sie verkündigen, dass der HERR gerecht ist; er ist mein Fels und kein Unrecht ist an ihm*** (Psalm 92 – Freude am Lob Gottes, ein Psalm Davids, Verse 13 – 16 / Lutherbibel 2017).

Wahrhaft – *die Gemeinde s o l l u n d m u s s zugleich mit einem festen, unerschütterlichen Fundament der zu Gott und Christus bezogenen, w i l l e n t l i c h b e f l i s s e n e n, i n s t ä n d i g e n G l a u b e n s s t ä r k e i m H e i l i g e n G e i s t gegründet sein, sodass die Evangeliums-Botschaft des Herrn und Erlösers Jesus Christus z u r E h r e G o t t e s k e i n e r l e i Z w i e s p ä l t i g k e i t aufweist, d a m i t die Kirche aufgrund des stets in den Fußstapfen Christi nachfolgenden Gemeindeleiters Timotheus ein k o n s t a n t nachzuahmendes Paradebeispiel a l l e r G l a u b e n d e n gegenüber der ihr nachfolgenden Gemeinden aufweist, inwiefern ein vom Heiligen Geist Gottes umschlossener Glaube a l l e auf ihn zukommenden Barrieren mittels eines s t e t s u n v e r z a g t e n G l a u b e n s ü b e r w i n d e n k a n n u n d w i r d.* Ja – *es ist jener von Gott in Christus erkenntlich gewordene, der Gemeinde der im ganzen Glauben stehenden Epheser geoffenbarte Friede in der Kraftwirkung des Heiligen Geistes, der es n i c h t z u l ä s s t, dass von sündigen Menschen erdachte, in Eigen-*

regie behaftete, sich von der vollkommenen Wahrheit Gottes in Christus Jesus abkehrende Streitfragen die vor und über allem stehende Frohe Botschaft in ihren vom Höchsten stets gewollten Richtlinien kränkt oder gar zerstört. Wahrhaft – in den von Gott in Christus erhellten Herzen befindet sich eine niemals versiegende Botschaft, welche mit beständiger Kontinuität dem Glaubenden bekennt: ***... Christus** ist **... in uns, die Hoffnung der Herrlichkeit*** (Kolosser, Kapitel 1, Vers 27b).

Vers 24: Dank dieser zum Heil leitenden Attribute – dessen alleinige Geber unentwegt der uns liebende himmlische Vater in dem Herrn Jesus Christus ist – ***... soll ein Knecht des Herrn nicht streiten, sondern milde sein gegen jedermann, fähig zu führen, geduldig im Ertragen von Bosheiten.*** Es sind jene bereits dem Timotheus von dem Apostel Paulus beschriebenen Kriterien, die er dem Gemeindeleiter schon in 1.Timotheus, Kapitel 3 in den Versen 2 + 3 (siehe Auslegung!) voller Wohlwollen unterbreitete. Ja – *Timotheus s o l l es als ein* ***... Knecht im Herrn*** *mit beständiger Wirkung u n t e r l a s s e n, sich den Irrlehrern anzugleichen, die mittels rundum verpönten, aus Eigenregie behaftenden, immerdar gottwidrigen Reden mit ihrer eigenen Unwissenheit schmücken, weil sie in den Fängen des Satans inkludiert wurden.*

Ein Knecht des Höchsten *aber soll sich solcher Dinge i m m e r d a r e n t h a l t e n, weil dieser Mitarbeiter Gottes d a z u b e r u f e n w u r d e, Menschen für den wahren Glauben an den Herrn Jesus Christus z u g e w i n n e n.* Diese Tugend sagt weiterhin unmissverständlich aus, dass die von Gott diesem Knecht geoffenbarte Gnade *ihn von den Fängen des Satans r u n d u m e r l ö s t h a t – daher kann er beständig s o handeln, wie es ihm der Geist Gottes zu erkennen gibt – nämlich: nach dem unnachahmlichen Willen des Höchsten in Christus Jesus entsprechend.*

In den zum Heil der Herrlichkeit Gottes leitenden Fußstapfen des Herrn Jesus Christus zu wandeln, bedeutet, *Ihn n a c h z u a h m e n,* ja – *mittels der im Herzen ruhenden, nun zur Wirkung freigegebenen Willensstärke in der Kraft des Geistes Gottes gegenüber a l l e n a n d e r e n P e r s o n e n die seelsorgerische Nächstenliebe gegenüber ihnen mittels der von Gott in Christus geoffenbarten mildtätig-barmherzigen Güte preiszugeben, sodass nunmehr d i e s e Menschen unzweifelhaft erkennen, dass der helle Lichtglanz Jesu Christi es a u c h i h n e n u n m i s s v e r s t ä n d l i c h a u f z e i g t,* ***…. den Vater im Himmel zu*** *lob*___***…preisen*** (Matthäus, Kapitel 5, Vers 16b). Dieses Nachahmen drückt zugleich die immerdar von Gott erdachten, wohlgefälligen Tugenden der Willigkeit aus, *den Missionsbefehl des Heilands mittels lehrender Worte anhand sittsam-entgegenkommender Beflissenheitsmaßnahmen auszuüben.* Ja – *selbst disziplinierte als auch andauernd hinzunehmende, von frevelhafter Arglist behaftete Geduldsma0nahmen gegenüber der Falschaussagen der Irrlehrer weisen in diesen von Gott in Christus geprägten, geistbeseelten Herzen k e i n e r l e i f e i n d s e l i g e S a n k t i o n e n auf; denn allein mittels der immerdar allen Glaubenden von Christus Jesus vorgelebten sanft- und demütigen Verhaltensregeln ruft der Heiland die Seinen dazu auf*: ***… nehmt auf euch mein Joch und lernt von mir*** (Matthäus, Kapitel 11, Vers 29a).

Ja – *es ist genau d i e s e gegenüber allen Glaubenden von Gott durch Christus erwirkte, aushaltende L i e b e, die uns förmlich i m m u n gegen sämtliche auf uns zukommende, widerstreitenden Barrieren werden lässt – und uns zudem eindeutig aufweist, dass d i e s allein die Liebe Gottes in der Kraftwirkung des Heiligen Geistes bewirkt hat, sodass die gnadeneiche Barmherzigkeit des himmlischen Vaters es bewilligen kann, die noch von Gott entfernten Menschen in den gnadenreichen Heilsbereich Seiner selbst durch das erlösende Blut Christi gelangen zu lassen, w e n n diese einst Abtrünnigen sich der vollkommenen Wahrheit Gottes in Christus Jesus vollends durch Glauben annehmen – und somit zu der unwiderruflichen Erkenntnis der Wahrheit Gottes gelangen, die allein im Herrn Jesus Christus ihren von himmlischen Vater erwirkten Endstand vollends erreicht hat.*

Vers 25: Wahrhaft – anhand dieser soeben aus Vers 24 beschrieben, von den Glaubenden ausgehenden Willigkeitscharakteren (siehe Auslegung!) *wird erkennbar, dass alle vom Geist Gottes beschenkten Menschen mit ihren Handhabungen* ***... mit aller Demut und Sanftmut, mit Langmut einander in Liebe ertragen und eifrig bemüht sind, die Einheit des Geistes durch das Band des Friedens zu bewahren*** (Epheser, Kapitel 4, Verse 2 + 3). *Dies ist die Grundvoraussetzung dafür* – so Paulus – ***... mit Sanftmut die Widerspenstigen zurechtzuweisen,*** (oder zu unterweisen / zu erziehen = Quelle: Schlachter-Bibel 2000!) ***... ob ihnen Gott nicht noch Buße geben möchte zur Erkenntnis der Wahrheit*** (2.Timotheus, Kapitel 2, Vers 24).

Ja – *dieses von Gott in dem Herrn Jesus Christus d u r c h den Heiligen Geist weitergegebene, an ihre Auserwählten geoffenbarte Geschenk ist d a s e i n d e u t i g e Zeichen,* dass diese Personen dem himmlischen Vater und dem Heiland *ihr Leben vollends übergeben haben – und folglich ihr Dasein nach dem Willen Gottes in Christus Jesus gemäß ausüben und verwirklichen. D i e s e geisterfüllten Menschen* – die nunmehr in den Fußstapfen Jesu Christi wandeln – *sind folglich von Gott in Christus d u r c h den Geist der Wahrheit Gottes f ä h i g als auch von dem himmlischen Vater und dem Heiland d a z u b e w ä h r t w o r d e n – andere n o c h n i c h t i m G l a u b e n s t e h e n d e I n d i v i d u e n aufgrund ihrer von ganzer L i e b e, A u f g e s c h l o s s e n h e i t, M i l d e, G ü t e, H e r z l i c h k e i t u n d H i l f s b e r e i t s c h a f t u m r a h m t e n H a n d l u n g e n i m G l a u b e n* – welches die unmissverständlichen *A n z e i c h e n* aufweisen – *dass d i e s e Beschenkten wahrhaft i n d e r* ***... Erkenntnis der Wahrheit*** *s t e h e n – und somit alles n u r E r d e n k l i c h e in ihrer von Gott in Christus erwirkten Hilfe im Geist der Wahrheit aufgrund ihres unerschütterlichen Glaubens u n t e r n e h m e n – sodass die noch n i c h t B e r u f e n e n des himmlischen Vaters e b e n f a l l s von dem allmächtigen Gott d i e i m m e r d a r b e n ö t i g t e* ***... Buße*** *e r h a l t e n – und folglich* ***... zur Erkenntnis der Wahrheit*** *kommen – d i e e i n z i g u n d a l l e i n i n G o t t u n d i n d e m H e r r n J e s u s C h r i s t u s a u f E w i g k e i t a u f f i n d b a r i s t.*

In der Tat – es ist jene dem Apostel Paulus unentwegt am Herzen liegende, dem Timotheus fortwirkend zu unterbreitende Botschaft, immerdar in der dem Gemeindeleiter geoffenbarten Kraftwirkung des

Heiligen Geistes zu verbleiben, *um den Willen Gottes in Christus Jesus mit beständigem, ausübenden Willen nach bestem menschlichen Wissen und Gewissen zu erfüllen*:

Einerseits, um das Timotheus sich mittels seiner geisterwirkten Handlungen im festverankerten Glauben von ganzem Herzen *allen Gemeindemitgliedern der Epheser als ein nachzuahmendes Vorbild,* ja – *als ein* ***… Knecht des Herrn*** (2.Timotheus, Kapitel 2, Vers 24 a / siehe Auslegung!) *im Glauben repräsentiert.* Dies ist in der Tat *jene s im Herzen des Timotheus sich verwirklichende, nunmehr in Bereitschaft tretende Hoffnung der Herrlichkeit Gottes, welche der himmlische Vater in Christus Jesus in ganzer Vollkommenheit vollends allen Glaubenden im Geist der Wahrheit Seiner selbst geoffenbart hat.*

Andererseits den stets beabsichtigten, fortan konstant auszufüllenden Willen des Höchstem im Heiland Jesus Christus *zu bewältigen, der eindeutig aufweist, vollends in der barmherzigen Gnade des himmlischen Vaters angelangt zu sein,* sodass der Leiter der Gemeinde der Epheser den weisen Tugenden Gottes entsprechend dem Timotheus geoffenbarten Handlungen es ersichtlich werden lassen, *dass die noch fern von Gott und Christus sich befindenden Menschen nunmehr erkennen, wie wunderbar sich die Werke des Herrn d e n j e n i g e n M e n s c h e n in ganzer sie erfüllender Liebe offenbarend darlegen, welche Seine richtungsweisenden, voller Wohlwollen sich erkenntlich unterbreiteten Richtlinien in ihren Herzen aufnehmen, sodass auch sie fortan mittels ihres sich nun von und im Lichtglanz der Herrlichkeit Gottes in Christus Jesus beseelten Herzen voller Dankbarkeit und Demut dem himmlischen Vater im wahrhaftigen Glauben folgende sich niemals ändernde, zuversichtli-*

che Feststellung in ganzer geisterfüllten Dankbarkeit bekennen: ***… denn Gott, der dem Licht gebot, aus der Finsternis hervorzuleuchten, er hat es auch in unseren Herzen Licht werden lassen, damit wir erleuchtet werden mit der Erkenntnis der Herrlichkeit Gottes im Angesicht Jesu Christi*** (2.Korinther, Kapitel 4, Vers 6).

Vers 26: Daher soll der Knecht des Höchsten – der Gemeindeleiter Timotheus – die ihm geoffenbarte Kraftwirkung des Heiligen Geistes im unerschütterlichen, zu dem Höchsten und zu dem Herrn Jesus Christus bezogenen, geisterwirkten Glauben *stets dazu nutzen, die abirrenden Falschprediger* ***… wieder nüchtern werden zu lassen*** *– um das diese einst Abtrünnigen somit folglich* ***… den Fallstricken des Teufels*** *entfliehen können,* ***… von dem sie lebendig gefangen worden sind für seinen Willen.*** Ja – es ist diese von Paulus dem Timotheus beschriebene, *gnadenreiche Barmherzigkeit Gottes, die der Höchste in Christus bei Seiner Selbstverwirklichung in den Heiland vollends verwirklichte, die hier zum Tragen kommt, w e n n der einst Abirrende von der rundweg verfinsterten Gefangenschaft des Teufels e n t f l i e h t – um sich der unantastbaren Wahrheit anzunehmen, die einzig und allein in Gott und in dem Herrn Jesus Christus auf Ewigkeit auffindbar ist.*

Der Apostel will es dem Leiter der Gemeinde *eindeutig zu verstehen geben, dass* ***… das Geheimnis der Gesetzlosigkeit*** (der bewussten Auflehnung gegen die Gesetze und Abkehr von Christus = Quelle: Schlachter-Bibel 2000!) ***… schon am Wirken ist, n u r m u s s d e r, w e l c h e r j e t z t z u r ü c k h ä l t, e r s t a u s d e m W e g s e i n*** (2.Thessalonicher, Kapitel 2, Vers 7). Ja – es ist jene von Paulus gegenüber dem Timotheus ermahnte Gefahr, *dass der in den Fängen des Teufels inhaftierte Mensch sich n i c h t s e l b s t aus diesem Satanskreis h e r a u s m a n ö v r i e r e n k a n n.* Dieser *b e n ö t i g t u n d b r a u c h t zugleich* zu diesem von ganzer Bedeutung gekürtem Entfliehen *die barmherzige Gnade Gottes in dem Herrn und Erlöser Jesus Christus, damit er zu d e r Wahrheit gelangt, die ihn allein d u r c h C h r i s t u s d i e H e r r l i c h k e i t d e s R e i c h e s G o t t e s e r b l i c k e n l a s s e n k a n n.* Daher betont Paulus in seinem Brief an die Römer in Kapitel 2 in Vers 4b unmissverständlich: ***… dass dich G o t t e s G ü t e z u r B u ß e l e i t e t.***

Wahrhaft – es ist *d i e s e* rundum bedeutende, *dem Timotheus allein von G o t t i n C h r i s t u s geoffenbarte Gnadengabe im Heiligen Geist aufgrund des Gemeindeleiters tiefgründigen, von ganzem Herzen kommenden, inständigen Glaubens,* dass er als der Diener im Herrn den einst Abirrenden das Wort der Wahrheit Gottes predigt und seinem Herzen nahelegt, *um somit die Umkehr und das gewichtige Verlassen des Teufelskreises i n u n d a u s der barmherzigen* **… Güte Gottes** *heraus veranlassen zu können, welche wiederum allein mit der* ***… Buße*** (Römer, Kapitel 2, Vers 4b) – ja – *mit der immerdar bedeutungsvollen Gnade des Höchsten in Christus Jesus nunmehr dafür Sorge trägt, dass sich diese allerrettende Hilfsmaßnahme Seinem Willen gemäß v e r w i r k l i c h t, w e n n sich das einst steinerne Herz mit fleischernen, Gott wohlgefälligen Tugenden zu den Worten der unabdingbaren Wahrheit S e i n e r s e l b s t b e z i e h t – u n d f o r t a n e r k e n n t, w a s d e r W i l l e G o t t e s i s t.*

Nämlich: Den Willen des himmlischen Vaters in Christus Jesus *zu erkennen und zu vollbringen, sodass der irdische Wille sich dem göttlichen, vor allem stehenden Willen j e d e r z e i t u n t e r o r d n e t.*

Ja – *es ist exakt d i e s e s k o n s i s t e n t e , von Gott in Jesus Christus erwirkte Handeln Seiner selbst in vollkommener Liebe zu d e n Menschen, die Ihn und Seinen Sohn wiederum vollends im G l a u b e n l i e b e n, e h r e n u n d l o b p r e i s e n,* so Paulus. Es ist daher ein eindeutiges Indiz, *dass der Mensch die Gnade Gottes in seinem Herzen rundum durch den Glauben an Ihn v o l l e n d s v e r w i r k l i c h t a l s a u c h r u n d w e g a n g e n o m m e n h a t – und folglich den listigen Fängen des Teufels für i m m e r entfliehen kann,* um auf Ewigkeit ein Dasein unter den beschützenden Flügeln des himmlischen Vaters rundum genießen zu können.

Kapitel 3

Verse 1 – 9

Der geistliche Niedergang in den letzten Tagen

[1]Das aber sollst du wissen, dass in den letzten Tagen schlimme Zeiten eintreten werden. [2]Denn die Menschen werden sich selbst lieben, geldgierig sein, prahlerisch, überheblich, Lästerer, den Eltern ungehorsam, undankbar, unheilig, [3]lieblos, unversöhnlich, verleumderisch, unbeherrscht, gewalttätig, dem Guten Feind, [4]Verräter, leichtsinnig, aufgeblasen; sie lieben das Vergnügen mehr als Gott; [5]dabei haben sie den äußeren Schein von Gottesfurcht, deren Kraft aber verleugnen sie. Von solchen wende dich ab! [6]Denn zu diesen gehören die, welche sich in die Häuser einschleichen, und die leichtfertigen Frauen einfangen, welche mit Sünden beladen sind und von mancherlei Lüsten umgetrieben werden, [7]die immerzu lernen und doch nie zur Erkenntnis der Wahrheit kommen können. [8]Auf dieselbe Weise aber wie Jannes und Jambres dem Mose widerstanden, so widerstehen auch diese (Leute) der Wahrheit; es sind Menschen mit völlig verdorbener Gesinnung, untüchtig zum Glauben. [9]Aber sie werden es nicht mehr viel weiter bringen; denn ihre Torheit wird jedermann offenbar werden, wie es auch bei jenen der Fall war.

Auslegung:

Vers 1: Von den Gott wohlgefälligen Haltungen eines Knechts des Höchsten (siehe Auslegung zum letzten Kapitelabschnitt des 2.Kapitels im 2.Timotheusbrief!) geht der Apostel Paulus nun über zu *den rundum negativ sich auswirkenden, gottwidrigen Benehmen der gegen Gott und den Herrn Jesus Christus gerichteten Haltungen der vom Glauben gänzlich abkehrenden Personen in den zukünftigen Zeiten.* Paulus hält gegenüber dem Timotheus kein Blatt vor dem Mund *und bekennt ihm daher unmissverständlich, dass der Gemeindeleiter der Epheser es unverblümt von dem Gesandten Gottes erfahren* ***... soll,*** *dass* ***... in den letzten Tagen schlimme,*** ja – *beunruhigende, gefahrvolle als auch rundweg fatale* ***... Zeiten über die Menschheit kommen werden.*** Mit dieser seiner den abwendenden Personen im wahren Glauben gebührenden Mitteilung zeigt der Gesandte Gottes dem Timotheus die bereits von den Herrn Jesus Christus diese Individuen prägenden, unverblümten Worte auf, *welche* ***... in den letzten Tagen*** *geschehen werden,* denn der Heiland spricht: ***... und es werden viele falsche Propheten auftreten und werden viele verführen. Und weil die Gesetzlosigkeit überhandnimmt, wird die Liebe in vielen erkalten*** (Matthäus, Kapitel 24, Verse 11 + 12).

Es sind wiederum die bereits von Paulus dem Timotheus *mitgeteilten, zukünftigen Zeitperioden,* ja – *jene in baldiger Zukunft geschehenden, nunmehr anbrechenden,* ***... späteren Zeiten,*** *wo* ***... etliche vom Glauben abfallen und sich irreführenden Geistern und Lehrern der Dämonen zuwenden werden*** (1.Timotheus, Kapitel 4, Vers 1b / siehe Auslegung!). Auch der Apostel Petrus bekennt diese von

Gott und Christus abkehrenden, zukünftigen Zeitperioden der Gottesgegner wie folgt: ***… dabei sollt ihr vor allem das erkennen, dass am Ende der Tage Spötter kommen werden, die nach ihren eigenen Lüsten*** (oder Begierden = Quelle: Schlachter-Bibel 2000!) ***… wandeln*** (2.Petrus, Kapitel 3, Vers 3). Paulus aber will dem Timotheus eindeutig aufzeigen, dass er *stets in der ihm von dem allmächtigen Gott in dem Herrn Jesus Christus geoffenbarten Liebe verbleiben soll, die in dem Herzen des Gemeindeleiters mit dem Heiligen Geist vom himmlischen Vater versehen als auch versiegelt wurde, um den abirrenden Menschen i m m e r d a r nahe zu stehen, die dem* ***… Gott dieser Weltzeit*** (2.Korinther, Kapitel 4, Vers 4a) *ihr Gehör und ihr Vertrauen schenkten, um sie aus ihren gefesselten, nahezu aussichtlosen Fallen mit dem Wort der Wahrheit Gottes in Christus und der von ihren Herzen kommenden Glaubensannahme an den himmlischen Vater und den Heiland g ä n z l i c h z u b e f r e i e n.*

Dabei soll sich des Paulus geliebtes Kind im Glauben jeglicher Täuschung bewusst werden – nämlich – *dass die bereits in der Gemeinde der Epheser auftretenden Gottesgegner n u r d e n A n f a n g der gottwidrigen Verhaltensmuster darstellen – und dass diese von Gott und Christus sich abwendenden, rundum beschämenden,* ja – *die Herrlichkeit Gottes in Christus befleckenden als auch in Frage gestellten Maßnahmen in der baldigen Zukunft ü b e r h a n d n e h m e n w e r d e n – welche schließlich bis zu der Parusie Christi* (der Wiederankunft des Herrn Jesus Christus am Tag des Jüngsten Gerichts!) *ihren beschämenden Charakter beibehalten werden, indem die in verfinsternde Eigenregie des Satans verfallenen, voller Schuld belasteten, n i c h t zur Gerechtigkeit Gottes umkehrenden Individuen ihrer gerechten Strafe nicht entgehen werden.*

Verse 2 – 4: Wenn jedoch die vom Satan rundum verdunkelten, steinernen Herzen *trotz aller nur erdenklichen von Gott in Auftrag gegebenen Bemühungen der vom himmlischen Vater in Christus Jesus eingesetzten Lehrer ihre rundweg sturen und uneinsichtigen Charaktere beibehalten, so zerfällt die Gemeinde mehr und mehr in eine von Gott und Christus getrennte, verfinsternd anmutende, gänzlich vom Teufel beherrschte, abartige Dekadenz.* Dass diese gegen den himmlischen Vater in Christus veranlassten Vergehen ein vollkommen lichtleeres, konsistent von dem allmächtigen Gott und dem Herrn Jesus Christus weit entferntes, voller gottwidriger Eigenregie befallenes Schauspiel der rundum beschämenden Sünde darstellen, erklärt sich nunmehr von selbst.

Diese beschämenden, rundweg Gott und den Herrn Jesus Christus befleckenden Charaktereigenschaften der ungläubigen Individuen lassen die an Gott und den Herrn Jesus Christus fest im Glauben stehenden Menschen *gänzlich erschauern* – wenn der Apostel Paulus nunmehr diese gottwidrigen Eigenschaften wie folgt betonend darlegt. Um sich über die genauen Ausmaße dieser vom Teufel beseelten Denk- und Handlungsweisen bewusst zu werden, müssen diese wie folgt definiert werden – denn diese Menschen werden sich – so der Apostel Paulus:

selbst lieben: *ihre vergänglich in Eigenregie erdachte Starrsinnigkeit verführt diese Menschen in eine rundweg egozentrische Rücksichtslosigkeit der Ichsucht, indem sie ihre eigene Achtung als das Maß aller Dinge in Augenschein nehmen – und sämtliche von Gott und Christus geforderten, seelsorgerischen Maßnahmen der Nächstenliebe gänzlich mittels ihres eigennützigen Willens restlos verwerfen –*

geldgierig sein: *ihre ganze Hoffnung beruht auf der weltlich-vergänglichen, von Sünde und abkehrenden Glauben unersättlich behaftenden Geldliebe, mit der sie Gott den Rücken kehren, weil der irdische Mammon ihnen die Sinne des wahren Lebens in der Gemeinsamkeit mit Gott und dem Herrn Jesus Christus anhand eines zu Ihnen bezogenen Glaubens rundweg verblendet hat; indem sie der nichtigen Meinung sind, dass allein die Anhäufungen von weltlichen Besitztümern ihnen die benötigte Hoffnung allein Seins nahelegt, um mit diesen verwerflichen Dingen ihre irdischen Habsüchte zu stillen – jedoch denken sie nicht an die Vergänglichkeit ihrer Habsucht, wenn der Tod sie einholen wird – noch was mit ihnen geschehen mag, wenn die Wiederankunft des Herrn Jesus Christus naht – und sie dem himmlischen Vater für all ihre Fehlhandlungen Rechenschaft geben müssen ... –*

prahlerisch: *ihr vom Teufel inhaftiertes Dasein reizt sie zu von sich eingenommenen, unüberlegten, hochmütigen als auch arrogant-feudalen, zu Nichts führenden Äußerungen, die ihre gottwidrigen Charaktere in von Gott und Christus abgeschiedener Dekadenz nochmals unterstreichend hervorheben; ihre prachtvolle, stets vergänglich-anmutende Blasiertheit formt sie mehr und mehr in ihre gänzlich abkehrende, ja – trostlose Verlassenheit der himmlischen*

Vertrautheit und weist ihnen zugleich auf, dass sie vollends in den listigen Fängen des Satans angelangt sind –

überheblich: *ihre auf Eigenregie behaftete, rundweg diktatorisch-anmutende Wesensart weist ihnen den eigenen, von Gott und Christus entfernten Verfall auf, weil sie mittels ihrer anmaßend-despotischen Verhaltensweisen ihre eigene, rundum vergängliche Nichtsnutzigkeit in den für sie selbst zu erachtenden, jedoch rundum vergänglichen Vordergrund spielen; ihre entartend anmutende Selbstgefälligkeit ist ein klares, eindeutiges Indiz, dass diese beschämenden Individuen Gott nicht gefallen können – jedoch beim Satan mit insolenter Stärke ihre zu Gott abkehrenden Maßnahmen unter Beweis gestellt haben –*

Lästerer: *sie sind unweise Richter und zugleich von lauter Lügen umwobene, vollends unüberlegte Schwätzer in der Gefangenschaft des Satans; diese Individuen lieben die Unwahrheit und geben diese noch voller Stolz mittels ihrer verderbenden Lästerzungen an andere Personen weiter, damit diese möglichst ihre vom Teufel besehenen Absichten übernehmen; denn auch der Gott dieser Weltzeit zielt immerdar darauf hin, auch die gegen Gott gerichtete Gemeinde beständig mittels seiner satanischem Mächte zu vergrößern –*

den Eltern ungehorsam: *sie verwerfen mit restlos unüberlegter, vom Teufel behafteter Bereitwilligkeit die guten, sie zum Ewigen Leben führenden Maßregelungen der Eltern; ihre von ganzer Starrsinnigkeit begrenzten, restlos unfolgsamen Gedanken lassen sie tiefer und tiefer in die verfallenden, stets von Gott und Christus entfernten, abwegigen Schluchten des verdunkelten Unheils fallen, weil sie in erbitterter Auflehnung gegenüber den Eltern ihr zum Verfall preisge-*

gebenes Dasein in widersprüchlicher, zu Nichts führender Leere begehen – und sich in ihrer störrischen Auflehnung rundum geborgen fühlen; ihre eigenen, gegen die Eltern gerichteten, nutzlosen Gedanken lassen sie in ihrer selbst verursachten Einsamkeit ohne jegliche Hoffnung zurück –

undankbar: *ihre gefühllos-inhaltsleeren Gedanken katapultieren sie in die hinterhältigen, unüberwindbaren Barrieren des Satans, weil sie mit ineffektiven Absichten ihren immerdar vergänglichen Lebensweg mit vollkommen in Eigenregie erdachter Uneinsichtigkeit begehen, um dennoch an ihrer kümmerlichen Existenz festzuhalten, die ihnen doch nur die zum wahren Leben führende Abgeschiedenheit von Gott und dem Herrn Jesus Christus beschämend mittels ihrer gefühllosen Ehrlosigkeit darlegt –*

unheilig: *ihre Gedanken sind auf die vergänglichen Charaktere dieser rundum verwerflichen Weltzeit ausgerichtet; sie leben ein Dasein in einer blasphemisch-sündenumwobenen von Gott und Christus weit entfernten Verkommenheit, die ihren eigenen Verfall mittels ihres beständigen Unglaubens rundweg bestätigt und ihnen zugleich aufweist, dass ihre profanen Glaubensverweigerungen sie selbst aus den zum Heil leitenden Richtlinien des Höchsten ausschließen –*

lieblos: *sie tragen keinerlei von der Liebe Gottes in Christus geoffenbarte Grundzüge des Glaubens in ihren Herzen; ihre Herzen sind folglich steinerne Gebilde der abgewiesenen Lehre Gottes; sie leben in missfallenden, inhumanen als auch völlig gleichgültigen Wesenszügen ihrer eigenen Verdorbenheit; ihre unliebsamen Charakterei-*

genschaften besitzen keinerlei durchlässige Wesenszüge, welche ihnen zu einer immerdar bleibenden Gemeinsamkeit zu Gott verhelfen würde; sie leben vielmehr in ihrer hartherzigen Erbarmungslosigkeit ein stets unzureichendes, in den Fängen des Teufels zubereitetes Leben in einsamer, stets von Gott und Christus getrennter Zweisamkeit –

unversöhnlich: *ihre starrköpfige Unzugänglichkeit katapultiert sie mittels ihrer eigenen feindseligen Unfolgsamkeit in eine vollkommen trostlose, stets von Gott und Christus entfernte Abgeschiedenheit, ihre völlig zugeknöpfte, rundweg unwillige nicht zum Hören der Wahrheit ausgelegte Widersetzlichkeit aber leitet sie mit ganzer Gewissheit in die trostlosen Fänge des Gottes dieser Weltzeit, weil sie mit hasserfüllten Eigenschaften ihren rundum vergänglichen Lebensweg ohne jeglichen Maßnahmen der Einsicht bestreiten –*

verleumderisch: *ihre durch und durch herabsetzungswürdigen Charaktereigenschaften geben diesen Individuen ihre eigene verleumderisch-verletzenden Wesenszüge ihrer Gottverlassenheit preis, sie leben ein völlig unehrenhaftes Dasein in ihrer eigenen zum Verderben freigegebenen, vom Teufel regierten Welt, die mit unentwegt gottwidriger Starrsinnigkeit von ihnen ohne jeglichen Rücksichtsverluste begangen wird –*

unbeherrscht: *ihre cholerisch-aufbrausende, jedoch stets ins Leere führende Unwilligkeit führt sie in eigenverursachte, gänzlich verärgerte, hitzköpfige Unausstehlichkeit, welche sich den verblendenden Charaktereigenschaften ihres satanischen Irrlehrers mehr und mehr angleichen und zugleich aufweisen; dass ein solches entrüstetes Da-*

sein Gott und Christus Jesus niemals auch nur im entferntesten gefallen können, da Sanftmut und Demut Ihre zum Heil der Herrlichkeit leitenden Charaktereigenschaften Ihre voll und ganz liebenden Wesenszüge gegenüber allen sie liebenden Menschen rundum prägend hervorheben –

gewalttätig: *diese aus ihren verfinsternden Herzen hervorsprießenden, aggressiv-streitsüchtigen Verhaltensregeln kennzeichnen ihre rundum verdorbenen, vom Teufel beeinflussten Handgreiflichkeiten, welche diese Individuen ohne genauere Überlegungen gegenüber anderen Mitmenschen gnadenlos ausüben; ihre verderbende Eigensucht kennt daher keinerlei Erbarmen, sondern nur ein triebhaftes, zur Tat schreitendes, rundweg vom Satan ergriffenes Argument, welches zusätzlich ihre herrisch-kriegerischen und zugleich in völlige von lauter Trostlosigkeit gefangenen als auch beseelten Wesenszüge unterstreichend hervorheben –*

dem Guten Feind: *mit diesen gegen Gott und Christus gerichteten Maßnahmen zeigen die nicht im Glauben stehenden Menschen mittels ihrer rundweg böswilligen, gegen die himmlischen Mächte sich wiedersetzenden Wesenszüge, dass ihr Leben ohne jegliche Liebe des himmlischen Vaters begangen wird; ihr Dasein ist nur mit teuflisch-vergehenden Begierden bestückt und somit lassen diese Individuen die allseits von dem allmächtigen Gott und dem Herrn Jesus Christus zu erachtenden Hilfsmaßnahmen, die zur Herrlichkeit des Ewigen Lebens führen, völlig außer Acht; ja – sie lieben das von Gott sich scheidende, ins Abseits katapultierende Böse mehr als die unwiderrufliche Gerechtigkeit des allmächtigen Gottes in dem Herrn Jesus Christus, die doch einzig und allein in Ihrer beiden, für alle an Sie* *glaubenden Menschen dienenden Gemeinsamkeit für alle Zeiten auffindbar ist –*

Verräter: *diese Individuen leugnen die Existenz der Wahrhaftigkeit Gottes und die des Herrn Jesus Christus und folglich den unwiderruflichen Bestand allen Seins unter Ihrer weisen Regie, ohne jegliche Bedenken kapseln sich diese vom wahren Leben abkehrenden Gotteslästerer von dem allmächtigen Gott und dem Herrn Jesus Christus ab, um ihre eigene, jedoch immerdar vergängliche Wollust in den Vordergrund zu heben; ihnen liegt es daran, sich ihrem eigenen Vergnügen schonungslos hinzugeben, sie erachten die immerdar zu beachtenden als auch zu begehenden und zu erfüllenden, unwiderruflichen Richtlinien des himmlischen Vaters in Christus im Glauben als vollkommen gegenstandslos auf und weisen somit aufgrund ihrer eigenen, völlig vom wahren Glauben abirrenden und zugleich fehlgeleiteten Engstirnigkeit die Blasiertheit auf, die Existenz Gottes und die des Heilands Jesus Christus gnadenlos zu leugnen –*

leichtsinnig: *ihre leichtfertige, ordinäre, ja – irdisch-weltliche, rundum vergängliche und zugleich charakterlos-unseriös behaftenden Gedankengänge sind ein eindeutiges Indiz ihrer vom Teufel übernommenen Gedanken, welche sich unentwegt mit unbesonnen, unvertretbaren als auch unentwegt stupiden Meinungen schmücken, die doch einzig und allein ihre gottverlassenen Gedanken zum Tragen bringen und sie selbst als ein unmissverständliches Indiz ihrer völligen Unwissenheit in ein allseits verlorenes als auch restlos verdunkeltes Abseits der lichtleeren Gottverlassenheit hineinkatapultieren –*

aufgeblasen: *ihre hochmütige, von sich selbst eingenommene, rundum protzige und zugleich selbstüberzeugte Lebenseinstellung weist sie selbst – ohne jedoch eine sie selbst alarmierende Kenntnis davon zu nehmen – dass sie in einer rundweg aussichtlosen Gefangenschaft beheimatet sind, dessen sie inhaftierender, sie nicht aus ihren Begierden loslassender Verwalter der Gott dieser Weltzeit ist.*

Ja – jene rundum von ganzer Schwachheit und Unkenntnis diese Individuen gefangen genommene Handlungsweisen wollen es jedoch den anderen Menschen in ihrer vom Satan betuchten, vollkommenen Schwachheit ersichtlich und erkenntlich werden lassen, dass sie trotz allem ***… das Vergnügen mehr lieben als Gott,*** so Paulus. In der Tat – *sie sind in einer voll und ganz vom Satan umgebenen, sie nicht loslassenden,* ja – *sie eigens inhaftierten Zelle umgeben, welche sie mehr und mehr in die abscheuerregenden Fänge des Bösen leiten.* Wahrhaft – *sie haben den Sinn für eine jegliche zu Gott und Christus ausgerichtete Bezogenheit im Glauben an Sie gänzlich verloren – und schmücken sich aufgrund ihrer verderbenden, gotteslästerlichen Meinungen mittels ihrer hoch im Ansehen stehenden Vergnügen ü b e r die immerdar geltenden, zum Ewigen Leben führenden und zugleich unentwegt richtungsweisenden Maßnahmen des allmächtigen Gottes in dem Herrn und Erlöser Jesus Christus,* so Paulus.

Vers 5: ***Dabei*** – fährt Paulus gegenüber dem Timotheus fort – ***… haben sie den äußeren Schein von Gottesfurcht,*** (oder eine äußere Form von Frömmigkeit / Gottseligkeit = Quelle: Schlachter-Bibel 2000!) ***… deren Kraft aber verleugnen sie. Von solchen wende dich ab!*** Der Herr Jesus Christus aber spricht über diese sich von Seinem himmlischen Vater und Ihm abkehrenden Individuen wie folgt: ***… ihr seid das Salz der Erde. Wenn aber das Salz fade wird, womit soll es wieder salzig gemacht werden? Es taugt zu nichts mehr, als dass es hinausgeworfen und von den Leuten zertreten wird*** (Matthäus, Kapitel 5, Vers 13). Ja – es sind von Gott entfernte Menschen, *welche* ***… das Reich der Himmel vor den Menschen zuschließen!*** *Sie* ***… selbst gehen nicht hinein, und die hinein wollen, die lassen*** *sie …* ***nicht hinein*** – betont der Heiland weiterhin ausdrücklich in dem Evangelium des Matthäus in Kapitel 23 in Vers 13b.

Unmissverständlich lässt Paulus in seinem Brief an Titus sein echtes Kind im Glauben bezugnehmend auf solche Lästerer des Höchsten Folgendes mahnend wissen: ***… sie geben vor, Gott zu kennen, aber mit den Werken verleugnen sie ihn, da sie verabscheuungswürdig und ungehorsam und zu jedem guten Werk untüchtig sind*** (Titus, Kapitel 1, Vers 16). Daraufhin ruft Paulus nun alle Glaubenden dazu auf: ***… gebt acht auf die, welche Trennungen und Ärgernisse bewirken im Widerspruch zu der Lehre, die ihr gelernt habt, und meidet sie!*** (Römer, Kapitel 16, Vers 17b). Ja – *sie* ***… sollen*** *sich* ***… von jedem Bruder zurückziehen, der unordentlich wandelt und nicht nach der Überlieferung handelt, die er von ihnen*** (den Lehrern der Gemeinde – in diesem Falle von den Personen des Paulus, Silvanus und Timotheus! / bzw. von a l l e n zu Gott und Christus bezogenen, wahren Gläubigen) … ***empfangen hat*** – lässt Paulus die Gemeinde der Thessalonicher unter seinem Gebieten ***… im Namen des Herrn Jesus Christus*** eindeutig in Erfahrung bringen (2.Thessalonicher, Kapitel 3, Vers 6).

Mit allen nur erdenklichen Mitteln – Kraft seiner apostolischen Vollmacht – ergreift der Apostel Paulus *j e d e weitere Gelegenheit, um n i c h t n u r den Gemeindeleiter Timotheus, s o n d e r n a u c h die fest im Glauben stehende Gemeinde der Epheser vor diesen Irrlehrern z u w a r n e n. K e i n e s f a l l s sollen sie sich ihren leeren Worten a n n e h m e n, sondern sie sollen sich von diesen Gotteslästerern a b w e n d e n, um dass die Reinheit Gottes im Herrn Jesus Christus n i c h t b e f l e c k t w i r d und die Gemeinde folglich eine reine, zum Höchsten gefestigte, unerschütterliche Grundlage im Glauben beibehält, die Gott und dem Herrn Jesus r u n d u m w o h l g e f ä l l i g i s t. Dies sind und müssen zugleich auch die zukünftig beabsichtigten Vorhaben der fest im Glauben stehenden Menschen sein, um das das Wort Gottes Seine vollkommene Reinheit beibehält und k e i n e s f a l l s i n s W a n k e n g e r ä t, sodass die Zukunft der Kirche mit diesen zu Gott und Christus bezogenen Handlungen die gewichtigen, über allen stehenden Grundstrukturen des Glaubens s t e t s b e i b e h ä l t,* so Paulus.

N u r mit einer vom Heiligen Geist geleiteten, von ganzem Glauben beeinflussten Einstellung, ja – mit genau diesen sich *n i c h t in die Irre führen lassenden Strukturen der Falschprediger werden diese rundweg egoistischen Einstellungen der Irrlehrer gnadenlos aufgedeckt – und folglich wird somit das höchste Gut des uns liebenden Gottes – die beständig in uns wohnende Liebe Seiner selbst in Christus Jesus – rundum bewahrt.*

In der Tat – *den äußeren Schein der selig machenden Frömmigkeit drücken diese sich von Gott und Christus abwendenden Individuen zwar scheinbar aus* – jedoch beschreibt unser Herr Jesus Christus diese ganz und gar listigen, rundum in den Fallstricken des Teufels verwickelten Falschprediger wie folgt mit Seinen rundweg mahnenden, niemals vergehenden Worten: ***… hütet euch aber vor den falschen Propheten, die in Schafskleidern zu euch kommen, inwendig aber reißende Wölfe sind!*** (Matthäus, Kapitel 7, Vers 15).

Vers 6: Paulus führt seine mahnenden, stets einzuhaltenden Anweisungen gegenüber dem Timotheus fort – und lässt den Leiter der Gemeinde weiterhin folgende, unmissverständliche Wirklichkeit in Erfahrung bringen, die nunmehr lautet: ***… denn zu diesen gehören die, welche sich in die Häuser einschleichen und die leichtfertigen Frauen einfangen, welche mit Sünden beladen sind und von mancherlei Lüsten*** (oder Begierden = Quelle: Schlachter-Bibel 2000!) ***… umgetrieben werden.*** Ja – es sind jene sich von dem allmächtigen Gott und dem Herrn Jesus Christus abwendenden Personen, ***… denen man den Mund stopfen muss, denn sie bringen ganze Häuser durcheinander mit ihren ungehörigen Lehren um schändlichen Gewinn willen*** (Titus, Kapitel 1, Vers 11).

Es sind diese in der Gemeinde der Epheser bestehende, *von manchen abirrenden Personen im Glauben ausgeübte, vielbeschäftigte Begierden, nach Aufmerksamkeit und effektiver Geltung zu streben. In ihrem gierigen, rundum beschämenden Blickfang stehen daher insbesondere die* ***… leichtfertigen Frauen,*** *welche sich mit ihren normwidrigen Unnatürlichkeiten schmücken, und sich diesen Begierden dieser Individuen freiwillig hingeben, weil auch sie zwar eifrig der beklagenswerten Begehrlichkeit ohne nachzudenken nachjagen, jedoch die stets einzuhaltenden Richtlinien Gottes dabei schonungs-*

los in Vergessenheit geraten lassen. Sie streben mittels ihrer Hausbesuche gemeinsam zwar nach einem leichtfertig von ihnen erdachten, noch größerem Gut, die aber nur mittels ihrer sündenumwobenen Charaktere der Abscheulichkeit preisgegeben werden können, die Gott u n m ö g l i c h g e f a l l e n. Ja – *diese Individuen lehnen die ins Dasein gerufene Wahrheit Gottes in Christus Jesus mittels ihrer unbelehrbaren Engstirnigkeit rigoros ab, um sich mit ihren Gelüsten in den Häusern einzuschleichen, um sicher zu sein, dass sich ihnen die* ***... leichtfertigen Frauen*** *skrupellos hingeben* – mit der allseits listigen Gewissheit – dass sich zugleich diese Frauen in ihren Häusern *o h n e weitere Anwesenden der im Glauben stehenden Gemeindemitglieder – mittels ihrer listigen Fallstricke betören lassen.* Nun sind diese abartigen Gestalten – *ohne es jedoch selbst zu wissen* – an dem rundweg kümmerlichen Ziel ihrer sie selbst ins Abseits katapultierenden Begierden angelangt: *die Frauen unterstehen ihrem Triebzwang.* Ihre eigene, voller Arglist sich ausweisende, mehr und mehr ausbreitende Scheinheiligkeit *hat diese weiblichen, nicht fest im Glauben stehenden Herzen betört und restlos zur verderbenden Sünde verführt.*

Wahrhaft – *der Teufel hat seine rundweg beschämende Macht und stets gewollte Absicht in ihren verfinsterten Herzen verwirklicht – und zugleich andere nicht fest im Glauben stehende Personen mit in seinen verderbenden Bann hineinkatapultiert. Diese sich nun in der Verdammung des Satans befindenden Individuen sind nun alle gemeinsam ein von Gott in Christus abirrender Teil der rundweg weltlich-vergänglichen, dämonischen Begierden im Unglauben* – ja – *sie sind voll und ganz* ***... in Untergang und Verderben*** *geweiht* (1.Timotheus, Kapitel 6, Vers 9b / siehe Auslegung!).

Vers 7: In der Tat – diese sie vom Teufel inhaftierten Begierden formen diese unzweifelhaft immerdar den allmächtigen Gott und den Herrn und Heiland Jesus Christus beschämenden Menschen zu allseits abtrünnigen, lichtleeren als auch restlos entarteten Individuen, die in den Fängen des Gottes dieser Weltzeit ihr voll und ganz aussichtloses Dasein mittels eines Gefühls des unverständigen Stolzes vollbringen. Ja – es sind *vollends bedauernswerte, sich von Gott und Christus abwendende Menschen, welche* ***... immerzu lernen und doch nicht zur Erkenntnis der Wahrheit kommen können,*** so Paulus. Der Apostel aber will den Timotheus mittels dieser seiner Worte *eindeutig aufzeigen, dass der Gemeindeleiter sich von solchen Personen in seinem bedeutungsvollen Amt k e i n e s f a l l s b e e i n f l u s s e n l a s s e n s o l l. Vielmehr soll er stets darauf bedacht sein, seine Berufung in der Würde als auch in der immerdar ehrenhaften Ausrichtung zu begehen, die ihm der allmächtige Gott im Heiligen Geist mittels der beständigen Nachfolge des Herrn Jesus Christus in ganzer Liebe offenbart hat* – nämlich – ***... dies alles standhaft um der Auserwählten willen zu ertragen, damit auch sie die Errettung erlangen, die in Christus Jesus ist, mit ewiger Herrlichkeit*** (2.Timotheus, Kapitel 2, Vers 10 / siehe Auslegung!).

Zwar sind diese von Gott und dem Herrn Jesus Christus abirrenden Personen bei der Evangeliums-Verkündigung innerhalb der Gemeinde der Epheser anwesend, *jedoch fällt es diesen Individuen nicht leicht, die Frohe Botschaft in dem von Gott gewollten Sinne mittels der zu Ihm und Christus gerichteten Annahme anhand eines unverzagten Glaubens in ihren steinernen Herzen zu verwirklichen.* Ungeachtet dessen aber nehmen sie diese zum Ewigen Leben führende Evangeliums-Botschaft Gottes in dem Herrn Jesus Christus zwar wahr, *aber dennoch sind diese Menschen trotz dieser rundum wahren, zum Heil der Herrlichkeit Gottes leitenden Verkündigen n i c h t f ä h i g, das Wort Gottes in ihren Herzen u m z u s e t z e n. Ihnen f e h l t die dringend benötigte Erkenntnis,* ja – *jenes urteilfällendes Bewusstsein, das Wort der Wahrheit Gottes in ihren Herzen mittels eines tiefgründigen Glaubens z u v e r w i r k l i c h e n. Sie schwanken zweifelnd zwischen zu nichts führender Utopie und der geborgenen, realitätsgetreuen Grundwahrheit Gottes. Daher sind diese Personen k o n s t a n t u n s c h l ü s s i g, sich der unabänderlichen Wahrheit Gottes vollends hinzugeben, um sich dieser Frohen Botschaft restlos mit einem dazugehörenden, fest entschlossenen Glauben anzuschließen, damit ihr Entschluss auf einer geradlinigen, zu Gott und Christus führenden Bahn verläuft,* ganz gemäß dem Willen Gottes in dem Herrn Jesus Christus entsprechend.

Vers 8: Paulus geht nunmehr zu einem *alttestamentlichen Vergleich über, den er dem Timotheus in Bezug auf die stattfindenden Ereignisse in der Gemeinde der Epheser in Form der irrenden Widerständler vergleichend darlegen will und betont daher: ***… auf dieselbe Weise aber wie Jannes und Jambres*** (hebräisch = „Übervorteiler" / „Betrüger" und „Widersacher"; nach der jüdischen Tradition gehörten sie zu den ägyptischen Zauberern, die am Hof des Pharao gegen Mose mit falschen Wunderzeichen auftraten = Quelle: Schlachter-Biel 2000!) ***… dem Mose widerstanden, so widerstehen auch diese Menschen mit völlig verdorbener Gesinnung, untüchtig zum Glauben.***

Der Apostel bezieht sich mit dieser seiner alttestamentlichen Gegenüberstellung auf 2.Mose, Kapitel 7, Verse 10 + 11 + 22 – denn dort steht geschrieben: * ***… da gingen Mose und Aaron zum Pharao und handelten genau so, wie der HERR es ihnen geboten hatte. Und Aaron warf seinen Stab vor den Pharao und vor seine Knechte hin, und er wurde zur Schlange. Da rief der Pharao die Weisen und Zauberkündigen. Und auch die ägyptischen Zauberer taten dasselbe mit ihren Zauberkünsten*** (d.h. Geheimkünsten / „okkulten" Künsten = Quelle: Schlachter-Bibel 2000*!).* ***… aber die ägyptischen Zauberer taten dasselbe mit ihren Zauberkünsten. Und so verstockte sich das Herz des Pharao, und er hörte nicht auf sie*** (Mose + Aaron!) ***… so wie der HERR es gesagt hatte.***

Exakt wie der Pharao von Ägypten sich den rundum verfinsternden Zauberkünsten seiner Zauberkundigen hingab – *und an den Worten des allmächtigen Gottes mittels seines Unglaubens rundweg zweifelte als auch diese vollends abwehrte, so musste auch der Prophet Gottes – Mose – die auf ihn zukommenden Hindernisse in Form von Beleidigungen des Pharao ihm als auch Gott gegenüber zunächst im Kauf nehmen.* Auch der Apostel Paulus, sowie der Gemeindeleiter Timotheus *stehen nunmehr zweifelnden Personen gegenüber, welche die unantastbare Wahrheit Gottes in dem Herrn Jesus Christus aufsässig ablehnen und mit ihren eigenen verfinsterten Gedanken in von Gott und Christus entfernter Eigenregie bekämpfen. Die von diesen Individuen ausgehenden, abirrenden, rundweg falschen Gedanken haben diesen Personen die Sinne verblendet, sodass sie – wenn sie glauben sollten – doch n i c h t an die Evangeliums-Botschaft Gottes von ganzem Herzen glauben –* ***… weil ihnen das helle Licht des Evangeliums von der Herrlichkeit des Christus nicht aufleuchtet,***

welcher Gottes Ebenbild ist (2.Korinther, Kapitel 4, Vers 4b), so Paulus. Ja – führt der Apostel Paulus fort – sie benutzen ***… unnütze Streitgespräche, es sind Menschen, die eine verdorbene Gesinnung haben und von der Wahrheit beraubt sind und meinen, die Gottesfurcht sei ein Mittel zur Bereicherung*** (1.Timotheus, Kapitel 6, Vers 5 / siehe Auslegung!).

Denen gilt es *a l l s e i t s* – so der Gesandte Gottes – *mit Entschiedenheit der vom Heiligen Geist erlangten Erkenntnis der unabdingbaren Wahrheit Gottes in dem Herrn Jesus Christus mittels der vom Heiligen Geist erwirkten Kraft v e h e m e n t e n t g e g e n z u t r e t e n, damit die zum Heil leitende, allein selig machende Wahrheit Gottes in die gefestigten, voller Glauben erfüllten Herzen aller Auserwählten des himmlischen Vaters in Christus Jesus gelangt.*

Vers 9: Gleichwie die heidnischen Zauberkünste der Ägypter dem von Gott Gesandten Propheten Mose *n i c h t s t a n d h a l t e n k o n n t e n, weil dieser die vollkommene Wahrheit Gottes nach dem unanfechtbaren Willen des Allmächtigen ausrichtete – s o wird es auch den in der Gemeinde der Epheser auftretenden Falschprediger e r g e h e n* – denn, so Paulus: ***… sie werden es nicht mehr viel weiter bringen; denn ihre Torheit wird jedermann offenbar werden, wie es auch bei jenen der Fall war.***

In der Tat – *auch diese verruchten Taten der von Gott und Christus abirrenden Personen, die der Meinung beharren:* „Was ihr der Gemeinde predigt – das können wir noch um manches besser als ihr verkündigen!“ *werden ihrer gerechten Strafe vor dem himmlischen Vater n i c h t e n t g e h e n k ö n n e n.* Denn das Wort Gottes entspricht der vollkommenen Wahrheit *u n d ü b e r w i n d e t s o m i t j e g l i c h e m e n s c h l i c h e r d a c h t e n B a r r i e r e n d e r L ü g e n.*

Denn das unantastbare Wort Gottes spricht zu den Menschen: ***… ja, o Mensch, wer bist denn du, dass du mit Gott rechten willst?*** (Römer, Kapitel 9, Vers 20a). ***… wo ist der Weise, wo der Schriftgelehrte, wo der Wortgewaltige dieser Weltzeit? Hat nicht Gott die Weisheit dieser Welt zur Torheit gemacht?*** (1.Korinther, Kapitel 1, Vers 20). Ja – das niemals irrende Wort Gottes deckt die verderbenden Lügen der Gegner Gottes *g n a d e n l o s a u f,* ***… denn das Wort Gottes ist lebendig und wirksam und schärfer als jedes zweischneidige Schwert, und es dringt durch, bis es scheidet sowohl Seele als auch Geist, sowohl Mark als auch Bein, und es ist ein Richter der Gedanken und Gesinnung des Herzens. Und kein Geschöpf ist vor ihm verborgen, sondern alles ist enthüllt und aufgedeckt vor den Augen dessen, dem wir Rechenschaft zu geben haben*** (Hebräer, Kapitel 4, Verse 12 + 13). Denn so gilt stets: ***… des Gerechten Zunge ist kostbares Silber; aber der Gottlosen Verstand ist wie nichts*** (die Sprüche Salomos, Kapitel 10, Vers 20 / Lutherbibel 2017).

Ja, schließlich wird *i m m e r* die Wahrheit, die einzig und allein aus der allwissenden Quelle des uns liebenden Gottes in Christus Jesus entspringt – *die Torheit eines jeden Gottesgegners schonungslos aufdecken, weil allein in dem allmächtigen Gott die vollkommene Wahrheit für alle Ewigkeit ruht.* In der Wahrheit werden *a l l e*

Dinge vom Höchsten in Christus eklatant deklariert und unter den niemals anzuzweifelnden Beweis des uns liebenden, immerdar all weisen, sich n i e m a l s i r r e n d e n G ü t e Gottes gestellt, so Paulus.

Verse 10 – 13

Das Vorbild des Apostels im Erdulden von Verfolgungen

[10]Du aber bist mir nachgefolgt in der Lehre, in der Lebensführung, im Vorsatz, im Glauben, in der Langmut, in der Liebe, im standhaften Ausharren, [11]in den Verfolgungen, in den Leiden, wie sie mir in Antiochia, in Ikonium und Lystra widerfahren sind. Solche Verfolgungen habe ich ertragen, und aus allen hat mich der Herr gerettet! [12]Und alle, die gottesfürchtig leben wollen in Christus Jesus, werden Verfolgung erleiden. [13]Böse Menschen aber und Betrüger werden es immer schlimmer treiben, indem sie verführen und sich verführen lassen.

Auslegung:

Vers 10: Mit rundum in der Wesensgleichheit des Paulus im wahrhaftigen Glauben gleichenden, gegenüber dem Timotheus ehrenden Worten schreibt der Gesandte Gottes seinem stets treu nachfolgenden Glaubensbruder im Heiligen Geist: ***… du aber bist mir nachgefolgt***

in der Lehre, in der Lebensführung, im Vorsatz, (im Lebensziel / in dem, was du dir vorgenommen hast = Quelle: Schlachter-Bibel 2000!) ***… im Glauben, in der Langmut, in der Liebe, im standhaften Ausharren*** (in der Geduld / „ im Darunterbleiben" = Quelle: Schlachter-Bibel 2000!). Ja – der Gesandte Gottes weist sein geliebtes Kind im Glauben mit diesen seinen voller Nächstenliebe umrahmten Worten unmissverständlich darauf hin, *dass er voller Zuversicht ist,* dass Timotheus *ein wahrer Diener des himmlischen Vaters im Heiland Jesus Christus ist, weil sich Timotheus in eifernder Dienstwilligkeit den Worten des Paulus im wahrhaftigen Glauben anschloss.* In der Tat – *der Gemeindeleiter trägt die identischen, vom Geist Gottes betuchten Gene des Apostels Paulus in seinem Herzen – und erweist sich somit als ein von der gesamten Gemeinde der Epheser nachzuahmender Leiter des Glaubens, welcher der Wahrheit Gottes mittels dem Wandeln in den Fußstapfen Jesu Christi u n b e i r r t n a c h f o l g t.* Denn – so Paulus: ***… wenn du dies den Brüdern*** (Glaubensgeschwistern!) ***… vor Augen stellst, wirst du ein guter Diener Jesu Christi sein, der sich nährt mit den Worten des Glaubens und der guten Lehre, der du nachgefolgt bist*** (1.Timotheus, Kapitel 4, Vers 6 / siehe Auslegung!).

Diese an Timotheus gerichteten, lobpreisenden und zugleich unverblümten Worte des Paulus *aber schenken dem Gemeindeleiter gleichermaßen die gewichtige Unterstützung, das begonnene Werk des Apostels Paulus nach den weisen, unwiderruflichen Richtlinien des Höchsten a u s – a l s a u c h d u r c h z u f ü h r e n, damit die Kirche in ein konstant Gott und Christus wohlgefallendes und zugleich gefestigtes F u n d a m e n t hinterlegt wird, damit der Glaube fernerhin in allen anderen Gemeinden nach dem Willen des Höchsten mittels des vom Heiland ausgesprochenen Missionsbefehls in b e s t ä n d i g e r W i r k s a m k e i t ausgeübt wird.*

Wahrhaft – Timotheus hat die von Paulus in sein glaubendes Herz gerufenen Worte des Apostels voll und ganz in der ihm geoffenbarten Kraft und barmherzigen Gnade des Heiligen Geistes Gottes *verwirklicht.* In der Glaubenszentrale – in dem Herzen des Timotheus – haben sich die Worte des Paulus – *welche die Wahrheit Gottes in ganzer Richtigkeit darlegen – in der Gott in Christus wohlwollenden Erkenntnis des wahrhaftigen Glaubens ersichtlich gezeigt,* wenn der Apostel *alle Gläubigen dazu aufruft:* ***... seid meine Nachahmer, gleichwie auch ich Nachahmer des Christus bin!*** (1.Korinther, Kapitel 11, Vers 1). Denn so bekennt Paulus *allen* an den allmächtigen Gott und den Herrn Jesus Christus Glaubenden weiterhin: ***... was ihr auch gelernt und empfangen und gehört und an mir gesehen habt, das tut; und der Gott des Friedens wird mit euch sein (***Philipper, Kapitel 4, Vers 9).

Wenn wir nunmehr erneut die von Paulus an Timotheus gerichteten Wesenszüge des vom Geist Gottes gesegneten Glaubens (siehe weiterhin Auslegung zu nachfolgendem Vers 11!) näher definieren, so werden wir das dem Leiter der Gemeinde der Epheser vom Höchsten in Christus geoffenbarte Glaubensgut *noch deutlicher als auch effektiver wahrnehmen können.* Eben *weil* Timotheus die ihm von dem Apostel überlieferten Worte der Wahrheit Gottes in seinem Herzen *verwirklicht hat,* ist er dem Paulus *nachgefolgt:*

in der Lehre: *es ist jene von ganzer Bedeutsamkeit, vor allem stehenden Überzeugungsfeststellung der in die Herrlichkeit Gottes* *durch Christus Jesus führenden Evangeliums-Botschaft in der Kraftwirkung des Heiligen Geistes; ja – jene sich niemals ändernde zuversichtliche Gewissheit, die sich jedoch immerdar mit wachstumsfördernden Glaubensmaßnahmen im Geist der Wahrheit nährt; dieses im Herzen unnachahmliche Gefühl weist den Beschenkten des himmlischen Vaters in Jesus Christus unentwegt darauf hin, in die himmlischen Sphären des uns liebenden Gottes aufgenommen zu sein; um Ihm das eigene Leben vollends zu übergeben, damit Er es fortan in und durch Christus leitet –*

in der Lebensführung: *weil das Dasein fortan voller wohlwollender Bereitschaft in die zum Segen bereiten Hände des himmlischen Vaters in Christus Jesus hinterlegt wurde, weist der bereitwillige, vom Glauben erfüllte Geber mit dieser seiner Handlung im Glauben dem Höchsten unmissverständlich auf, dass er seinem Gott vollstes Vertrauen schenkt, um das dem Geber ein vom Höchsten ihm geoffenbarter Lebensweg hinterlegt wird, der für den sich an Gott und Christus Wendenden stets das für ihn Beste vorsieht – selbst wenn dieser Weg für den Beschenkten aus seiner irdischen Bertachtungsweise eine andere Entscheidung erwartet hätte – denn voller Zuversicht gibt sich der an Gott und Christus wendende Mensch im Glauben dem Willen des Höchsten hin – weil dieser genau weiß, dass alles, was Gott diesem Menschen nicht schenkt – wiederum immerdar als ein Geschenk des Höchsten betrachtet werden kann; mit dieser voller Glauben erfüllten Lebensführung aber kann der Auserwählte Gottes anderen Mitmenschen die zum Heil führende Frohe Botschaft des Christus offen darlegen; um auch ihnen dieses unnachahmliche Heil Gottes im Herrn Jesus Christus beständig nahezulegen, wenn* *diese Personen dem Höchsten ihr Dasein voller Wohlwollen mittels ihres fest im Herzen verankerten Glaubens vollends anvertrauen –*

im Vorsatz: *es ist wiederum dieses vom Heiligen Geist Gottes unterstützte, fortan wirkende als auch immerdar wollend-prägende Wissen, das dem Glaubenden eine stets vertrauensvolle Zuversichtlichkeit in Gott und Christus hinterlegt, durch den Glauben ein von dem Höchsten stets beabsichtigtes Ziel mittels des fest im Herzen verankerten Glaubens verwirklichen zu können; es ist eine mit Tugenden versehene, der unantastbaren Wahrheit Gottes in Jesus Christus wohlwollenden Absicht umrahmte Zielsetzung im Geist Seiner selbst, andere Menschen in exakt diese niemals vergehende Glaubensbasis mit hineinzunehmen, sodass auch diese Personen den zum Heil der Herrlichkeit leitenden Lichtglanz des allmächtigen Gottes in Christus Jesus vollends in ihren Herzen aufnehmen, sodass auch sie als die Kinder des Höchsten mit beständiger Wirkung in Betracht gezogen werden können, weil sie fortan diesen inständigen Glauben ihr eigen nennen –*

im Glauben: *es ist diese vom Heiligen Geist erwirkte Kraftquelle, welche mit im Herzen ruhender Beständigkeit die Werke und Worte Gottes im Herrn Jesus Christus bekennt und lobpreist; es ist jenes innerliche, seelenumwobene als auch kontinuierliche Beharren auf das Wort der unverblümten Wahrheit, die dem Glaubenden unwiderruflich belegt, in die himmlischen Sphären miteinbezogen zu sein, weil nunmehr der Name des Glaubenden im Buch des Lebens steht; dieser Glaube bewegt, fördert, missioniert und lässt weiterhin andere an dieser vom Höchsten offenbarten Herrlichkeit in Christus Jesus mittels predigender Evangeliums-Botschaften mit einem immerzu* *beflissenen Enthusiasmus teilnehmen; so ist der Glaube folglich als eine von ganzer Hoffnung auf Gott und den Herrn Jesus Christus aufbauende, niemals verzagende Verbundenheit in Betracht zu ziehen; dieser fest im Herzen verankerte Glaube weist auf eine vom Heiligen Geist ergriffene und zugleich erkenntlich machende Botschaft von unwiderruflichen Tatbeständen hin, die zwar nicht sichtbar sind – jedoch im Herzen der Beschenkten ihre Wahrhaftigkeit rundum erklärend darlegen; es ist dieses unabsehbar wirkende, von der ganzen Wahrheit Gottes in Christus offenbarte Zeugnis Ihrer selbst, die dem Herzen eine niemals verzagende Zuversicht Ihrer beständigen Anwesenheit offen darlegt –*

***in der Langmut:** es ist jene von der Kraft Gottes in Christus von der beständigen Wirksamkeit im Heiligen Geist ausgehende, stets ausgeglichene, geduldige als auch von ganzer Kraft beseelte Beherrschung, die in dem von lauter Liebe umschlossenen Herzen eindeutig aufweist, dem Willen des Höchsten in Christus unentwegt Folge zu leisten; Menschen, welche in der Langmut Gottes ihr Dasein begehen, stehen unter dem sie unentwegt beschützenden Schutzschild des Höchsten im Herrn Jesus Christus; sie geben niemals auf, den Willen Gottes unter allen Umständen mit ganzer vom Geist der Wahrheit getragener Leidenschaft zu bekennen; mit mitfühlender als auch seelsorgerischer Wirksamkeit legen diese von Gott in Christus erwählten Menschen ihre durchhaltenden, geduldigen als auch stets großzügigen und zugleich weitherzigen Wesenszüge für andere Mitmenschen als ein eindeutiges Indiz der in ihren Herzen stets anwesenden Langmut dar; ja – es ist jene gewichtige Langmut, die eindeutig aufweist, dass der von ganzer gnadenreichen Barmherzigkeit beseelte Geist der Güte Gottes den Beschenkten zur Einsicht leitet –*

in der Liebe: *diese von Gott in Christus sich dem Glaubenden unentwegt zuwendende Liebe ist für den vom Geist beseelten Menschen die Hoffnung all Ihrer immerdar ausströmenden Herrlichkeit, die Liebe ist folglich das von Glaube und Hoffnung geprägte Gesamtkonzept Gottes in Christus Jesus; ja – die Liebe ist das Endresultat und zugleich die Formvollendung des Verstehens und Begreifens in der unnachahmlichen Liebe des himmlischen Vaters im Herrn Jesus Christus mittels des gewichtigen Beistandes – des Heiligen Geistes; sie besitzt die rundum von ganzer Bedeutung geprägten, sich dem Nächsten immerdar annehmenden, Gott stets wohlgefälligen Wesenszüge der von ganzer friedvollen und zugleich gnadenreichen Barmherzigkeit umwobenen Wohltätigkeit, welche die bereitwilligen Anzeichen der Nächstenliebe vollends ausdrücken; sie ist und bleibt das höchste Gut eines wahrhaftigen Dieners im Herrn, weil die Liebe die ganzen Tugenden als auch die von dem Beschenkten ausgeübten Handlungen vollends unterstreichend hervorhebt – und das von der ganzen Liebe Gottes umwobene Wesen dieser ausübenden Person prägt sich selbst in und durch die vom Höchsten geoffenbarte Liebe im Herrn Jesus Christus durch den ausharrenden, beständigen, nicht verzagenden Glauben im Herzen des Beschenkten – vor allem gegenüber anderen Personen –*

im standhaften Ausharren: *die vom Heiligen Geist getragene, niemals sich in die Irre führen lassende Stärke der Glaubensgewissheit macht das standhafte Ausharren letztlich aus, welches in Form von jeglichen Bedrängnissen mittels der Kraftwirkung des Heiligen Geistes sämtliche scheinbar unüberwindbaren Barrieren dennoch anhand des Beistandes Gottes im Herrn Jesus Christus überwindet; es ist dieses unerschütterliche, fest im glaubenden Herzen von Gott in*

Christus fundamentierte als auch immerdar getragene Gewissheitskonzept, in der vom Geist betuchten Kraft Gottes durch Glauben selbst schwersten Stürmen widerstehen zu können; es sind diese von Gott an die glaubenden Menschen erwirkten Prüfungen, an welchen der Höchste erkennen kann, ob der Glaubende wirklich vollends auf die niemals versagende Hilfe Seiner selbst aufbaut und mittels dieser Gewissheit in ganzer Geduld im Glauben standhält; es sind letztlich die Frucht bringenden Gedeih-Maßnahmen, welche einen unerschütterlichen Glauben rundum prägend hervorheben – und bedingt durch das willentliche Ausharren im standhaften Glauben an Gott und den Herrn Jesus Christus werden die Seelen gewonnen und in den Heilsbereich des himmlischen Vaters geleitet – …

Vers 11: Der Apostel Paulus führt die an den Gemeindeleiter Timotheus gerichteten, in das Heil der Herrlichkeit Gottes führenden, allseits zum Herrn Jesus Christus bezogenen Tugenden weiterhin aus – diese sind abermals mittels einer näher zum Verständnis führenden Definition wie folgt beschreiben:

in den Verfolgungen: *es sind wiederum einerseits jene den Paulus und den Timotheus betreffenden Verfolgungen in Form der auf sie zukommenden Irrlehrer der Gemeinde(n), die sie ihrer einzig wahren Evangeliums-Botschaft beschuldigten, indem diese Falschprediger mit ihren fatalen Äußerungen vollkommen von der Wahrheit Gottes im Herrn Jesus Christus mittels ihrer gottwidrigen Behauptungen abglitten, um anhand ihrer Lügen als auch mit im Bann des Satans behafteten Maßnahmen die Gemeinde in die Irre zu leiten* (siehe bereits verfasste Auslegung!); *andererseits sind es jene an beide*

Gottesmänner von den Gegnern Gottes im Herrn Jesus Christus vollbrachten Verfolgungen, die Timotheus zusammen mit dem Apostel Paulus willig erduldete und ertrug, weil der Gemeindeleiter der Epheser – Timotheus – sich stets an die ihm von Paulus in sein von Glauben erfülltes Herz aufgenommene Evangeliums-Botschaft des Herrn und Heilands Jesus Christus hielt; ja – beide im wahrhaftigen Glauben an den allmächtigen Gott und den Herrn Jesus Christus stehenden Männer haben aufgrund ihres tiefgründigen Glaubens in einem stets beiderseitigen, brüderlichen Zusammenhalt diese auf sie gerichteten Verfolgungen um des Evangeliums willen immerdar ertragen und ohne zu zögern mit standhaftem Ausharren ganz gemäß dem Willen Gottes in Christus ausgeübt, sodass die Frohe Botschaft ihre von Gott in Christus gewollten Absichten – nämlich – die Verbreitung der Guten Nachricht in die Herzen als auch in die Gemeinden gelangte, sodass die Kirche ein unerschütterliches, fest stehendes, allseits zu Gott und Christus bezogenes Fundament erhielt, welche bis zur Wiederkunft Christi immerdar bestehen bleibt; wahrhaft – beide Männer – sowohl Paulus als auch Timotheus – haben aufgrund ihrer unerschütterlichen Glaubensgewissheit in der Kraft des ihnen beiden zuteilwerdenden Heiligen Geistes scheinbar unüberwindbare Barrieren dennoch überwunden – und weisen somit in brüderlicher Gemeinsamkeit einen starken und zugleich niemals abweichenden, inständigen Glauben auf, der sie letztlich zu den Siegern Gottes in Christus Jesus kürte – dabei erinnert Paulus sein geliebtes Kind im Glauben zusätzlich an die sie ergangenen, sich aufbrausend auswirkenden Unruhen der ansässigen Bürger in des Timotheus Heimatstadt, ja – an die an ihnen beide ergangene Rücksichtlosigkeit als auch deren an sie gerichtete Austreibung, ja – selbst in diesen schwierigen Situationen hielt Timotheus stets seinem Ziehvater im

Glauben – dem Paulus – aufgrund seiner ihm von Gott geoffenbarten Glaubensstärke stand –

in den Leiden: *diese dem Timotheus von Gott in dem Herrn Jesus Christus geoffenbarte Willensbereitschaft ist weiterhin ein eindeutiges als auch unmissverständliches und zugleich klares Indiz, dass Timotheus alle ihn als auch den Apostel Paulus betreffenden Leiden nicht nur miterlebte, sondern durch diese über sie beide ergehenden Anspannungen hat sich die brüderliche Glaubensgemeinschaft dieser beiden im Geist der Wahrheit Gottes stehenden Männer mittels ihres tiefgründig beseelten Glaubens noch tiefer als auch fester in beiderseitige Gemeinschaft zusammengefügt, sodass die Frohe Botschaft trotz aller auf sie zukommenden Erschwernisse die von Gott in Christus vorgegebenen Richtlinien beibehielt; ja – sie beide sind mit unermüdlicher Willensstärke dem vor allem stehenden Willen des Höchsten im Geist der Wahrheit Gottes in Christus Jesus nachgefolgt –*

wie sie mir in Antiochia, in Ikonium und Lystra widerfahren sind *– betont Paulus nunmehr gegenüber dem Timotheus – damit gibt der Apostel dem Timotheus sein ausgerichtetes, für das zur Verbreitung der Worte Gottes dienende Evangelium Jesu Christi anhand seiner Wanderungsroute preis, und schildert dem Timotheus somit seine ihn betreffenden Leiden, die ihm auf dieser Route widerfahren sind* (siehe die Apostelgeschichte des Lukas, Kapitel 13 + 14!) *– vor allem aber will der Apostel Paulus es dem Timotheus eindeutig zu verstehen geben, dass Timotheus sich trotz aller dem Paulus widerfahrenden Leiden sich ohne zu zögern an des Apostels weitere vom Heiligen Geist geleiteten Reiseziele anschloss, um zusammen mit ihm in brü-*

derlicher Gemeinsamkeit die Frohe Botschaft Gottes im Herrn Jesus Christus in ganzer Unbeirrbarkeit mittels des Timotheus stets zuversichtlichen Glaubensgewissheit zu verkündigen.

Daraufhin lässt Paulus den Timotheus fernerhin wissen: ***... solche Verfolgungen habe ich ertragen, und aus allen hat mich der Herr gerettet!*** In der Tat – *Timotheus s e l b s t hat diese von Gott in Christus erwirkte Rettung des Apostels Paulus miterlebt.* Daher betont Paulus bereits gegenüber dem Timotheus folgende Worte: ***... denn dafür arbeiten wir auch und werden geschmäht, weil wir unsere Hoffnung auf den lebendigen Gott gesetzt haben, der ein Retter aller Menschen ist, besonders der Gläubigen*** (1.Timotheus, Kapitel 4, Vers 10 / siehe Auslegung!). Gleichzeitig aber will der Gesandte Gottes seinem geliebten Kind im Glauben *auch auf die den Timotheus zurückgreifende Hilfe Gottes im Herrn Jesus Christus aufmerksam machen, sodass auch Timotheus anhand seiner stets zu Gott und Christus gerichteten Glaubensstärke im Heiligen Geist aus a l l e n i h n w i d e r f a h r e n e n , ja – a u s d i e s e n i h n p e r s ö n l i c h a n g r e i f e n d e n S i t u a t i o n e n e r r e t t e t w i r d, w e i l T i m o t h e u s s e i n i r d i s c h e s D a s e i n v o l l e n d s a u f d a s H e i l G o t t e s i n C h r i s t u s J e s u s g e r i c h t e t – u n d f o l g l i c h d e m h i m m l i s c h e n V a t e r s e i n g a n z e s L e b e n ü b e r g e b e n h a t.* Wahrhaft – so Paulus – *w e r auch immer einen immerdar standhaften, zuversichtlichen als auch inständigen Glauben an Gott und den Herrn Jesus Christus aufweist, d e r w i r d v o n I h n e n e r r e t t e t w e r d e n.* Ja – *i h n e n w i r d d i e E h r e G o t t e s w i d e r f a h r e n.*

Mit dieser seiner Aussage bestätigt der Apostel Paulus die von dem Herrn Jesus Christus noch vor der Auferweckung des Lazarus an seine Schwester Maria gerichteten als auch ausgesprochenen Worte, die der Heiland wie folgt zu ihr sprach: ***... habe ich dir nicht gesagt: W e n n du glaubst, w i r s t du die Herrlichkeit Gottes s e h e n?*** (Johannes, Kapitel 11, Vers 40b).

Vers 12: ***Und alle*** – so Paulus gegenüber Timotheus – ***... die gottesfürchtig*** (oder fromm / gottselig = Quelle: Schlachter-Bibel 2000!) ***... leben wollen in Christus Jesus, werden Verfolgung erleiden.*** Daher bekennt der Herr Jesus Christus allen Ihn nachfolgenden Personen im standhaften Glauben unmissverständlich: ***... haben sie mich verfolgt, so werden sie auch euch verfolgen; haben sie auf mein Wort (argwöhnisch) achtgehabt, so werden sie auch auf das eure (argwöhnisch) achthaben*** (Johannes, Kapitel 15, Vers 20b). Wahrhaft – *diese gegen Gott und Christus gerichteten, blasphemischen Verfolgungen der wahrhaft im Glauben stehenden Menschen kommen gegenüber ihnen zustande, weil* ***... die Welt uns nicht erkennt, weil sie Ihn*** (Gott!) ***... nicht erkannt hat*** (1.Johannes, Kapitel 3, Vers 1b).

In der Tat – *so bedeutet eine in Gott und Christus stets vertiefte, fest entschlossene Gemeinschaft im unverzagten, inständigen Glauben zu Ihnen,* ja – *mittels des Ihnen von den Glaubenden überreichten Lebens – damit der allmächtige Gott und der Herr Jesus Christus diese Leben fortan leiten – dass die dem Höchsten im Heiland übergebenen Leben immerdar mit einer E h r e r b i e t u n g G o t t e s i n C h r i s t u s g e g e n ü b e r a l l e n G l a u b e n d e n g e k ü r t w i r d,* so Paulus.

Vers 13: *Diejenigen Menschen,* welche die hoch zu lobpreisenden, als auch stets zu ehrenden, niemals anzuzweifelnden und zugleich immerdar wegweisenden Maßnahmen Gottes in Christus Jesus *b e w u s s t a b l e h n e n, dies sind die* ***… bösen Menschen und Betrüger*** – so der Apostel Paulus – ja – *diese sich von Gott und Christus a b w e n d e n d e n M e n s c h e n* ***… werden es immer schlimmer treiben und sich verführen lassen.*** So heißt es weiterhin im Buch der Offenbarung des Johannes in Kapitel 22 in Vers 11a – in Bezug auf den restlosen Verfall dieser von dem Allmächtigen bestraften Übeltäter: ***… wer Unrecht tut, der tue weiter Unrecht, und wer unrein ist, der verunreinige sich weiter.***

Diesen in den Fängen des Teufels inhaftierten Individuen *bleiben jegliche Verfolgungseingriffe erspart, weil sie bereits von Gott und Christus mittels ihrer gottwidrigen Glaubens- und Lebenseinstellungen schon im Hier und Jetzt – als auch in der vor ihnen liegenden, trostlosen Zukunft restlos verworfen wurden.* In der Tat – ***… darum wird ihnen Gott eine wirksame Kraft der Verführung senden, sodass sie der Lüge glauben*** – betont der Apostel Paulus daraufhin in seinem 2.Brief an die Thessalonicher in Kapitel 2 im 11.Vers. Ja – in ihren völlig verdunkelten, vollkommen lichtleeren, rundweg steinernen Herzen *hat der Satan seine fortwirkend nichtige Macht ergriffen, sodass sich ihre immerdar von der Herrlichkeit Gottes in Jesus Christus entfernten, vom Gott dieser Weltzeit voranschreitenden Taten mit immer mehr zunehmenden, rundweg abfallenden Begierden* *der Bosheit anhäufen. Ihr verruchtes Leben ist schon in von ganzer Dekadenz umrahmter Einsamkeit angelangt und verfällt von Tag zu Tag immer mehr in einen abscheuerregenden und zugleich bedauernswerten Verfall der Abgeschiedenheit Gottes. Sie sind mit den listigen Werken des Teufels restlos verbündet – und ihr eigenes, rundum sündenumwobenes Trugbild weist sie auf ihre selbst errichteten Wege ihres erbarmungswürdigen Verfalls hin,* so Paulus.

Verse 14 – 17
Der Schutz vor Verführung: Festhalten an der von Gott eingegebenen Heiligen Schrift

[14]Du aber bleibe in dem, was du gelernt hast und was dir zur Gewissheit geworden ist, da du weißt, von wem du es gelernt hast, [15]und weil du von Kindheit an die heiligen Schriften kennst, welche die Kraft haben, dich weise zu machen zur Errettung durch den Glauben, der in Christus Jesus ist. [16]Alle Schrift ist von Gott eingegeben und nützlich zur Belehrung, zur Überführung, zur Zurechtweisung, zur Erziehung in der Gerechtigkeit, [17]damit der Mensch Gottes ganz zubereitet sei, zu jedem guten Werk völlig ausgerüstet.

Auslegung:

Vers 14: Mit nahezu identischen, dem Timotheus gewidmeten, voll von seelsorgerischer Nächstenliebe behaftenden Worte (siehe Auslegung zu 2.Timotheus, Kapitel 1, Vers 13!) lässt Paulus nun den Gemeindeleiter Timotheus Kraft seiner apostolischen Vollmacht abermals wissen: ***... du aber bleibe in dem, was du gelernt hast und was dir zur Gewissheit geworden ist, da du weißt, von wem du es gelernt hast.*** Auch an dieser Stelle macht es der Apostel Paulus seinem Glaubensbruder nochmals deutlich bewusst, *dass Timotheus in der vor allem stehenden Liebe Gottes, die im Herrn Jesus Christus zur Vollendung angelangt ist, mit einem von dem Gemeindeleiter der Epheser ausgehenden, stets tief in seinem Herzen auffindbaren Glauben mit der Kraft des Heiligen Geistes vom himmlischen Vater gesegnet wurde.* So kann nunmehr Timotheus die nun folgenden Worte des Heilands Jesus Christus *immerdar auf seinen tiefgründig-unverzagten Glauben beziehen,* wenn der Herr Jesus zu den an Ihn Glaubenden spricht: ***... wenn ihr in meinem Wort bleibt, so seid ihr wahrhaftig meine Jünger*** (Johannes, Kapitel 8, Vers 31 b). Daraufhin bekennt der Apostel Johannes in seinem 1.Brief in Kapitel 3 im 24.Vers und weiterhin in Kapitel 4 in Vers 16: ***... und wer seine Gebote hält, der bleibt in ihm und Er in ihm; und daran erkennen wir, dass Er in uns bleibt: an dem Geist, den Er uns gegeben hat. Und wir haben die Liebe erkannt und geglaubt, die Gott zu uns hat. Gott ist Liebe, und wer in d e r Liebe bleibt, der bleibt in Gott und Gott in ihm***.

Diese von der barmherzigen Gnade Gottes in Christus Jesus dem Timotheus im Heiligen Geist zuteilgewordene, dem Gemeindeleiter der Epheser von dem Knecht Gottes – dem Apostel Paulus – in das dem Timotheus voller Glauben erfüllte Herz hinterlegte *Evangeliums-Botschaft Jesu Christi ist es letztlich, die der innige Glaubensbruder des Paulus b e s t ä n d i g in seinem Herzen voller*

... Gewissheit *aufbewahren soll. Denn Timotheus ist sich dieser ihm von Paulus geoffenbarten, gepredigten Worte der Frohen Botschaft genauestens bewusst, weil er den Apostel und seinen vom Geist der Wahrheit Gottes gesegneten Glauben – als auch die von dem Gesandten Gottes stets überstandenen Verfolgungen Dank der ihm zuteilgewordenen, barmherzigen Gnade des himmlischen Vaters – exakt aufgrund der langjährigen Zusammenarbeit mit Paulus genauestens kannte.*

Ja – dieses von Paulus gegenüber dem Gemeindeleiter aufgeforderten Verhaltensmuster macht den Timotheus *zu einem wahren Diener Gottes im Herrn Jesus Christus – und somit zu einem vorzeigewürdigen Leitbild – nicht nur für die gesamten Gemeindemitglieder der Epheser – sondern diese ihm von Gott in Christus geoffenbarte Glaubensgewissheit formt den Timotheus zu einem wahren, immerdar Gott und Christus wohlgefälligen Vorbild für die zukünftige Kirche.* Wahrhaft – es ist diese beständig in dem Herzen des Timotheus sich befindende Gewissheit, *dass sein Glaube die vom Evangelium Jesu Christi ausgehenden Früchte des Heils an andere Personen mittels der stets von Gott und Christus geforderten Nächstenliebe wohlwollend weitergibt.* Bei dieser an den Gemeindeleiter gerichteten Gebotserfüllung *ist der Apostel Paulus selbst des Timotheus stets nachzuahmendes Paradebeispiel.* Ja – *in dem konstanten Verhaltensmuster des Paulus erkennt Timotheus somit einen in und durch das Evangelium Jesu Christi gesegneten Glaubenden – und weist dem Gemeindeleiter zugleich die auch ihn betreffenden – an alle Gläubigen gerichteten Worte des Apostels Paulus hin,* welche nunmehr lauten: ***... seid meine Nach-***

ahmer, gleichwie auch ich Nachahmer des Christus bin! (1.Korinther, Kapitel 11, Vers 1).

Vers 15: Dass Timotheus das an ihm vollbrachte, gnadenumwobene Werk des allmächtigen Gottes im Herrn Jesus Christus *rundum erfüllen wird,* dessen ist sich der Apostel Paulus absolut gewiss, *nicht nur weil* sein Kind im Glauben *sein Herz auf die Evangeliums-Botschaft Jesu Christi vollends mittels des in ihm ruhenden Heiligen Geistes ausgerichtet hat, sondern weil er bereits* ***... von Kindheit an die heiligen Schriften kennt, welche die Kraft haben,*** *ihn* ***... weise zu machen zur Errettung durch den Glauben, der in Christus Jesus ist*** (siehe hierzu ebenfalls Auslegung zu 2.Timotheus, Kapitel 1, Vers 5!). Ja – *die über allem stehende, gewichtige, rundum vom Geist der Wahrheit Gottes beseelte Glaubensbasis in dem Herzen des Gemeindeleiters Timotheus ist bereits* ***... von*** *seiner* ***Kindheit an*** *vollends auf die niemals vergehenden Worte der gesamten Heiligen Schrift von seiner* ***... Großmutter Lois und seiner Mutter Eunike*** (in Bezug auf die alttestamentlichen Schriften / die bereits ein Zeugnis von Christus hinterlegen, um das Ewige Leben zu empfangen! / 2.Timotheus, Kapitel 1, Vers 5b / siehe abermals Auslegung!) *gerichtet worden.*

Dass somit ein ***... von Kindheit*** *an im Geist der Wahrheit Gottes hinterlegtes Wissen – b e s o n d e r s d e n T i m o t h e u s – zu einem Anwärter für das Reich der Himmel formte, dies steht für den Apostel Paulus als ein weiteres, unmissverständliches Anzeichen, dass der Gemeindeleiter s t e t s das ihm übertragene Amt in Ephesus nach den unwiderruflichen Richtlinien des Höchsten in Christus Jesus b e s t e h e n als auch v o l l e n d s a u s ü b e n w i r d –*

denn auch die Evangeliums-Botschaft Gottes im Herrn Jesus Christus ist in dem von ganzem Glauben erfüllten Herzen des Timotheus in ihrer ganzen Wirkung von dem Apostel Paulus mit einer zum Heil leitenden Erkenntnis durch den Heiligen Geist von Gott geoffenbart worden.

Ja – der Geist der Wahrheit Gottes bekennt dem Timotheus *mit b e s t ä n d i g e r W i r k u n g, dass* ***... dieser Jesus*** – den der Apostel Paulus dem Timotheus mittels seiner ganzen aus seinem Herzen überquellenden, freudvollen Leidenschaft in der Kraftwirkung des Heiligen Geistes verkündigte – ***... der Christus ist!*** (die Apostelgeschichte des Lukas, Kapitel 17, Vers 3b). Denn so heißt es in den Sprüchen Salomos in Kapitel 22 in Vers 6 (Lutherbibel 2017): ***... gewöhne einen Knaben an seinen Weg, so lässt er auch n i c h t d a v o n, wenn er alt wird.***

Vers 16: Somit kann Paulus fortan gegenüber dem Timotheus nun folgende unmissverständliche Wahrheit behaupten, *die der Gemeindeleiter aufgrund seines vom Geist Gottes im Herrn Jesus Christus` betuchten Glaubens rundum bestätigen kann:* ***... alle Schrift*** (oder die *g a n z e* Schrift = Quelle: Schlachter-Bibel 2000!) … ***ist von Gott eingegeben*** (d.h. „gottgehaucht" / von Gott durch den Geist eingegeben, von Gott inspiriert = Quelle: Schlachter-Bibel 2000!) ***... und nützlich zur Belehrung, zur Überführung, zur Zurechtweisung; zur Erziehung in der Gerechtigkeit.***

Paulus – der als ein ehemaliger Pharisäer unter dem Gelehrten und Mitglied des Hohen Rats der Juden ***... Gamaliel zur gewissenhaften***

Einhaltung des Gesetzes der Väter (die alttestamentlichen Schriften! / die Apostelgeschichte des Lukas, Kapitel 22, Vers 3b) gelehrt wurde, bezeugt nun noch ein weiteres Mal dem Timotheus, dass ihm die alttestamentlichen Schriften aufgrund der dem Timotheus von seiner ***... Großmutter Lois und seiner Mutter Eunike*** (siehe erneut Auslegung zu 2.Timotheus, Kapitel 1, Vers 5b) in sein Herz hinterlegten Worte Gottes *bereits von dem Vorhaben Gottes erzählen, die Gott nunmehr bei Seiner Selbstverwirklichung in Jesus Christus hat im Neuen Testament wirksame Realität werden lassen* – denn: ***... Gott ist geoffenbart worden im Fleisch, gerechtfertigt im Geist, im Glauben, gesehen von den Engeln, verkündigt unter den Heiden, geglaubt in der Welt, aufgenommen in die Herrlichkeit*** (1.Timotheus, Kapitel 3, Vers 16b / siehe Auslegung!).

Folglich sind *nicht nur die neutestamentlichen Schriften von der ganzen Wichtigkeit Gottes in Christus Jesus beseelt, sondern auch die alttestamentlichen Schriften – welche die Grundbasis für das Neue Testament hinterlegen und darauf aufbauen – sind daher für einen Diener des Höchsten im Herrn Jesus Christus von ganzer, rundum bedeutender Wichtigkeit.* So *ent*steht und *be*steht zugleich *die ganze Erkenntnis Gottes im Heiligen Geist auf und in dem gewichtigen, allumfassenden Wort Gottes, welche die gesamte Heilige Schrift hinterlegt.* Deshalb *ist* ***... alle Schrift*** (2.Timotheus, Kapitel 3, Vers 16a) *vom Höchsten in die Herzen der Glaubenden gewissenhaft zu hinterlegen, weil das Alte Testament den Anfang und das Neue Testament die Vollendung zu– als auch voneinander bilden.*

Eben *w e i l* *in dem Herzen des Timotheus* (als auch in dem vom Heiligen Geist versiegelten Herzen des Apostels Paulus!) *die benötigten Erkenntnisse der alttestamentlichen als auch der neutestamentlichen Schriften vom Geist Gottes versiegelt wurden – d a r u m tragen fortan folgende Geschehen k o n s t a n t d a z u b e i, dass sein bedeutungsvolles, ihm zuteilgewordenes Amt im Herrn Jesus Christus die Früchte des Heils tragen – als auch dass diese in dem Herzen des Timotheus sich stets befindenden Botschaften Gottes an andere Menschen mit unverzagter Gewissheit im wahrhaftigen Glauben nach den unnachahmlichen Richtlinien des himmlischen Vaters in Christus Jesus weitergegeben werden,* die fortan –

nützlich zur Belehrung *sind: alle diese in der gesamten Heiligen Schrift verzeichneten Belehrungen sind allumfassend, von der unwiderruflichen Wahrheit des uns liebenden Gottes bestimmt worden, um das diese in die Herzen aller Glaubenden hinterlegt werden, sodass die Liebe Gottes im Herrn Jesus Christus allen Glaubenden in der Kraft des Heiligen Geistes erkenn- als auch sichtbar werden, um somit diese mit lobpreisender Einhaltung dem Willen Gottes in Christus gemäß ausüben zu können,; diese Belehrung ist immerdar von der Weisheit Gottes umgeben, welche sich im Glauben, im Denken und im Predigen der Worte Gottes überaus erkenntlich zeigen –*

zur Überführung: *das von ganzer Wahrheit ummantelte Wort Gottes muss stets dem wahrheitsgetreuen Sinn und Zweck dienen, damit falsche, von Gott und Christus entfernte Botschaften der Irrlehrer von vorneherein ausgeschlossen werden; darum ist es so immens wichtig, dass die immerdar von Gott und Christus ausgehende Wahrheit in die Herzen aller Menschen hinterlegt wird, dies aber kann nur mit einem* *reinen, vom Geist Gottes versiegelten Herzen rundum ausgeübt und dem Willen Gottes in Christus gemäß nach deren beider stets einzuhaltenden Richtlinien im wahren Glauben an Sie mittels eines unverzagten Durchhaltevermögens von der ausführenden Person vollbracht werden –*

zur Zurechtweisung: *das Wort Gottes beinhaltet zurechtweisende, aus den eigenen Fehlern der Menschen lernende und zukünftig zu unterlassende Trugschlüsse, welche letztlich die Reinheit Gottes im Herrn Jesus Christus rundum beflecken; jene Zurechtweisung sorgt für die stets einzuhaltenden Richtlinien des Höchsten, um mit diesen in das Heil der Herrlichkeit Gottes leitenden Maßregelungen im Herrn Jesus Christus die noch nicht im Geist Gottes stehenden Menschen von den irreführenden Maßnahmen der Falschprediger zu befreien, sodass auch diese noch unbekehrten Menschen vollends ihre Herzen der Reinheit Gottes in Christus mit ganzer williger Entschlossenheit offen darlegen, damit auch sie fortan als erfolgreiche Anwärter für das Himmelreich aufgrund der Gnade Gottes mittels ihrer fortan an die vollkommene Wahrheit glaubenden Herzen in Christus Jesus in Betracht gezogen werden können –*

zur Erziehung in der Gerechtigkeit: *es sind jene Maßregelungen Gottes, welche unentwegt auf die rundum wohlwollenden Absichten des Höchsten im Herrn Jesus Christus hinzielen, damit jegliche gottwidrigen Handlungen rundweg vermieden werden – und somit das helle Licht des Christus in allen Herzen aufleuchtet.*

Denn d a s ist der Wille Gottes, ***… dass alle Menschen gerettet werden und zur Erkenntnis der Wahrheit kommen*** (1.Timotheus, Kapitel 2, Vers 4 / siehe Auslegung!) – und fortan aus einem reinen, zu dem allmächtigen Gott und dem Herrn und Heiland, dem Herrn Jesus Christus bezogenen Herzen voller Dankbarkeit im inständigen Glauben an Sie in ganzer Wahrheit sprechen können: ***… dein Wort ist meines Fußes Leuchte und ein Licht auf meinem Wege*** (Psalm 119 – die Herrlichkeit des Wortes Gottes, Vers 105 / Lutherbibel 2017).

Vers 17: Es ist jene kontinuierliche, auf der vollkommenen Wahrheit Gottes im Heiland Jesus Christus unentwegt basierende, immerdar gültige Erkenntnis, die sich anhand der konstant fundierten Worte der gesamten Heiligen Schrift allen von Glauben erfüllten Menschen wirkend darlegt – so Paulus – welche sich darin kontinuierlich erkenntlich als auch unfehlbar zeigen, dass durch diese im Herzen der Menschen auffindbare Vergegenwärtigung Gottes im Herrn Jesus Christus im wahrhaftigen Glauben folgende Gewissheit das vor allem stehende Ziel der Gläubigen unterstreichend hervorhebt – nämlich – ***… damit der Mensch Gottes ganz zubereitet sei, zu jedem guten Werk völlig ausgerüstet.*** Aus dieser rundum fundierten Erkenntnis der gesamten Heiligen Schrift *entsteht ein vom Geist Gottes erwirkter, unerschütterlicher Glaube, der unentwegt mit Gott wohlgefälligen Tugenden im Herrn Jesus Christus bekräftigt ist, welcher sich wie folgt an den nunmehr von der barmherzigen Gnade Gottes gesegneten Personen ersichtlich zeigt* – nämlich: ***… in der Gerechtigkeit, der Gottesfurcht, dem Glauben, der Liebe, der Geduld und der Sanftmut*** (1.Timotheus, Kapitel 6, Vers 11b / siehe Auslegung!).

Der Apostel Paulus begründet diese seine Aussage mit folgenden Worten: ***... denn wir sind seine*** (Gottes!) ***... Schöpfung, erschaffen in Christus Jesus zu guten Werken, die Gott zuvor bereitet hat, damit wir in ihnen wandeln sollen*** (Epheser, Kapitel 2, Vers 10). Ja – ***... damit ihr*** (die Glaubenden!) ***... des Herrn würdig wandelt und ihm in allen wohlgefällig seid: in jedem guten Werk fruchtbar und in der Erkenntnis Gottes wachsend*** (Kolosser, Kapitel 1, Vers 10).

In der Tat – *wer* die zum Heil der Herrlichkeit Gottes führenden Worte der gesamte Heilige Schrift *voller williger Bereitschaft in seinem Herzen aufnimmt und mittels seines Glaubens vertieft, der wird vom Heiligen Geist Gottes von dem himmlischen Vater in Christus Jesus gesegnet werden* – und begeht fortan ein Dasein, *welches i n u n d a u s der Gerechtigkeit Gottes lebt. Aus dieser rundum willigen, zur vollkommenen Wahrheit bezogenen Bereitschaft hat der himmlische Vater einen neuen Menschen geformt, der fortan der Weisheit Seiner selbst in Christus aufgrund seines innig-verwurzelten Glaubens im Geist der Wahrheit Gottes unentwegt nachfolgt.* Daher bekennt Paulus den zur Wahrheit Gottes bezogenen Menschen: ***... darum: Ist jemand in Christus, so ist er eine neue Schöpfung; das Alte ist vergangen; siehe, es ist alles neu geworden!*** (2.Korinther, Kapitel 5, Vers 17). So komplettiert daraufhin der Apostel Petrus die Worte des Paulus wie folgt: ***... denn ihr seid wiedergeboren nicht aus vergänglichem, sondern aus unvergänglichem Samen, durch das lebedinge Wort Gottes, das in Ewigkeit bleibt*** (1.Petrus, Kapitel 1, Vers 23).

Wahrhaft – *a l l e i n die von ganzer Güte ummantelte, rundweg barmherzige Gnade des allmächtigen Gottes im Herrn Jesus Christus hat die glaubende Menschheit zu Kindern Ihrer selbst geformt, weil diese fortan in den Fußstapfen des Heilands wandeln.* Diese von der ganzen Weisheit umrahmte Erkenntnis Gottes im Herrn Jesus Christus *ist von einer immerdar wertbeständigen, niemals vergehenden und zugleich stets heilsamen Wirkung beseelt, welche sich fortan in den Herzen der Beschenkten auszeichnet – und sich in den von Gott und Christus stets geforderten Wesenszügen der Nächstenliebe rundum bewährend erkenntlich zeigt.* Ja – *der diesen gesegneten Menschen von Gott geoffenbarte Heilige Geist u n t e r r i c h t e t , u n t e r w e i s t u n d o r d n e t g l e i c h e r m a ß e n die fortan zu vollbringen Handlungen dieser von Gott Gesegneten, sodass die ihnen geoffenbarten Worte Gottes nunmehr mittels der Erkenntnis der wahrhaftigen Weisheit Seinem Willen in Christus gemäß vollbracht werden.*

In der Tat – *wenn das Gesamtkonzept der Heiligen Schrift in die Herzen der Kinder Gottes anhand der Kraftwirkung des Heiligen Geistes zur Erkenntnis der vollkommenen Wahrheit gelangt, so sind diese von Glauben erfüllten Menschen nun endgültig vom Allmächtigen in Christus* ***... ganz zubereitet worden, zu jedem guten Werk völlig ausgerüstet*** (1.Timotheus, Kapitel 3, Vers 17), so Paulus.

Kapitel 4

Verse 1 – 8

Der Auftrag
zur treuen Verkündigung des Wortes

[1]Daher bezeuge ich dir ernstlich vor dem Angesicht Gottes und des Herrn Jesus Christus, der Lebendige und Tote richten wird, um seiner Erscheinung und seines Reiches willen: [2]Verkündige das Wort, tritt dafür ein, es sei gelegen oder ungelegen; überführe, tadle, ermahne mit aller Langmut und Belehrung! [3]Denn es wird eine Zeit kommen, da werden sie die gesunde Lehre nicht ertragen, sondern sich selbst nach ihren eigenen Lüsten Lehrer beschaffen, weil sie empfindliche Ohren haben; [4]und sie werden ihre Ohren von der Wahrheit abwenden und sich den Legenden zuwenden. [5]Du aber bleibe nüchtern in allen Dingen, erdulde die Widrigkeiten, tue das Werk eines Evangelisten, richte deinen Dienst völlig aus! [6]Denn ich werde schon geopfert, und die Zeit meines Aufbruchs ist nahe. [7]Ich habe den guten Kampf gekämpft, den Lauf vollendet, den Glauben bewahrt. [8]Von nun an liegt für mich die Krone der Gerechtigkeit bereit, die mir der Herr, der gerechte Richter, an jenem Tag zuerkennen wird, nicht aber mir allein, sondern auch allen, die seine Erscheinung lieb gewonnen haben.

Auslegung:

Vers 1: Das 4.Kapitel beginnt mit von dem Apostel Paulus an den Gemeindeleiter Timotheus gerichteten, stets einzuhaltenden Anweisungen, welche mittels eines niemals abweichenden, rundweg beständigen als auch stets unverzagten Glaubens von dringend auszuführender Notwendigkeit geprägt sind, *damit nicht nur Timotheus, sondern a l l e anderen Mitglieder der Gemeinde der Epheser über diese zum Heil leitende Verkündigung des Apostels von dem Timotheus unterrichtet werden, sodass a l l e Gemeindemitglieder zur Erkenntnis der Wahrheit kommen – und in den Heilsbereich Gottes bei der Wiederkunft Jesu Christi am Tag des Jüngsten Gerichts Dank ihres inständigen Glaubens aufgenommen werden.*

Daher beginnt Paulus eine persönlich an den Leiter der Gemeinde, Timotheus, ausgerichtete, mit ganzer Ernsthaftigkeit umschlossene – jedoch voller Nächstenliebe ummantelte, *stets zu befolgende Botschaft – welche ihn in die zum Heil leitenden Sphären des himmlischen Vaters im Herrn Jesus Christus leiten sollen:* ***… daher bezeuge ich dir ernstlich vor dem Angesicht Gottes und des Herrn Jesus Christus, der Lebendige und Tote richten wird, um seiner Erscheinung und seines Reiches willen.*** Ja – es ist jene den Apostel Paulus bewegende, im Geist der Wahrheit Gottes ihn stets antreibende Kraft seiner apostolischen Vollmacht mittels der nunmehr an Timotheus gerichteten Ermahnungen, *die den Gemeindeleiter nochmals mit einschärfenden Worten u n e n t w e g t dazu veranlassen sollen, i m m e r d a r nach der unwiderruflichen Wahrheit Gottes im Herrn Jesus Christus z u s t r e b e n.*

Denn der allmächtige Gott und der Herr Jesus Christus *werden* bei der Parusie Christi (die Wiederankunft Jesu Christi am Tag des

Jüngsten Gerichts!) *über die Lebenden als auch die Toten ihr Gericht halten und die Spreu vom Weizen trennen,* ja – ***... er hat die Wurfschaufel in seiner Hand und wird seine Tenne gründlich reinigen und seinen Weizen in die Scheune sammeln; die Spreu aber wird er verbrennen mit unauslöschlichem Feuer*** (Matthäus, Kapitel 3, Vers 12).

Timotheus soll sich stets darüber bewusst sein, *dass dieser allein von dem allmächtigen Gott bestimmte Tag kommen w i r d – und dass ein j e d e r Mensch sich vor dem Richterstuhl Gottes mittels seiner vollbrachten Taten verantworten muss* – ***... denn wir a l l e müssen vor dem Richterstuhl des Christus offenbar werden, damit j e d e r d a s e m p f ä n g t, w a s e r durch den Leib gewirkt hat, es sei gut oder böse*** (2.Korinther, Kapitel 5, Vers 10). Aus diesem Grund will Paulus es dem Timotheus – seinem geliebten Kind im Glauben – noch ein weiteres, letztes Mal – ja – noch vor des Apostels baldig erwarteten Abscheiden des irdischen Lebens in aller Deutlichkeit mittels der nun folgenden Worte nahelegen: *B l e i b e u n e n t w e g t m e i n e m a n d i c h g e r i c h t e t e n Z e u g n i s t r e u !*

Mit diesen seinen Worten legt Paulus seinem innigen, rundum vertrauenswürdigen Glaubensbruder Timotheus eindeutig *die Sorge für die Zukunft der Kirche dar. Es ist jene von Timotheus zu begehende,* ja – *diese von ihm zu bestehende als auch zu vollführende Pflicht und zugleich die von ihm zu bewältigende Aufgabe als Leiter der Gemeinde in Ephesus dafür Sorge zu tragen, dass er das Wort Gottes im Herrn Jesus Christus in aufrichtiger Dienstwilligkeit in der Gegenwart Ihrer selbst in vollkommener Wahrheit verkündigt.* Ja, so Paulus:

… dass du das Gebot unbefleckt und untadelig bewahrst bis zur Erscheinung unseres Herrn Jesus Christus (1.Timotheus, Kapitel 6, Vers 14 / siehe Auslegung!).

Vers 2: Eben weil Timotheus mit allen Tugenden Gottes im Geist der Wahrheit vom Allmächtigen im Herrn Jesus Christus gesegnet wurde, *ruft ihn Paulus erneut mit mahnenden, jedoch stets ihm zu Gute dienenden Worten auf:* ***… verkündige das Wort, tritt dafür ein, es sei gelegen oder ungelegen; überführe, tadle, ermahne mit aller Langmut und Belehrung!*** Ja – Timotheus *soll seine Verkündigung der Frohen Botschaft Jesu Christi mit standhaftem, gleichbleibendem und zugleich w i l l i g e m Ausharren an andere Personen weitergeben,* ***… denn du weißt nicht, was Schlimmes auf Erden geschehen wird! Am Morgen säe deinen Samen, und am Abend lass deine Hand nicht ruhen; denn du weißt nicht, ob dieses oder jenes gedeihen wird, oder ob beides zugleich gut wird*** (der Prediger Salomo, Kapitel 11, Verse 2b + 6).

Auch an dieser Stelle werden wir abermals die zum näheren Verständnis von Paulus an den Gemeindeleiter Timotheus gerichtete Botschaft erneut definieren, um ihre ganze gewichtige Bedeutsamkeit anschaulich wie folgt in Erfahrung bringen zu können:

Timotheus *soll* **dafür eintreten:** *der Gemeindeleiter soll die Evangeliums-Botschaft Jesu Christi mit konstanter, niemals verzagender Bereitwilligkeit den Gemeindemitgliedern der Epheser verkündigen, weil er genau weiß, welche immense Wichtigkeit in dieser Botschaft beinhaltet ist – nämlich – dass das Heil Gottes in Christus Jesus in* *die Herzen aller Menschen gelangt und mittels eines fortan von ihnen angenommen Glaubens vom Heiligen Geist Gottes bestätigend hinterlegt wird – sodass der vor allem stehende Wille Gottes im Herrn Jesus Christus gemäß Ihren weisen Richtlinien von Timotheus mit einem allseits guten, unentwegt folgsamen Gewissen ausgeübt wird – und er somit das ihm geoffenbarte, rundweg bedeutungsvolle Amt als der Gemeindeleiter der Epheser konsistent mittels seiner kontinuierlichen Dienstbereitschaft der innigen Glaubensgewissheit im Herrn bestätigt –*

es sei gelegen oder ungelegen: *Timotheus soll mit einer immerdar von ganzer seelsorgerischen Nächstenliebe auf die Menschen zukommende, ja – mit einer unentwegt allumfassenden Aktivität sein Amt mit freudvollen, stets zur willigen Bereitschaft dienenden Maßnahmen in den Fußstapfen des Herrn Jesus Christus vollführen; er soll dieses sein gewichtig zu betrachtendes Amt mit einer kontinuierlich situiert-positiven Einstellung der Besonnenheit ausüben – die auch dann von ihm begangen werden muss, selbst wenn ihn hinderliche, unliebsame als auch anstößige Begebenheiten in Form von gottwidrigen Irrlehrern oder sonstigen auf ihn zukommenden Widrigkeiten den Timotheus an den Ausführungen seines Auftrages im Herrn daran hindern sollten; ja – das von dem Gemeindeleiter zu vollführende Amt kennt keinerlei nicht zu überwindende Hindernisse, denn die Frohe Botschaft ist stets ungebunden und lässt sich nicht in den Hintergrund drängen – sondern steht immerdar im Vordergrund, weil die vollkommene Wahrheit des allmächtigen Gottes im Herrn und Heiland Jesus Christus unentwegt frei von aller Bosheit ist – und sich folglich niemals von einer noch so überwältigenden, irdischen Macht besiegen lässt, denn Gottes Leitlinien sind stets ungebunden und* *folglich einem jedem Entgegenstreben immerdar gänzlich überlegen, ja – das Wort Gottes ist* ***… ein Richter der Gedanken und Gesinnung des Herzens*** (Hebräer, Kapitel 4, Vers 12b) –

überführe: *der Gemeindeleiter soll mit unter Beweis berufenen Argumenten in Form der unverblümten Wahrheit Gottes mittels seiner in seinem Herzen unentwegt auffindbaren Kraftwirkung im Heiligen Geist in Christus Jesus in unaufhaltsamer, stets willentlicher Stärke die Werke des Bösen schonungslos aufdecken; er soll ihnen ihre irdischen Machtausübungen anhand der von ihnen begangenen gottwidrigen Lügen offen darlegen – und mittels dieser kümmerlichen als auch immerdar bedauernswerten Argumente die vollkommene Wahrheit Gottes im Herrn Jesus Christus darlegend gegenüberstellen, sodass sich* ***… auch die anderen*** *Menschen von den ihnen nun schonungslos aufgedeckten Sünden* ***… fürchten*** (1.Timotheus, Kapitel 5, Vers 20b / siehe Auslegung!) – *und fortan den Weg des Heils begehen, der einzig und allein in Gott und dem Herrn Jesus Christus auffindbar ist – ganz gemäß dem Willen des allmächtigen Gottes in dem Herrn Jesus Christus entsprechend –*

tadle: *mit der dem Timotheus geoffenbarten, vom Heiligen Geist Gottes getragenen Willensstärke im unverzagten Glauben, die ihn letztlich dazu fähig machen und zugleich dazu beständig bewegen als auch veranlassen wird, das Wort der Wahrheit Gottes in aller Ausgewogenheit zu verkündigen, dessen soll der Gemeindeleiter sich niemals scheuen, mittels maßregelnder, kritikbestückter Zurechtweisungen die Sünden der Gegner Gottes schonungslos unter Beweis zu stellen; ja – diese dringend benötigten, rundum die Gegner Gottes schmähenden Maßregelungen sollen dafür Sorge tragen, dass diese*

Individuen es eindeutig erkennen, mit welcher gebrandmarkten Schande der verdorbenen Sünde sie die Reinheit Gottes im Herrn Jesus Christus rundum befleckt haben, ja – mit welcher blasphemisch-entwürdigenden Abscheulichkeit ihr sündenbeflecktes Verhalten bestückt war – sodass auch diese Personen mit Einsicht umkehren – und sich fortan mittels eines bedachten als auch beständigen Glaubens der unantastbaren Wahrheit Gottes vollends hingeben –

ermahne mit aller Langmut und Belehrung: *es ist jene von dem Gemeindeleiter Timotheus unentwegt zu vollführende Gewissheitsstruktur, seiner gewichtigen Amtsbefugnis im Geist der Wahrheit Gottes mit von Mut geprägter Aussprache gerecht zu werden, ja – diese stets in seinem Herzen zu vollführende, Gott wohlgefällige Ausübung in der Verbreitung der Heiligen Schrift, welche mit von dem Herrn Jesus Christus vorgelebter als auch besonnener, geduldumschlossener und zugleich unermüdlich-friedvoller Beherrschung in nachahmender Weise von Timotheus selbst ausgeübt werden muss, damit der in seinem Herzen wirkende, unauslöschliche, vom Geist der Wahrheit ausgehende Lichtglanz der Herrlichkeit des wunderbaren Gottes in Christus Jesus sich vollends in der Ausübung seiner willigen Dienstbereitschaft anderen Personen belehrend darlegt, sodass diese über allen stehende Unterweisung in den Herzen aller Menschen die benötigten Umkehrmaßnahmen im Glauben entfachen, sodass auch diese Herzen von der unwiderruflichen Wahrheit Gottes in Christus Jesus gesegnet werden, sodass die Früchte des Heils auch die noch Unwissenden in den barmherzig-gnadenumwoben Herrlichkeitsbereich Gottes leiten – und dort in dem himmlischen Zielhafen des Glaubens – auf Ewigkeit aufbewahrt werden.*

Vers 3: Die nun folgende Botschaft des Apostels Paulus beruht auf den dringlichen, von ganzer Erfordernis umfassten als auch stets einzuhaltenden Anweisungen der an Timotheus gerichteten Worte aus den Versen 1 + 2 dieses gleichnamigen 4.Kapitels als auch aus Kapitel 1 in Vers 13 dieses 2.Timotheusbriefes (siehe Auslegung!) – *und begründen nochmals ihre ganze Bedeutsamkeit mit der nunmehr an den Gemeindeleiter der Epheser gerichteten, ernstlichen Mahnung:* ***... denn es wird eine Zeit kommen,*** – so Paulus – ***... da werden sie die gesunde Lehre nicht ertragen, sondern sich selbst nach ihren eigenen Lüsten Lehrer beschaffen, weil sie empfindliche Ohren haben.*** Ja – Timotheus soll sich unentwegt als ein zuverlässiger, tief im wahren Glauben an Gott und den Herrn Jesus Christus stehender Gemeindeleiter der gesamten Gemeinde in Ephesus *als ein nachzuahmendes Vorbild zu erkennen geben* – als ***... einer, der sich an das zuverlässige Wort hält, wie es der Lehre entspricht, damit er imstande ist, sowohl mit der gesunden Lehre zu ermahnen als auch die Widersprechenden zu überführen*** (Titus, Kapitel 1, Vers 9).

Es ist jene im Evangelium des Johannes benannte, zum Tragen kommende *Verweigerung der gesunden Lehre Gottes im Herrn Jesus Christus,* ja – *über die n i c h t zum Heil führende Erkenntnis, die Paulus seinem Glaubensbruder Timotheus nun genauestens darlegt:* ***... denn jeder, der Böses tut, hasst das Licht und kommt nicht zum Licht, damit seine Werke nicht aufgedeckt werden*** (Johannes, Kapitel 3, Vers 20). Wahrhaft – *es sind d i e j e n i g e n vom wahren Glauben der Worte Gottes a b i r r e n d e n I n d i v i d u e n, welche mittels ihrer vom Gott dieser Weltzeit unterstützten, irrealen Sinne ohne jegliche Überlegung bereits in den alttestamentlichen Schriften* ***... zu den Sehern*** (Propheten!) ***... sag***(t)***en: „Ihr sollt nicht***

sehen!", und zu den Schauenden: „Schaut uns nicht das Richtige, sondern sagt uns angenehme Dinge und schaut uns Täuschungen! Verlasst den Weg, biegt ab von dem Pfad, lasst uns mit dem Heiligen Israels in Ruhe!" (Jesaja, Kapitel 30, Verse 10 + 11). *Exakt diese voller Bosheit und gottwidrigen Worten umrahmte Botschaft übertragen die von der vollkommenen Reinheit Gottes in Christus Jesus geprägten Irrlehrer gegenüber der zum einzig und allein zum ewigen Heil leitenden Evangeliums-Botschaft Jesu Christi* – so der Apostel. In der Tat – diese sich zukünftig bzw. in naher Zukunft von der wahren Botschaft Gottes im Herrn Jesus Christus *sich immer mehr ausbreitenden als auch absetzenden, vom Teufel beseelten Personengruppierungen behaupten somit nun mittels ihrer aus Eigenregie behafteten, blasphemischen Meinungen, dass* ... ***das Wort vom Kreuz eine Torheit ist,*** *w e i l sie i n den listigen Fängen des Satans* ***... verloren gehen*** (1.Korinther, Kapitel 1, Vers 18a). Denn: ***... der natürliche Mensch*** (oder seelische Mensch = Quelle: Schlachter-Bibel 2000!) ***... aber nimmt nicht an, was vom Geist Gottes ist; denn es ist ihm eine Torheit, und er kann es nicht erkennen, weil es geistlich beurteilt werden muss*** (1.Korinther, Kapitel 2, Vers 14).

Vielmehr aber beschaffen sich diese von Gott und Christus immer mehr abwendenden Individuen ***... eigene Lehrer, weil sie empfindliche Ohren haben*** (2.Timotheus, Kapitel 4, Vers 3b). *W e i l diese Gottesleugner sich irdisch gesinnte Lehrer nach ihrer eigenen, Gott und Christus verhöhnenden Fasson suchen, d a r u m sind ihnen solche rundum gehässigen Lehrer w i l l k o m m e n, welche auf Kosten der unantastbaren Wahrheit Gottes mittels ihrer an dieser sündhaften Personengruppierungen ergehender, egozentrischer, völlig von Gott abkehrenden Worte ihrem zum Verderben freigegebe-*

nen Gehör *s c h m e i c h e l n* – so Paulus. Die Evangeliums-Botschaft Gottes im Herrn Jesus Christus *aber gibt sich* *n i c h t* *mit einer lichtleeren, sich einschmeichelnden Anforderung der Hörorgane* *z u f r i e d e n,* *s o n d e r n* *d i e s e* *sorgt für die im* *H e r z e n* *der Beschenkten aufrichtige Glaubensannahme, damit die vollkommene Wahrheit anhand eines unverzagten, wahren Glaubens in die Glaubenszentrale – die Herzen – der Auserwählten in ihrer ganzen voluminösen Frohen Botschaft Gottes gelangt.*

Vers 4: Aufgrund dieser unentwegt in ihren restlos verdunkelten Herzen ruhenden, gegen den allmächtigen Gott und den Herrn und Heiland Jesus Christus gerichteten, gotteslästerlichen Vergehen in der Schande der Sünde ***… wenden sie ihre Ohren von der Wahrheit ab und wenden sich den Legenden zu.*** Ja – *die Gedanken dieser abartig geprägten Personengruppierungen sind mit im Bann des Teufels anhaftenden, rundum mirakulösen, fabelhaft umrahmten und zugleich mit mythischen ins Nichts leitenden Gedanken der Entehrung befleckt, welche sie in diese rundweg selbst inhaftierten, erbarmungswürdigen Gewahrsamsaufenthaltsorte des Satans auf Ewigkeit einsperren, aus welchen es* *k e i n* *E n t k o m m e n* *g i b t,* ***… weil sie die Liebe zur Wahrheit nicht angenommen haben, durch die sie hätten gerettet werden können*** (1.Thessalonicher, Kapitel 2, Vers 10b). Mit ihren eigenmächtig verbohrten, inhaftierten und zugleich verwirrten Gedanken *ignorieren sie völlig das Wort als auch den Willen Gottes in Christus Jesus.* Ja – *diese abirrenden Personen sind den mythischen Fabeln ihrer Irrlehrer* *u n t e r t a n* *u n d* *i h n e n* *d e m z u f o l g e* *r e s t l o s* *v e r f a l l e n* – so der Apostel Paulus (siehe hierzu erneut die Auslegung zu 1.Timotheus, Kapitel 1, Vers 4!).

Der Herr Jesus Christus bekennt daher diesen rundweg erbarmungswürdigen, gänzlich von Gottes und Seiner eigenen Herrlichkeit abfallenden Personen des rundum beschämenden Unglaubens: ***... denn das Herz dieses Volkes ist verstockt,*** (oder undurchdringlich / unempfänglich = Quelle: Schlachter-Bibel 2000!) ***... und mit den Ohren hören sie schwer, und ihre Augen haben sie verschlossen, dass sie nicht etwa mit den Augen sehen und mit den Ohren hören und mit dem Herzen verstehen und sich bekehren und ich sie heile*** (Matthäus, Kapitel 13, Vers 15).

Vers 5: Daher ruft der Apostel Paulus sein geliebtes Kind im Glauben nochmals mittels seiner stets zu dem Timotheus bezogenen als auch ihm immerdar gebührenden, seelsorgerischen Nächstenliebe dazu auf: ***... du aber bleibe nüchtern in allen Dingen, erdulde die Widrigkeiten, tue das Werk eines Evangelisten,*** (eines Verkündigers der Heilsbotschaft von Jesus Christus = Quelle: Schlachter-Bibel 2000!) ***... richte deinen Dienst völlig aus!*** *Eben w e i l Timotheus von der barmherzigen, gnadenreichen, ihm rundum zuteilgewordenen Liebe Gottes im Herrn Jesus Christus im Geist der Wahrheit des himmlischen Vaters g e s e g n e t w u r d e, kann Paulus diese Worte dem Gemeindeleiter der Epheser in ganzer Wahrheit bekennen, sodass die nun folgenden Worte dem Leiter der Gemeinde bei seiner bedeutungsvollen Amtsdurchführung stets dazu a n i m i e r e n, das Werk des Höchsten in Christus v o l l e n d s z u e r f ü l l e n.* Daher will Paulus dem Timotheus die nun folgenden Worte in sein voll

Glauben erfülltes Herz hinterlegen: ***... d a r u m umgürtet die Lenden eurer Gesinnung, seid nüchtern und setzt eure Hoffnung g a n z auf die Gnade, die euch zuteilwird in der Offenbarung Jesu Christi*** (1.Petrus, Kapitel 1, Vers 13).

Ja – mit von sämtlicher in ihm ruhender Geduld und *n i e m a l s aufgebender, ganz voll von Ausdauer umrahmter W i l l e n s s t ä r k e in der Kraft des Heiligen Geistes soll sich Timotheus seinem gewichtigen Amtsbereich w i d m e n, sodass die über allem stehenden Evangeliums-Botschaft Jesu Christi stets nach den weisen Richtlinien des Höchsten r u n d u m v o n i h m v o l l f ü h r t w i r d* (siehe abermals Auslegung zu 2.Timotheus, Kapitel 1, Vers 8 + zu 2.Timotheus, Kapitel 2, Vers 3!). Des Timotheus vom Geist Gottes geprägter Wille soll sich wie folgt in den Herzen aller Gemeindemitglieder der Epheser erkenntlich zeigen – nämlich – dass *alle* innerhalb der Gemeinde ihm bekennen können: ***... wie lieblich sind auf den Bergen die Füße des Freudenboten, der Frieden verkündigt, der gute Botschaft bringt, der das Heil verkündigt, der zu Zion sagt: Dein Gott herrscht als König!*** (Jesaja, Kapitel 52, Vers 7). Ja – es ist dieses von Paulus benannte, stets von dem Apostel vollbrachte, *nun in das Herz des Gemeindeleiters Timotheus hinterlegte als auch zu vollführende, unmissverständliche vom Geist Gottes getragene* ***... freimütige Bekanntmachen des Geheimnisses des Evangeliums*** (Epheser, Kapitel 6, Vers 19b). Wahrhaft – es ist wiederum jenes *immerdar den Timotheus betreffende* ***... achthaben auf den Dienst, den du im Herrn empfangen hast, d a m i t d u i h n e r f ü l l s t!*** (Kolosser, Kapitel 4, Vers 17b) – ganz im konstant beabsichtigten Sinne des himmlischen Vaters in dem Herrn Jesus Christus entsprechend.

Mit diesem permanent gottwohlgefälligem Tun und Handeln erweist sich Timotheus als ein wahrer Diener des inständigen Glaubens im Herrn Jesus Christus – so Paulus – *w e i l der Gemeindeleiter sein ihm vom Höchsten übertragenes Amt unentwegt mittels dienstwilliger Bereitschaft als auch anhand von Gottes Absichten gekürten Bestimmungen aufgrund seines immerdar unverzagten Glaubens an den Herrn und Retter Jesus Christus v o l l e n d s a u s r i c h t e t.*

Vers 6: Mit gegenüber seinem innig geliebten Glaubensbruder Timotheus als auch für den Apostel Paulus selbst geprägt wehmütigen, jedoch letztlich voller *Vorfreude für den Apostel zu erwartenden Worte bekennt Paulus dem Timotheus nunmehr: ***... denn ich werde schon geopfert, und die Zeit meines Aufbruchs ist nahe.*** In der Tat – *Paulus ist sich dessen gewiss, dass er bald seinen irdischen Tod entgegenblicken wird* – daher betont er in seinem Brief an die Philipper: ***... sollte ich aber mein Leben hingeben müssen beim Opferdienst für euren Glauben, so freue ich mich, und ich freue mich mit euch allen*** (Philipper, Kapitel 2, Vers 17 / Zürcher Bibel).

Wahrhaft – der vom Heiligen Geist aus der Gnade Gottes in Christus Jesus entfachte Gnadenerweis bei des Apostels Paulus Durchreise nach Damaskus und der damit verbundenen, stets vom allmächtigen Gott beabsichtigten und daher gewollten Begegnung mit dem Herrn Jesus Christus (siehe erneut die Apostelgeschichte des Lukas, Kapitel 9!) *hat sich fortan im irdischen Leben des Paulus mittels des Apostels Handhabungen im Geist der Wahrheit Gottes rundum erwiesen als auch vollends ersichtlich gezeigt.* Nun aber ist seine Zeit des irdischen Todes nahe – und des Apostels Paulus Tod sieht er aus eigener

Betrachtung (nach der persönlichen Meinung des Autors!) *als ein Trankopfer an, weil er sein opferndes Blut bei seiner Hinrichtung mit dem an den Grund des Altars vergießenden Wein in Betracht zieht – und folglich somit das bald von ihm vergossene Blut auf s i c h selbst bezieht.* Ja – der Apostel Paulus *s e l b s t wird somit zum ehrenden Opfer des allmächtigen Gottes im Herrn und Retter Jesus Christus.*

Zwar trauert der Apostel um den baldigen Abschied seiner Gemeinde(n), *weil es ihm in seinem irdischen Leben überaus wichtig war* – ja – *die oberste Priorität besaß – die Evangeliums-Verkündigung Jesu Christi in die Herzen a l l e r Gemeindemitglieder zu hinterlegen, sodass sie an diesem zum Ewigen Leben führenden Glauben u n e n t w e g t f e s t h i e l t e n – aber trotz allem wartet der Apostel nach seinem irdischen Abschied sehnsüchtig auf s e i n e Aufnahme im Reich der Himmel und betont daher voller Enthusiasmus:* ***… *ich warte sehnsüchtig auf das, was kommen wird, und bin guter Hoffnung, dass ich in keiner Hinsicht blossgestellt werde, dass vielmehr Christus in aller Freiheit, wie bisher so auch jetzt, durch meinen Leib verherrlicht wird, sei es durch mein Weiterleben, sei es durch meinen Tod. D e n n f ü r m i c h g i l t: Leben heißt Christus, und Sterben ist für mich G e w i n n. Wenn ich aber am Leben bleiben sollte, dann bedeutet das, dass meine Arbeit Frucht bringen wird, und so weiß ich denn nicht, was ich wählen soll. Nach zwei Seiten werde ich gezogen: Eigentlich hätte ich Lust, a u f z u b r e c h e n u n d b e i C h r i s t u s z u s e i n; d a s w ä r e j a a u c h w e i t b e s s e r. Am Leben zu bleiben, ist aber nötiger – um euretwillen*** (Philipper, Kapitel 1, Verse 20 – 24 / Zürcher Bibel).

Paulus aber weiß allzu genau, *dass er in der Person des Timotheus einen überaus würdigen, ihm im wahrhaftigen Glauben und in der Amtsdurchführung durchaus gleichwertigen Nachfolger aufzuweisen hat, welcher in der(n) Gemeinde(n) die gewichtige Aufgabe mit Bravour übernimmt, sodass das Wort Gottes w e i t e r h i n i n g a n z e r v o m H e i l i g e n G e i s t u m r a h m t e n W a h r h e i t u n d d e r d a z u g e h ö r e n d e n F ü l l e m ö g l i c h s t a l l e H e r z e n d a z u v e r a n l a s s t, d i e s e n G l a u b e n a u c h i n g l e i c h e r B e d e u t s a m k e i t i n i h r e n H e r z e n z u ü b e r n e h m e n, sodass der helle Lichtglanz Jesu Christi diese Herzen mit dem Heil Seiner Herrlichkeit v o l l e n d s e i n n i m m t* – ganz gemäß dem Willen des allmächtigen Gottes entsprechend.

Der Apostel Paulus weist Timotheus daher immer wieder darauf hin, *w i e i m m e n s w i c h t i g e s i s t, stets den von Gott im Herrn Jesus Christus vorgelebten Weg mit a l l e r vom Heiligen Geist geoffenbarter Kraft und aushaltenden Stärke des unverzagten Glaubens z u b e g e h e n. Aus diesem Grund kann auch Paulus dem Timotheus die nun folgenden Worte des Apostels Petrus mit einem ruhigem, jedoch fest entschlossenem Gewissen nochmals in sein vom Geist Gottes erfülltes Herz hinterlegen* – denn diese lauten nunmehr: ***… darum will ich es nicht versäumen,*** dich ***… stets an diese Dinge zu erinnern, obwohl*** du ***…. sie selbst*** erkannt hast ***… und in der vorhandenen Wahrheit fest gegründet*** bist (2.Petrus, Kapitel 1, Vers 10). Wahrhaft – *Paulus hat als der Ziehvater im Glauben dem Timotheus zwar die Evangeliums-Botschaft des Herrn Jesus Christus in das Herz des Timotheus* ***…*** (hinein)***gepflanzt, Gott aber hat das Gedeihen gegeben*** (1.Korinther, Kapitel 3, Vers 6).

Nach dieser Gewissheit soll Timotheus stets sein rundum bedeutungsvolles Amt als der Gemeindeleiter der Epheser vollführen, denn dieses ist ein von Gott in Christus sich an dem Timotheus verwirklichtes Gnadengeschehen, welches unentwegt auf die allein dem allmächtigen Gott gebührende Ehre hinweist – so Paulus.

Vers 7: Daraufhin betont Paulus nun gegenüber dem Timotheus: ***... ich habe den guten Kampf des Glaubens gekämpft, den Lauf vollendet, den Glauben bewahrt*** (siehe hierzu abermals Auslegung zu 1.Timotheus, Kapitel 6, Vers 12). Mit vollkommen wahrheitsgemäßen Worten schildert der Apostel Paulus dem Gemeindeleiter Timotheus *seinen immerdar vollbrachten apostolischen Vollmacht-Dienst im unverzagten Glauben an den allmächtigen Gott und den Herrn Jesus Christus, der ihm letztlich vom Höchsten in Christus mittels der Kraftwirkung des Heiligen Geistes aufgrund Ihrer gnadenreichen, dem Paulus zu Gute kommenden Barmherzigkeit gemäß den von Gott stets einzuhaltenden Richtlinien in der Frohen Botschaft Jesu Christi vollends geoffenbart wurde.* Wahrhaft – *der himmlische Vater hat den Apostel Paulus auserwählt und zugleich dazu berufen, Seine ihm geoffenbarte, geisterwirkte Kraft in der Evangeliums-Verkündigung Jesu Christi vollends auszuschöpfen als auch Seinem Willen gemäß rundum einzusetzen, sodass der Missionsbefehl des Heilands Jesus Christus in die stets von Gott beabsichtigten Strukturen des Heils gelangt, um die Menschheit aus ihren inhaftierten Lastern der Sünde zu befreien, um diesen mit einer innigen, von ihren ganzen Herzen kommenden Glaubensannahme an den Herrn und*

Erlöser Jesus Christus Ewiges Leben im Reich der Herrlichkeit Seiner selbst zu gewährleisten.

Daher umschreibt Paulus seinen ausgetragenen als auch stets von ihm vollbrachten ***... guten Kampf des Glaubens*** in seinem 1.Brief an die Korinther in Kapitel 9 in den Versen 26 + 27 wie folgt: ***... so laufe ich nun nicht wie aufs Ungewisse; ich führe meinen Faustkampf nicht mit bloßen Luftstreichen, sondern ich bezwinge meinen Leib und beherrsche ihn,*** (mache ihn zum Sklaven / Knecht = Quelle: Schlachter-Bibel 2000!) ***... damit ich nicht anderen verkündige und selbst verwerflich*** (oder untauglich / unbewährt = Quelle: Schlachter-Bibel 2000!) ***... werde.***

Vers 8: Daher bekennt Paulus dem Gemeindeleiter Timotheus weiterhin: ***... von nun an liegt für mich die Krone*** (oder der Siegeskranz = Quelle: Schlachter-Bibel 2000!) ***... der Gerechtigkeit bereit, die mir der Herr, der gerechte Richter, an jenem Tag zuerkennen wird, nicht aber mir allein, sondern auch allen, die seine Erscheinung lieb gewonnen haben.*** *Mit einem unerschütterlichen, unentwegt vom Heiligen Geist getragenen, fest in des Paulus Herzen verankerten Glauben an Gott und den Herrn Jesus Christus hat der Apostel sein von dem Herrn Jesus Christus ihm geoffenbarten,* ja – *jenen von dem allmächtigen Gott bestimmten als auch letztlich von Ihm ausgehenden apostolischen Vollmacht-Dienst gegenüber a l l e n G e m e i n d e n, die er im Geist der Wahrheit Gottes mit seiner an sie stets ausgehenden, seelsorgerischen Nächstenliebe in der Evangeliums-Botschaft Jesu Christi missioniert hat, mit B r a v o u r* – ja – *m i t v o l l s t e m v o n g a n z e r V i r t u o s i t ä t* *geprägtem Enthusiasmus nach den weisen Richtlinien des Höchsten mit allen Tugenden als ein wahrhaftiger Diener des allmächtigen Gottes im Herrn Jesus Christus rundum verwirklicht.*

Ja – *es ist wiederum der ihn stets unterstützende Tröster – der Heilige Geist* – welcher den Apostel Paulus in seinem *niemals verzagenden, fest in seinem Herzen verankerten Glauben die allseits zuverlässige Gewissheit hinterlegte, dass für ihn – wenn sein irdischer Tod naht –* ***... die Krone der Gerechtigkeit*** *bereit gehalten wird, welche ihm* ***... der Herr, der gerechte Richter*** *an dem Tag der Wiederkunft Jesu Christi* ***... zuerkennen wird.*** Wahrhaft – *der Apostel Paulus hat seinen allseits ausdauernden, stets charakterfesten als auch unentwegt beharrlichen Glauben an den Herrn Jesus Christus niemals verlassen, selbst die von dem Heiland Jesus Christus dem Ananias ausgesprochenen Worte, welche lauteten:* ***... denn ich*** (Jesus Christus!) ***... werde ihm*** (den Apostel Paulus!) ***... zeigen, *wie viel er leiden muss um meines Namens willen*** (die Apostelgeschichte des Lukas, Kapitel 9, Vers 16 – welche der Apostel Paulus mittels seines *2.Korintherbriefes in Kapitel 11 in den Versen 23b – 28 in Bezug auf des Paulus` Leiden im Aposteldienst genauestens detaillierte / nachzulesen in dieser Auslegung unter 1.Timotheus, Kapitel 4, Vers 10!) – haben den Paulus *zu keinem Zeitpunkt auch nur ansatzweise dazu veranlasst – dem allmächtigen Gott und dem Herrn Jesus Christus die Treue zu brechen.*

In der Tat – die von dem Apostel Paulus an die Gemeinde der Epheser (als auch an *alle* anderen Glaubenden!) gerichteten, *stets einzuhaltenden als auch mittels eines unentwegt unverzagten Glaubens immerdar umzusetzende, nun folgende Worte hat er selbst in seinem irdischen Dasein vollends verwirklicht* – diese lauten: ***... zieht die ganze Waffenrüstung Gottes an, damit ihr standhalten könnt gegenüber den listigen Kunstgriffen des Teufels; denn unser Kampf richtet sich nicht gegen Fleisch und Blut, sondern gegen die Herrschaften, gegen die Gewalten, gegen die Weltbeherrscher der Finsternis dieser Weltzeit, gegen die geistlichen (Mächte) der Bosheit in den himmlischen (Regionen). Deshalb ergreift die ganze Waffenrüstung Gottes, damit ihr am bösen Tag widerstehen und, nachdem ihr alles wohl ausgerichtet habt, euch behaupten könnt. So steht nun fest, eure Lenden umgürtet mit Wahrheit, und angetan mit dem Brustpanzer der Gerechtigkeit, und die Füße gestiefelt mit der Bereitschaft (zum Zeugnis) für das Evangelium des Friedens. Vor allem aber ergreift den Schild des Glaubens,*** (d.h. einen Langschild, der die ganze Person schützte = Quelle: Schlachter-Bibel 2000!) ***... mit dem ihr alle feurigen Pfeile des Bösen auslöschen könnt, und nehmt auch den Helm des Heils und das Schwert des Geistes, welches das Wort Gottes ist, indem ihr zu jeder Zeit betet mit allem Gebet und Flehen im Geist, und wacht zu diesem Zweck in aller Ausdauer und Fürbitte für alle Heiligen*** (Epheser, Kapitel 6, Verse 11 – 18).

Das dem Apostel Paulus vom Heiligen Geist Gottes zu Gute kommende, stets erwirkte, unerschütterliche *Vertrauen auf die ihm unentwegt beistehende Hilfe Gottes im Herrn*

J e s u s C h r i s t u s veranlassten ihn selbst in den schwierigsten, nahezu aus der Betrachtung für den Gesandten Gottes aussichtslosen Situationen n i e m a l s d a z u , a n s e i n e m p e r m a n e n t f e l s e n f e s t e n G l a u b e n z u z w e i f e l n. Denn der allmächtige Gott bestätigt allen an Ihn Glaubenden folgende Worte: ***… ich will dich nicht aufgeben und dich nicht verlassen*** (Josua, Kapitel 1, Vers 5c) – ***… kann auch eine Frau ihr Kindlein vergessen, dass sie sich nicht erbarmt über ihren leiblichen Sohn? Selbst wenn sie (ihn) vergessen sollte – ich will dich nicht vergessen!*** (Jesaja, Kapitel 49, Vers 15).

Auch der Herr und Retter Jesus Christus spricht zu den an Ihn von ganzem Herzen Glaubenden folgende Worte***: … nehmt auf euch mein Joch*** (ein Holzbalken, mit dem zwei Tiere / Ochsen vor einen Pflug oder Wagen gespannt wurden; es ist ein biblischen Bild für den Dienst Gottes im Herrn Jesus Christus = Quelle: Schlachter-Bibel 2000!) ***… und lernt von mir, denn ich bin sanftmütig und von Herzen demütig; so werdet ihr Ruhe finden für eure Seelen! Denn mein Joch ist sanft und meine Last ist leicht*** (Matthäus, Kapitel 11, Verse 29 + 30). Ja – mittels seines vom Heiligen Geist getragenen, fest in seinem Herzen verankerten Glaubens *hat sich der Apostel Paulus diesen Worten des Heilands v o l l e n d s a n g e n o m m e n. Es ist jenes von dem Herrn Jesus Christus betonte, a l l e n an Ihn Glaubenden aus und von Seiner eigenen Herrlichkeit kommende als auch ausgehende g e i s t l i c h e J o c h, welches den bedrängten Menschen i n j e g l i c h e n S i t u a t i o n e n h e l f e n d b e i s t e h t.* Denn wenn der von Glauben erfüllte Mensch *das geistliche, ihm stets beistehende Joch des Herrn Jesus Christus aufnimmt, so widerfährt ihm die Gewissheit* *im Geist der unverblümten Wahrheit Gottes, dass Christus mit diesem Menschen zusammen die ihn belastende Beschwernis trägt, um ihn wiederum mit Seiner unnachahmlichen Hilfe z u e n t l a s t e n. Diese Vorgehensweise wendet der Apostel Paulus im Gebet und Flehen an Gott und den Herrn Jesus Christus mit inständiger Wirksamkeit an, weil er genau weiß, dass die von dem allmächtigen Gott in Christus ruhenden, wunderbar helfenden Gene der Sanftmut und der Demut in seinem Innern die benötige Wirkung des Ertragens von Beschwernissen erzielen – dies bedeutet jedoch n i c h t – dass der Mensch von a l l e n ihn störenden Lasten r e s t l o s b e f r e i t w i r d – diese werden ihn zwar weiterhin mittels der an ihn ergehenden Prüfungen Gottes erschweren –* ***... denn wen der Herr lieb hat, den züchtigt er, und er schlägt jeden Sohn, den er annimmt*** (Hebräer, Kapitel 12, Vers 6). Darum betont Paulus weiterhin gegenüber *a l l e n Glaubenden* folgende Worte: ***... darum habe ich Wohlgefallen an Schwachheiten, an Misshandlungen, an Nöten, an Verfolgungen, an Ängsten um des Christus willen; denn wenn ich schwach bin, dann bin ich stark.*** Denn Christus sprach zu Paulus: ***... lass dir an meiner Gnade genügen, denn meine Kraft wird in der Schwachheit vollkommen!*** (2.Korinther, Kapitel 12, Verse 10 + 9a).

Ja – Paulus bekräftigt nunmehr gegenüber *allen anderen Glaubenden, dass auch sie mittels eines ihnen in ihren Herzen ruhenden stets unverzagten Glaubens in der Kraftwirkung des Heiligen Geistes e b e n f a l l s* ***... mit der Krone der Gerechtigkeit*** von dem ***... Herrn, dem gerechten Richter*** beschenkt werden, eben *w e i l* sie ***... seine Erscheinung lieb gewonnen haben*** (2.Timotheus, Kapitel 4, Vers 8b). *Auch i h r e N a m e n sind im Buch des Lebens von Gott und dem Herrn Jesus Christus verzeichnet worden* – so der Apostel.

Wahrhaft – *j e d e m   M e n s c h, der mit folgender, stets festhaltender Gewissheit an Gott und den Herrn Jesus Christus von ganzem Herzen glaubt, wird Folgendes zu teil werden* – so Paulus: ***… denn wenn du mit deinem Mund Jesus als den Herrn bekennst und in deinem Herzen glaubst, dass Gott ihn aus den Toten auferweckt hat, so wirst du gerettet*** (Römer, Kapitel 10, Vers 9).

In der Tat – a l l e diese voll von Glauben erfüllten Personen werden wie der Apostel Paulus auch *am Tag der Parusie Christi* (der Wiederankunft Jesu Christi am Tag des Jüngsten Gerichts!) *die vollkommene Herrlichkeit des allmächtigen Gottes als auch die, des Herrn Jesus Christus erblicken können. Es ist wiederum jene von der stets zuversichtlichen Gewissheit getragene Erkenntnis im Geist der Wahrheit Gottes,* ja – *diese unentwegt gewichtig zu erachtende Heilsgewissheit aller Glaubenden, als erfolgreiche Anwärter im Reich der Himmel vom Höchsten in Christus Jesus das Jawort zum ewigen Eintritt in den himmlischen Zielhafen zu erhalten.* Dies aber sagt abermals aus, *dass die vor allem stehende Ehre Gottes, von welchem a l l e Erkenntnis und Wahrheit des Glaubens in Christus Jesus ausgeht, immerdar mit lobpreisender, Ihm allein gebührender Ehrerbietung von allen Glaubenden im Gebet bekannt werden muss; denn der himmlische Vater gewährleistet uns a l l e i n d u r c h den inständigen Glauben an den Herrn und Erlöser Jesus Christus den Eintritt in das Reich Seiner Herrlichkeit.*

Es ist genau *d i e s e vom Geist Gottes erwirkte Gewissheit,* ja – *jene vom Glauben erlangte, niemals vergehende H o f f n u n g, dass die göttliche Erscheinung Jesu Christi unsere Sünden mittels Seines für uns vergossenen, heilenden Blutes am Kreuz von Golgatha unsere*

Sünden e i n f ü r a l l e M a l hinweg genommen hat, um uns die Gerechtigkeit vor Gott zu verleihen, sodass für a l l e Glaubenden ***… die Krone der Gerechtigkeit bereitliegt,*** (2.Timotheus, Kapitel 4, Vers 8a) *wenn die Wiederkunft Jesu Christi – und mit Ihm die wunderbare Herrlichkeit des uns liebenden Gottes naht.*

Verse 9 – 18

Persönliche Verfügungen und Nachrichten

[9]Beeile dich, bald zu mir zu kommen! [10]Denn Damas hat mich verlassen, weil er die jetzige Weltzeit lieb gewonnen hat, und ist nach Thessalonich gezogen, Crescens nach Galatien, Titus nach Dalmatien. [11]Nur Lukas ist bei mir. Nimm Markus zu dir und bringe ihn mit; denn er ist mir sehr nützlich zum Dienst. [12]Tychikus aber habe ich nach Ephesus gesandt. [13]Den Reisemantel, den ich bei Troas bei Karpus ließ, bringe mit, wenn du kommst; auch die Bücher, besonders die Pergamente. [14]Alexander, der Schmied, hat mir viel Böses erwiesen; der Herr vergelte ihm nach seinen Werken! [15]Vor ihm hüte auch du dich; denn er hat unseren Worten sehr widerstanden. [16]Bei meiner ersten Verteidigung stand mir niemand bei, sondern alle verließen mich; es werde ihnen nicht angerechnet! [17]Der Herr aber stand mir bei und stärkte mich, damit durch mich die Verkündigung völlig ausgerichtet würde und alle Heiden sie hören könnten; und so wurde ich erlöst aus dem Rachen des Löwen. [18]Der Herr wird mich auch von jedem boshaften Werk erlösen und mich in sein himmlisches Reich retten. Ihm sei die Ehre von Ewigkeit zu Ewigkeit! Amen.

Auslegung:

Vers 9: Mit einer persönlichen Bitte gegenüber dem Timotheus lässt der Apostel Paulus seinen innigen Glaubensbruder wissen, dass ***... er sich beeilen soll, bald zu ihm zu kommen.*** Paulus vertieft diesen seinen eindringlichen Wunsch gegenüber dem Gemeindeleiter der Epheser nochmals in dem nachfolgenden 21.Vers dieses 4.Kapitels (siehe die noch ausstehende Auslegung!) indem er betont: ***... beeile dich vor dem Winter zu kommen!*** Es ist allzu verständlich, *dass nicht nur der Apostel Paulus es sich inständig wünscht, sein geliebtes Kind im Glauben noch einmal vor seinem irdischen Tod wiederzusehen, sondern auch im Herzen des Timotheus dürfte dieses innige Verlangen nach seinem geistlichen Ziehvater im Glauben voller Sehnsuchtsfaktoren eines baldigen Wiedersehens bestückt sein.*

Die unentwegt zueinander geprägte, seelsorgerische Nächstenliebe dieser beiden Gottesmänner und ihre gewichtigen, stets vom Geist Gottes unterstützen Aufgabengebiete mittels ihrer beider bedeutenden Amtsbefugnisse betreffend der Evangeliums-Verkündigung der Frohen Botschaft Jesu Christi im Auftrag des allmächtigen Gottes *lassen genügend Gespräch-Stoff dieser beiden fest im Glauben stehenden Mitarbeiter Gottes – trotz der beiden bereits geschehenen Briefwechsel* – ja – *eine persönliche Kommunikation im Raum stehen – besonders weil die Kirche gerade in dem Anfangsstadium ihres Bestehens stand, sodass der Missionsbefehl des Heilands Jesus Christus die benötigte Kraft und Stärke erhielt, um sich mit mehr und mehr aufbauender Stabilität im wahrhaftigen Glauben gegenüber dem vor allem stehenden Willen Gottes ersichtlich zu zeigen, um somit die zum Heil leitende Evangeliums-Botschaft des Höchsten in Christus Jesus gemäß seinen weisen Richtlinien rundweg erfüllen zu können.*

Vers 10: Paulus begründet seine Einsamkeit und folglich sein voller Sehnsucht begehrtes Hoffen *auf die baldige Ankunft des Timotheus insofern, dass er nun seinem Glaubensbruder über die ihn betreffende, erbarmungswürdige Situation in seiner zweiten römischen Gefangenschaft aufklärt* – und lässt ihn daher Folgendes wissen: ***... denn Demas hat mich verlassen, weil er die jetzige Weltzeit lieb gewonnen hat, und ist nach Thessalonich gezogen, Crescens nach Galatien, Titus nach Dalmatien.***

Wahrhaft – ***... Demas,*** den der Apostel Paulus bereits in seinen Abschlussworten, bzw. mittels der abschließenden Grüße seines Briefes an die Kolosser in Kapitel 4 in Vers 14 zusammen mit ***... Lukas, dem Arzt*** aufführte – als auch seinen Namen nochmals in seinem Brief an Philemon in Vers 24 zusammen mit ***... Markus, Aristarchus*** als auch ***... Lukas*** erwähnte – betitelt den ***... Demas*** in seinem Philemonbrief weiterhin als ***... seinen Mitarbeiter.*** Leider aber kann der Apostel Paulus es dem Timotheus *nicht verschweigen, dass sich dieser ehemalige* ***... Mitarbeiter*** *am Evangelium Jesu Christi –* ***... Demas*** *– aufgrund seiner fatalen ins Leere führende Anpassung an* ***... die jetzige*** *rundum vergängliche* ***... Weltzeit*** *anschmiegt,* ***... die er lieb gewonnen hat*** *– und somit v o r die Frohe Botschaft Jesu Christi stellte – und sich folglich nicht nur vom inständigen Glauben – sondern auch von dem Apostel Paulus abgesetzt hat –* ***... und nach Thessalonich gezogen ist.*** Es ist daher allzu verständlich, *dass* *die rundum vom Heiligen Geist Gottes betuchte Seele des Apostels über einen jeden verlorenen Mitarbeiter des Glaubens in seiner bereits schon mehr als vereinsamten Gefangenschaft leidet, weil* ***... Demas*** *Gott und Christus den Rücken gekehrt hat.* Ja – *bei diesem ehemaligen Mitarbeiter des Paulus hat sich die Abkehr von der zum Heil führenden Wahrheit ersichtlich gezeigt – um sich mit völlig trostloser Leere im Bann des Teufels wiederzufinden. Diese unmissverständliche Feststellung bezeugt ein sinnloses und zugleich vollkommen trostloses, vom Gott dieser Weltzeit verursachtes Zerreißen der geistlichen Stärke, die nunmehr das rundum verlorene Dasein der Person des* ***... Demas*** *in von Gott und Christus führende, lichtleere Abstinenz stellt.* Der Herr Jesus Christus spricht über diese vom wahren Glauben abirrenden Individuen folgende, sie rundweg betreffenden Worte: ***... aber sie haben keine Wurzel in sich, sondern sind wetterwendisch. Später, wenn Bedrängnis oder Verfolgung entsteht um des Wortes willen, nehmen sie zugleich Anstoß. Aber die Sorgen dieser Weltzeit und der Betrug des Reichtums und die Begierden nach anderen Dingen dringen ein und ersticken das Wort, und es wird unfruchtbar*** (Markus, Kapitel 4, Verse 17 + 19).

Als nächste Person, welche den Apostel Paulus in seiner Gefangenschaft allein zurückließ, wird der Name ***... Crescens*** genannt, der nach ***... Galatien*** zog. Leider kann man anhand der Bibel keine näheren Informationen über die Person des ***... Crescens*** in Erfahrung bringen, noch schenkt uns der Apostel Paulus einen nähren Einblick über das Vorhaben, bzw. den Grund seiner Abreise nach ***... Galatien,*** oder gar eine nähere, den ***... Crescens*** betreffenden Tätigkeit in Verbindung mit dem Apostel. Somit muss eine nähere Detaillierung der Person des ***... Crescens*** offen im Raum stehenbleiben.

Paulus zitiert weiterhin gegenüber dem Timotheus den Namen des ***... Titus,*** welcher ***... nach Dalmatien*** gereist ist. Dem Namen des ***... Titus*** widmete der Apostel Paulus *einen persönlich an ihn gerichteten weiteren Brief* (der Brief des Apostels Paulus an Titus!) *und beschreibt diesen seinen geistlichen Mitarbeiter Gottes im Herrn Jesus Christus in jenem Brief als* ***... mein*** */ bzw. sein* ***... echtes Kind nach unserem gemeinsamen Glauben*** (Titus, Kapitel 1, Vers 4a). Weiterhin benennt Paulus den ***... Titus*** in seinem 2.Brief an die Korinther in Kapitel 7 in den Versen 6 + 7 *als einen seiner engen Mitarbeiter am Evangelium Jesu Christi und betont daraufhin mit freudvoller Botschaft:* ***... aber Gott, der die Geringen tröstet, er tröstete uns durch *die Ankunft des Titus; und nicht allein durch seine Ankunft, sondern auch durch den Trost, den er bei euch empfangen hatte. Als er *uns berichtete von eurer Sehnsucht, eurer Klage, eurem Eifer für mich, da freute ich mich noch mehr.***

Ebenfalls erfahren wir anhand des 2.Briefes des Apostels Paulus an die Korinther in Kapitel 12 in Vers 18, *dass* ***... Titus*** *die Gemeinde der Korinther bei seiner Anwesenheit* ***... nicht übervorteilt hat,*** *sondern* ***... in demselben Geist*** *als auch* ***... in denselben Fußstapfen*** *mittels der Verkündigung des Evangeliums Jesu Christi zusammen mit dem Apostel Paulus* ***... gewandelt*** *ist.* Da der 2.Brief des Paulus von dem Apostel *in Mazedonien verfasste wurde,* (= Quelle: Schlachter-Bibel 2000!) wird es aus den soeben zitierten beiden Versen 6 + 7 aus Kapitel 7 des 2.Korintherbriefes *ersichtlich, dass* ***... Titus*** *zusammen mit dem Paulus als auch mit dem Timotheus in *Mazedonien war. Somit ist dem Timotheus ebenfalls die Person des* ***... Titus*** *durchaus persönlich bekannt.*

Auch benennt Paulus den Namen des ***... Titus*** in seinem Brief an die Galater in Kapitel 2 in den Versen 1 + 3 – *dort erzählt der Apostel nunmehr, dass* ***... Titus*** *zusammen mit ihm* (als auch mit ***... Barnabas***!) *nach* ***... Jerusalem*** *gereist ist. Ferner erfahren wir über die Person des* ***... Titus*** anhand des Galaterbriefes in dem bereits genannten Kapitel 2 aus Vers 3, *dass er* ***... ein Grieche ist.***

Aus dem Vers 10 des 4.Kapitels des 2.Timotuesbriefes geht weiterhin hervor, *dass* ***... Titus nach Dalmatien*** *gereist ist, es ist jener gleichnamige Ort mit Namen* ***... Illyrien,*** *in welchem der Apostel Paulus bereits* ***... das Evangelium von Christus völlig verkündigt*** *hatte* (Römer, Kapitel 15, Vers 19b). *Weder der Grund noch das Vorhaben des* ***... Titus*** *wird von dem Apostel Paulus weiterhin erwähnt, geschweige denn detaillierend beschrieben, zu welchem Zweck* ***... Titus nach Dalmatien*** *reiste.* Daher muss auch an dieser Stelle ein weiterer, nur zu erahnender und ein somit nicht folgerichtiger Kommentar aus der Betrachtung des Autors offen im Raum stehenbleiben, da die Bibel uns keine weiteren Hinweise in Bezug auf diese offen stehenden, zukünftigen Vorhaben des ***... Titus*** mitteilt.

Vers 11: Paulus jedoch ist merklich erleichtert, dass er sich (*zunächst noch!) auf ***... Lukas*** verlassen kann, der ***... bei ihm ist*** (*siehe nachfolgende Auslegung zu 2.Timotheus, Kapitel 4, Vers 16!). Nunmehr betont Paulus gegenüber dem Timotheus, dass er den Gemeindeleiter ***... Markus zu sich nehmen soll,*** um ihn bei seinem noch bevorstehenden Besuch ***... mitzubringen, denn dieser ist*** dem Apostel Paulus ***... sehr nützlich zum Dienst.***

Paulus benennt zuerst *seinen treuen Weggefährten. Mitarbeiter und Glaubensbruder im Heiligen Geist – den* ***... Lukas.*** Die Person als auch den Namen des ***... Lukas*** *kennen wir nicht nur als den Verfasser des Lukas-Evangeliums als auch der Apostelgeschichte, welche sein Evangelium ergänzend komplimentiert* – sondern der Apostel Paulus *betont den Namen seines treuen Mitarbeiters im Herrn* ***... Lukas*** wie bereits in dieser Auslegung in 2.Timotheus, Kapitel 4, Vers 10 beschrieben – in dem Brief des Apostels Paulus an Philemon in Vers 24, als auch in dem Brief des Apostels Paulus an die Kolosser in Kapitel 4 in Vers 14 *weiterhin wird der Name des* ***... Lukas, dem Arzt*** in Bezug zu der Person des Paulus *als sein treuer Reisebegleiter* in der Apostelgeschichte des Lukas in Kapitel 16 in den Versen 10 - 12 erwähnt, indem ***... Lukas*** *mittels seiner eigenen,. von ihm verfassten Worte betonend hervorhebt,* ***... waren w i r*** (Paulus, Timotheus als auch ***... Lukas***!) ***... sogleich bestrebt, nach Mazedonien zu ziehen, indem wir daraus schlossen, dass uns der Herr*** (Jesus!) ***... berufen hatte, ihnen das Evangelium zu verkündigen. So fuhren wir denn (mit dem Schiff) von Troas ab und kamen geradewegs nach Samothrace und am folgenden Tag nach Neapolis und von dort nach Philippi, welches die bedeutendste Stadt jenes Teils von Mazedonien ist, eine (römische) Kolonie***. (d.h. eine Siedlung, in der zahlreiche römische Militärveteranen lebten und die besondere Privilegien genoss / u.a. römische Stadtverfassung und Steuerbefreiung = Quelle: Schlachter-Bibel 2000!) ***... wir hielten uns aber in dieser Stadt etliche Tage auf.*** Ebenfalls können wir aus der Apostelgeschichte des Lukas in Kapitel 27 in Vers 1 ff. i*n Erfahrung bringen,* ***... dass w i r nach Italien abfahren sollten*** – als auch schließlich nach ***... Rom kamen*** (die Apostelgeschichte des Lukas, Kapitel 28, Vers 16) und folglich dass ***... Lukas*** *mit dem Apostel Paulus zusam-*

men bei der Überfahrt nach Italien als auch bei des Apostels Paulus Schiffbruch in Malta bei der Insel Melite bei dem Apostel war, indem ***... Lukas*** *bei ihrem gemeinsam erlittenen Schiffbruch betonend hervorhebt:* ***... die Einwohner aber erzeigten u n s ungewöhnliche Freundlichkeit ...*** (die Apostelgeschichte des Lukas, Kapitel 28, Vers 2 ff).

Paulus benennt fernerhin den Namen des ***... Markus,*** den Timotheus bei seinem noch vor ihm liegenden Besuch mitbringen soll, weil ***... Markus*** dem Paulus ***... bei dem Dienst*** des Apostels ***... sehr nützlich ist.*** Paulus, der den ***... Markus*** *bereits in seinem mehrmals* (in dieser Auslegung ebenfalls nachzulesen unter 2.Timotheus, Kapitel 4, Vers 10!) *in dieser Auslegung erwähnten* Brief an Philemon in Vers 24 *zusammen mit* ***... Aristarchus, Demas und Lukas*** *bei seinen persönlichen Mitteilungen und Grüßen als* ***...*** (***m***)s***einen Mitarbeiter*** *benennt, ist ihm wohlbekannt,* ja – *daraufhin können wir weiterhin den Namen des* ***... Markus*** in dem Brief des Apostels Paulus an die Kolosser in Kapitel 4 in Vers 10 *wiederfinden, denn dort steht mittels der von Paulus verfassten, anschließenden Grüßen geschrieben:* ***... es grüßt euch Aristarchus, mein Mitgefangener, und M a r k u s, der Vetter des Barnabas – ihr habt s e i n e t w e g e n Anordnungen erhalten; wenn e r zu euch kommt, so nehmt i h n auf.*** Ja – *dieser* ***... Markus*** *ist dem Apostel Paulus in Rom in der Tat* ***... sehr nützlich zum Dienst*** (2.Timotheus, Kapitel 4, Vers 11b).

Der Apostel bezieht diesen von ***... Markus*** ihn unterstützten Dienst *auf sein apostolisches Vollmachtsamt, indem Paulus den* ***... Markus ... sehr gut*** *dazu gebrauchen kann, n i c h t n u r die Gemeinde der*

Kolosser mit des ***... Markus*** *vom Heiligen Geist geleiteten* ***... Anordnungen*** (Kolosser, Kapitel 4, Vers 10b) *die zu benötigten Hilfeleistungen und Stabilitätsanforderungen zum Verständnis als auch zur Erkenntnis der Evangeliums-Botschaft Jesu Christi zu hinterlegen als auch bekanntzugeben, s o n d e r n dass* ***... Markus*** *den gefangen gehaltenen Apostel Paulus diesen von ihm bereits in der Gemeinde der Kolosser vollbrachten, gewichtigen Dienstbefugnissen auch in der römischen Gemeinde mittels der dem* ***... Markus*** *stets noch unterstützen Anweisungen des Apostel Paulus dringend dazu gebrauchen kann, um das Evangeliums-Werk Gottes in Jesus Christus der römischen Gemeinde gemäß deren Beider Richtlinien in gleicher vom Geist geleiteten Art und Weise mittels des fest im Herzen stehenden Glaubens des* ***... Markus*** *– wie bereits von* ***... Markus*** *in Kollosä vollbracht – anhand letztlich von ihm ausgehender, gottwohlgefälliger Tugenden offenbarend darzulegen.*

Nun wird es wiederum *allzu deutlich ersichtlich, dass der Apostel Paulus das ihm von Gott durch Jesus Christus offenbarte, apostolische Vollmachtsamt bis zu der letzten Stunde seines irdischen Daseins v o l l e n d s v e r t r a t, sodass er sich s t e t s g e w i s s sein konnte, den an ihn geoffenbarten Willen Gottes und die für den Apostel Paulus daraus entstehende Pflichtausübung im Herrn Jesus Christus rundum erfüllt zu haben.* Siehe in Bezug auf diese Feststellung: 1.Korinther, Kapitel 9, Vers 16 – *in welchem der Apostel Paulus folgende rundweg ihn voll und ganz von Bedeutung geprägten Worte gegenüber der Gemeinde der Korinther anhand des ihm von dem Herrn Jesus Christus zuteilwerdenden Vollmachtamtes betonend hervorhebt:* ***... denn wenn ich das Evangelium verkündige, so ist das kein Ruhm für mich; denn i c h b i n d a z u***

v e r p f l i c h t e t, und w e h e m i r, w e n n i c h d a s E v a n g e l i u m n i c h t v e r k ü n d i g e n w ü r d e!

Vers 12: Mit einem dem Timotheus *vom Geist Gottes übermittelten, nun ihm geoffenbarten, beruhigendem Gewissen bezüglich seines Besuches in Rom, lässt Paulus den Gemeindeleiter fernerhin in Erfahrung bringen, dass der Apostel für das Wohl der Gemeinde in Ephesus bei der baldigen Abreise des Timotheus Sorge getragen hat, indem Paulus es veranlasst hat,* ***... Tychikus*** *– ein* ***aus Asia*** *stammender Christ* (die Apostelgeschichte des Lukas, Kapitel 20, Vers 4b) ***... nach Ephesus zu senden,*** sodass ***... Tychikus*** n.E. des Autors *die Person des Timotheus bei seinem bedeutungsvollem Amtsaufgaben der Evangeliums-Verkündigung Jesu Christi vorübergehend vertritt.*

Auch ***... Tychikus*** wird von Paulus *als ein dem Apostel sehr ans Herz gewachsener* ***... geliebter Bruder und treuer Diener im Herrn*** (Epheser, Kapitel 6, Vers 21b) *benannt. Weiterhin betont Paulus gegenüber diesen seinen Glaubensbruder im Heiligen Geist –* ***... Tychikus*** *– eine rundum von der Person des* ***... Tychikus*** *ausgehende Zuverlässigkeit im Herrn –* bzw. *in der Evangeliums-Botschaft Jesu Christi – indem der Apostel Paulus dem Titus* in des Apostels Paulus gleichnamigen Brief an Titus *folgende Worte* in Kapitel 3 in Vers 12 *offen darlegt:* ***... wenn ich Artemas zu dir senden werde oder T y c h i k u s, so beeile dich, zur mir nach Nikopolis zu kommen; denn ich habe beschlossen, dort zu überwintern.*** Somit *kannte Paulus bereits genauestens die vom Geist Gottes getragene Verlässlichkeit des* ***... Tychikus*** *– und konnte insofern die von ihm* *erahnte Beunruhigung des Timotheus – in Bezug auf das zumindest zu erahnende, kurzweilige Verlassen der Gemeinde der Epheser – mit diesen seinen Worten im Herzen des Timotheus besänftigen.*

Nun kann auch Timotheus – genau wie der Apostel Paulus auch – *die Vorfreude auf das baldige Wiedersehen mit seinem Ziehvater im Glauben* – dem Apostel Paulus – *voller Enthusiasmus und von ganzer Erwartung erfüllter Euphorie dankbar entgegenblicken.* Ja – die noch *vor* dem Timotheus liegende *Reise* kann der Gemeindeleiter der Epheser *in den stets von Gott und Christus gebührenden Anzeichen der gegenüber dem Apostel Paulus ersichtlich werdenden, seelsorgerischen, von ihm ausgeübten Nächstenliebe ganz zur Ehre des allmächtigen Gottes und des Herrn Jesus Christus tätigen.*

Vers 13: Weiterhin lasst Paulus dem Timotheus seine persönliche, an ihn gerichtete Bitte zukommen, *dass er den von dem Apostel in* ***... Troas*** *zurückgelassenen* ***... Reisemantel bei Karpus*** *bei des Timotheus Durchreise über* ***... Troas*** *mitbringen soll – als auch* ***... *die Bücher, insbesondere die Pergamente*** *des Paulus soll er nicht vergessen, diese in Rom dem Paulus auszuhändigen,* *die nach der persönlichen Meinung des Autors *für den Apostel eine weitreichende Unterstützung darbieten könnten, wiederum dem ihn in der römischen Gemeinde vertreten*den ***... Markus*** (siehe nochmals Auslegung zu 2.Timotheus, Kapitel 4, Vers 11!) *über die bereits verfassten Worte des Paulus aufzuklären, um diese in der Gemeinde in Rom nochmals vertiefend in die Herzen der Gemeindemitglieder zu hinterlegen.*

Vers 14: Der Apostel Paulus kommt nun gegenüber dem Timotheus auf die Person *des* ***… Alexander,*** *den* ***… Schmied*** *zu sprechen; dieser hat dem Apostel* ***… viel Böses erwiesen,*** ja – *diese dem* ***… Alexander*** *zuzuschreibenden Vergehen wird ihm* – so Paulus – ***… der Herr nach*** *des Alexanders vollbrachten* ***… Werken vergelten.*** Daher mahnt Paulus mit folgenden, *stets für einen j e d e n G l a u b e n d e n zu realisierenden Worten:* ***… rächt euch nicht selbst, Geliebte, sondern gebt Raum den Zorn (Gottes); denn es steht geschrieben: *„Mein ist die Rache; ich will vergelten, spricht der Herr"*** (Römer, Kapitel 12, Vers 19 / *in Bezug auf 5.Mose, Kapitel 32, Vers 35).

I n w i e f e r n sich ***… Alexander, der Schmied*** *an dem Apostel Paulus v e r s ü n d i g t h a t, v e r s c h w e i g t der Gesandte Gottes zunächst.* So findet von *Paulus w e d e r die genaue Ursache, n o c h ein inhaltlicher Aspekt gegenüber den an den Gesandten Gottes vollbrachten Vergehen des* ***… Alexander*** *mittels einer genauer detaillierteren Erwähnung des Apostels statt.* Darum müssen auch an dieser Stelle die dem Paulus von dem ***… Alexander*** verursachten, ja – jene von ***… dem Schmied Alexander*** begangenen, abstoßenden Gemeinheiten gegenüber dem Apostel Paulus offen im Raum stehen bleiben. *Fest steht nur, dass diese von dem* ***… Alexander*** *entfachten, schändlichen Zuwiderhandlungen gegenüber dem Paulus vor Gott n i c h t u n g e s t r a f t b l e i b e n w e r d e n,* so der Apostel.

Daher spricht der Herr und Heiland Jesus Christus: ***… ich sage euch aber, dass die Menschen am Tag des Gerichts Rechenschaft geben müssen von jedem unnützen Wort, das sie geredet haben. Denn nach deinen Worten wirst du gerechtfertigt, und nach deinen***

Worten wirst du verurteilt werden! (Matthäus, Kapitel 12, Verse 36 + 37).

Vers 15: Nun wird es allzu verständlich, *warum* der Apostel Paulus den Gemeindeleiter Timotheus *mit folgenden Worten der Vorsicht gegenüber dem* ***... Alexander*** *warnt als auch mahnt:* ***... vor dem hüte auch du dich; denn er hat unseren Worten sehr widerstanden.*** Nach der persönlichen Meinung des Autors kann es sich an dieser Stelle nur *um die gleiche Person handeln,* die der Apostel bereits in seinem 1.Brief an Timotheus in Kapitel 1, Vers 20 (siehe Auslegung!) *u.a. mit den Namen* ***... Alexander*** *konfrontierte, den Paulus* ***... dem Satan übergeben hat, damit*** u.a. ***... dieser gezüchtigt wird und nicht mehr lästert.***

Mittels ihrer beider von der vollkommenen Wahrheit Gottes in Jesus Christus gegründeten – und folglich im Geist der Wahrheit gepredigten Evangeliums-Verkündigungen ihnen widerstrebenden Worten des ***... Alexander*** *ruft Paulus sein geliebtes Kind im Glauben zur Achtsamkeit auf.* Da ***... Alexander*** *nicht nur den Worten des Apostels Paulus widerwillig konterte, sondern auch denen des Gemeindeleiters Timotheus mittels abneigender Haltungen entgegenstrebte* – kann man somit erkennen, *dass Timotheus diese rundum unwillige, dem wahren Glauben sich widersetzende Person kannte.* Darum will Paulus dem Timotheus noch einmal mittels einer an den Gemeindeleiter gerichteten Vorsichtmaßnahme gegenüber dem ***... Alexander*** aufgrund des nicht nur freundschaftlichen, sondern vor allem hinsichtlich der beiden Gottesmänner rundweg vom wahren Glauben erfüllten Herzen im Heiligen Geist etwa wie folgt (mittels der nun folgenden Worte des Autors!) bekanntgeben: *Hüte dich vor* ***... Alexander,*** *denn sein Herz ist steinern und verstockt – und kann diesbezüglich die zur Seligkeit führende Wahrheit,* ja – *die zum Heil der Herrlichkeit in das Himmelreich leitende Erkenntnis Gottes im Herrn Jesus Christus nicht annehmen, weil der Satan sein verdunkeltes, lichtleeres, von Gott und Christus weit entferntes Herz rundweg vereinnahmt hat.*

Vers 16: Weiterhin bekennt der Apostel dem Timotheus: ***... bei meiner ersten *Verteidigung*** (in der den Paulus betreffenden, zweiten römischen Gefangenschaft! / *d.h. vor dem Gericht des Kaisers in Rom = Quelle: Schlachter-Bibel 2000!) ***... stand mir niemand bei, sondern alle verließen mich; es werde ihnen nicht angerechnet!***

Da bei dem Apostel nur noch der ***... Tychikus*** (als auch der ***... Lukas***!) verweilte, Paulus aber den ***... Tychikus*** nach Ephesus sandte, um ihn mittels der bald geplanten Abreise des Timotheus (der zu dem in Gefangenschaft gehaltenen Apostel Paulus nach Rom reisen sollte!) als vorrübergehenden Leiter der Gemeinde der Epheser einzusetzen (siehe Auslegung zu 2.Timotheus, Kapitel 4, Vers 12) – und sich von dem Apostel Paulus zusätzlich – wie bereits von Paulus in 2.Timotheus, Kapitel 1, Vers 15 (siehe Auslegung!) erwähnt, ***... alle angewandt haben, die in der Provinz Asia sind, unter ihnen auch Phygellus und Hermogenes*** – blieb letztlich nur noch ***... Lukas*** bei ihm (siehe Auslegung zu 2.Timotheus, Kapitel 4, Vers 11a), da ***... Markus*** erst mit der noch bevorstehenden Reise zusammen mit dem Timotheus zu Paulus nach Rom kommen sollte, um den Apostel tatkräftig am Werk des Herrn zu unterstützen (siehe Auslegung zu 2.Timotheus, Kapitel 4, Vers 11b).

W a r u m aber hat nun auch noch ***… Lukas,*** dessen vom Heiligen Geist erwirkte Stärke und alle auf ihn zutreffenden, von Gott in Christus gesegneten Gene im wahrhaftigen Glauben – insbesondere der zu dem Apostel Paulus stets hingezogenen, seelsorgerischen Hilfsmaßnahmen der Nächstenliebe – in Bezug auf des ***… Lukas*** den Paulus unterstützten Reisebegleitungen – wie bereits in der Beschreibung des ***… Lukas*** in 2.Timotheus, Kapitel 4, Vers 11 (siehe Auslegung!) in nähren Betracht gezogen haben, den Apostel Paulus ***… bei seiner ersten Verteidigung*** (2.Timotheus, Kapitel 4, Vers 16a) in Rom *v e r l a s s e n?*

Nach der persönlichen Einschätzung des Autors könnte dieser Grund zu einem nähren Verständnis dieses 16.Verses wie folgt beitragen:

Dass die den Apostel Paulus betreffende Verteidigung vor dem Gericht des Kaisers in Rom – *g e r a d e a l s a u c h i n s b e s o n d e r e mit den damals für die heidnisch-ungläubigen Römer zu betrachtenden* „unsinnigen, apostolischen Vollmachtargumenten“ *der von dem allmächtigen Gott und dem Herrn Jesus Christus ihm anbefohlenen Evangeliums-Verkündigung – welche einzig und allein n u r die vollkommene Wahrheit des himmlischen Vaters offen darlegt – war es somit nicht nur für den Apostel Paulus sehr heikel als auch bedrohlich – jedoch letztlich a l l e r r e t t e n d, die Frohe Botschaft im Geist der Wahrheit Gottes dem römischen Gericht offen darzulegen – denn diese bedeuteten letztlich des Apostels*

Paulus irdischen Tod – und zugleich das Ewige Leben, (siehe abermals Auslegung zu 2.Timotheus, Kapitel 4, Vers 8!) *sondern man kann davon mit großer Wahrscheinlichkeit ausgehen, dass auch* ***... Lukas,*** *der die gleichen Argumente bei einer Unterstützung des Paulus vor diesem heidnischen, vom Gott dieser Weltzeit behaftenden Gericht mittels seines tiefgründig als auch inständig geprägten Glaubens bekannt hätte – ebenfalls mit dem Tode bestraft worden wäre.*

Aber Gott, der die Gedanken der Menschen lenkt, die von ganzem Herzen auf Ihn und auf den Herrn Jesus Christus mittels ihres inständig, unverzagten Glaubens harren, hat – so die persönliche Einschätzung des Autors – *dem* ***... Lukas*** *es im Heiligen Geist geoffenbart, dass er sich v o n d i e s e r V e r h a n d l u n g f e r n h a l t e n s o l l. Denn der allmächtige, wunderbare Gott hatte mit dem* ***... Lukas*** *ein von ihm im Geist der Wahrheit erwirktes, zum Heil der Herrlichkeit beitragendes als auch letztlich zu Gott und Christus führendes Werk vorgesehen – nämlich: das von* ***... Lukas*** *vollends zur Seligkeit beitragende E v a n g e l i u m als auch die gleichfalls von* ***... Lukas*** *verfasste, im Heiligen Geist gewirkte, im Anschluss an sein Evangelium nachfolgende A p o s t e l g e s c h i c h t e.*

Mit diesen beiden stets von Gott in Christus verwirklichten Werken hat der himmlische Vater mittels seiner immerdar gnadenreichen Barmherzigkeit dafür Sorge getragen, dass Sein in Christus Jesus geoffenbartes Heil auf alle Menschen mit dem heilbringenden Lichtglanz Seiner selbst mittels dieser E v a n g e l i u m s –B o t s c h a f t des ***... Lukas*** *zukommt, die von ganzem Herzen an die Heilsbotschaft Gottes im Herrn Jesus Christus glauben, weil n u r der Heiland den zu begehenden Weg in das Reich der Herrlichkeit Gottes mittels Sei-*

nes vergossenen Blutes am Holz von Golgatha d e n j e n i g e n Menschen offenbart, die dem Heiland ihren ganzen inständig geprägten Glauben von ganzem Herzen w i d m e n.

Auch das von ***... Lukas*** *vollbrachte, im Heiligen Geist Gottes stets unterstütze, als auch vom himmlischen Vater im Herrn Jesus Christus immerdar gewollte Werk der A p o s t e l g e s c h i c h t e weist die Glaubenden unentwegt darauf hin, sich diesen gleichfalls zum Heil der Herrlichkeit Gottes leitenden Inhalt vollends mittels eines den dort beschriebenen stets nachzuahmenden Beispielen der Apostel – als auch der fest im Glauben stehenden Menschen anhand ihres eigenen, inständigen Glaubens anzueignen – sodass die Leser ebenfalls zu erfolgreichen Anwärtern im Reich der himmlischen Herrlichkeit Gottes aufgrund ihres fortan unverzagten Glaubens vom Höchsten in Christus Jesus geformt als auch am Tag der Wiederkunft Christi von Gott mit Seinem Jawort geehrt werden,* ganz gemäß dem stets von ganzer gnadenreichen Barmherzigkeit beabsichtigten Sinne des allmächtigen Gottes in dem Herrn und Erlöser Jesus Christus entsprechend.

Mittels dieser nach der persönlichen Meinung des Autors aufgeführten Argumente *wird es nun auch dem Leser verständlich, dass Paulus e s a u s d r ü c k l i c h b e t o n t, dass diese den Apostel Paulus betreffende Abstinenz des* ***... Lukas ... n i c h t*** *v o r G o t t* ***... angerechnet wird!*** (2.Timotheus, Kapitel 4, Vers 16b).

Vers 17: Paulus schenkt nunmehr *n i c h t n u r d e m T i m o t h e u s, s o n d e r n a u c h a l l e n a n d e r e n*

M e n s c h e n, die Gott und dem Herrn Jesus Christus ihr eigenes Leben im wahrhaftigen Glauben an Sie übergeben haben, die sich niemals ändernde – selbstverständlich auch auf den Apostel Paulus zukommende, von der unnachahmlichen Liebe Gottes i m m e r d a r e i n g r e i f e n d e a l s a u c h v o n d e m h i m m l i s c h e n V a t e r i n C h r i s t u s s t e t s v o l l b r a c h t e G e w i s s h e i t – nämlich – so Paulus – *dass:* ***... d e r H e r r mir beistand und mich stärkte, damit durch mich die Verkündigung völlig ausgerichtet würde und alle Heiden sie hören könnten; und so wurde ich erlöst aus dem Rachen des Löwen.*** So lässt der Apostel Johannes in seinem 1.Brief in Kapitel 3, Vers 1 *a l l e G l ä u b i g e n* wissen: ***... seht, welch eine Liebe hat uns der Vater*** (Gott!) ***... erwiesen, dass wir Kinder Gottes heißen sollen!***

Wahrhaft – der Apostel Paulus *war in k e i n e r e i n z i g e n S e k u n d e bei seiner* ***... ersten Verteidigung*** (2.Timotheus, Kapitel 4, Vers 16a / siehe Auslegung!) *vor dem Gericht des Kaisers in Rom a l l e i n e, sondern s t e t s war die Hilfe Gottes als auch die des Herrn Jesus Christus unentwegt bei ihm.* Denn das felsenfeste Glaubensprinzip des Apostels *richtete sich n i e m a l s a u f w e l t i c h - v e r g ä n g l i c h e B e g i e r d e n, s o n d e r n s t e t s zog ihn sein Glaube auf das g n a d e n r e i c h - b a r m h e r z i g e G e s c h e h e n G o t t e s i m H e r r n J e s u s C h r i s t u s* – ja – *a u f d i e n i e m a l s v e r g e h e n d e n, h i m m l i s c h e n Z u s a g e n d e s A l l m ä c h t i g e n,* ***... der in Jesus Christus war und die Welt mit sich selbst versöhnte*** (2.Korinther, Kapitel 5, Vers 19a) – *um mit diesem zuversichtlichen Gewissen im inständigen Glauben und im*

Gebet an Gott unentwegt aussprechen zu können: ***… dennoch bleibe ich stets an dir;*** (Gott!) ***… denn du hältst mich bei meiner rechten Hand, du leitest mich nach deinem Rat und nimmst mich am Ende mit Ehren an. W e n n i c h n u r d i c h h a b e, s o f r a g e i c h n i c h t s n a c h H i m m e l u n d E r d e*** (Psalm 73 – ein Psalm Asafs, Verse 23 – 25 / Lutherbibel 2017).

Da Paulus mittels seiner unerschütterlichen Glaubensstärke in der Kraft des Heiligen Geistes in ganzer Beständigkeit anhand seiner immerdar zu Gott und Christus gerichteten Gebete den himmlischen Vater im Herrn Jesus Christus um Ihre gnadenreiche Hilfe bat, *erhörten und verwirklichten Sie Ihrem Apostel die sehnliche Bitte, sodass das Evangeliums-Werk Gottes in Christus Jesus gemäß Ihrem stets beabsichtigten Willen von Paulus auch in Rom ausgeführt wurde – denn:* ***… das Gebet eines Gerechten vermag viel, wenn es ernstlich ist*** (Jakobus, Kapitel 5, Vers 16b). In der Apostelgeschichte des Lukas können wir daher weiterhin Folgendes in Erfahrung bringen, als der Apostel Paulus vor dem Hohen Rat stand: ***… aber in der folgenden Nacht trat der Herr*** (Jesus Christus!) ***… zu ihm und sprach: Sei getrost, Paulus! Denn wie du in Jerusalem von mir Zeugnis abgelegt hast, so sollst du auch in Rom Zeugnis ablegen*** (die Apostelgeschichte des Lukas, Kapitel 23, Vers 11). So spricht der Heiland Jesus Christus weiterhin zu allen an Ihn Glaubenden: ***… denn sie werden euch den Gerichten ausliefern, und in ihren Synagogen werden sie euch geißeln; auch vor Fürsten und Könige wird man euch führen um meinetwillen, ihnen und den Heiden zum Zeugnis. Wenn sie euch aber ausliefern, s o s o r g t e u c h n i c h t d a r u m, w i e o d e r w a s i h r r e d e n s o l l t; d e n n e s w i r d e u c h i n j e n e r S t u n d e g e g e b e n w e r d e n, w a s***

i h r r e d e n s o l l t. D e n n n i c h t i h r s e i d e s, d i e r e d e n, s o n d e r n d e r G e i s t e u r e s V a t e r s i s t `s, d e r d u r c h e u c h r e d e t (Matthäus, Kapitel 10, Verse 17b – 20).

In der Tat – *die eigene, menschliche Schwachheit des Paulus hat mittels der gnadenreichen Hilfe und der vor allem stehenden, dem Apostel zuteilwerdende S t ä r k e des allmächtigen Gottes in Christus Jesus in der unnachahmlichen Kraftwirkung des vom Höchsten ausgehenden Heiligen Geistes dafür Sorge getragen, dass Paulus* ***… aus dem Rachen des Löwen*** (vor dem Gericht des Kaisers in Rom!) ***… erlöst wurde*** (2.Timotheus, Kapitel 4, Vers 17b). Somit bekennt der Apostel Paulus folgende, *von ihm verfassten, als auch stets von ihm verwirklichten Worte:* ***… und er*** (der Herr Jesus Christus!) ***… hat zu mir gesagt: Lass dir an meiner Gnade genügen, denn meine Kraft wird in der Schwachheit vollkommen! Darum will ich mich am liebsten v i e l m e h r m e i n e r S c h w a c h h e i t e n r ü h m e n, d a m i t d i e K r a f t d e s C h r i s t u s b e i m i r w o h n e*** (2.Korinther, Kapitel 12, Vers 9).

Ja – *daher können alle fest im Glauben stehenden Menschen voller unverzagter Gewissheit im Gebet dem allmächtigen Gott bekennen:* ***… v o n a l l e n S e i t e n u m g i b s t d u*** (Gott!) ***… m i c h u n d h ä l t s t d e i n e H a n d ü b e r m i r. Diese Erkenntnis ist mir zu wunderbar und zu hoch, ich kann sie nicht begreifen*** (Psalm 139 – Gott allwissend und allgegenwärtig, Verse 5 + 6 / Lutherbibel 2017). So hat Paulus nun mittels seines stets zu Gott und Christus bezogenen Glaubens anhand der ihm wiederum einzig und allein von Gott und Christus ausgehendem Hilfe im Geist der Wahrheit Gottes die dem Apostel zu vollbringende ***... Verkündigung ausgerichtet, sodass alle Heiden sie hören konnten*** (2.Timotheus, Kapitel 4, Vers 17b). Wahrhaft – *nun hat der Gesandte Gottes in Christus Jesus vollends* ***... den guten Kampf gekämpft, den Lauf vollendet, den Glauben bewahrt*** (2.Timotheus, Kapitel 4, Vers 8 / siehe Auslegung!) – *und wird folglich am Tag des Jüngsten Gerichts bei der Wiederkunft Jesu Christi von Gott mit einem,* ***... unvergänglichen Siegeskranz*** (1.Korinther, Kapitel 9, Vers 25b) *als ein wahrhaftiger Diener Gottes in Christus Jesus geehrt werden, der letztlich des Apostels Paulus Eintritt in das Ewige Leben im Reich der Herrlichkeit des wunderbaren, allmächtigen Gottes rundum bekunden wird.*

Vers 18: Daher bekennt der Apostel nun weiterhin gegenüber dem Timotheus: ***... der Herr wird mich auch von j e d e m boshaften Werk erlösen und mich in sein himmlisches Reich retten. Ihm sei die Ehre von Ewigkeit zu Ewigkeit! Amen.*** Wahrhaft – *allein v o n u n d a u s der Gnade Gottes im Herrn Jesus Christus hat ihn der himmlische Vater vor den bösen Absichten* – ja – *vor den Fängen dieses heidnischen, römischen Gerichts b e w a h r t.* Dieses voller Barmherzigkeit *a l l e i n von Gott in dem Herrn Jesus Christus geoffenbarte, dem Paulus vollends zukommende Wirken in der Kraft des Heiligen Geistes schenkt dem Apostel u n e n t w e g t d i e s t e t s f e s t z u h a l t e n d e G e w i s s h e i t,* dass ihn ***... der Herr auch weiterhin von jedem boshaften Werk erlösen und ihn in sein himmlisches Reich retten wird.*** Denn: ***... der HERR behüte dich vor allem Übel, er behüte deine Seele. Der HERR behüte deinen Ausgang und Eingang von nun an bis in Ewigkeit!*** (Psalm 121 – der treue Menschenhüter, Verse 7 + 8 / Lutherbibel 2017).

Ja – *Paulus ist sich mittels seiner niemals vergehenden Hoffnung im Glauben an Gott und den Herrn Jesus Christus a b s o l u t* ***... g e w i s s, dass weder Tod noch Leben, weder Engel noch Fürstentümer noch Gewalten, weder Gegenwärtiges noch Zukünftiges, weder Hohes noch Tiefes, noch irgendein anderes Geschöpf uns zu scheiden vermag von der Liebe Gottes, die in Christus Jesus ist, unserem Herrn*** (Römer, Kapitel 8, Verse 38 + 39). Denn der immerdar fest im Glauben stehende Mensch *w e i ß a l l z u g e n a u – und kann daher von ganzem Herzen den ihn liebenden Gott bekennen:* ***... der HERR ist mit mir, darum fürchte ich mich nicht; was können mir Menschen tun***? (Psalm 118 – dankbares Bekenntnis zur Hilfe Gottes, Vers 6 / Lutherbibel 2017). Denn für einen jeden gläubigen Menschen gelten *i m m e r d a r diese Worte Gottes:* ***... mit ewiger Liebe habe ich dich geliebt; darum habe ich dich zu mir gezogen aus lauter Gnade*** (Jeremia, Kapitel 31, Vers 3b) – denn: ***... wir haben im Himmel einen Bau von Gott, ein Haus, n i c h t m i t H ä n d e n g e m a c h t, d a s e w i g i s t,*** komplettiert der Apostel Paulus die Worte des allmächtigen Gottes in seinem 2.Brief an die Korinther in Kapitel 5, Vers 1b.

Der Apostel Paulus will es dem Timotheus als auch einem jeden anderen Glaubenden *e i n d e u t i g zu verstehen geben, dass welche Arten von Boshaftigkeiten auch immer – seien diese durch Fremdeinwirkungen der Römer eintretende, mittels des bald auf ihn herannahenden Todes gerichtet – oder sonstige weltlichen, ihm nichts anhabenden Strafen auch immer über ihn kommen werden, G o t t w i r d i h n n i e m a l s v e r l a s s e n.*

In der Tat – *jeder Mensch,* der die Wahrheit Gottes in seinem irdischen Dasein wahrnehmen will, *der übergibt dem himmlischen Vater und dem Herrn Jesus Christus sein eigenes Leben, damit Sie jenes suchende Herz in diesem Menschen mit der Kraft des von Ihnen versiegelten Heiligen Geistes fortan leiten.* Dann wird der Name dieses Glaubenden *von dem Herrn Jesus Christus in das Buch des Lebens geschrieben – und ihm widerfährt die unnachahmliche Gewissheit, dass er auf alle Ewigkeit ein Kind des Höchsten geworden ist.*

Nun wird auch der Herr Jesus Christus zu diesem Menschen folgende, ihn rundum errettende als auch auf Ewigkeit erlösende Worte sprechen: ***... alles, was mir der Vater gibt, wird zu mir kommen; und wer zu mir kommt, den werde ich nicht hinausstoßen. Denn ich bin aus dem Himmel herabgekommen, nicht damit ich meinen Willen tue, sondern den Willen dessen, der mich gesandt hat. Und das ist der Wille des Vaters, der mich gesandt hat, dass ich nichts verliere von allem, was er mir gegeben hat, sondern dass ich es auferwecke am letzten Tag. Das ist aber der Wille dessen, der mich gesandt hat, dass jeder, der den Sohn sieht und an ihn glaubt, ewiges Leben hat; und ich werde ihn auferwecken am letzten Tag*** (Johannes, Kapitel 6, Verse 37 – 40).

Daher ruft der Apostel Paulus *nicht nur den Timotheus, sondern alle an Gott und Christus fest im Glauben stehenden Menschen dazu in aller Beständigkeit und der dazugehörenden Ehrerbietung auf, dem allmächtigen Gott im flehentlichen Gebet zu Ihm unentwegt die vor allem stehende, stets gewichtig zu erachtende Ehre zu geben, weil die unnachahmliche Liebe des himmlischen Vaters allen an Ihn und an Christus Glaubenden wiederum nur in und durch Jesus Christus Ewiges Leben geoffenbart hat.*

Aus dieser voller barmherzigen Gnade des uns liebenden Gottes in Christus Jesus auf die gläubige Menschheit zukommende Gewissheit können somit die Auserwählten des Höchsten *mittels ihrer allseits dankbaren Gebete folgende Worte dem Allmächtigen mit unentwegter Prägnanz bekunden:* ***... rühmet seinen heiligen Namen; es freue sich das Herz derer, die den HERRN suchen!*** (Psalm 105, Vers 3 / Lutherbibel 2017).

Verse 19 – 22
Grüße und Abschiedswort

[19]Grüße Prisca und Aquila und das Haus des Onesiphorus. [20]Erastus blieb in Korinth, Trophimus aber ließ ich in Milet krank zurück. [21]Beeile dich, vor dem Winter zu mir zu kommen! Es grüßen dich Eubulus und Pudens und Linus und Claudia und alle Brüder. [22]Der Herr Jesus Christus sei mit deinem Geist! Die Gnade sei mit euch! Amen.

Auslegung:

Vers 19: Der Apostel Paulus beendet diesen 2.Brief an Timotheus, wie in nahezu allen anderen von ihm verfassten Briefen auch, mit Abschiedsworten und Segensgrüßen. So soll Timotheus nun in Ephesus die Gemeindemitglieder ***... Prisca*** (Priscilla!) ***... und Aquila und das Haus des Onesiphorus grüßen.***

Diese von Paulus benannten Personen sind dem Apostel wohl bekannt. ***Priscilla und Aquila,*** welche zu den ersten Christen gehörten, hat der Apostel Paulus *nach seiner Abreise von Athen nach Korinth i n Korinth kennengelernt* (siehe die Apostelgeschichte des Lukas, Kapitel 18, Vers 1ff.). So heißt es weiterhin in der Apostelgeschichte des Lukas in Kapitel 18 in den Versen 2 + 3: ***... und dort fand er*** (der Apostel Paulus!) ***... einen Juden namens Aquila, aus Pontus gebürtig, der vor Kurzem mit seiner Frau Priscilla aus Italien gekommen war, weil Claudius*** (der damalige römische Kaiser!) ***... befohlen hatte, dass alle Juden Rom verlassen sollten;*** (dieses Dekret wurde im Jahr 49 n.Chr. erlassen = Quelle: Schlachter-Bibel 2000!) ***... zu diesen ging er, und weil er das gleiche Handwerk hatte, blieb er bei ihnen und arbeitete; sie waren nämlich von Beruf Zeltmacher.*** Weiterhin können wir über die Personen ***... Priscilla und Aquila*** Folgendes in Erfahrung bringen; denn der Apostel Paulus betont ihnen gegenüber in seinem Brief an die Römer in Kapitel 16 in den Versen 3 + 4: ***... grüßt Priscilla uns Aquila, meine Mitarbeiter in Christus Jesus, die für mein Leben ihren eigenen Hals hingehalten haben, denen nicht allein ich dankbar bin, sondern auch alle Gemeinden der Heiden.***

Auch kann man aus den an den Gemeindeleiter Timotheus verfassten Grußworten des Paulus erkennen, *dass sich **Priscilla und Aquila** zu der Zeit der Verfassung dieses Briefes zusammen mit dem Timotheus in Ephesus aufhielten.* Daher liegt die Vermutung des Autors nahe, *dass sich **Priscilla und Aquila** mit mancherlei den Timotheus unterstützenden und zugleich ihm konstruktiv beitragenden Hilfsmaßnahmen rege am Werk der Evangeliums-Botschaft Jesu in Ephesus beteiligten.*

Auch ***... das*** dem Timotheus durchaus bekannte, n. E. des Autors fest im Glauben stehende ***... Haus des Onesiphorus*** soll von dem Gemeindeleiter der Epheser mit würdevollen Segenswünschen von dem Apostel Paulus ***...*** *ge**grüßt*** werden (siehe detaillierte Auslegung zu 2.Timotheus, Kapitel 1, Verse 16 – 18!). *Denn diese Mitbewohner stehen gleich* – wie ***Onesiphorus*** auch – *aufgrund ihrer Annahme der Evangeliums-Botschaft Jesu Christi mit unentwegt Gott und Christus gebührender, charakterfester als auch inständiger Aufrichtigkeit durch Glauben im Werk des Herrn – weil diese Mitbewohner ihren Glauben an Gott und den Herrn Jesus Christus in ihren Herzen – gleich wie der Hauseigentümer **Onesiphorus** – rundum verwirklicht haben.*

Vers 20: Eine gegenüber dem Gemeindeleiter der Epheser noch offen stehende Botschaft bekennt Paulus nun dem Timotheus wie folgt – nämlich dass ***... Erastus in Korinth geblieben ist*** – und dass der Apostel den ***... Trophimus in Milet krank zurück gelassen hat.***

Anhand der Apostelgeschichte des Lukas können wir in Kapitel 19 in dem 22.Vers in Erfahrung bringen, dass ***Erastus*** ein ***... Gehilfe*** – ja – ein im Heiligen Geist gesegneter Mitarbeiter des Paulus war. Dieser in Korinth verbleibende ***Erastus*** – der dort – n. E. des Autors – sein Amt weiterhin verwalten musste – ist demzufolge ***... Stadtverwalter*** (Römer, Kapitel 16, Vers 23b) *in Korinth.* Dies sagt uns der von dem Apostel Paulus verfasste Römerbrief, der von Paulus während seiner dritten Missionsreise ca. 56 n.Chr. *a u s K o r i n t h geschrieben wurde* (= Quelle: Schlachter-Bibel 2000!).

Weiterhin benennt Paulus die Person des ***Trophimus,*** den er ***in Milet krank zurückgelassen hat.*** Über die Person des ***Trophimus*** erfahren wir ebenfalls anhand der Apostelgeschichte des Lukas in Kapitel 20 in Vers 4b als auch in Kapitel 21 aus Vers 29, *dass er ein aus der Provinz* ***... Asia*** – ja – ein aus ***... Ephesus*** *stammender Begleiter des Apostels Paulus war, der ihn nach Jerusalem begleitete.* Inwiefern ***Trophimus*** *gesundheitlich angegriffen war, verschweigt der Apostel* – aber demzufolge verbietet diese Krankheit dem ***Trophimus*** eine Fortführung der Reise.

Jedoch ist der Autor davon überzeugt, dass die immerdar im Herzen des Paulus ruhende, seelsorgerische Nächstenliebe *dafür Sorge trug, dass der Apostel den* **Trophimus** *n i c h t o h n e H i l f e a l l e i n* ***in Milet*** *zurückgelassen hat,* sondern Paulus hat mit allergrößter Wahrscheinlichkeit veranlasst, *dass vertrauenswürdige Personen sich um das Wohl des* **Trophimus** *kümmerten, sodass der Apostel den ihm von Gott in Christus geoffenbarten Missionsbefehl weiterhin nach den Richtlinien des Höchsten – nunmehr mit einem beruhigtem Ge-*

*wissen in Bezug auf die dem **Trophimus** zuteilwerdende Hilfe – konsistent ausüben konnte.*

Vers 21: Noch ein weiteres Mal vertieft Paulus seine an den Timotheus gerichtete Bitte aus 2.Timotheus, Kapitel 4, Vers 9, (siehe Auslegung!) indem er den Gemeindeleiter nunmehr sehnlichst wissen lässt: ***... beeile dich vor dem Winter zu kommen!*** *Dieser flehentliche Aufruf des Paulus zeigt weiterhin auf, wie sehr der Apostel es sich wünscht, dass ihn Timotheus in den letzten Stunden seines irdischen Daseins unterstützt. Dass diese Sehnsuchtsfaktoren des Apostels Paulus auch in dem Herzen des Timotheus in gleicher Art und Weise aufzufinden sind, dürfte außer Frage stehen.* Wahrhaft – *Paulus hat alle nur erdenklichen, ihm zur Verfügung stehenden Mittel ergriffen, sodass die Abreise des Timotheus gesichert ist.* Der Apostel hat es *v e r a n l a s s t* – wie wir es bereits in dieser Auslegung unter 2.Timotheus, Kapitel 4, Vers 12 in Erfahrung bringen konnten – *den **... Tychikus nach Ephesus zu senden,** sodass die Gemeinde in Ephesus* – nach der persönlichen Meinung des Autors – *aufgrund der vom Geist Gottes geoffenbarten Zuverlässigkeit des **Tychikus*** (siehe abermals Auslegung zu 2.Timotheus, Kapitel 4, Vers 12!) – *bei des Timotheus Abreise nach Rom n i c h t o h n e g e i s t l i c h e n B e i s t a n d a l l e i n g e l a s s e n w u r d e.* Nun steht ein baldiges, vom Geist Gottes in Christus Jesus getragenes als auch veranlasstes Wiedersehen der beiden Gottesmänner bevor! Dies belegt uns wiederum der von dem Apostel Paulus verfasste Brief an die Philipper – der von Paulus etwa 61 – 63 n.Chr. gegen Ende seiner ersten Gefangenschaft *i n R o m v e r f a s s t w u r d e* (Quelle: Schlachter-Bibel 2000!) – denn dort heißt es unmissverständlich: ***… ich hoffe aber in dem Herrn Jesus, Timotheus bald zu euch zu senden, damit auch ich ermutigt werde, wenn ich erfahre, wie es um euch steht*** (Philipper, Kapitel 2, Vers 19).

Weitere in diesem Schlussteil des 4.Kapitels des 2.Timotheusbriefes in 21.Vers beginnende, an den Timotheus gerichteten Grüße folgen – es grüßen den Gemeindeleiter der Epheser ***… Eubulus und Pudens und Linus und Claudia und aller Brüder*** (Glaubensgeschwister!). *Es handelt sich hiermit nicht nur um den Paulus in seiner Gefangenschaft beistehende Christen – sondern diese waren auch dem Timotheus mittels ihrer an ihn gerichteten Grüße durchaus bekannt.* Leider verkündet uns die Bibel keine weiteren eingehenden Informationen von diesen den Timotheus grüßenden Personen, sodass eine genauere Spezifizierung dieser Christen auch an dieser Stelle offen im Raum stehen bleiben muss.

Vers 22: Der Apostel Paulus beendet diesen geistlich nährreichen 2.Timotheusbrief zunächst mit direkt an den Gemeindeleiter Timotheus gerichteten Worten der Gunst Gottes in Christus Jesus: ***… der Herr Jesus sei mit deinem Geist!*** – und endet demzufolge mit des Paulus Segensgrüßen an alle anderen im unverzagten Glauben zu dem allmächtigen Gott und dem Herrn Jesus Christus stehenden Gemeindemitglieder der Epheser wie folgt: ***… die Gnade sei mit euch! Amen.***

Ja – aufgrund des immerdar im Herzen des Gemeindeleiters Timotheus auffindbaren, festverwurzelten Glaubens steht dieser innige Glaubensbruder des Apostels Paulus in der vom Heiligen Geist ergriffenen, dem Timotheus voller barmherzigen Gnade widerfahrenen Liebe Gottes, die in und durch den Herrn und Retter Jesus Christus vollends wirksam wird. Es ist jenes immerdar erkenn- und ersichtliche *Wirken des Geistes Jesu Christi, der den Timotheus zu einem angenommenen Kind des Höchsten formt und ihm gleichzeitig belegt, dass der Geist des Christus den Timotheus zu einem stets nachzuahmenden Vorbild der Gemeindemitglieder der Epheser geformt hat.* Wahrhaft – dieses rundum in Christus Jesus unentwegt wirksame Geschehen in dem voller Glauben erfüllten Herzen des Timotheus bewirkt, dass er ***... d u r c h Christus eine neue Schöpfung wurde.*** Ja, so Paulus – ... ***das alles aber (kommt) von Gott, der uns mit sich selbst versöhnt hat durch Jesus Christus und uns den Dienst der Versöhnung gegeben hat; weil nämlich Gott in Christus war und die Welt mit sich selbst versöhnte, indem er ihnen ihre Sünden nicht anrechnete und das Wort der Versöhnung in uns legte*** (2.Korinther, Kapitel 5, Vers 17a + Verse 18 + 19).

In der Tat – aufgrund der dem Timotheus zuteilwerdenden, ihn liebenden, barmherzigen Gnade des allmächtigen Gottes *i s t d u r c h d e n Herrn Jesus Christus der Geist des Heilands mit dem Geist des Timotheus v e r e i n t w o r d e n.* Ja – *d i e s e r dem Timotheus von Gott in Christus geoffenbarte Heilige Geist gibt dem Gemeindeleiter der Epheser folglich unentwegt preis* – ja – *diese in seinem Herzen ruhende, stetige zuversichtliche Gewissheit b e k e n n t i h m i m m e r d a r – dass er* ***... ein Kind Gottes ist*** (Römer, Kapitel 8, Vers 16b) – *als auch dass sein Name im B u c h d e s L e b e n s steht – jener im Herzen des Timotheus vom Höchsten verankerten Loyalität – die dem Timotheus u n m i s s v e r s t ä n d l i c h a u f w e i s t, dass er bei der Paru-*

sie Christi (der Wiederankunft des Herrn Jesus Christus am Tag des Jüngsten Gerichts!) *ein eindeutiges J a w o r t von dem himmlischen Vater erhalten wird, welches ihm das Tor zu der Herrlichkeit Gottes d u r c h d e n H e r r n J e s u s C h r i s t u s in den himmlischen Regionen auf Ewigkeit öffnet.*

Ja – es wiederum dieses rundum erwirkte als auch den Timotheus prägende, nun in seinem voller Glauben erfüllten Herzen vollends zuteilwerdende Gnadengeschenk Gottes in dem Herrn Jesus Christus mittels der Kraftwirkung des Geistes der Wahrheit – so der Apostel Paulus – welches dem Gemeindeleiter offen darlegt, *dass sich das anerkennende Wirken s e i n e s allseits tiefgründigen Glaubens in die Herzen der Gemeindemitglieder der Epheser geoffenbart hat, die nunmehr auch diese sie rundweg liebende Gnadentat des sie liebenden Gottes i n u n d d u r c h C h r i s t u s aufgrund ihres inständigen Glaubens a n d e n H e r r n J e s u s C h r i s t u s i n E w i g k e i t g e n i e ß e n d ü r f e n.* Daher bekennt der Apostel Paulus der fest im Glauben an Gott und den Herrn Jesus Christus stehenden Gemeindemitgliedern der Epheser aufrichtig aus tiefstem Herzen heraus: ***… die Gnade sei mit euch! Amen*** (2.Timotheus, Kapitel 4, Vers 22b).

Der Herr Jesus Christus spricht:

Alles, was mir der Vater gibt, wir zu mir kommen; und wer zu mir kommt, den werde ich nicht hinausstoßen.

(Johannes, Kapitel 6, Vers 37)

Nachwort

Sehr geehrte Leser,

in Anbetracht der mir zuteilgewordenen, barmherzigen Gnade Gottes konnten die von mir bereits verfassten Auslegungen der Paulusbriefe (beginnend mit dem Römerbrief bis einschließlich des Briefes des Paulus an die Thessalonicher!) nun mit den beiden von dem Apostel Paulus verfassten Briefen an Timotheus ergänzt werden.

Ich hoffe zutiefst, dass es mir bestmöglich gelungen ist, Ihnen einen näheren, tiefgründigen Einblick in diesen von der vollkommenen Herrlichkeit des allmächtigen Gottes in dem Herrn Jesus Christus betonten beiden Briefen des Apostels Paulus an den Timotheus mit meinen bescheiden gewählten Worten anhand dieser Auslegung hinterlegt zu haben.

Wer den allmächtigen Gott und den Herrn Jesus Christus mit einer willigen Bereitschaft von ganzem Herzen im Glauben aufsucht, um Ihnen das eigene Leben zu übergeben, damit Gott und Christus es fortan gemäß Ihren von ganzer Wahrheit geprägten Richtlinien leiten, der hat die Botschaft Gottes, die der himmlische Vater *einem jeden Menschen in dem Herrn und Erlöser Jesus Christus geoffenbart hat,* vollends in seinem Herzen aufgenommen. Denn Gott spricht: ***... der Gottlose verlasse seinen Weg und der Übeltäter seine Gedanken; und er kehre um zu dem HERRN, so wird er sich über ihn erbarmen, und zu unserem Gott, denn bei ihm ist viel Vergebung*** (Jesaja,

Kapitel 55, Vers 7). Diese Suchenden haben erkannt, dass ein Dasein *ohne* die immerdar von ganzer Wahrheit umgebene Evangeliums-Botschaft Jesu Christi *mit lauter Hilflosigkeit und innerer Leere verbunden ist.* Diese rundweg hilfebedürftigen, ja – geradezu erbarmungswürdigen Faktoren führen die Menschen wiederum in eine von dieser Weltzeit beherrschte, sie fortan bestimmende, rundum verfinsterte Dunkelheit hinein, welche sich dem widerwertigen Gott dieser Weltzeit angepasst hat, sodass sich diese Menschen mehr und mehr in den listigen Fängen des Satans verfangen. Wer jedoch die Hilfe des uns liebenden himmlischen Vaters mit einer festen, unverzagten Entschlossenheit von Herzen aufsucht, denen schenkt Seine barmherzige, nun den Suchenden zuteilwerdende Gnade *in Jesus Christus den Ausweg aus diesem verlassenen, scheinbar aussichtlosen als auch hoffnungslosen Labyrinth der lichtleeren, vom Teufel behafteten Trostlosigkeit.* Ja – der allmächtige Gott spricht nunmehr zu diesen Ihn aufsuchenden Personen: ***… ja, ihr werdet mich suchen und finden, wenn ihr von ganzem Herzen nach mir verlangen werdet; und ich werde mich von euch finden lassen, spricht der HERR*** (Jeremia, Kapitel 29, Verse 13 + 14a). Doch die Gnade des Höchsten reicht noch viel weiter; denn bei Seiner Selbstverwirklichung in den Herrn und Retter Jesus Christus hat der himmlische Vater der an Ihn und den Heiland glaubenden Menschheit einen Erretter geoffenbart, der die Suchenden nunmehr Folgendes wissen lässt: ***… denn so (sehr) hat Gott die Welt geliebt, dass er seinen eingeborenen Sohn gab, damit jeder, der an ihn glaubt, nicht verlorengeht, sondern ewiges Leben hat*** (Johannes, Kapitel 3, Vers 16). Nun wird der allmächtige Gott die an Ihn und an den Herrn Jesus Christus von ganzem Herzen Glaubenden mit dem Beistand, ja – ihre einst verfinsterten, steinernen Herzen *werden von dem Lichtglanz der Herrlichkeit Christi mit* *dem Heiligen Geist versiegelt und vereinnahmt, sodass sie nunmehr fleischerne Herzen besitzen, welche die Frohe Botschaft voller Gott und Christus gebührender Dankbarkeit im wahrhaftigen Glauben an Sie aufnehmen – auch werden ihre Namen fortan im Buch des Lebens von dem Herrn Jesus Christus eingetragen werden. Von nun an* begreifen diese *in und aus der Gnade Gottes* in Christus Jesus stehenden Menschen, wenn der Heiland zu ihnen mit folgenden barmherzigen, nun auch ihnen rundum zuteilgewordenen Worten spricht: ***... alles, was mir der Vater gibt, wird zu mir kommen; und wer zu mir kommt, den werde ich nicht hinausstoßen*** (Johannes, Kapitel 6, Vers 37).

Wenn wir uns diese gesprochenen Worte des Herrn Jesus Christus aus dem Johannesevangelium, Kapitel 6, Vers 37 nunmehr näher in Betracht ziehen, so werden wir feststellen, dass der Heiland bei dieser Seiner Aussage das Wort „alles" betonend hervorhebt. Dies sagt aus, dass *wer auch immer* seinen tief im Herzen ruhenden Glauben von ganzem Herzen auf die niemals verzagende Hilfe Gottes in dem Herrn Jesus Christus setzt, der hat es fortan der *allein von Gott ausgehenden, rundum wirksamen Kraftquelle zu verdanken, dass dieser innige Glaubenswille a l l e Suchenden zu dem Herrn und Erlöser Jesus Christus trägt.* In der Tat – so der Apostel Paulus in seinem Brief an die Galater in Kapitel 3 in Vers 28: ***... da ist weder Jude noch Grieche, da ist weder Knecht noch Freier, da ist weder Mann noch Frau; denn ihr seid a l l e e i n e r in Christus Jesus.*** Ja – Gott ***... w i l l, dass a l l e M e n s c h e n g e r e t t e t w e r d e n u n d z u r E r k e n n t n i s d e r W a h r h e i t k o m m e n*** – diese gnadenreiche Botschaft hebt der Apostel Paulus in seinem 1.Brief an Timotheus in Kapitel 2 in Vers 4 (siehe Auslegung!) dankbar hervor. *Der allmächtige Gott, von dem a l l e zum Heil der Herrlichkeit führende Wahrheit i n u n d d u r c h C h r i s t u s J e s u s ausgeht, sieht a l l e an Ihn und an den Heiland g l a u b e n d e n M e n s c h e n a l l e r Z e i t e n g l e i c h a n.* Ja – der Herr Jesus Christus spricht an dieser Stelle von dieser *allein von Gott gegebenen, nun ersichtlich als auch erkennbar gewordenen Wirksamkeit in den Herzen der Glaubenden, welche sie letztlich zu Kindern Seiner selbst formt.* Wahrhaft – *in diesen einst suchenden Herzen hat sich der Durst als auch der Hunger nach der wahrhaftigen Gerechtigkeit und Wahrheit mittels der vom himmlischen Vater nunmehr verwirklichten Glaubensannahme an den Herrn Jesus Christus rundum gestillt und zugleich erfüllt.* Dieser immerdar flehentliche, von ganzem Willen behaftete Drang der Glaubenden *ist jener allein von dem allmächtigen Gott ausgehende, konsistent gnadenreiche Barmherzigkeitsfaktor, der letztlich in der Person des Christus vollends wirksam wird.* Denn der Herr Jesus Christus *nimmt diese Ihm von seinem himmlischen Vater suchenden, im Glauben stehenden Menschen als ein überaus wertvolles, stets zu beachtendes Geschenk an – und wird diesen von Gott Auserwählten auf a l l e E w i g k e i t b e k e n n e n:* ***... kommt her, ihr Gesegneten meines Vaters, und e r b t d a s R e i c h, d a s e u c h b e r e i t e t i s t s e i t G r u n d l e g u n g d e r W e l t!*** (Matthäus, Kapitel 25, Vers 34).

Wahrhaft – der himmlische Vater hat dem Herrn und Erlöser Jesus Christus ***... Vollmacht gegeben über alles Fleisch,*** (alle an den Herrn Jesus Christus Glaubenden!) ***... damit er allen ewiges Leben gebe, die du*** (Gott!) ***... ihm gegeben hast. Das aber ist das ewige Leben, dass sie dich, den allein wahren Gott, und den du gesandt***

hast, Jesus Christus, erkennen (Johannes, Kapitel 17, Verse 2 + 3). Ja – so spricht der Herr Jesus Christus weiterhin zu Seinen Kindern: ***… kommt her zu mir alle, die ihr mühselig und beladen seid, so will ich euch erquicken!*** (Matthäus, Kapitel 11, Vers 28). Wenn die Glaubenden diese Worte des Heilands in ihrer ganzen ausgeprägten, zur Herrlichkeit Gottes leitenden *Fülle in ihren Herzen verwirklicht haben, so werden diese Herzen mit dem unnachahmlichen Lichtglanz der Herrlichkeit Gottes im Herrn Jesus Christus erfüllt – und haben fortan die zuversichtliche Gewissheit – Dank ihres inständigen Glaubens – dass sie* ***… zum ewigen Leben*** von Gott ***… bestimmt wurden*** (die Apostelgeschichte des Lukas, Kapitel 13, Vers 48b).

Ja – diese zum Heil der Herrlichkeit leitende Botschaft Gottes in dem Herrn Jesus Christus können wir auch aus den beiden Briefen des Paulus an Timotheus vollends vernehmen. Denn diese handeln von der immerdar erforderlichen Gottesfurcht, damit die Evangeliums-Botschaft des Herrn Jesus Christus auf einen unentwegt nährbaren als auch ertragreichen Boden fällt, *damit der geistlich-fruchtbare Dienst aller Glaubenden sie a l l e g e m e i n s a m mit einem J a w o r t des Höchsten in den Zielhafen der himmlischen Herrlichkeit Gottes leitet.*

Dass auch Sie – liebe Leser – einen unentwegt gefestigten, konstant vom Heiligen Geist Gottes getragenen Glauben an den Herrn und Retter Jesus Christus mittels der dem allmächtigen Gott gebührenden Lobpreisungen als den vor allem stehenden, gewichtigen Mittelpunkt Ihres Daseins mit einer stets zuversichtlichen Gewissheit betrachten, das wünsche ich Ihnen allen von ganzem Herzen!

Gottes Segen Ihnen allen!

Patrick Rompf hat folgende weitere Bücher beim BoD - Verlag veröffentlicht:

Ein neues Leben –

Depressionen mit himmlischem Vertrauen bewältigen

ISBN: 978 – 3 – 7322 – 3437 - 0

Glaube der zum Leben führt

ISBN: 978 – 3 – 7322 – 4252 - 8

Dein Geschenk heißt Jesus

ISBN: 978 – 3 – 7322 – 8286 – 9

Der Römerbrief

Eine Auslegung

ISBN: 978 – 3 – 7357 – 3973 – 5

Gott ist für Dich!

ISBN: 978 – 3 – 7357 – 6074 – 6

Die Korintherbriefe

Eine Auslegung

ISBN: 978 – 3 – 7386 – 4864 – 5

Der Galaterbrief

Eine Auslegung

ISBN: 978 – 3 – 8482 – 0737 – 4

Der Epheserbrief

Eine Auslegung

ISBN: 978 – 3 – 7412 – 9929 - 2

Der Philipperbrief
Eine Auslegung
ISBN: 978 – 3 – 7431 – 9751 - 0

Der Kolosserbrief
Eine Auslegung
ISBN: 978 – 3 – 7448 – 9756 – 3

Die Thessalonicherbriefe
Eine Auslegung
ISBN: 978 – 3 – 7528 – 1114 – 8